——《合肥通史》编纂委员会——

主　　任：凌　云
副 主 任：韩　冰　钟俊杰　林存安　吴春梅
委　　员（以姓氏笔画为序）：
　　　　　王家贵　王道才　吴利林　汪秀坤　李尚才
　　　　　罗　平　查　凯　洪家友　夏毓平　黄群英
　　　　　谢　军

——《合肥通史》编纂委员会办公室——

主　　任：夏毓平
副 主 任：夏元荣　许昭堂
成　　员：王东征　贾　猛　李平原

——《合肥通史》学术指导委员会——

顾　　问：卜宪群　黄传新　朱士群

主　　任：陆勤毅

委　　员（以姓氏笔画为序）：

　　　　王道才　宁业高　朱万曙　朱玉龙　汤奇学

　　　　张　生　苏士珩　沈世培　施立业　翁　飞

　　　　戴　健

远古至南北朝卷

陈立柱 周崇云 ○ 主编

合肥通史

《合肥通史》编纂委员会 编

全国百佳图书出版单位
时代出版传媒股份有限公司
安徽人民出版社

图书在版编目(CIP)数据

合肥通史　远古至南北朝卷/陈立柱　周崇云主编.—合肥:安徽人民出版社,2016.8

ISBN 978-7-212-09191-0

Ⅰ.①合…　Ⅱ.①陈…　Ⅲ.①合肥市—地方史—远古—南北朝时代　Ⅳ.①K295.41

中国版本图书馆 CIP 数据核字(2016)第 168788 号

合肥通史　远古至南北朝卷
HEFEI TONGSHI　YUANGUZHINANBEICHAOJUAN

《合肥通史》编纂委员会　编

陈立柱　周崇云　主编

出 版 人:徐　敏			
选题策划:刘　哲　丁怀超		责任印制:董　亮	
责任编辑:黄牧远　王　琦		装帧设计:程　慧	

出版发行:时代出版传媒股份有限公司　http://www.press-mart.com
　　　　　安徽人民出版社　http://www.ahpeople.com
地　　址:合肥市政务文化新区翡翠路 1118 号出版传媒广场八楼　邮编:230071
电　　话:0551-63533258　0551-63533292(传真)
制　　版:合肥市中旭制版有限责任公司
印　　刷:安徽新华印刷股份有限公司

开本:710mm×1010mm　1/16　　印张:39.75　　字数:540 千
版次:2017 年 5 月第 1 版　　2017 年 5 月第 1 次印刷

ISBN 978-7-212-09191-0　　　　定价:200.00 元

版权所有,侵权必究
发现印装质量问题 请联系:(0551)63533291

一部人民的合肥史

卜宪群

在合肥市委市政府和《合肥通史》编委会的领导下,在专家学者及各方的共同努力下,煌煌三百万字、六卷本的《合肥通史》终于面世了。这是安徽文化建设上的一件大事,更是合肥文化建设上的一座里程碑,必将在合肥发展历史进程中留下浓重的印迹。在这部通史即将付梓之际,编纂委员会领导嘱我写几句话。我随《合肥通史》的各位专家一起走过了五年多的编纂历程,感慨良多,殊知不易!故虽学识浅薄,但却无由推辞。通览这部通史,如果要用一句话来概括,我想说:这是一部人民的合肥史。为此,我谈三点认识。

一、通史编纂体现了时代与人民的要求

中华民族的历史是各地区、各民族共同创造、汇聚而成的。汇聚不是一盘散沙的拼凑,而是在血缘认同、乡里认同、心理认同、文化认同、民族认同、国家认同等诸多层面基础上形成的,是在各地区、各民族之间经济文化交流往来基础上形成的。数千年来,中华民族的历史道路以及其中所蕴含的历史认同,始终是各时期民族自强不息的强大动力,是中华民族共同体长久延续的精神源泉。习近平总书记曾指出:"宣传阐释中国特色,要讲清楚每个国家和民族的历史传统、文化积淀、基本国情不同,其发展道路必然有着自己的特色;讲清楚中华文化积淀着中华民族最深沉的精神追求,是中华民族生生不息、发展壮大的丰厚滋养;讲清楚中华优秀传统文化是中华民族的突出

优势,是我们最深厚的文化软实力;讲清楚中国特色社会主义植根于中华文化沃土、反映中国人民意愿、适应中国和时代发展进步要求,有着深厚历史渊源和广泛现实基础。"

"四个讲清楚"既是习总书记对传统文化研究者和理论宣传工作者的重托,更体现了时代与人民的要求。在实现中华民族伟大复兴的今天,要通过讲清楚中国和每个国家与民族的历史,使我们懂得历史不能任意选择,中华民族的历史是中华民族安身立命的基础,中国特色社会主义道路是中国历史发展的必然选择。近代以来的中国历史,新中国建立以来的历史,改革开放以来的历史都充分证明,中国特色社会主义道路是实现中国梦的必由之路,是与时代要求、与最广大人民的根本利益完全一致的。我们要坚定走中国特色社会主义的理论自信、制度自信、道路自信,树立全民族的文化自信。

任何优秀的历史文化传统都不仅具有理论层面的意义,而将随着时代的变化焕发出不朽的光辉,产生出时代的价值,作为绵延五千多年的中华传统文化更是如此。中华传统文化对治国理政具有重要借鉴意义。习近平总书记指出,"在漫长的历史进程中,中华民族创造了独树一帜的灿烂文化,积累了丰富的治国理政经验,其中既包括升平之世社会发展进步的成功经验,也有衰乱之世社会动荡的深刻教训。我国古代主张民惟邦本、政得其民、礼法合治、德主刑辅,为政之要莫先于得人、治国先治吏,为政以德、正己修身,居安思危、改易更化,等等,这些都能给人们以重要启示"。他强调,中华优秀传统文化"可以为人们认识和改造世界提供有益启迪,可以为治国理政提供有益启示,也可以为道德建设提供有益启发"。

要讲清楚中华民族的历史文化,自然首先要讲清楚各区域、各民族的历史文化。中华文化是在不同时空范围内,由各区域、各民族的人民共同创造的。讲清楚合肥的历史文化,根本目的还是为了今天合肥的建设与发展,是为合肥美好的未来汲取历史营养,借鉴历史经验。中华民族素有修史的优良传统,历代史著为中华民族的延续成长提供了不竭动力。但不可否认,传统史学的本质目的是资政,这个

"政"是统治阶级、剥削阶级的政。这与我们今天修史的目的有着本质区别。因为今天的政与民的关系是一致的、统一的,今天合肥的建设与发展就是合肥人民的政。在合肥快速发展的今天,迫切需要这样一部通史。《合肥通史》的编纂与出版正是顺应时代与人民的要求。她的出版,一定能够从多层面推动合肥的建设与发展。

二、通史坚持唯物史观的理论指导

一部人民的合肥史是在马克思主义唯物史观指导下撰写的历史。只有以唯物史观为指导,才能坚持科学的历史观,坚持正确的史学研究方向,揭示历史发展的规律、动力,真正达到"存史、资政、育人"的目的。摆在我们面前的这部《合肥通史》就是按照这个原则编纂的。

首先,坚持以马克思主义社会形态学说贯穿始终。社会形态学说是唯物史观的核心,是科学观察分析人类社会历史阶段性演进的一把钥匙。通史以生产工具的阶段性使用为标志,将合肥史前时代划分为旧石器时代与新石器时代。以氏族及氏族社会组织的发展来阐释史前合肥人类社会组织的变化,以生产力的发展水平、氏族社会组织的解体,并根据合肥的历史实际来解释史前合肥向文明时代的过渡;以生产力与生产关系的矛盾运动来分析合肥由奴隶制时代向封建制时代转折的历史;以及封建时代各历史时期阶段性演变的特征;以半殖民地半封建社会的历史事实来记述鸦片战争后至辛亥革命的合肥历史;以社会主义新中国的建立作为合肥历史进程中的崭新一页。如此分述,均体现了编纂者用马克思主义社会形态学说统领通史的基本精神,使读者清晰地把握住合肥历史的总体脉络,科学地认识合肥历史发展规律。

其次,注重各时期社会经济史的研究,将经济史与政治史、社会史相结合。唯物史观的基本原理是从社会经济关系的演变来探讨人类社会的发展规律。马克思在《〈政治经济学批判〉序言》中指出:"物质生活的生产方式制约着整个社会生活、政治生活和精神生活的过程。不是人们的意识决定人们的存在,相反,是人们的社会存在决定人们的意识。"通史坚持了这个原则,各卷不仅用较大的篇幅来研究各时期社会经济状况,也注重对应时期社会经济发展与合肥历史进程之间的关系,注重生产力与生产关系,经济基础与上层建筑之间的作用与反作用关系。例如第一卷中,作者用人口增长、社会分工和商品经济的发展水平,来解释战国时期各诸侯国基层行政组织设立的类型差异、程度差异,用大一统王朝的建立,解读包括合肥在内的江淮地区经济全面发展的历史事实;又如第二卷中,作者指出,唐代国家统一、社会稳定,特别是唐前期政治清明,江淮社会经济也出现了前所未有的繁荣景象;再如第三卷,作者用详细的数据,说明明清时期合肥社会经济发展的状况以及统治阶级恢复生产的具体举措。这些均体现从社会经济史的视角来观察分析历史,可以看清历史发展的根本动力、历史发展的阶段性和规律性。

最后,坚持人民群众是历史的创造者。人民群众是历史的创造者是唯物史观基本原理之一,它与唯物史观的其他各项原理又有着不可分割的内在关系。无论是物质生活的生产方式,还是人类社会运动变化的最基本因素中,人民群众都是最终决定性的力量。因此,是否坚持人民群众是历史创造者,是衡量一部史著是否坚持正确的历史观,是否能够为党和人民服务的根本标志。通史各卷也都遵循着这一基本原则。第一,通史坚持马克思主义社会形态学说,注重从社会经济的角度探讨合肥历代社会发展变化的原因,这本身就是坚持人民群众是历史创造者的基本原理。历史上的人民群众,既是最直接的生产者,也是社会生产力的创造者。第二,通史不仅反映了历代统治阶级在合肥的政治治理,也反映了经济、社会、文化等各方面的内容,这是旧的史学体裁所无法比拟与涵盖的。通史还用饱满的笔触记录了合肥从旧的剥削制度下的政权向人民政权、向改革开放、向"大湖名城,创新高地"目标转变的宏伟进程,体现了人民创造历史的伟大动力。第三,通史站在人民的立场上,展现并充分肯定了历代人民大众在反抗剥削阶级的残暴统治、腐败政治,推动历史前进的动力作用;讴歌了合肥人民在辛亥革命、新中国建立中建立的丰功伟绩。

三、通史充分体现了存史、资政、育人的功能

中国古代史书的体裁、题材都很丰富,但恰恰在城市史方面很薄弱。由于中国古代并没有明确的"城市"概念,同时"城池"作为政区的一部分,除了都城和某些著名、重要的城市在史著中提及外,也并未被史家特殊对待,因此城市史的编写一直没有得到重视,使得这方面的史料保存不够系统。古代城市史除了《历代宅京记》《日下旧闻考》《东京梦华录》《唐两京城坊考》等,其他无非是在典志和方志里面有一些记载,还有文学家诗人作品里面记录的一些遗闻轶事。总的来讲,传统史学这方面的内容不多,也不够系统。合肥的历史尤其如此。因此,要发挥这部通史存史、资政、育人的功能,系统收集整理资料,体例完备而有序地梳理出合肥历史发展脉络,总结合肥历史发展过程中的基本规律和经验教训,便成为撰著者的首要任务。我认为通史出色地完成了这个任务。

存史。《合肥通史》是一部城市史,也是一部区域史。通史系统梳理了合肥境内自远古人类起源至当代的历史全过程。众所周知,今日的合肥作为华东、江淮重镇,安徽的省会,已巍巍壮观。历史上的合肥虽然地理位置很重要,却由于处于南北过渡地带,兵燹战乱频仍,远离各朝政治中心,始终未能发展成为一座有规模的政治中心城市。例如,在春秋战国时的城市大发展中,合肥未能成为列国的重要城市。至西汉中期,司马迁在《史记》中才首次提及"合肥"一词。秦汉以后的历代,合肥分析归属不一。虽然隋代开始合肥作为独立政区存在,清康熙六年安徽建省,又以庐州府属之,但直至新中国成立前,合肥仍是县级建制。由此导致合肥作为一座城市在相当长的时期里的资料比较缺乏比较零散,可资文献不多。可贵的是各卷作者不辞辛苦,爬梳剔理,旁征博引,分析考证,博采众说,终于清理合肥

历史的基本脉络。尽管有些观点还不能说是定论,也不能说所有问题都搞清楚了,但这个轮廓出来了,这是很了不起的贡献!

不仅合肥行政建置体系基本脉络梳理出来了,经济、社会、文化、人物等各方面也立目有序,统筹条贯,资料翔实,展现了数千年来合肥的历史风采,保存了合肥的历史面貌,这又是一大贡献!通史的"存史"体现了学者严谨治学的精神,如合肥置县始于何时?作者没有盲从一些史话中的秦置县说,而是谨慎地采纳了汉武帝元狩元年左右说。这种实事求是的态度是可取的,不仅没有降低合肥的历史地位,反而增强了通史的科学性。这样的例子各卷都有很多。

《合肥通史》是以历史上的合肥、今天的合肥行政管辖区域里的历史作为编写对象的,因此她是一部城市史,也是一部区域史,甚至是江淮地区的历史。特别值得一提的是,2011年巢湖撤市,部分并入合肥,《合肥通史》的编纂也将这部分地区纳入,使得这些区域的历史依靠通史而得以保存了下来。

资政。与传统史学资政的根本目的在于总结统治阶级巩固统治地位,维护君主专制,甚至鼓吹权术不同,一部人民的合肥史是站在人民的立场,古为今用,全面如实地记述历史,科学地总结历史规律、历史经验教训,为今天党和国家领导下的人民政权资政。通史的资政作用体现在三个方面:一是系统收集整理了各类资料,使合肥历史发展的各个阶段,从自然环境变化、行政区划演变,到政治上的治乱兴衰、经济领域各部门的状况、社会发展态势以及人文风尚、文化教育等都有据可查,有史可依。政府各部门的决策都可以从中寻找各类基本的历史资料与信息。史学的资政作用不能是断章取义、为我所需,而是要建立在尽可能全面掌握历史资料的基础上。因此,最大限度地保存历史材料,整理归纳,是历史学发挥其作用的最基本前提,通史各卷都做到了这一点。

二是从多方面总结合肥历史发展过程中的特点。没有任何地区的历史是完全相同的,探讨历史的统一性与差异性是史学的基本功能。《合肥通史》的编纂者既将合肥历史放在中华统一多民族国家形成与发展的大背景中,又注重归纳合肥自身各时期历史的特点。如各卷从政治上细述了各历史时期中央政权的政治、政局变化与合肥政治地位、军事地位演变的关系。指出合肥直属中央行政管辖建置的过程与汉武帝强化中央集权的措施相一致;两汉政府长期注重委派治国能臣在这一地区担任官职,体现了中央政府对本地区的重视;东汉后期中央集权的瓦解与分裂割据势力的加强,是合肥政治社会动荡,并向军事重镇演变的原因;隋统一后庐州(庐江郡)的设立,为合肥政区长期稳定、地方社会发展创造了有利条件,等等。合肥虽处南北经济贸易交通要道,但历史上江淮地区经济基础薄弱,合肥经济也长期处于起伏不定状态。各卷从经济上总结了各历史时期农业、手工业、商贸、城镇、交通、人口、自然灾害的基本状况。如认为由于地理位置的关系,合肥社会经济发展极易受内外因素的干扰,在王朝更替、战乱与休养生息之间徘徊发展。但在某些时期,特殊的地理位置也可以成为推动合肥发展更为迅速的有利因素。各卷还从社会文化上揭示出以合肥为中心的江淮区域特色,如西汉唐宋时期循吏、廉吏、能吏、官僚群体世出与文化的关系,各时期教育状况、文化名人及其取得的突出成就,各时期民俗民风、宗教信仰、民间组织及其功能的基本情况,历代历史遗存的分布等。

  三是探讨合肥历史发展过程中的若干经验教训。合肥历史虽然久远,与我国其他许多区域中心城市历史相比较,其历程确实又比较曲折。通史高度重视这些现象的分析与史料的保存。如先秦时期的合肥为什么没有形成以自身为中心的政治大国,政局变动与合肥社会经济发展究竟存在着怎样的辩证关系,作为区域经济要道与贸易集散中心的合肥历史上为何没能够形成较大规模型的城市,社会主义道路进程中合肥发展的曲折,等等。

  今天的合肥是从历史的合肥而来,历史上合肥发展中的一些规律性问题、特征性问题,仍然是今天合肥决策所必须具有的历史认识。我想,在历史文化资源已经成为各地经济社会发展新的增长点的今天,所有这些对于我们合肥市委、市政府的"资政"都有重要的借鉴意义。

育人。通史以正确的历史观，科学的历史知识，多层次的归纳总结，丰富的历史资料，记录并展示了合肥历史，这是通史能够达到育人目的的前提。通史描述了合肥在中华文明发展进程中各时期的历史地位，揭示了自古以来合肥人民在物质文化、精神文化、制度文化创造上的伟大精神。通史既体现出合肥作为中华文明一部分的统一性，又展示出合肥自身的历史特色，做到了历史的统一性与多样性的有机结合。阅读完这部通史，读者可以从中获得多方面的知识，可以从中增强对合肥的亲切感，可以加深对合肥历史的思考，可以树立今天合肥人的文化自信。

在"育人"上我想特别提到的一点是，通史具有历史认同与文化认同并重这样一个显著特点。这些年的区域史或城市史编纂中遇到一个问题，就是关于历史认同与文化认同、民间认同的关系问题。所谓历史认同，是指有确切史料或比较确切的史料可以考证的历史，是史学家认同的历史；所谓文化认同，是指长期在文献或民间流传，但又难以确切考证的传说，大都是普通民众的信仰和社会大众相信的历史。我以为，这些具有地方文化色彩的内容，即便是传说，只要不是荒诞无稽且具有积极精神的，完全也应当在地方史中收入。比如说有巢氏的问题，通史不仅给予了记录，还进行了详细的文献考证。这部分知识同样可以起到育人的作用。

习近平指出，"中华优秀传统文化是中华民族的突出优势，是中华民族自强不息、团结奋进的重要精神支撑，是我们最深厚的文化软实力"，"我们要坚持道路自信、理论自信、制度自信，最根本的还有一个文化自信"。我相信，这部通史尽管还存在一些不完善之处，但一定能够在合肥未来建设与发展中发挥她应有的作用！在此，我也向倡导、支持通史编著的合肥市委、市政府，向《合肥通史》编纂委员会，向全体编纂者，向所有为这部通史做出贡献的各界人士表示衷心的祝贺！

作者系中国社会科学院历史研究所所长、研究员

总 论

陆勤毅

从司马迁《史记》货殖列传记载合肥事迹算起,合肥已经有了2000多年的历史,并且在中国历史的各个时期都扮演着不同的但不可缺少的角色。新中国成立后合肥作为安徽省省会,担负着全省政治、经济、文化中心的地位。特别是1978年开始的改革开放,合肥得到了前所未有的发展机遇,省会首位度的地位逐渐显现,在全国的地位进一步提升。其间,一部全面完整记述合肥历史文化的《合肥通史》却一直缺失。2011年合肥市委、市政府决定启动《合肥通史》编纂工作,并及时组建编委会、学术指导委员会,聘请专家学者承担各卷编写任务。

《合肥通史》编写的原则是,坚持以辩证唯物主义和历史唯物主义为指导,坚持严谨细致、实事求是的学风,坚持把合肥的历史发展进程置于中国历史的大背景中进行考察分析。针对合肥历史资料两汉以前极度缺乏、两汉至明清比较丰富、明清以后极大丰富的实际情况,在史料运用方面,注意处理好文献资料和文物考古资料、正史记载和地方史料的关系,对于保证《合肥通史》的质量起到了重要作用。经过五年多辛勤、细致、严谨的工作,一部拥有六卷七册、上自原始时代下至2011年、近300万字的《合肥通史》呈现在了世人面前。

为了方便读者阅读《合肥通史》,了解自旧石器时代以来合肥地区的人们生活在怎样的自然环境之中,了解原始时代合肥先民的生产生活状况,了解自夏代以来合肥历史的各个阶段在怎样的中国历史大趋势下发展演变,了解人类最具历史传承意义的文化因素在合肥历史的各个阶段有怎样的特征性表现,《合肥通史》总论作出如下表述。

一

要了解合肥自旧石器时代到当代的发展历程,不得不从更新世以来合肥及其周边地区的自然环境开始。我国古代哲人很早就注意到人与自然的关系,距今2500多年前的道家文化创始人老子就说过"人法地地法天天法道道法自然",十分精辟地阐明了人地天道之间的关系。

这是因为,人类的生活、生产活动与自然环境有着密切的关系,即使是在科学技术水平如此之发达的现代,人类社会仍然无时无刻不受到自然的制约。在原始时代和古代社会,人类文明的每一微小的进步都离不开自然环境的影响。

早更新世的安徽淮北地区的气候与北京周口店一带及上海地区的孢粉反映的气候一致,气温偏低,雨水较少,属于干燥暖温带气候环境。地表以湖泊面积居多,陆地相对较少,森林植被相应较少,哺乳动物的生存和繁衍受到限制。与此相应,早更新世淮北地区人类生存环境较为恶劣,早期人类赖以生存的食物来源,主要是植物的根茎、果实等草类食物,哺乳动物等肉类食物都较为缺乏。

早更新世的江淮地区以丘陵岗地为主要地形,生活在江淮地区的古动物群组合表明,此时江淮地区植被相当发育,山间谷地多草本植物,丘陵岗地多森林植被,气候相当湿热。生活的动物种类较多,如马、鹿、三齿马等都是早期人类经常捕捉的对象。这样的气候条件和地理环境能够满足人类生存繁衍的需要。虽然在江淮地区目前还没有发现早更新世的人类化石,但是已经掌握的资料告诉我们,早更新世的江淮地区是适合人类生存的。

早更新世的皖南地区属温湿性气候,具有草原和森林同时存在的环境,河流发育及河流阶地的分布,预示着人类生活的基本条件已

经具备,食物、水、制作旧石器的原料都是充分具备的。

到了中更新世,淮北、江淮和皖南地区的自然环境对于动植物生长都已十分适宜。此时,江淮地区的动植物资源非常丰富,分布范围更广,其中尤以巢湖流域和大别山区为甚。发现的古人类化石有和县猿人和巢县智人,从人类发展历程看,他们之间的关系可以看作是相互衔接的。再结合巢湖望城岗发现的旧石器地点群的文化因素分析,和县猿人、巢县智人及望城岗石器的制作者为当地人种的结论有一定道理。在水阳江流域和广德发现的大量旧石器地点表明,皖南地区的自然环境比淮北、江淮更加适宜人类生存。

到了晚更新世,淮北平原已经形成,但由于此时气候变冷,森林草原较前退缩,中更新世生活在这里的喜暖性动物南迁,留下的动物种类主要是适应草原环境和山地树林环境的哺乳动物。虽然有了这些变化,但人类生存的基本条件还是具备的。江淮地区虽未发现这一时期的人类化石和旧石器地点,但由巢湖及其周边地区发现的哺乳动物化石观察,气温虽然降低了,但保留的植被仍然可以维持大量哺乳动物的生存,人类生活的条件是能够满足的。皖南地区的气候、地理条件与今天大致相同,河流、山地基本定型,森林、草原依然茂盛,维持哺乳动物和人类生存的条件比较优越。

从距今一万年的全新世至今,气候和地理状态处在一个相对稳定的时期,天气逐步回暖,全国气候相对温暖湿润,合肥及其周围的自然条件与现代差别不大。距今一万年至5000年前后,是中华文明孕育到形成的关键时期,学术界通常认为中华文明起源于这一时期。此时,江淮地区气候转暖,长江中下游地区的孢粉分析反映在距今9000至4000年,植被以阔叶林为主,林中含有大量亚热带常绿阔叶林树种。考古所见新石器时代遗址遍布江淮地区以及淮北、皖南。原始农业、手工业、畜牧业和狩猎、采集经济都得到前所未有的发展。在距今5000年前后进入文明时代以来,中华文明连绵不绝、跌宕起伏、延续发展、不断升华,为人类现代文明的形成和发展做出重要贡献。合肥处在这样的自然地理和文化环境中,随着历史潮流同步前进。

二

原始时代我国先民的生产生活状况

学术界普遍认为,人类大约起源于300万年前,从距今300万年到距今一万年是人类经历的旧石器时代;距今一万年至距今约5000年是中国这块土地上的人类经历的新石器时代。旧石器时代和新石器时代就是史学意义上的关于人类社会发展阶段的原始时代。

中国这块土地的绝大部分地区从早更新世起就适合人类生存和繁衍。距今300万年至200万年的人类化石和旧石器地点在中国南北方都有发现,我国因此成为探索人类起源的重要区域;距今200万年至100万年的人类化石和旧石器地点的分布较之前期更加广泛和密集,所见化石材料显现人类的体质进步是明显的;距今100万年至一万年的人类化石和旧石器地点在像样规模的河流、湖泊台地上都有分布,化石材料所见人类的体质状态至旧石器时代晚期已达到现代人的程度。整个旧石器时代经历的299万年,人类完成了两大转变:第一,在体质上实现了由动物向人类的进化,为其后人类社会的一切进步和发展奠定了最重要的物质基础;第二,创造了既是最原始的又是最基础的人类文化,为其后人类社会的一切进步和发展提供了最重要的文明启示和精神动力。

旧石器时代人类文化主要表现在这样一些方面:第一,制造工具即打制石器。人类有意识地改变自然状况的物质为己所用始自打制石器。我国所见整个旧石器时代的人类化石地点和旧石器地点几乎都发现打制石器,这是那个时代最常用最重要的生产工具。第二,掌握用火、保存火种和取火技术。由于这一技术的掌握,人类彻底改变了饮食习惯和营养获取方式,不仅熟食动物肉类成为可能,而且熟食植物根、茎、果实也能实现并由此催生了原始农业。第三,选择合适的地点定居。旧石器时代人们的定居点多是自然形成的山洞。已经发现的资料表明,当时的人们掌握了选择相对稳定的居住地的本领,这对于早期人类生息繁衍及其文化的形成都是意义非凡的事。第四,墓葬的出现预示着灵魂观念的萌芽。旧石器时代晚期的山顶洞人洞穴遗址中,发现对老年妇人尸体的特殊处理,这应该是人类最早的墓葬了。对逝者的遗体进行特殊处理,显然是以为人的肉体已死、灵魂尚存的观念在起作用。第五,装饰品与审美观念出现。同样在山顶洞人洞穴遗址的老年妇人尸体旁发现穿孔贝壳、染色的细小石器和骨牙器等。这些随葬品可能就是这位妇人生前所用的装饰品。审美意识的产生并以饰物装饰人体是人类精神文化生活的一大进步。

新石器时代人们的生活生产水平有了更大的提高。在物质文化方面取得了六项重要成果。一是陶器制作技术的发明。这是人类第一次以高温改变物质形态的创造性劳动成果。陶器的发明改善了人类的生活状况,使所有食物原料皆可以加工为熟食。陶器一直被中国人沿用至今,可见其生命力之强。二是磨制石器技术的掌握。磨制石器的出现是新石器时代的象征。切割技术、磨制技术、钻孔技术、抛光技术共同形成了新石器时代加工石器、玉器的手段。这些技术奠定了后代所有加工技术的基础。三是原始农业技术的普遍推广。在旧石器时代采集经济的基础上,人们逐步掌握了农作物栽培技术。此时,中国南方多种植水稻,北方多种植粟、黍等农作物。与农业相关的开垦、耕作、播种、收割、加工粮食的石制、木制或骨制工具逐步配套完善,但石制工具始终是新石器时代主要的生产工具。四是动物驯养技术的产生。狩猎经济高度发达使猎物剩余成为可能,人们开始尝试驯养这些动物。猪、狗、牛、羊、鸡等逐步成为家畜、家禽。人们得以获得稳定的动物蛋白质和脂肪来源,对人类的生殖繁衍意义非凡。五是建筑技术的出现。由此,人们的定居生活成为可能,人类的文化积累才有了很好的基础。我国幅员广大,新石器时代各地建筑技术和形式有很大的区别。黄河流域的大部分地方以地穴式或半地穴式建筑为主,屋顶部分多以草覆盖,屋内多有灶坑,房屋组合早期多单间独立组合,晚期出现多间、套间、连排式组合;江淮一带多见"红烧土"建筑,加固地面后以草拌泥垒成墙壁并留下门窗位置,用火烧烤直至墙体及地面变红坚固,再以草木覆盖屋面。红烧土技术大概是我国烧造砖瓦技术的萌芽。六是金属采冶技术萌芽。我国新石器时代晚期的一些遗址已经出现红铜器,说明中国人第一次掌握了金属采冶技术。虽然红铜器的实用价值很低,但这仍然是件具有划时代意义的事。

新石器时代在精神文化方面同样取得了令人瞩目的进步。第一,以墓葬制度为主要标志的祖先崇拜已经确立。墓葬制度在新石器时代逐步得到确立,说明人们对逝者,无论是先辈还是先逝者的尊重。其后发展到人们对先辈的特殊礼遇,对祖先的崇拜。在中国人的宗教观中,祖先崇拜占有很重要的地位,可以说延续至今。第二,财富观念已经产生,贫富分化现象出现。当农业、畜牧业发展到产品超越人们日常生活所需而有剩余的时候,财富就成了人们追逐的对象。我国各地发现的新石器时代中晚期遗址多出现了反映这类情况的遗存,如墓葬规模的悬殊、墓中随葬品的差异,还如建筑规模和等级的变化等。第三,祭祀等原始宗教活动频繁。我国各地多处新石器时代遗址中发现祭祀活动遗迹和遗物。其中著名的有红山文化牛河梁的祭坛遗址,凌家滩文化墓葬中的玉龟、玉人等遗物,良渚文化的玉琮等遗物。可见新石器时代中晚期原始宗教在各地都已出现,宗教仪式逐步走向规范和完整。第四,刻画符号等记事手法由简单到复杂,孕育着文字的产生。陶器刻画符号、陶器彩绘符号、刻木记事符号在新石器时代早期即已出现,到新石器时代中晚期逐步复杂多样了。例如,仰韶文化的彩陶符号,大汶口文化陶器上的刻画符号,蚌埠双墩遗址陶器上的刻画符号,良渚文化玉器上的刻画符号都很有代表性。其中有些符号已在一定的区域范围内流行,具有文字萌芽的性质。第五,武力成为解决氏族纠纷的重要手段。新石器时代中晚期父系氏族社会已经完善,氏族及部落间的冲突更多的情况下是以武力来解决的。我国历史上的"公天下"随之被"家天下"取代了。

原始时代合肥先民的生产生活状况

合肥地区发现的巢县人化石、望城岗旧石器地点群和庐江旧石器地点的材料，揭示了旧石器时代合肥先民的生存状态。巢县人生活在距今16至20万年，属于早期智人。从发现巢县人的洞穴遗址分析，巢县人可能已经过着相对定居的生活，他们主要靠狩猎野生动物为生，在洞穴中发现了中国鬣狗、肿骨鹿、小猪、剑齿象等动物化石。巢县人选择定居地点也有讲究，他们居住的洞穴位于银山南坡近山顶处，既防水患和野兽侵扰，又背风向阳，可见巢县人的生活经历已很丰富。望城岗旧石器地点群和庐江旧石器地点所见旧石器风格一致，可以看做同一文化体系。旧石器的打制技术已经成熟，能够适应狩猎的需要。尤其是石球的出现，可以看作旧石器时代工具的一大进步，用藤条或绳索绑缚石球能够实现对猎物的远距离打击，从而避免直接打击带来的自身伤害。这些旧石器地点都发现在河流的二三级台地上，可见人们的居住和活动地点选择在既近水又避水的地点，方便生活有利安全。

合肥地区发现的新石器时代遗址较早的为古埂下层文化，其次为凌家滩文化类型的遗址，较晚的是龙山文化、良渚文化遗址。从遗址分布、遗存面貌、出土遗物特点等情况分析，新石器时代合肥先民已经过着定居生活，房屋建筑为江淮地区特有的"红烧土"建筑，农作物以水稻为主，农业生产工具主要是磨制石器，也有少量木器、骨器，渔猎经济仍然存在。陶器制作水平与同时期其他地区文化相当，但陶器类型有些自身特点。石器的磨制、钻孔水平较高，玉器在少数遗址中也有发现。值得关注的是石镞的出现，说明弓箭这种复杂的组合型工具已经发明，可以大大提高狩猎水平，也为获取更多猎物并逐步实现家畜饲养带来可能。

原始时代合肥文化的特点

第一,合肥地区古人类化石资料很少但地位重要。巢县智人是我国地理、气候上南北过度地带极为珍贵的人类化石实物资料,对于探索我国早期人类起源和发展,了解江淮地区历史文化渊源有着不可替代的作用。

第二,合肥地区旧石器文化属于华南砾石文化类型。器型较大,器类以砾石石器为主,打制技术以锤击法为主,器型以砍砸器为主。这些文化现象说明,在我国旧石器时代的南北两大文化体系中,合肥地区属于南方类型。

第三,合肥地区新石器时代文化兼具中国新石器时代南北文化特点。尤其是新石器时代晚期,北方的龙山文化因素和南方的良渚文化因素同时在合肥地区出现,可见从新石器时代开始,合肥一带就成为南北文化的过渡和南北文化交流融合的重要地区。

三

夏商西周时期中国历史大势

依据历史记载和考古发现与研究成果,我们基本可以肯定约公元前21世纪建立的夏朝是中国历史上的第一个王朝,从此世袭制取代禅让制,奴隶制度得以确立。人类社会从原始时代进入文明时代的重要标志在夏王朝时期皆已成熟,它们分别是:大型建筑包括城市及其内部的宫殿建筑;金属采掘冶炼技术及其产品;文字形成并被使用;统治阶级产生。这些文明成就都是在新石器时代长期积累的基础上产生的,是中国这块土地上文化继承和发展的结果。夏王朝存在约500年,至公元前16世纪为商王朝所取代。这是以王朝更替形式反映的文明进步的结果。

商王朝时代成为我国历史上奴隶时代的一个高峰,在物质文化和精神文化等方面都取得了前所未有的成果。农业生产技术达到新的水平,虽仍以石木工具为主但金属工具已在关键环节发挥作用;手工业技术进步的代表是青铜冶铸业的发展,大型精美的青铜器前所未有,代表了当时先进生产力的发展水平;城市建筑布局、宫殿建筑规格以及建筑技术为后代建筑业的发展奠定了基础。作为这一时期文字代表成就的甲骨文和金文记载着商王朝的重要史迹,青铜器及其装饰花纹、金器、玉器、甲骨文、金文等成为迄今所见商代艺术的最高成就。占卜、祭祀等宗教文化活动时常发生,反映了贵族文化的基本状况;战争成为商王朝不断扩张和在文化冲突、交流中实现融合的重要手段。

到了公元前11世纪西周王朝建立,西周时期生产力水平进一步提高,思想文化成就方面在商的基础上实现了新的进步。西周更突出的贡献是建立了明确细致的宗法等级制度,"周礼"成为中国奴隶社会中后期和整个封建社会时期统治者遵循、效法和追求的崇高目标。

夏商西周时期合肥历史概况

夏文化在合肥地区的分布有出土文物确证的是肥西大墩子遗址,该遗址出土了铜铃、铜斝、陶爵,这些器物与二里头夏文化遗址出土的相同。从文献资料角度看,与历史传说有关的禹封皋陶之后于江淮之六,其范围应该涉及合肥西部靠近六安一带。商代江淮地区有许多方国存在,但能确定在合肥境内的尚缺少史料佐证,群舒、六等的活动范围应该进入合肥地区。考古发掘所见商代遗址文化特征比较明确,分布地点也较多。从合肥地区商代遗址出土陶器特征分析,此时期有三种文化交流、交融:一是商文化,应该是沿淮北平原经肥水南下而来;二是南方文化,经长江东来北上到达合肥一带;三是本地文化因素。其中,中原商文化因素越往后期影响越大。西周时期,合肥及其周边地区有众多方国分布,巢国与今合肥的关系更大一些,此外如属"南淮夷""徐淮夷"的诸小国也在今合肥地区活动。从

合肥地区的西周时期文化遗存内涵分析,周文化的影响在江淮地区不仅广泛而且深入,但同时分布于合肥东南宁镇地区的湖熟文化对合肥地区也有影响,合肥地区作为南北文化过渡、交流的地位越发显现。

夏商西周时期合肥文化特点

第一,以王朝文化为核心内涵的中原文化向东南地区扩张的必经之地。合肥处于这样的地理位置,自然成为夏、商、西周关注的重点区域,中央王朝势力向东南一带扩张过程中对合肥的文化影响不可忽视。同样道理,地区方国、部落在扩大自身生存空间时,北上到达合肥地区带来了南方文化因素。因此,夏商西周时期合肥一代的文化兼有南北因素,再加上合肥地区原有的文化特质,形成了丰富多彩的文化现象,并在这样的交流过程中出现了文化融合的现象。

第二,以淮夷、南淮夷为代表的方国势力的活跃区域。淮夷、南淮夷在合肥一带有着长期发展的基础,当中原王朝向南扩张时,自然受到这样势力的抵制和反抗。商周甲骨文、金文皆有征伐淮夷、南淮夷的记载,这类征战之所以屡次发生,印证了淮夷、南淮夷在合肥及江淮地区的具有反抗中央王朝的实力。这种实力既体现在武力对抗上,更体现在文化抗衡、交流、融合上。

第三,以有巢氏为代表的传说英雄的诞生之地。有巢氏是传说中的中华文明起源和诞生时期的英雄人物,与巢湖有着千丝万缕的联系,有学者认为有巢氏就诞生于今属合肥辖区内的巢湖一带。在巢湖流域发现的新石器时代晚期至夏代的文化遗存、遗物表明,在文明诞生阶段,合肥地区的文化已经发展到相当高的水平,对中华文明的产生起到了推动和丰富内容等作用,而有关有巢氏对中华文明贡献的传说内容与实物资料的发现是相吻合的。古代人们在对自然现象和人类文明产生与发展缺乏系统认知的情况下,把许多功绩归于想象中的如有巢氏这样的英雄人物身上,也是符合情理的。

四

春秋战国时期中国历史大势

春秋战国时期,从公元前770年周平王东迁洛邑开始至公元前221年秦始皇统一全国结束。春秋战国时期是中国历史发展过程中政治、经济、社会大转型时期,又是思想、文化、艺术大发展大繁荣时期。周平王时期,中央政权的权威受到来自诸侯国势力的威胁而逐渐式微,后来孔子所说的"礼崩乐坏"的局面开始出现,包括以无比严格的用鼎制度在内的种种礼制都出现了被僭越的现象。在政治上,夏商西周延续的制度在潜移默化之中得以改变,秦楚吴越等"蛮夷之邦"对中央王朝开始产生影响,甚至出现秦、楚先后"问鼎中原"的政治事件。在军事上,诸侯国之间战事纷起,小国不断被兼并被灭亡,先后出现"春秋五霸""战国七雄",最终秦扫六合一统天下,实现了由奴隶制向封建制的转化。在思想文化上,各种思想流派和文化思潮风起云涌、交流融合,出现了"百花齐放、百家争鸣"的景象,影响中国思想文化达2000多年的大家及其思想文化成果多诞生和成熟于这一时期,如管子、老子、庄子、孔子、孟子等以及他们所代表的思想文化流派。在经济上,生产力水平的提升表现在生产工具的进步和生产方式的改进上,铁制生产工具开始使用,牛耕技术得到改进,耧车播种技术在北方地区得到应用;铜矿采冶技术和青铜铸造技术得到进一步发展,青铜器作为礼器的地位逐步下降作为生活用具的作用逐步显现;陶器制作技术水平更高,原始瓷制作技术开始成熟。与其同时,各诸侯国都在探索或酝酿变革,出现了新的政治制度和生产关系,推动着整个社会的进步。

春秋战国时期合肥历史概况

春秋战国时期,合肥地区继续处在南北东西文化交流的关键地

带。位于中原地区的周王朝虽然已经式微,但其政治影响仍然强大,位于东南的吴越势力先后覆盖本地区。春秋末年,楚国势力东渐并逐步强大,约在战国中期取代吴越成为整个安徽地区的统治者。战国之末楚灭于秦,楚国虽灭但楚文化犹存,就文化影响力而言,合肥地区属于楚文化范围。在整个春秋战国时期,合肥地区有史迹可查的国族十多个,如巢、夷虎、宗,蔡和群舒中的一些势力也曾达合肥地区。这些小国先后在吴、越、楚争夺江淮地区的征战中被吞并被灭亡,但其分别所代表的地域文化继续存在并与楚文化相互影响相互交融。楚国最后的都城郢都寿春位于今寿县一带,其与合肥近在咫尺,合肥成为楚郢都寿春的南大门,居巢此时已经成为楚国重要的水陆交通要道,鄂君启金节对寿春、合肥、居巢一带的交通状况多有记载。

春秋战国时期合肥文化特点

第一,为南北东西文化交流之要冲。春秋战国是文化交流融合的重要时期,此时各诸侯国无论大小纷纷自立门户,并试图在群雄争霸中获得一席之地。经过春秋时期的纵横捭阖,小国逐渐灭亡。到了战国时期,齐楚燕韩赵魏秦七雄并立,继续争夺霸主地位。在整个春秋战国时期,合肥地区一直处于各方势力争夺之中,由此形成南北东西文化的要冲地带。合肥地区东南有吴越文化先后影响,东北有齐鲁文化的浸润,西北有东周王朝文化和蔡国文化余力所及,西有楚文化东渐并在吸收当地文化过程中占据主导地位。

第二,为保留区域文化特性顽强努力。合肥地区在成为南北东西文化交流舞台的同时,由新石器时代流传下来的合肥区域文化特点顽强坚持,并在交流过程中对进入合肥地区的各方文化产生影响,从而使得合肥地区的文化基因保存和流传。合肥地区发现的春秋战国时代的遗迹和青铜器、陶器等遗物风格印证了上述观点。

第三,为中华文化的形成发挥了作用。前有夏商西周时期的深厚积累打下的坚实文化基础,后有秦汉时期统一的多民族国家强大的文化合力,处于二者之间的春秋战国时期,是中华民族文化形成、发展的承前启后的关键时期。中华文化的显著特质是包容大气,包容众多区域众多方国众多民族的文化,融会贯通、和谐共处,形成大气磅礴的中华文化。合肥地区的文化,对中华文化的形成起到的作用是既融合于其中,又促进其形成,推动其发展。

五

秦汉时期中国历史大势

秦王嬴政率领的秦国大军先后剿灭六国,于公元前221年建立秦王朝,都城咸阳。秦成为中国历史上第一个统一的多民族的专制主义中央集权封建国家,秦王嬴政称始皇帝,秦始皇成为中国历史上第一位皇帝。秦朝历经二世而亡,存在15年,虽如流星一闪而过,但秦朝创立的封建制度影响中国2000多年。秦亡后,经过四年楚汉战争,最终刘邦于公元前202年击败项羽建立西汉王朝,都城长安,历时210年。至公元8年,王莽建立新朝,15年后被绿林农民军推翻。其间经历公元23至25年刘玄的更始政权。公元25年,南阳皇族后裔刘秀势力崛起,重新统一全国建立东汉王朝,都城洛阳,史称东汉。东汉历时195年,至公元220为曹魏政权取代。整个秦汉时期440余年大稳定小动荡,是中国封建社会从创立到发展的重要时期。秦朝开创了中国封建国家的政治体制,两汉进一步巩固完善,成为直至清朝的整个封建社会沿袭的基本制度模式。

秦统一全国后继续大力推行统一文字、统一货币、统一交通、统一度量衡等措施,奉行重农抑商政策,发展农业,恢复生产,巩固政权。秦以法家思想治国,对于整肃社会秩序起到重要作用,但"举措太众、刑罚太极",过于严厉的政策超出了社会的承受力,引起社会矛盾激化,整个局面不可收拾,以致二世而亡。秦的统一措施中统一文字意义更加深远,在地域广大、民族众多、语言复杂的国家范围内,由

于使用统一的文字从而保证了文化得以有效传承、文明得以长久延续。

西汉建立后沿袭秦朝经济制度,鼓励农业、手工业生产,进一步规范币制从而促进商品流通,西汉初期出现"文景之治",财富积累,社会稳定,人民安逸。西汉武帝之前以黄老之学治天下,崇尚无为而治。这些虽然对于缓解社会矛盾、休养生息起到一定的作用,但随着异姓王、同姓王势力和野心的膨胀,与中央政权的关系日益紧张,终于发生"七国之乱"。到汉武帝时期,为了进一步解决错综复杂的国内外矛盾,逐步放弃黄老之说而以儒家思想治天下,积极作为,文治武功,带来西汉时期的又一繁荣盛世。西汉末年王莽篡权建立新朝,又经更始政权之变,动乱时间虽然不长,但对社会秩序和社会财富的破坏之巨是难以想象的。刘秀建立东汉迁都洛阳,汉家统治虽然又延续近200年,但很难再现文景武三朝盛世景象。

两汉时期经济发展既得益于国家政策支持,又得益于生产工具和生产技术的改进。铁矿采冶技术已经成熟,铁制工具成为主要的生产工具,带来生产力水平的巨大提升。铁制兵器的广泛使用大大提高了军队的战斗力。漆器取代青铜器在贵族生活中普遍使用,不仅大大节省了生产成本而且带来生活习惯的改变;制陶技术继续进步并在此基础上发明了制瓷技术,成就了中国人对世界历史的重要贡献;汉代玉器工艺水平值得称道,但其体现的文化因素更加值得关注。思想文化方面值得关注的是西汉末年佛教开始传入中国,到东汉时期影响逐步扩大,渐渐与儒道一起成为中国思想史上的重要力量。

秦汉时期合肥历史概况

秦汉时期郡县制、郡国制并行,合肥地区属于九江郡。合肥地名首次出现于汉初,这是合肥历史上的重要事件。司马迁《史记》货殖列传有文"郢之后徙寿春,亦一都会也。而合肥受南北潮,皮革、鲍、木输会也",这是目前所见史籍关于合肥的最早记载。班固《汉书·

地理志下》基本沿袭司马迁之说,"寿春、合肥受南北湖,皮革、鲍、木之输,亦一都会也"。班固在这里把寿春、合肥合并为一都会,与宛西、邯郸、蓟、临淄、江陵、吴、粤地一起列为当时全国的八大经济文化中心,由此可见在汉以前合肥就有了相当的基础。合肥南临巢湖,北接淮河,在主要依赖水运的时代自然成为商贾云集之地货物集散之地。在两汉时期,合肥的"都会"地位一直保持,合肥一带出现的合肥坚氏家族、居巢刘氏家族、庐江周氏家族等世家大族,也能说明当时合肥的繁荣景象。

秦汉时期合肥文化特点

第一,合肥的经济都会地位已经确立。西汉是合肥历史发展的重要时期,标志性的成就是合肥与寿春并列为当时的全国八大都会之一。其意义在于,其一,合肥地名虽然首次出现于司马迁的《史记》货殖列传,但它一出现就以南北货物集散地的身份展现,到班固的《汉书》中更是以"寿春、合肥一都会"的地位出现。由此推论合肥在西汉以前一定有一个长期积累、发展的过程。其二,"寿春、合肥一都会"的概念十分值得关注,寿春为战国时期楚国最后的都城,上世纪80年代考古发现战国晚期寿春城遗址,选址合理、规划恰当、面积巨大、建筑宏伟、建筑材料十分讲究。合肥位于寿春之南约90公里,距离不远且有水路连贯相通,合肥成为楚都向南获取资源的重要节点。到西汉,合肥、寿春合二为一"都会",十分贴切地表明了两个城市长期的密切关系。同时应该关注到"寿春合肥一都会"可能是最早的"城市群"概念。

第二,合肥成为四方移民定居之所。秦亡之后,楚汉经历四年战争,各地居民迁徙逃亡,客观上形成了移民潮。合肥北邻寿春、南邻巢湖,东为吴越故地,巢湖联通长江,吴越楚人和合肥地区居民一样,不仅都熟悉水情、擅长水运,而且民风相近、民俗相通,在文化上比较接近,容易沟通,这是移民选择定居合肥的重要原因。移民定居于合肥一带,必然带来原居地的文化在合肥一带交流融合。至今合肥村庄多以"郢"为名,合肥方言含有周围多地的语言因素,应该也是历史上四方文化在此交流的结果。

六

魏晋南北朝时期中国历史大势

魏晋南北朝时期,包括三国、西晋、东晋十六国、南北朝四个历史阶段,从公元220年至589年,历时370年,是中国历史上战争频发、动荡不安、各种社会关系错综复杂、朝代更迭不断的一个特殊的历史阶段。三国时期,诸侯割据,战争不断,最终魏蜀吴三足鼎立,天下稍安。西晋实现局部的暂时统一局面,但不久便迫于北方游牧民族的军事压力南迁。西晋灭亡东晋建立,南北对峙局面形成,南方东晋相对稳定,北方十六国此起彼伏,汉族和各少数民族在动荡中交流,进入中原的游牧民族相继实施汉化政策,学习农耕技术,实现定居生活,带来了民族融合的实际结果。南北朝的180年间,民族融合的进程继续,南北交流虽因政权对峙、战争阻隔而时续时断,但从来没有停止过。各国相继采取了一些恢复生产的举措,经济在局部地区或前或后得到不同程度的发展。儒道释思想被各国统治者依据不同需求加以采用,佛教在南朝的萧梁王朝得以空前发展,建康城佛寺遍布,上至皇帝下至百姓信佛者众多。佛教传入中国经历东汉时期约200年的努力到了南北朝时期迎来第一个高峰,这种局面的形成与东汉末年开始的社会动荡有着直接的联系,佛教的理念为动乱中的人们带来了些许安慰。魏晋南北朝时期的大动荡环境下,各个小朝代在政治、经济、军事、文化方面都先后采取了一些措施以图进步,有些举措为以后的朝代或继承或光大、对于进一步完善中国封建制度,均起到了一定的作用。如曹魏政权早在曹操掌握实际权力后就开启新风,曹丕取代汉室以后继承发展,他们在政治上加强中央集权,抑制豪强势力,破除奢靡之风;在经济上大办屯田,恢复和发展农业生产;在文化上建树颇丰,形成后世称道的"建安文学"。蜀汉政权对其境内的西南西北少数民族实施开明的安抚政策,促进了民族交流与融合。孙吴政权统治江南一带,为了取得世家大族的支持,实施世袭领兵制,增强了军队的战斗力;驱赶山越人出山或从事农业生产或编入军队,增加了农业劳动力和部队兵员;设立专门机构和官员加强对冶铁业、盐业的管理;造船业和航海业也得到了较大的发展。西晋统一之后,在政治上恢复分封制,虽对短期稳定有一点效果,但后患无穷;在经济上颁行占田课田制和户调式,对扩大耕地面积,发展农业生产起到推动作用。北方的十六国政权多为少数民族内迁后建立的,在北方地区形成了汉族和少数民族杂居的局面,十六国政权的统治者不同程度地实施了一些汉化政策,客观上促进了民族融合。内迁牧民接触和掌握了农耕技术,逐步放弃了游牧生活方式,使北方定居人口和劳动力得到恢复,社会经济文化也逐步得以恢复和发展。东晋时期历时110余年,除了正常的政治、经济、文化活动外,北伐西征、士族内斗、门阀政治是这一时期的重要特征。南朝经历宋齐梁陈四朝,在政治上分别都尝试过一些改革,东晋门阀政治逐渐退出政治舞台,但世家大族的文化影响力仍然存在,许多代表人物的作品流传后世;南朝对江南地区的开发与经营值得一提,中原人口为避战乱举族南迁,既充实了南方人口又带来了先进生产技术和文化成就,江南地区经济文化得以发展,成为中国历史上政治文化中心南移的重要时期。北朝统治集团皆为东北西北少数民族,先后入主中原,为巩固政权继续采取汉化政策,全面借鉴甚至吸收汉族政治制度和文化成果,同时融入自身文化因素,从而成就了中华民族历史进程中的一个重要的交流融合的阶段。

魏晋南北朝时期合肥历史概况

魏晋南北朝时期,合肥始终处于南北交锋的节点上。东汉末,合肥先后经历袁术坐镇寿春、合肥,吞并扬州,扩大势力,与曹操、袁绍对峙,后为曹操所灭。接着曹操父子长期占据和经营合肥。曹魏时期,合肥成为曹魏和东吴争夺的焦点,拥有合肥则占据主动,进退自如。曹魏、东吴分别占据今合肥辖区的部分地域,但合肥城控制在曹魏手中,东吴为夺取合肥城费尽心力,最终未能得逞。

东汉末年到三国时期是合肥发展的重要阶段。为争取民心,曹魏、东吴都在合肥地区采取了兴修水利、发展生产、平息动乱、推行仁政的措施。尤其是曹操将扬州刺史治由寿春移至合肥,提升了合肥的行政级别,使合肥迅速成长为江淮地区的政治经济文化中心。扬州刺史治于合肥有利于实现曹操限制东吴孙氏集团北进的设想。东汉灭亡、三国鼎立时期,合肥一直属于曹魏,但东吴从未放弃夺取合肥。为此,曹魏选择贤能主持合肥防务,主动进攻试图逼降东吴,建筑合肥新城提高防守能力,虽屡次遭受东吴猛烈进攻但合肥始终未失,成为曹魏政权遏制东吴的重要基地。

西晋时期,合肥地区属于扬州的淮南郡和庐江郡管辖。东晋时期,合肥再次成为南北对峙的前沿,或是南北交锋的战场或是南北战争的直接后援之地,合肥经济社会在此时期乏善可陈。南北朝时期,合肥延续南北对峙前沿阵地的格局,时而为南朝势力占据,时而为北朝政权控制,政局不稳,建置混乱,加之侨治郡县的时设时撤,北方人口大规模南迁,合肥地区一直处于动荡不安的情势之下。这一时期,合肥的农业、手工业、商业等经济领域处在不断遭到破坏和不断试图恢复的状况下,经济难以得到持续发展。

魏晋南北朝时期合肥文化特点

第一,处于南北文化交锋、交流的前沿。整个魏晋南北朝时期政治格局复杂,由于政权分立,政治、经济、文化都经常处于交锋、交流的状况。这种交锋、交流虽然在各个政权之间都有发生,但大的趋势是南北文化之间的交流、交锋。合肥位于南北政权之间地带,成为南北文化北上南下的缓冲和交流前沿,形成丰富多彩的文化现象。尤其是东晋时期,随着司马氏的南下,世家大族纷纷南迁,带来一大批中原地区上流社会的文化精英和文化成果,当他们与东南地区原有文化发生交流交锋以后,对丰富中华文明起到深刻久远的影响。

第二,成为江淮地区的政治经济文化中心。曹操将扬州刺史治由寿春移至合肥,是从长远的战略意义考虑的。虽然寿春、合肥之间距离仅百公里,但合肥较之寿春更便于南扼东吴北联中原,占据合肥则进可攻退可守,后来曹魏、东吴屡次交战结果验证了曹操战略思想的正确。扬州刺史治于合肥,合肥因此而成为江淮之间的政治经济文化中心,对于合肥而言这是史无前例的。

第三,产生一批文化教育科技成果和人才。魏晋南北朝时期文学创作走向自觉,庐江何氏家族文章之风颇盛,清代严可均所著《全三国六朝文》中作者为庐江何氏者竟达十六人之多。魏晋南北朝时期战乱不断,官学、私学教育皆受到破坏,但每当局势稍安便努力恢复教育。刘馥任扬州刺史时在合肥"聚诸生,立学校",庐江何氏对发展官私教育也多有贡献。庐江王蕃在天文学方面有所建树,对古代浑天仪加以改造,制作出更加方便实用的浑天仪。王蕃还计算出圆周率为3.15,比张衡的计算结果更加精确。合肥新城在选址、设计、建设等方面,都反映了这时期合肥地区建筑技术和建筑材料的进步。

七

隋唐五代时期中国历史大势

隋文帝灭陈结束了自东汉末年以来的长期分裂、短暂统一的局面,重新实现全国统一。隋朝从公元581年建立到618年灭亡,存世虽短但再建统一的多民族国家之功巨大。唐朝建立于公元618年,907年灭亡,存世290年。期间经历公元690年至705年短暂的武周时期。隋唐皆以长安(隋称大业)为都城,以洛阳为东都。

隋文帝接受魏晋南北朝分裂的历史教训,实施了一些有利于统一的多民族国家的政策措施,政权得以巩固,国力迅速增强。但是到了隋炀帝时,荒淫无度,穷兵黩武,草菅人命,滥杀无辜,造成国力耗散,政权很快垮台。

唐取代隋以后,唐高祖李渊在位时即废除隋朝苛政,初步建立和推行各项制度,为唐朝日后的发展奠定了基础。唐太宗李世民即位后,善于吸取历史经验教训,采取一系列政策措施,安定民心,巩固政权,发展生产,拓展疆域,扩大开放,实现了"贞观之治",成为中国历史上继西汉"文景之治"的又一盛世。唐太宗之后,经历武则天实际统治50年(其中改朝称帝15年),基本延续唐朝初年景象,国力继续增强。但武则天鼓励告密、任用酷吏,致使恐怖政治环境下人人自危,直至武氏称帝方有改观。其后,唐玄宗李隆基在位45年,实现"开元盛世",再次将唐朝政治、经济、军事、科技、文化、外交实力推向新的高峰。可惜盛极而衰,唐后期经历"安史之乱""藩镇割据""朋党之争""宦官专权"等种种变故,终致社会矛盾激化而不可收拾,动乱局面再度出现。王仙芝、黄巢等农民起义为庞大的唐王朝敲响了最后的丧钟。

唐亡之后,公元907年至960年,在黄河流域相继建立的后梁、后唐、后晋、后汉、后周五代更迭,纷乱继续,经济凋敝,政治混乱,人民生活和社会秩序都受到极大的破坏。除了个别地方在较短的时段有所恢复外,整个社会生产力水平基本处于停滞状态,直至公元960年北宋建立,赵匡胤称帝,重归统一。

隋唐五代时期合肥历史概况

隋唐五代时期,合肥的政治局势随着全国形势的变化而发展。隋朝初年合肥作为独立政区稳定下来,为合肥区域经济、文化等方面的发展创造了有利条件。隋末各地发生反对隋炀帝暴政的斗争,合肥地区也发生了反隋起义。隋大业年间,庐江郡人张子路起兵反隋,很快就被镇压。其后,杜伏威起义军控制江淮地区。唐朝建立后,改庐江郡为庐州,朝廷也在庐州选用廉吏。此后庐州辖县虽有变化,但庐州政治地位未变。唐末爆发黄巢起义,杨行密起兵占据庐州并被任命为庐州刺史,后又受封吴王,控制淮南、宣歙、江东等大片地区,与北方藩镇隔淮对峙。

隋唐的统一局势为合肥地区的经济发展带来机遇。隋朝推行均田、鼓励垦荒、多次减免赋税等政策,都起到了推动经济发展的明显作用。唐朝政治稳定,多延续隋朝政策,农业发展,人民生活改善,户口增长较快。到了唐末,江淮地区成为朝廷赋税的重要来源。唐代贞观年间,尉迟敬德筑"金斗城"成为合肥城市建设的重要阶段,此后合肥城址基本稳定,城池不断加固,成为江淮重镇。杨行密起兵庐州以后,建立杨吴政权,注意息兵安民,减轻赋税,发展经济。虽然五代战乱纷争,但合肥地区经济还是得到一定程度的发展。政治稳定、经济发展必然带来文化的繁荣。隋唐五代时期,合肥地区教育、文化事业都得到发展,产生许多政治人物和文化精英,同时还吸引各地文人雅士来到合肥,带动了文化的进步和发展。到了五代时期,政权更迭的混乱局面,同样对合肥地区产生了恶劣的影响。

隋唐五代时期合肥文化特点

第一,城市文化延续积累。隋唐政治统一、社会安定的局面为合肥的发展带来机遇。唐改庐江郡为庐州,贞观年间尉迟敬德选址于合肥老城附近建"金斗城",新城既可防止水患又可利用水路交通各地,此后直至当代合肥城市中心位置无大变化。由于城址稳定,合肥城市文化自唐以后得以延续积累,持续发展。

第二,教育成果超越前代。隋代开创科举制度,唐代大力发展。在科举制度引导和刺激下,各地教育蓬勃发展,合肥也不例外。贞元年间罗珦担任庐州刺史,"修学宫,政教简易",在任七年,大力兴学。不仅罗珦,唐代多位庐州刺史皆为饱学之士,在他们的提倡和带领下,合肥一带官学、私学获得良好的发展环境。唐代合肥地区的士子参加科举考中进士甚至高中状元者有之,通过科举、明经等科考试而走入仕途者更是不乏其人。

第三,文化名士多有眷顾。隋唐时期大运河虽已开通,东线南北通道开始发挥作用,但合肥一带作为传统的南北交流节点的地位尚

存。因此,隋唐五代时期许多文化名士或途径合肥或寓居合肥,合肥当地也有文化、宗教人物出现。唐代诗人李白、罗隐、杜荀鹤等皆在合肥留有佳作名篇,有咏叹合肥秀美山水者,有寄情山水抒怀明志者。唐代全国佛教盛行,合肥也不例外。据史书、方志记载,此时合肥寺庙建筑数量达到相当规模,有些名僧留下著述传之后世。

八

宋元时期中国历史大势

北宋政权从公元960年至1127年,都城东京(今开封)。与其并立的民族政权主要有辽(916至1125)、西夏(1038至1127),1115年东北地区的女真族建立"金",并于1127年灭了北宋政权。宋皇室率众南迁,都于临安(今杭州),与金成南北对峙局面,至1279年被元朝灭亡。元朝是中国历史上由蒙古族建立的统一的多民族的王朝,从1206年成吉思汗建立大蒙古国,至1260年忽必烈即蒙古国大汗位,至1271年改国号为大元,先以开平府(今内蒙古正蓝旗境内)为都城,后定都于大都(今北京),1279年元灭南宋,1368年元朝灭亡。从960年至1368年长达400多年的历史,经历了北宋和元两次大统一,北方辽、西夏、金等民族政权与北宋并立,南宋与金南北对峙,大蒙古国的兴起直至建立元朝统一全国,可谓波澜壮阔,高潮迭起。

北宋为改变五代时期形成的"方镇太重,君弱臣强"的局面以及其他弊端,在中央政权、地方政权、兵制等方面都进行了改革。在文化方面。北宋时期也有流传后世的成就。文学方面以王安石、"三苏"为代表人物的成就为后人称道。理学形成于北宋,"北宋五子"是理学学派的创始人和初期发展的奠基人。在教育方面,进一步完善科举制度,严格考试程序防止作弊,增加各科录取名额,皇帝亲自主持面试选择"天子门生",以笼络知识分子巩固统治的政治基础。但是,在经济特别是农业方面,北宋政权无能为力,以致土地关系没有改观,导致土地兼并和土地集中甚于唐代。这也是引发农民起义、加速北宋政权倒台的主要原因。制瓷业在北宋时期有长足进步,定窑、汝窑和开封的官窑出产的瓷器之精美可谓空前。北宋的商业经济比较发达,东京开封府是最大的商业中心,城内布局突破了隋唐的里坊和东西两市的限制,开始出现街巷制,商业活动的地点和时间都更加自由。

辽在北方的统治,到承天太后萧绰摄政期间达到鼎盛。针对境内民族成分复杂的现状"因俗而治",不断吸收各民族上层人士参加管理,学习各族的文化和制度,在不同的民族聚居地区采取符合其文化、制度背景的统治方式,这些收到了较好的效果。

西夏政权是由党项族在西北地区(以今宁夏、甘肃一带为主)建立的,他们开始归附于北宋,党项统治者内部为此发生纷争,元昊即位后逐步建立中央政权,到1308年元昊正式称帝,建都兴庆府(今银川)。期间,北宋和西夏间战争不断,西夏在宋、辽之间游离不定,获取好处。

女真部落首领阿骨打于1115年建立大金国,仿汉族制度称皇帝,随后联合北宋共同对付辽,并于1125年灭了存在210年的辽王朝。在此过程中,北宋因为内忧外患日渐衰弱,金则日趋强盛,金太宗完颜晟于1125年10月正式下诏进攻北宋,金军一路势如破竹,到北宋靖康元年11月即攻陷了北宋都城东京(开封),次年北宋灭亡。金朝统治沿用汉式官制,建立中央集权的政权机制,把军队从军事贵族手中收归中央,设尚书省专理政务,尚书省直接对皇帝负责,同时加强御史台的监察职能,监督百官,保证政权运转有序。在官员任用方面不限族属,大量任用汉、契丹等族出身的上层人物担任要职。金朝统治者崇儒尊孔,推行文治,从都城到地方州郡皆设立学校,传授儒学经术,并大力推行科举制度。女真虽创有文字,但上自皇帝下至百姓皆用汉字,有利于文化传统的延续和发展。佛教到北宋时期已有广泛影响,金朝统治者继续提倡,佛教在金一代得以进一步发展。金朝对盐、茶、香、醋等物资实行官府专卖。宋、金南北对峙时期,黄河以北的经济特别是商品经济萧条,开封也失去了经济中心的地位。

南宋建都临安,高宗皇帝赵构宁愿苟安享乐,不图北进收复失地,整个南宋朝廷在风雨飘摇中勉强支撑。期间,对外有和有战,对内主和、主战派争执不休,终因南宋历代皇帝支持议和,导致先败于金,终亡于元。南宋时期经济文化发展有其独到成就,南方制瓷业在此期间得到大发展,江南地区成为全国制瓷业的中心,瓷器外销也成对外贸易之大宗,泉州、明州、广州等贸易大港地位确立。江南一带成为纺织业中心之一,丝绸纺织技术继续完善,棉纺织业此时无论在普及程度还是技术层面都得到大力发展。文化成就以朱熹发展完善理学为代表,将儒家文化推向新的高峰。

元灭南宋建立元朝,结束了多个政权对峙或并立的局面,达到了中国历史上多民族统一国家新的发展高度。统一初期,元朝统治者在保留蒙古贵族自身特权不受损害的前提下,逐步确立了以中原王朝制度为基础稍作改益的中央集权的行政体制。以后虽有所变化但总体政治制度在元一代是稳定的。元朝统治下的疆域尤其广大,民族构成尤其复杂,元朝统治者十分重视民族和边疆的治理,有效地巩固了中央政权,促进了大规模的民族迁徙,加强了各民族之间的交流和融合。但是,元朝采取的有意压制汉人的四等人制,加剧了汉人与蒙古人及其他民族的矛盾,也是造成元朝后期社会动乱的根源之一。在经济方面,元朝统治者对土地制度和户籍制度进行了一些恢复和改进,使唐末以来受到极大破坏的中原地区人口逐步增加,农业生产得以恢复。手工业方面,制瓷业、纺织业、造船业、制盐业等都有不同程度的发展,如青花瓷的烧制成功代表了制瓷业水平的新高度。商业方面,中央发行全国统一使用的纸币,建设和完善陆路水路交通设施,促进商品流通和贸易发展,元大都成为世界首屈一指的繁华都市。元朝的文化成就主要表现在,思想上推崇程朱理学,文学上崇尚"三苏"之学,宗教上则依据统治需要尤其重视藏传佛教,艺术上元曲值得一提,元代书法绘画也有成就。以元大都为代表的城市规划建设在世界建筑史上功不可没。

宋元时期合肥历史概况

北宋建立之初,合肥的政区范围沿袭前朝,此后虽有些变化,但合肥在全国的政治地位处在上升之中。到宋南渡以后,合肥地处南北要冲,"为淮西根本"。乾道年间,淮西安抚使迁回庐州,此后合肥始终处于淮西地区行政、军事中心位置。宋金多次在合肥地区交战,直至柘皋之战大败金军,迫使金与南宋和谈。蒙古军南下攻宋,直至南宋都城临安陷落宋恭帝投降以后,困守孤城的庐州刺史、淮西制置使夏贵才降元。元代扩大庐州的管辖范围,庐州的军事地位也得以提升。

北宋时期,合肥经济发展进入新阶段,农业技术得以推广,圩田大量增加,水稻、小麦广泛种植。南宋时期,在淮南地区开展屯垦活动,组织军屯,募民垦荒,北宋末年被破坏的经济得到恢复。合肥城市建设此时也有新的建树,城市面积得到扩大,水路交通并网联通,带动城内商业繁荣。元朝推行汉法,鼓励农耕,合肥一带开展大规模屯田,圩田面积也在不断扩大。农作物除水稻、小麦外,棉花也得到广泛种植。合肥的文化教育在宋元时期也很发达。两宋时期,一大批合肥文人通过科举走上政治舞台,并在文化上有所成就,有记载可考的合肥地区进士达30多人。元代的余阙是此时的代表性文化人。宋元时期,合肥的诗文、史学、方志等方面都多有建树。

宋元时期合肥文化特点

第一,教育成就突出,培养人才众多。两宋重文轻武,官学私学兴盛。合肥为淮西行政、军事中心,历任地方行政长官都十分重视兴办官学,选任教授。政府重视教育推动了民间办学的积极性,许多有识之士出资办学,"召天下英才而教育之"。元代合肥地区官办学校种类较多,既有传统儒学,也有蒙古字学、医学、阴阳学等专门学校,还有小学、社学等类型的官办学校,形成比较完善的官办教育体系。同时,私学也得到进一步发展。宋元时期合肥地区教育的发展,取得了人才培养方面的丰硕成果。两宋合肥地区登进士者较多,屡见父子进士、科举世家,如包令仪、包拯父子等,包拯更成为一代名臣,英名传之后世。元代合肥地区进士可考者有余阙、陈士举、吴之恺等人。余阙精通儒学、留意经术、饱读诗书,虽为高官但著述不辍,曾任翰林参撰参加宋、辽、金三史的编纂工作,其个人有著作《青阳集》流传于世。

第二,文学成就斐然,多有传世之作。两宋时期,合肥地区既是文人辈出之地,又是四方名士向往、聚集之所,留下许多文学成就。《宋史·文苑传》记载合肥人姚铉"文辞敏丽,善笔札,藏书众多,颇有异本",著作有《聪悟录》《唐文粹》等,《全宋文》《全宋诗》皆有收录。两宋文人学士刘筠、刘攽、王安石、姜夔、陆游、戴复古等都留下了有关合肥的诗词文章,多有传世佳作。其中姜夔青年时代就来到合肥,其后几十年间多次客居合肥,现存诗词80多首有四分之一写合肥情景人物。元代余阙、况逵、潘纯、束遂庵等皆有著作文章传世。

第三,宗教影响扩大,伊斯兰教、基督教传入合肥。两宋时期合肥地区佛寺数量大增,佛教继续在民间广泛流传,影响力不断扩大。与此同时,道教也得到发展,合肥道观虽不及佛寺数量众多,但道教借助黄老道家思想,是生长于中国本土的宗教,有广泛的群众基础,合肥道观著名者有位于巢县北十里的紫微观。元代佛教、道教仍然流行,变化在于元朝统治者更加崇奉藏传佛教。佛教在合肥地区影响持续,佛寺数量超过两宋。道教势力也在发展,新建和重建的道观有十多处。此时,伊斯兰教、基督教也开始影响合肥地区。

九

明清时期中国历史大势

明清两朝处于中国封建社会的晚期,出现了许多社会转型的特征。明朝是朱元璋利用元末农民起义的斗争成果而建立起来的统一的封建王朝。明朝从公元1368年建立到1644年被李自成农民起义军推翻,共经历277年。明朝洪武年间都于南京,此后一直都于北京。明代初年特别是朱元璋在位期间,十分注意吸取元朝灭亡的教训,严厉打击贪官污吏,大肆诛杀开国功臣,集中大权于皇帝一身,高度强化君主专制统治,制定《大明律》,完善各项有利于中央集权的法律制度并严格执行。改革军事机构,分设中、左、右、前、后五军都督府,以提高皇帝直接调动指挥军队的权力。为了解决因战争导致的一些地区人口流散、田地荒芜、水利失修的问题,明初大力实施移民、屯垦和赋役制度,对生产恢复、经济发展、民心安定起到了很好的作用。在文化教育方面,明代继续实行科举制度并加以完善,使之成为朝廷选拔官员的主渠道。参加殿试的进士成为"天子门生",皆可入仕,再加上大批未能进入殿试但取得举人、监生、生员身份者,他们逐渐成为明代社会享有政治经济特权的士绅阶层。

宣德年间以后,政治局势发生动荡,政治制度也出现一些变化,内阁制度逐步形成,宦官参政的情况在朱棣称帝时就已发生,至此更为严重。在地方行政体制方面变化最大的是巡抚总督制度的形成,巡抚逐步演变成为地方行政长官,总督多设于边疆地区,且军事意味较强。从正德、嘉靖及其以后,明朝逐步衰落,或皇帝在位而不理朝政,或内阁首辅纷争不止,或朝臣结党营私贪污腐败。后来虽有张居正改革缓解了政治危机,但终究无法挽回明朝衰亡的趋势。

明代中后期开始,农业和手工业技术水平都有大幅度提高。农业方面粮食产量得到提高,经济作物种植面积增加;手工业方面,纺织、冶铁、制瓷、印刷、造船、建筑等行业分工更加明确,形成了一些地域性的手工业中心。农业、手工业的发展带来粮食的富余和各类商品的增加,催生了商品经济逐步繁荣,全国性的商业网络开始形成,推动了城市的发展,全国大型商业城市如北京、南京、苏州、杭州、太原、重庆、广州等达到30多座。商业城市的兴起标志着商品经济开始成为社会经济的重要组成部分,以从事商业活动为主的市民阶层开始形成,由此带来中国社会前所未有的变化,就是资本主义萌芽的出现。

在思想文化方面,明朝初年以程朱理学为主流思想从而成为正统的官学,科举考试首场出题范围在"四书"之内,并以程颐、朱熹注释为标准,天下读书人无不以程朱理学为经典。后来有些学者反思程朱理学的弊端,开始寻求新的思想出路,到了明后期,王阳明为代表人物的心学逐渐成为哲学思想的主流。佛教在明代得到进一步普及,明朝多数皇帝信奉佛教,明代晚期佛教发展达到高潮,并且出现儒学佛学互相渗透的趋势,儒释道互相兼容渐成思潮。明代文化上的一个重大成就是《永乐大典》修纂,为后世保留了大量文化成果。明代文学成就在于小说和戏曲,中国古代四大小说名著中的《水浒传》《三国演义》《西游记》三部皆成书于明代,其余著名小说有《金瓶梅》《三言》《二拍》等。戏曲成就的表现是南戏迅速发展,产生了著名戏剧家汤显祖。

明时西学东渐已经开始,对中国科技产生刺激,数学、地理学运用西学理论方法产生巨大进步。传统农业和手工业技术也有进步,建筑学的成果体现在万里长城的重修、都城北京的规划建设、南方园林的设计建设上。明代一批科学巨著如徐光启的《农政全书》、宋应星的《天工开物》、李时珍的《本草纲目》、朱载堉的《乐律全书》、徐宏祖的《徐霞客游记》为世界留下了宝贵的科学财富。

清朝从1644年定都北京到1911年被辛亥革命推翻,共经历268年,结束了中国封建社会的历史,成为2000多年封建统治的终结者。清初期战乱频繁,加上强行以剃发为标志的民族压迫措施,激起民族矛盾,明皇朝残余势力和各地反清力量纷纷抵抗清朝,逐渐平定各地反清势力以后,清朝政权才得以稳定。从康熙朝开始政权更加巩固,政治清明有序,社会经济文化加速发展,国力逐渐强盛。雍正、乾隆朝继续良好的发展势头,成为世界上首屈一指的强大国家。但由于清朝坚持闭关自守政策,无视和错失大好发展机遇,从嘉庆朝开始走下坡路,落后于世界潮流,逐渐衰弱下去。1840年以后,中国逐渐沦为半封建半殖民地社会,成为西方列强瓜分的对象,清王朝割地赔款是经常发生的事,最终为历史和时代所淘汰。

清代中央和地方行政体制既有继承前朝的成分也有自身特点。辅佐皇帝的中枢机构有议政王大臣会议、内阁和军机处,各有分工。其中议政王大臣会议和军机处就是清代特有。中央行政机构则设有吏、户、礼、兵、刑、工六部,与前代大同小异。地方行政机关分为省、道、府、县四级,顺天府、奉天府则为单列建制。省的设置及统辖范围前后有所变化。省级最高长官为总督和巡抚,总督辖两省或三省,巡抚辖一省,督抚之下的省级官员有布政使、按察使、提督学政,职责各有分工。和前代一样,县级政权是最重要的基层统治基础,县以下则有里甲制和保甲制。

清代后期政治变化巨大,鸦片战争、列强入侵、割地赔款、太平天国起义、洋务运动、甲午战争、辛亥革命等国内外发生的一系列事件,对清王朝的统治产生了前所未有的冲击,朝廷试图进行的一些政治改革措施多以失败告终。在经济方面,清代前期为了恢复遭受战乱破坏的社会经济,朝廷鼓励农民开垦荒地并向垦荒农民提供耕牛、农具和种子,政府出面组织治理河流、兴修水利,为农业生产提供条件。这些措施大大促进了农业生产的恢复和发展,到乾隆年间耕地能够满足生产需要,粮食产量已经比较富余,其他经济作物的种植也得到很大发展。由于农业基础得到巩固,手工业、商业、交通、对外贸易等方面实现了大发展,出现了"康乾盛世"。清代后期,西方列强不断侵略中国,随着主权沦丧,割地赔款,国力迅速衰弱下来。农业经济此时仍然是维系社会经济的重要基础,手工业的许多领域也有新的进步,但最值得关注的是学习和引进西方工业革命的成果建立起中国现代工业的雏形。

在文化方面,清朝一方面采取高压政策和专制手段,压制汉族和其他少数民族文化,大兴文字狱;一方面崇儒重道、尊奉佛教,重视图书编纂,留下大量文化典籍,考据学在清代发展到新的高峰,小说和戏剧是清代文学颇有成就的领域。清朝还允许西方学术、基督教天主教等西方宗教的传输。在科学技术方面，因国门已经被打开，西方科学技术成果也随之大量传入中国，加之清廷不断派遣人员出国考察，派遣留学生去欧美深造，中国近代科学技术领域逐渐进行了许多前所未有的探索。

但是，所有这些都无法阻止清朝政局的衰落和清王朝的覆灭。到20世纪初，以推翻清朝封建统治为目标的各种政治力量纷纷走上政治舞台，最终形成辛亥革命，终结了延续2000多年的封建统治。

明清时期合肥历史概况

元末朱元璋部将攻克庐州后即改庐州路为庐州府，巢湖水师在朱元璋战胜元军过程中发挥了重要作用。明代前期，合肥是都城南京的屏障，朝廷十分重视对合肥地区的经营和控制，合肥为庐州府附郭县和府治所在地。都城迁至北京后，合肥行政地位没有明显变化。清代，合肥地区行政区划基本延续明代，仍为庐州府附郭县及府治所在地，庐州府隶属江南省。顺治十八年，设江南左、右布政使司，庐州府隶属江南左布政使司。至康熙六年改江南左布政使司为安徽布政使司，合肥从此属安徽管辖。

合肥在历史上就一直是战略要地，明清两代都十分重视合肥地区的军事地位，采取得力措施加强合肥地区的军事控制。明、清两朝建立朝廷都十分注意恢复因战乱遭到破坏的合肥地区经济。明朝洪武年间为充实合肥一带人口，分别从江苏、江西等地移民合肥，鼓励垦荒，恢复农耕，减免赋税，发展生产，社会经济逐渐回升。明朝中后期，合肥地区农业、手工业、商业继续发展，商业方面除了本地商人以外，徽商也活跃于合肥一带。清代合肥地区经济在明末战乱清初恢复以后，得到较快发展。尤其是清后期的洋务运动同样给合肥地区带来新的生机，新式邮政、有线电报、新闻报刊在合肥都已出现。传统的农业、手工业也在原来基础上吸收了一些新的技术手段，使生产能力和水平大大提高。

明清时期,合肥地区的文化成就体现在文学、戏曲、史学、教育等方面。合肥诗文创作活跃,产生了一批佳作;庐剧开始出现并很快得到民间认可从而流行开来,徽剧在合肥也有一定的影响。史学成果主要是对"四书"等经典的研究,历史和方志编纂方面也有所建树。官学、私学教育在合肥都很兴盛,官学教育体系相对更加完善,1840年以后西方教育随着教会学校的建立进入合肥,清末光绪年间新式教育开始在合肥地区流行。宗教方面,佛教最为流行,有着广泛的社会基础,传统的民间信仰和宗教活动也很活跃,且多带有合肥当地文化色彩。

明清时期合肥文化特点

第一,史志成就达到新的高峰。明代合肥学者在经史研究方面对于《春秋》《尚书》《礼记》多有建树。清代合肥学者的史学著作仅收录在《庐江县志》艺文志中的就有8部,涉及考证、注释、讲义等,有些著作为当时"学者所宗"。方志领域,明代合肥地方官和士大夫都重视地方志的编纂,组织了庐州府志、巢县县志的编修,合肥人孙荆纂有《庐阳文献志》传世,巢县人杨鸿功著有《厉畖录》记载明末农民起义。清代合肥地区在顺治、康熙、雍正、乾隆、嘉庆、道光、同治、光绪各朝都进行过方志编纂。庐州府属各县多由知县亲自主持,并设专门机构配备专门人员从事方志工作,所修方志内容丰富、门类齐全,堪为后世所用。

第二,文学创作繁荣,文风昌盛。明代合肥许多官僚、士大夫及下层文人都参与文学创作活动,留下了大量诗文作品。清代合肥地区的文学成就呈现出鲜明的家族性、群体性特点。相当多的文人是父子相承、兄弟相继,甚至有的世代相传并取得非凡成就,形成深厚的家学渊源。合肥、巢县、庐江皆不乏其例。明清两代合肥地区所取得的文学成就,从一个方面反映出合肥地区经过长期历史积累形成了自身的文化特质。家族人才辈出绝不是仅靠拥有财富就能做到的,更需要的是文化传承与创新。地域性的文学人才群体的出现则反映此地文风昌盛、学风端良。

第三,教育发展得到重视。明代,发展教育是合肥地区各处地方官施政的重要内容。如庐州府知府、同知、儒学教授等官员高度重视发展本地官学,成为合肥地区教育发展的主导力量。清代建立之初就以"兴文教、崇经术"为方针,重视兴办学校,发展教育。庐州府学、合肥县学、巢县县学、庐江县学这些府、县教育机构都得以恢复,改善了办学条件。同时,书院、社学、义学等教育也得到发展。明清两代尤其是清朝后期,合肥出现了大批政治、军事、外交、科技、教育人才,与重视发展教育是有必然联系的。

十

民国时期中国历史大势

辛亥革命的胜利是以1911年10月10日武昌新军起义为标志的。1912年1月1日,中华民国临时政府在南京成立,孙中山当选为第一任临时大总统。临时政府虽然成立,但是遇到种种难以克服的困难,在北洋军阀袁世凯的压力下,南京方面与袁世凯达成妥协,袁世凯迫使溥仪在接受优惠条件后退位,袁世凯被南京方面的参议院改选为临时大总统。此后,袁世凯玩弄政治权术,建立北洋军阀统治,实现大权独揽。并且在行事方式、制度规矩、日常生活等方面处处模仿前清朝廷的做法,复辟帝制的野心逐渐暴露,于1915年12月12日接受帝位,改1916年为洪宪元年。袁世凯的倒行逆施激起了全国人民的愤怒,各方政治势力也群起而攻之,袁世凯不得不于1916年3月22日宣布撤销帝制,不久便在焦虑中死去。随后,中国陷入了军阀割据和混战的局面,政治局面几乎不可收拾。

与此同时,马克思主义开始传入中国,陈独秀、李大钊等发起和领导的新文化运动也已展开,这些都为即将出现的革命浪潮做了充分的思想准备。1919年5月4日,因巴黎和会针对中国的不平等条约而引发的"五四运动"爆发,并且很快由北京推向全国,成为中国近代历史上的转折点。"五四运动"以后,一些先进分子转向更深层次的探索,结成研究社会主义的团体,在他们的努力下马克思主义发展成为当时新思潮的主流。1920年,陈独秀、李大钊开始发起成立中国共产党,全国各地陆续组建了一些共产主义组织。1921年7月,中国共产党第一次全国代表大会在上海举行,陈独秀虽未出席会议但仍被选为党的总书记。中国共产党成为中国政治舞台上人民大众和先进力量的代表,对推进历史进程发挥了重要作用。在1920年代中期的"打到列强、除军阀"的国民革命中,实现国共第一次合作,迎来了大革命高潮。

但随着北伐战争的节节胜利和孙中山的去世,以蒋介石为首的国民党右派势力渐成气候。1924年4月和7月,蒋介石、汪精卫分别在上海和武汉残酷镇压共产党人,导致了大革命的失败。以后成立的南京国民政府成了国民党一党专政的政府,南京国民政府看似稳定实则隐藏着巨大危机。1929年3月,以蒋桂战争为开端的国民党内各派军事势力的大规模混战,直到"九一八"事变才告一段落。

中国共产党于1927年8月1日举行南昌起义,打响了反对国民党反动派的第一枪,随后建立的井冈山等一批革命根据地,形成了工农武装割据局面,中国共产党从失败中重新站起来。1935年工农红军第五次反"围剿"失败,工农红军实行战略转移,经历11省,行程25000里,北上抗日到达陕北。1936年面对日本军国主义侵略中国的严峻局面,国共实现第二次合作,建立抗日民族统一战线,领导全国人民共同抗击日本侵略。经过八年艰苦的抗日战争,1945年8月中国人民取得抗日战争和世界反法西斯战争的胜利。抗战胜利后,本有希望建立联合政府实现和平建设国家的大业,但是蒋介石撕毁停战协议挑起三年内战。最终蒋介石政权垮台,共产党领导人民取得新民主主义革命的胜利,建立了中华人民共和国。

1911年至1949年的38年,经济社会基本处于停滞状态,农业手工业停留在原有水平上,现代工业基础十分薄弱,与美国、欧洲、日本的差距愈加明显,摆在新中国面前的是一个百废待兴的困难局面。

民国时期合肥历史概况

民国时期处于近代以来中国社会的转型阶段,民国时期的合肥同样承载着社会转型带来的种种变化与反复。合肥地区的仁人志士较早地参与了推翻清朝封建专制的斗争,民国建立以后合肥县的地方议会制度是全省最早建立的民主代议制度,虽然这一制度在合肥仅仅是昙花一现,但对创立新制度做了可贵的探索。袁世凯称帝后,柏文蔚在安徽举起反袁大旗,安徽成为讨袁武装斗争的主战场,在皖北、皖南及合肥一带都有激烈的军事对抗。北伐战争期间,国民革命军取得占领安徽的胜利,合肥县国民党新政权得以建立。

中国共产党在合肥的活动可以追溯到1925年初,一些中共党员在北乡开展农民运动,宣传反帝反封建思想。1926年9月成立了中共合肥北乡支部,带领党员发动群众宣传党的主张,组建农会组织,支持北伐战争。1927年3月北乡党支部接应北伐军胜利进入合肥并支持北伐军继续北上。此后,蒋介石、汪精卫发动反革命政变,中共合肥地区组织同样遭到破坏。秋季,合肥地区党组织在艰难困苦中逐步恢复。到1930年代,中共合肥地区组织在城乡发动工人运动和农民运动,支持鄂豫皖革命根据地的反"围剿"斗争。

抗日战争爆发后,李宗仁于1938年2月在六安就任安徽省主席,开始了新桂系对安徽长达12年的统治。合肥军民抗击日军侵略的战斗异常惨烈,合肥保卫战终于5月中旬失败,日军占领合肥。抗战八年,安徽省政府退居大别山深处的立煌县(今金寨县),国民党军和一些地方武装以大别山为依托打击日军。新四军四支队东进抗日,会合中共领导的各路武装,在合肥周边地区开展游击战,建立合肥县抗日民主政府等政权组织。抗战胜利后,省会由立煌县迁至合肥,各路人马各种机关汇集合肥,带来了合肥短时的繁荣景象。

抗日战争结束,蒋介石撕毁和平协议,引发全面内战,刘邓大军挺进大别山得到了合肥人民的大力支持。淮海战役胜利结束后的

1949年1月21日，人民解放军进入合肥城，合肥宣告和平解放，合肥人民迎来了新纪元。

民国时期合肥文化特点

第一，失去文化中心地位。延迄明清时期以来的庐州府文化中心地位彻底动摇，民初一段时期合肥实际处于文化下坠期。民国初立，安徽即改旧时府、州政区一律为县，合肥县原先作为庐州府署所在地拥有的政治、文化优势位置不再，连晚清时期重点建设的新式府属中学堂庐州中学堂（民初改名庐州中学校），亦被庐江、舒城、巢县等或拒绝缴纳经费，或要求对前清时代财产进行分割，学校难以为继。与安庆府以及桐城县等桐城文派文化发达区相比，合肥县在前清时代无论是教育观念、学堂建设或人才产出，本来有相当差距。加之城小乡村大，乡村教育文化不发达，集中庐州府各县师资优秀人才于合肥的教育格局亦被打破，教育上呈现衰象，文化上也乏善可陈。

第二，新旧文化长期并立。在新旧文化的时代转型中，合肥地区文化形态表现为很长时间内是新旧并立，旧文化依然如故，新文化逐渐滋长。以替代旧式学堂和私塾教育的学校教育而言，合肥县新教育在北洋政府统治时期发展弛缓，北伐战争时甚至全县学校停闭。无论普通教育的办学水平，还是女子教育以及幼儿教育、社会教育等，都难以令人满意。1930年5月省政府一位督学视察合肥县学校教育，用"复杂到了极点，腐败到了极点"来表达，认为合肥新式教育根本不符时代要求。民国成立后，尽管地方政府也顺应时代之势，倡导新的生活方式和习俗，但旧习俗很长时间依然如故。例如禁止吸食鸦片，这是晚清以来先进人士一直倡导的新生活，甚至提高到强国强种高度。合肥作为皖中产销鸦片的主要之地，城乡内外皆有鸦片烟馆，沾染恶习者众多。

民国时期也是文言文逐渐退出，以白话为主体的现代国语成长壮大的时期，表现在合肥艺文界，有一班合肥籍诗人以《虞社》为阵地，咏颂旧体诗；李家孚编纂《合肥诗话》，借历代名家旧体诗，歌咏合肥风情；杨运知辑录合肥先贤诗集的《续编合肥诗话》则被民国著名学者江彤侯称赞为"有裨于诗教"。而以合肥街景或社会生活为主题的白话诗歌，亦不时出现在新式报刊中，例如《民国日报·觉悟》1921年第10卷第31期诗歌栏，即刊登陈文华白话新诗《合肥城内》。1920年11月6日，合肥三育女子中学学生，为了赈灾，于礼拜堂中演出《新家庭》话剧，观众为之感动流泪。新文体和新剧目，在表现社会生活中孕育成长起来。

合肥地区的新文化事业，在与旧势力的冲突中，逐渐滋长壮大。五四以后，《新青年》《新潮》等传播新思想的新式书刊在合肥地区流传，合肥第二中学校长王蔼如正是因为校内师生手中流传《自由魂》书籍，被地方军阀联合旧势力借口逮捕，也因为全省和合肥县那些树立了新思想和新的人权观的进步师生，他们发宣言、散传单，通过学校罢课、街头游行等方式，迫使军阀释放王蔼如。

第三，文化精英人物影响深远。五四前后，合肥出现了几位走在全省前列的新文化精英人物。"五四运动"爆发后，合肥籍在北大任职求学的蔡晓舟、杨亮功，不仅最早编出反映五四运动历程的《五四》一书，返皖进行新思潮新文化宣传的蔡晓舟，还为安徽以及合肥地区共青团和中国共产党地方党组织的创立做出了贡献，是民国时期公认的安徽新文化运动领袖人物之一。刘文典积极配合陈独秀、胡适倡导的白话文学革命，在《新青年》等杂志上发表宣传进化论和新文化思潮的文章，还在北大校园中配合蔡元培等新文化派，开展对旧思想人物的思想批判，是全国新文化阵营中重要的一员闯将。

十一

当代中国历史大势

1949年10月1日中华人民共和国宣告成立，中国人民从此站立起来了，中国从此进入新的时代。新中国成立伊始，百废待兴，医治战争创伤,恢复发展经济,重建社会秩序,除旧布新文化等诸多挑战接踵而至。1949年至1952年新中国经历了三年恢复时期。期间进行的抗美援朝战争使全世界重新认识了新中国,中国人民热爱和平但绝不能容忍别人强加于自己的威胁和侵略。1953年起,中国开始大规模建设社会主义。首先是开展"三大改造",制定并执行国民经济和社会发展第一个五年计划,进行大规模的有计划的经济建设。1954年9月第一届全国人民代表大会第一次会议在北京召开,通过了中华人民共和国的第一部宪法。1954年完整地确立了社会主义基本制度,包括人民代表大会制度、多党合作和政治协商制度、民族区域自治制度,这是中国历史上深刻的社会变革。同时在党的建设、国防建设、民族工作、科学教育文化卫生事业、外交等领域都进入了一个新的阶段。1955年夏季以后,全国形成迅猛发展的农业合作化高潮,农村集体所有制得以建立。1956年底基本完成了对生产资料所有制的社会主义改造。1956年中共八大的召开,标志着探索一条适合我国国情的建设社会主义道路的初步成果。从1956年到1966年,中国的发展虽然遭受过严重挫折,但仍然取得了很大的成就,初步建设起进行现代化建设所必需的物质技术基础,培养了经济文化建设等方面的骨干力量,积累了社会主义建设的重要经验。

从1966年到1976年是"文化大革命"的十年,这是一场由领导者错误发动,被反革命集团利用,给党、国家和各族人民带来严重灾难的内乱,使党、国家和人民遭到新中国成立以来最严重的挫折和损失,同世界经济和科学技术发展的时代潮流相脱节,拉大了同一些发达国家在经济社会发展方面的差距。1976年10月粉碎"四人帮",开始结束延续十年的"文化大革命",以农村改革为先导的改革开放时代逐步到来。

1978年,中共十一届三中全会的召开,标志着中国正式开启改革开放新时代,此后邓小平确定了著名的现代化发展"三步走"战略。即:第一步,从1981年到1990年,国民生产总值翻一番,实现温饱;第二步,从1991年到20世纪末,再翻一番,达到小康;第三步,到21

世纪中叶,再翻两番,达到中等国家发展水平。随着改革开放的深入,中国在经济、政治、文化、社会、生态文明、国防、外交等领域取得全面发展。中国于1997年收回香港主权,1999年收回澳门主权。到2000年中国顺利实现基本建成小康社会的目标,综合国力较改革开放之前有了极大提升。

进入21世纪的中国继续沿着中国特色社会主义道路前进,向着2020年全面建成小康社会的第二步战略目标努力。到2010年中国国内生产总值超越日本,成为仅次于美国的世界第二大经济体,综合国力显著增强,在世界舞台的话语权和贡献率明显提高。如今的中国赶上了时代,实现了中国人民从站起来到富起来、强起来的伟大飞跃。

当代合肥历史概况

1949年1月21日人民解放军进入合肥城,合肥和平解放。随即合肥被确定为新成立的皖北行署所在地和皖北行政区的中心城市。解放之前的合肥,经济凋敝、社会秩序紊乱、城市建设乏善可陈。三年恢复时期,党和人民政府领导合肥人民努力治愈战争创伤,建立和巩固各级基层政权,恢复工农业生产,恢复和发展教育事业,移风易俗、改造社会和文化风貌。到1952年合肥被确定为安徽省省会时,全市人口从1949年的5万多人增加到近14万人,经济总量从近9000万元增加到1.4亿元,城市面积从5平方千米扩大到130平方千米,社会各项事业都得到恢复和发展,为合肥未来的更大发展奠定了基础。1953年开始的"一五"计划,合肥的目标是建设成为初具规模的新兴工业城市,从1953年到1957年,合肥重点发展机械、化工、轻纺等工业,先后从上海等沿海城市迁入部分工厂,并投资新建一批企业。到1957年底,合肥拥有工业企业518家,工业总产值比1952年增长近10倍,为合肥以后的工业经济发展提供了初步的但是坚实的基础条件。"一五"时期合肥农业经济的发展集中体现在两个方面,一是广泛开展农业合作化运动,二是农业总产值比1952年增长近35％。合肥城市建设在"一五"期间强劲启动,《合肥市城市总体规划》编制完成。

1958年开始的"大跃进"严重违背事物发展的客观规律,给经济社会发展带来不良干扰和后果。合肥和全国一样,生产力严重受挫,经济陷入十分困难的局面。1961年合肥试行"责任田",为度过粮食危机、克服经济困难发挥了关键作用。1962年到1965年,合肥用三年时间大力贯彻中央提出的国民经济"八字方针",经济社会终于摆脱"大跃进"造成的困难局面,重新呈现恢复发展的面貌。1966年至1976年的"文化大革命"时期,合肥经济社会发展停滞不前,有些行业呈现倒退现象,企业管理混乱,经济效益和产品质量下降,农业生产效益低下,众多文化、教育、卫生机构被撤并、下迁或缩减,城乡居民生活水平明显下降。

合肥的改革开放发端于1978年秋季。肥西山南的农民自发实行以"包产到户"为主要形式的农业生产责任制,开启了农村改革之路。从1978年至2011年,合肥改革开放和社会主义现代化建设的30多年可分为三个阶段。

第一阶段70年代末和80年代,经济社会发展以改革开放为动力,将农村改革办法引入城市工厂企业,改革企业管理,明确企业责、权、利,同时扩大企业对外贸易,逐步将计划经济体制过渡到社会主义商品经济体制,农村改革以完善家庭联产责任制为主,城市规划和城市建设逐步展开。

第二阶段1990年至2000年,是合肥全面深化改革开放的10年,经济改革全面深入,涉及工业、农业、商业等各个经济领域,社会文化教育改革全面启动,城市建设全面展开,社会主义市场经济体制初步建立。

第三阶段2001年至2011年,合肥在持续20多年改革开放取得成就的基础上,先后提出了"科教兴市"、"工业立市"、"建设现代化滨湖大城市"、建成"大湖名城、创新高地"等目标。为达到这些目标,持续不断地实施了一系列重大举措,包括加快完善三大开发区,设立政务文化新区，建设开发滨湖新区，大力推进"大发展、大建设、大环境"，开展"大招商"，直至实现合肥行政区划的调整与扩展，获得更大的发展空间。到2011年，合肥管辖有瑶海、庐阳、蜀山、包河4个行政区和长丰、肥东、肥西、庐江4个县，代管县级巢湖市，城市面积11000多平方千米，人口760多万，年国民生产总值超过3600亿元，在全省的地位更加突出，设定的发展目标正在实现。

当代合肥文化特点

第一，文化教育设施建设前所未有。新中国成立后，合肥成为全省政治、经济、文化中心。50年代的第一个五年计划期间，合肥开始了解放后的第一轮大建设。到"一五"计划结束时，合肥城市建设成果丰硕，这些新建筑中大多是学校、图书馆、博物馆、影剧院、体育场、公园等文化教育设施，各类文化教育活动具备了基本条件。改革开放后的1980至1990年，在第二轮城市大建设中，合肥文化教育设施建设面积更大、层次更高。进入21世纪，随着合肥城市规模的扩大和人口的增加，城市建设以前所未有的规模和速度展开，文化教育设施更加完备。在建设投资主体上也发生了巨大的变化，由长期形成的政府单一投资建设，到政府投资为主、民营资本积极参与投资建设的局面初步形成；由集中成片大体量的文化教育设施建设，到文化教育设施向居民社区延伸，大大提高了使用效率。

第二，各类文化人才聚集前所未有。合肥的省会地位决定了全省乃至省外文化人才向合肥聚集。20世纪50年代，合肥文化人才主要来自于这样几个方面：人民解放军干部、战士转业、复员到地方建设相应单位的文化人才，从上海、江苏、浙江等地引进的文化人才，安徽各地汇集到省属各文化教育机构的人才，合肥地区原来积蓄的文化人才，随着新中国教育事业的发展培养出来的文化人才。20世纪60至70年代，经历了"文化大革命"的破坏，合肥文化人才队伍建设遭受到很大挫折，人才流失、浪费的现象普遍存在。改革开放以来，随着合肥作为全省政治、经济、文化中心地位的凸显，文化人才队伍的规模和质量都是前所未有的。

第三,文化改革和建设成就前所未有。20世纪50年代合肥文化建设成就可圈可点。坐落在合肥的安徽省博物馆无论从建筑规模还是馆藏文物数量都是全国省级博物馆的代表,图书馆藏书版本、数量以及向公众开放度皆居全省前列。小说、诗歌、戏曲、杂技创作获得丰硕成果。庐剧、黄梅戏晋京演出获得广泛认可,成为中国重要的地方剧种。徽剧、京剧也在合肥得到普及发扬。书法、绘画、雕塑作品在全国占有重要地位。改革开放以后尤其是进入新世纪,合肥文化改革和建设成就更加突出,公共文化服务体系向着惠及人民群众的广度和深度发展,文化产业逐步成长为国民经济支柱产业。合肥人民的文化素养普遍得到提升,合肥在全国的文化知名度和影响力达到前所未有高度。

十二

合肥历史文化的地位和影响

合肥是中国早期人类生活和原始文化发展的重要区域。巢县智人化石的发现表明距今16—20万年前,合肥地区就有人类活动。巢湖望城岗旧石器地点群和庐江旧石器地点更加印证了这一论断。新石器时代,合肥地区不仅文化内涵丰富,而且已经成为南北文化交流的重要地区。从考古发现看,合肥地区以种植水稻为代表的原始农业已很发达,家畜饲养技术也已成熟,红烧土建筑和干栏式建造表明房屋建造技术很有特色,陶器成为常用的生活用品,磨制石器和木器、骨器共同成为主要的生产工具。

合肥是中华文明的重要发祥地。传说中的中华文明始祖之一的有巢氏就活动在合肥巢湖一带。考古发现距今5000年前后合肥地区文化已经相当发达,我国早期文明的许多因素在此已经出现,它与各地文明的涓涓细流一起汇聚成中华文明的浩荡洪流。

合肥是中华文明交流的重要平台。合肥地处长江、淮河之间、华中腹地和长江三角洲之间，是连贯东西、融汇南北的要冲之地。在中国历史的各个阶段都处于经济地理、政治地理、文化地理、军事地理的十字路口。因而，合肥历史文化既有自身的特质，更有南北东西的文化因素蕴含其中。

合肥要为实现中华民族伟大复兴的中国梦做出重要贡献。实现中华民族伟大复兴的中国梦是全国人民共同的奋斗目标，历史影响和当今地位决定着合肥必须为此做出重要贡献。合肥是安徽省的政治、经济、文化中心，合肥的经济总量超过全省四分之一，合肥和南京、杭州同为长三角副中心城市，是长江经济带中唯一链接长江、淮河两大水系的省会城市。合肥是现代中国铁路网、高速公路网、民用航空网的重要枢纽，连贯东西、融汇南北的地位更加突出，合肥是中国重要的科教基地、科技创新发源地和高层次人才聚集地。合肥必然要在中国当前和未来发展中发挥更大作用。

了解和研究合肥历史文化有利于我们认清这样一些重要关系。

第一，人类历史发展总规律与阶段性特征的关系。人类社会就是不断地从低级到高级、从简单到复杂的发展过程。马克思、恩格斯科学地总结了人类社会从原始社会、奴隶社会、封建社会、资本主义社会进而发展到共产主义社会的客观规律，从而形成了历史唯物主义的理论体系，指导着我们研究人类社会发展史，把握历史规律，推动历史进步。我们研究合肥的历史，一要联系整个人类历史和中国历史这个大背景，从而找到合肥历史在其中的位置；二要在从旧石器时代到当代的历史长河中找到各个历史时期的阶段性特征，通过对这些阶段性特征的个性的深入研究，更深切地认识和把握历史发展的总规律，更自觉地以历史唯物主义的方法指导当今社会发展。

第二，中华文化与各区域历史文化的关系。在中国历史各个时期，各民族各区域共同创造并不断丰富发展着灿烂的中华文化。因此，中华文化这个总体和各区域文化之间是密不可分的关系，如同浩浩荡荡的长江、黄河是由无数涓涓细流汇聚而成的道理一样。中华文化之所以成为世界民族文明中唯一的经历5000多年的历史长河而绵延不绝,其中十分重要的原因是历代中国各民族各区域文化汇聚的巨大力量支撑着中华文化这个整体,中华文化以博大的包容度交流、吸纳、融合和升华着各民族各地域的文化。合肥历史文化作为中华文化的组成部分,在不同的历史阶段都为丰富中华文化的内涵做出了贡献。由此可见,历代合肥人不仅创造积累和丰富着合肥文化,而且不断为中华文化增光添彩。每位合肥人的小家和合肥这个大家、中国这个更大的家是血脉相通、密不可分的,爱家庭爱家乡爱国家是统一的情感。

第三,合肥文化的包容性与创新性的关系。我们通过对合肥历史的全面了解就会发现,在各个历史阶段随着环境变化、人口迁徙,合肥地区历史文化会呈现出不同时代的特征。但是,无论时代如何变迁,合肥文化大气包容的特性没有改变。从新石器时代开始,合肥地区或主动或被动地与来自南北东西的文化发生碰撞、交流、融合,合肥文化总能在此过程中吸收周边文化的积极因素为己所用,促成文化内涵的丰富和文化影响力的增强。合肥文化在包容中丰富更在包容中实现不断地创新发展,在当代合肥发展历程中表现得尤为突出。新中国成立以后,合肥成为全省政治经济文化中心,其中文化中心的地位是在包容和创新中逐步形成的。新世纪以来,合肥市委、市政府创造性地贯彻中央文化体制改革精神,创新文化发展理念,创新公共文化服务体系建设,创新文化产业政策,实现了文化大发展大繁荣,合肥作为全省文化中心的地位更加突出。

第四,按常规发展与抓住机遇的关系。两千多年来,合肥大都在全国发展的大背景下按部就班地随之进退,但是在有些历史阶段合肥抓住机遇,取得了超常规发展。战国晚期,合肥抓住楚国都城东迁寿春的机遇,利用连接寿春与巢湖的地理优势,很快发展起来,与寿春一起成为当时全国的八大都会之一。三国两晋南北朝以及南宋与辽、金时期,合肥屡次成为南北对峙的要冲,占据合肥可处于有利地位,因此经营合肥成为要务,合肥的地位因而得到提升。唐朝初年,尉迟敬德选址建设金斗城，既可避水患又利于交通，为合肥发展带来新的机遇，合肥城址从此稳定下来得以长久经营、持续发展。

新中国成立之初的50年代，合肥抓住"一五"计划和沿海城市部分工业内迁的机遇，从上海等地引进大批工业企业，奠定了合肥现代工业发展的基础。合肥还抓住国家大力发展科技教育的机遇，50年代中科院合肥分院建立，合肥工业大学、安徽大学、安徽医学院迁至合肥，70年代中国科学技术大学落户合肥。因为有了中科大、中科院合肥分院等一大批高校和科研院所，合肥才成为名副其实的科教基地。80年代以来，合肥抓住改革开放的难得机遇，不断改革创新、锐意进取，才有了今天发展的大好局面。列举这些要说明的就是一个道理，纵观一个城市发展的历史进程，坐失良机只能随波逐流，抓住机遇才能勇立潮头。

《合肥通史》就要付梓成书了，这是一件可喜可贺的文化盛事。我们了解和研究合肥历史，是为了把现代的合肥建设得更加美好，为实现中华民族伟大复兴的中国梦做出更大的贡献。

作者系安徽省政协文史资料委员会副主任、安徽大学博士生导师

绪　论

本卷所述自远古迄于南北朝时期合肥市所辖区域的历史发展与演变过程，本书经常谓之"早期合肥"。合肥市位处江淮之中，大部分地区属于巢湖流域，小部分在江淮分水岭以北，可以说是以巢湖为中心的一个区域。因为地理与历史的原因，合肥市逐渐发展成为本区域的中心，以至于今天成为安徽省省会所在地。

一、早期巢湖、合肥的地理、交通与合肥中心地位的形成

巢湖流域很像是一个盆地，周围大别山东麓、江淮分水岭以南、三官山、银屏山以北以及东部山地之间的数十条河流，大都流入巢湖，经裕溪河（古代又名濡须水）注入长江。所以仅从巢湖流域本身看，今天巢湖市的位置应该更重要：处在巢湖之滨，又扼巢湖的出水口。但是，中国历史上的政治中心一直在中原，意味着一切都将指向北方，资源流向北方，人才走向中原。这个历史大形势改变了巢湖水南下带来巢湖流域趋向南方的形势，造就了巢湖之北的合肥在巢湖流域的关键位置，即合肥才是江南与巢湖流域通往早期南部中国的中心寿春，以及更遥远的中原的中转站。只有春秋战国时期特别。当时楚国的政治中心在湖北江陵，江淮地区是为楚的东方，居巢（也曰巢，大体位置在今姥山岛附近）位处江淮之中，楚国对抗吴国，居巢是前哨阵地，驻有重兵，双方经常在这一带厮杀。战国时期楚国统治整个南部中国，江淮地区巢湖流域的物资云集于居巢，经由巢湖通向

长江运往湖北,或者北上寿春,过淮河西向方城,再经江汉平原运往江陵纪南城。所以出土的鄂君启节记载,居巢是为战国时期江淮中部的水陆交通大码头。秦汉建立统一集权的国家,尤其是刘氏淮南王国的建立,寿春成为九江、庐江、衡山与豫章四郡(包括今安徽、江西大部、湖北一小部)的政治经济中心,合肥成为寿春后院与巢湖通向北方的中转站,很快建置为县级行政单位,并且全国唯一设置的陂官、湖官就在九江郡,负责管理巢湖、芍陂的渔业、税收与水利灌溉等。所以汉代建立不久,合肥就取代了居巢的地位,成为全国著名的"输会"之都。

早期巢湖区域的地质变化对于本地区历史的影响也是巨大的。据地质学家研究,巢湖的形成在万年左右,而先秦时期的文献对于巢湖没有记载。清代有学者认为古文献中的"彭蠡"即巢湖,此说只是推想,没有任何事实与地理依据,彭蠡实即今鄱阳湖及黄梅、宿松一带的湖泊、低地,古代为连在一起的大湖。据成书于战国的《禹贡》记载,江、汉合流到彭蠡后再分开,汉水"东为北江",即东北方向行走。这与《水经·沔水》的记载相一致:"沔(汉)水与江合,又东过彭蠡泽,又东北出居巢县南"。这个路线,揆诸今日皖江地带的地理走势,正是沿着大别山南麓东北行,经巢湖南部再东南走的,这一带至今还有很多湖泊。而"中江"即《汉书·地理志》所说的"大江",今长江的主河道,它与北江之间的部分即太湖之南、安庆以北的山地,一直延伸到巢湖之南的三官山、银屏山一带,这些就是《禹贡》所谓的"敷浅原",低山高岗延绵其间以与北江隔开。这些低山丘陵延续到银屏山一带,包括向南过大江所到的铜陵、繁昌、芜湖等地,早期都是著名的产铜区,难怪古人会特别重视这里了。如此则在"北江"之北的居巢县,若在今姥山岛附近,东西部与陆地有连接(水也相通),则居巢正如《广志》所言"有二大湖",北部即《三国志》所谓的"居巢湖",而南部就是北江的原河道、今巢湖的南部,因为居巢陷落湖底,与北边的连为一体成为一湖即今巢湖了。这样解释不仅符合巢湖在文献记载中的情形,也与这一带的地理形势相一致。居巢地理位置问题,详细讨论见本书第三、第四章。

　　汉至魏晋时期巢湖流域经常有地震地陷的事情发生。《淮南子》说"历阳之都，一夕反而为湖"，历阳最初可能距巢湖不远，以后改建于今和县地。东汉时有人在巢湖里捡到盛满金子的酒罇等物件，今巢湖市区考古发现汉代墓棺底部的铺砖中部有明显隆起现象，这些无疑都是地震地陷才会有的现象。巢湖内靠近东岸的地方也发现埋藏丰富的古代遗存唐咀遗址，遗物自新石器时代直到东汉时期的都有，考古调查者认为，"遗址有可能是在某次突然的灾难中沉入湖底的"，古代应该是一个重要的邑落。另外，《史记》记载说范增居巢人，《史记索隐》引荀悦《汉纪》谓之阜陵人，而《水经注》则曰历阳人，恰巧这三个地方，文献都说发生过地震、地陷的事。至于汉晋史书《五行志》记载动辄数十郡国发生地震的情况，以及居巢县城沉入湖底的传说，更是不计其数。晋武帝太康二年（281）春二月，从淮南郡（治寿春即今寿县）到丹阳郡（治建邺即今南京）同时发生了大地震，合肥处在震中，居巢很有可能是在此前后沉入湖底的。所以到了唐代，"借问邑人沉水事，已经秦汉几千年"了。其实，东晋干宝《搜神记》卷二十"古巢"条已记述古巢城沉入湖底的传说："一日江水暴涨，寻复故道，港有巨鱼重万斤，三日乃死，合郡皆食之。一老姥独不食，忽有老叟曰：'此吾子也，不幸罹此祸，汝独不食，吾厚报汝。若东门石龟目赤，城当陷。'姥日往视，有稚子讶之，姥以实告稚子，欺之，以朱傅龟目，姥见急出城，有青衣童子曰：'吾龙之子。'乃引姥登山，而城陷为湖。"

　　江、淮之间，据《淮南子》记载尧舜禹时代是"通流"的，《史记·河渠书》也说楚国"西方则通渠汉水、云梦之野，东方则通沟江、淮之间。於吴，则通渠三江、五湖"。所谓"通沟江、淮之间"，应该是为了进一步扩大南北水上运输而加以疏浚的。江淮中部南北沟通的路线应该如《水经》和《水经注》所述，即：淮河—肥水—肥水支流阎涧水—阳渊—施水（南肥水）枝津—施水—巢湖。这里的阎涧水即今庄墓河，古代是东肥水重要的支流，现在流入瓦埠湖，其水源在现代灌溉渠道改造之前深入了长丰双墩镇一带。"阳渊"又称"阳湖"，当在今长丰下塘集、陶湖一带，这一带地势低洼而有"湖"名。阳湖的南边有很多流向阳湖的河流，其中当有《水经注》记载的施水枝津。枝津者歧出而多流，自然有很多条。三国时期，曹操从老家谯郡（今亳州市）率领水师四次南下巢湖，走的就是这条路线。西晋三王起兵（301）后"久屯不散"，京师洛阳仓廪空虚，庐江郡人陈敏建议将南方谷米运往北方救患周急，"朝廷从之，以敏为合肥度支，迁广陵度支"，陈敏在合肥未做什么事情旋即转任广陵（今扬州）度支，可能是考察合肥运路有问题，难以胜任漕运，故而转任广陵度支。从广陵北上到达淮水，沿着淮水西至寿县，再走颍水、西肥水等北上即可到达洛阳。一年多以后即晋太安二年（303），陈敏以广陵度支身份在寿阳（今寿县）率领护漕的运兵进攻逃向寿阳的张昌部将石冰，第二年斩之。这以后就很少见到南方财物通过合肥走水路北运的了，很有可能是水路因为地壳运动，如地震而遭破坏，施水枝津因此而发生断流或者变成细流浅滩，不能通航。

之后，中国南北水运转道扬州北上。上文说晋武帝太康二年寿春至建邺等地发生大地震，《晋书·惠帝纪》还记载元康四年（294）五月，"淮南寿春洪水出，山崩地陷，坏城府及百姓庐舍。……六月，寿春地大震，死者二十余家"。寿春与长丰相连，连续的大地震自然也会影响到长丰一带，或者就是这个时候，合肥北上的水路受到了影响。东晋兴宁二年（364）桓温北伐往合肥，需要派军队先凿通杨仪道（大体位置在今长丰合肥交界一带，可能是通向阳渊的施水枝津）以通运，说明合肥北上的水路已经不能通航。唐代，江淮转运使杜佑曾建议恢复"秦汉运路"，即走东关到巢湖，往北"疏鸡鸣冈首尾，可以通舟，陆行才四十里"，是想走今将军岭一带，疏通南、东肥水的源头，中间走四十里的陆路。这个也是现代许多学者讨论的所谓"江淮运河"，但从文献记载的情况看秦汉运路并不走这里。谓之"秦汉运路"也说明很长时间以来江淮水道已经不能通航了。

合肥由汉初设县到三国时成为扬州府治所在地，地位迅速上升，除了明显的军事战略因素外，就是由于处在南来北往的交通要道上，而晋代以后长期停止于州郡府一级的治所位置上,也是合肥通往北方的水道阻塞,失去交通要道的位置,上升的势头被扼住了。事实上,江淮水路运输能力很可能东汉以后在逐渐减弱,据东汉成书的《潜夫论·浮侈》篇记载,东汉时期江南大木名材,如楠梓豫章梗柟等运往北方,"牛列(引)然后能致水,油溃入海,连淮逆河,行数千里,然后到洛",即主要走长江入海,再经淮河、黄河运到洛阳。明清时期,国家开始建置省一级的行政区划,合肥处于南直隶西部(清代为安徽省)的中间地带,并且随着现代交通工具的出现,开始酝酿新一轮区域行政地位的上升。可以看出,巢湖流域历史上地理交通的改变对于合肥发展的影响有多大。

二、早期合肥历史演变的脉络

合肥地区是我国早期人类活动的重要地区之一,早在距今50万年前的旧石器开始就有人类生息繁衍,目前发现的遗迹主要集中在庐江、巢湖一带,其石器制作特征与南方的旧石器中多砾石器传统较一致,以大型砍斫器为主。巢县智人化石的发现是继和县猿人化石后的又一重大发现,其活动年代是人类进化史的重要时段,也是探索我国现代人类起源的重要时期。合肥地区的新石器时期遗存,可分为三个时期,最早可追溯到六千年前的肥西古埂下层文化,这时已经出现半地穴式房屋,制陶业也发展到了一定程度,并出现彩陶。距今五千多年的含山凌家滩文化在巢湖一带也有零星分布,其制玉业有较高水准。新石器末期的龙山文化遗存在本地区有大量分布,其中水稻遗存发现较多,开始出现快轮制陶技术。各个时期均表现出与周边地区密切的文化交流现象。后世关于有巢氏"构木为巢"的传说,一般放在燧人氏"钻燧取火"之前,是战国学人对于早期历史发展的合理推度,根据考古学研究,最初"构木为巢"的时间当在距今数万年之前。

尧舜时期曾经发生一次持续时间长、涉及范围广的大洪水,以鲧、禹为首的有崇氏部族被指派治理洪水,经过多年的努力终于地平天成,涤除水害,大禹因此成为天下共主,在涂山大会天下诸侯,还平定了在江淮地区为害的三苗。大禹分封皋陶之后于江淮地区,这就是六、英等偃姓族人,他们是早期淮夷的一部分,也是后来江淮之间各个国族的祖先。夏末商人伐夏,夏后主桀逃奔南巢,今天在肥西县一带发现典型的夏代礼器,如单扉铜铃、铜斝、陶爵等,证明确有夏王室成员来到这里,因为成组的王室礼器被带到这里,仅仅文化传播是做不到的,必是人群迁移即王室贵族深入此地生活才会出现的。考古学上的发现印证了文献记载与传说。商代,商王室经常征伐夷人,"纣克东夷而陨其身",甲骨卜辞记载商王讨伐的人方,不少学者指出即在安徽江淮一带。商末周初,巢国君主已与周王室有交往,所谓巢伯"慕义而来朝",很可能是周王室为了对付商纣王而与江淮夷族结好。西周时期铜器铭文经常提到"淮夷""南淮夷",合肥地面上的群舒、夷虎、巢、宗等江淮诸小国即是其中一部分。周穆王时期铜器班簋铭文提到方国巢、繁、蜀,其中巢即春秋时期的巢国,而蜀,著名西周史家杨宽指出可能即今合肥大蜀山。淮夷各国与周王室之间,有过不少战争,也有和平相处的岁月,文献与铜器铭文都说到南淮夷各邦向周王室进贡本地特产铜料、大龟、象齿等。

　　春秋时期,合肥地区有记载的国族还有近10个,如巢、夷虎、阴、宗、群舒中的舒庸、舒鸠等,他们是从偃姓六、英等国族分化而来的。像橐皋、浚遒等最初可能也是国族名,后来变成县名(当时楚国灭一国族即设一县)。春秋时期他们创造了富有特点的青铜文化,这就是大量出土的被称为群舒系的青铜器,典型器物有牺首鼎、牺首尊、汤鼎、铉鼎、曲柄盉等。随着楚国东进江淮地区,这些小国族逐渐为楚所征服,最后被并灭。与此同时,吴越势力也进入江淮,尤其是春秋后期,吴与楚展开了争夺江淮地区的斗争,一度大败楚国,攻入楚都。因为相互争夺当地的人口与土地,导致这些小国族迁动不断。春秋末期蔡国迁入州来(今寿县),向南扩张势力进入合肥地区,合肥南部则在越国的统治之下。楚国灭蔡后与越争夺江淮,最后战胜越国,到战国中期江淮全境属于楚国。楚在合肥地区除了设立一些直管的县如居巢、浚遒(龙城)、舒等外,还有如橐皋(今巢湖市柘皋镇)君、陵(今长丰与定远之间)君等封君的统治。江淮地区春秋以来因为是多国的争夺之地,加上原来一些国族的语言,成为多种语言混杂同时也有自己特点的地区,这就是汉代扬雄著作《方言》记载的江淮方言。楚在江淮地区的长期统治,对于江淮地区经济社会的发展起到了一定的推动作用,也改变了这里的文化属性,尤其是楚国最后的都城在寿春(今寿县),合肥地区成为楚的后院,居巢成为楚在江淮之中的交通运输中心。公元前223年,秦人攻打迁居在江淮之地的楚国都城"郢"即寿春,楚人拼死反抗,失败后迁往各地,并以"郢"命名新居之地,以示不忘本来。其中迁入合肥山乡野地的最多,所以合肥地区至今到处都是以"郢"命名的村庄,占全国以"郢"命名之地名的三分之一还要强。

  战国后期楚国实行郡国并行制度,而秦的地方分为郡、县两级,西汉前期地方上又是郡县与诸侯国并在,诸侯国君在内实行自主的统治,拥有自己的军队与一套完整的官僚体制。汉景、武帝时期,诸侯的权利逐渐被剥夺,到汉武帝元狩元年(前122)淮南王刘安狱案后,特别是第二年全国郡县大调整后,诸侯王不再治国,只是食邑,诸侯王国与郡县无异。合肥地区经历了淮南王英布、刘长、刘喜、刘安与庐江王刘赐的诸侯王统治之后,进入郡县时代,分属于庐江郡与九江郡,两郡以巢湖为界,以北以东大体属于九江郡,以西以南属于庐江郡,东汉以后合肥、居巢、临湖等县虽为侯国,实同于县。总的情况看,诸侯王统治时期合肥地区处于诸侯王国的腹地、后院,刘安屯兵于浚遒,输会贸易于合肥,在寿春、合肥整理《楚辞》,著述立说,促进了本地经济文化的较快发展。西汉中期以后,合肥地域行政建制最高的只是县一级别,没有内在的统一性,再加上两汉之际、东汉之末的地方割据,与经常的自然灾害如旱蝗灾害、地震频发等,社会经济发展受到一定影响,东汉后期甚至出现连绵不断的地方动乱,造成人口下降与经济衰退。虽然如此,两汉四百年朝廷还是委派很多一流才人、治国能臣担任本地郡守相尉,如张苍、张释之、王景、滕抚、宋均、卢植、戴圣、羊续、陆康、刘馥等,皆一时之选,显示中央政权对于本地区治理的重视,也推动了地区经济文化的发展,使原来"不知牛耕"的现象有了很大的改观。特别是刘安聚会数千宾客文人于淮南,修道著述,桓荣在江淮间讲学数十年,使得江淮地区文化上和中原发达地区没有什么差别了,有些方面甚至超过之。

三国时期是合肥历史上的一个重要阶段,先是曹操表刘馥为扬州刺史,建治所于合肥,整顿被袁术弄乱了的江淮局面,发展经济,拒抗孙吴在江淮的扩张。曹操四次来合肥谋划扬州发展,在巢湖及以南地区与孙吴之间展开多次战争,造成很长时间"合肥以南惟有皖城"的局面。"曹、孙之霸,才均智敌,江淮之间不居各数百里",城乡虚荒,巢湖芦荡成为匪盗聚集之地,山区更是避难之所。魏国为了更好地应对吴军的来犯,在合肥西北修筑新城,两军又在新城展开激烈的争夺战。有一次合肥新城守军只有三四千人,来犯吴军十万人,守军在合肥民众协助下,竟坚持了近百天直到援军到来,取得新城保卫战的胜利。期间,本地儒士读书人刘整、郑像前后受招募为通使,外出求援,出城后不幸被吴军抓获,倍遭折磨,不屈强御,大义凛然,最后英勇就义,受到朝廷专门表彰,体现了本地民众保家卫国的决心与忠义,其言词至今读之依然令人感佩。之前,张辽等与孙权大战逍遥津,也是著名的以少胜多的战例,战斗惊心动魄,令曹操来肥寻津而观,嘘唏不已。三国时期,魏吴在合肥地区的争战大小不下数十次,东吴经常是十万大军来犯,哀鸿遍野,造成本地区残破不堪,常常是只有军人与屯垦的兵民,加上南北朝时期这里再一次长期成为战乱的中心,很长时间人烟稀少,以至于考古学上见到的魏晋南北朝时期的墓葬都很少。另外,现在所知最早的合肥县长顾雍,字元叹,吴郡吴县人,弱冠之时主政合肥;所知最早的居巢县长周瑜也是20来岁当任,庐江舒县人,他们都是三国时期的。

太康元年(280),西晋灭吴,三国鼎立局面结束,全国再次统一。但不久"八王之乱"扰动全国,北方部族乘机崛起,晋室被迫南渡,琅邪王司马睿317年于建康称帝，史称东晋。此后，中国进入南北朝时代，南方先后出现宋、齐、梁、陈诸政权，是为南朝，北方也先后出现北魏、东魏、西魏、北齐、北周与隋诸政权，是为北朝。自东晋十六国起，迄南北朝结束，合肥处在南北纷争之中，一度成为汝阴县治所，所谓"合肥主名，乃改汝阴之客号"。所以侨置郡县甚多，先后为汝阴县、南汝阴郡、南豫州、豫州等的治所，且不时卷进南方政权的内乱，只有晋初安平时间较长，社会经济恢复较好。合肥地区的郡县设置与政局都因此而不断发生改变。这一时期，淮河多数时候是为南北政权争夺的分界线，而合肥则成为巩固边防的要塞。有些时候如东晋时期，合肥一度成为南北对峙的前沿。南北朝时期，合肥也是忽而隶属于南方政权，忽而为北方政权夺取，不停地变换朝廷，能维持安宁20年以上的时候很少。南梁北魏时，韦叡堰肥水拔合肥的故事震烁古今。梁武帝太清元年（547）改合肥为合州，之后成为北齐在南方的重镇，虽然陈将合肥人任忠、黄法𣰽等一度攻克合肥，但不久又为取代北齐的北周所攻占。此后合肥一直都为北周的属地，直到杨坚代周建立隋朝，改合州为庐州。北方政权南进，也常在合肥造设舰船，整顿水军，以备南下。魏晋南北朝时期巢湖流域重要的军事据点，如合肥戍（当在施水入湖处）、死虎塘、小岘、阳渊、舒县、东关、柘皋等经常发生鏖战，但合肥城一直都是本地区的中心所在、争夺要点。

社会文化方面，这一时期佛教在合肥地区有较多的传播，建有佛寺多所，佛像雕刻有一些流传至今。南北朝时期庐江大姓何氏家族传流多代，在礼学方面著述丰赡，也特别崇尚佛教，修建塔寺，身体力行以支持佛教的传播，南朝佛学发达，士大夫信佛崇佛，何氏家族宣传之功不可没也。离乱多哀求，无何契鬼神。除了佛教传播之外，这一时期方术神道思想在合肥地区也很盛行，三国魏晋有方术大师左慈等，盛名远播，以后如韩友、杜不愆等也是著名当时，传名后世。

三、早期合肥历史文化特点的认识

早期合肥历史文化的特点有很多方面,以下几点无疑是重要的。

一是合肥市区发展成为巢湖流域的社会经济文化中心,经过了一个漫长的历史过程。

合肥本处江淮之中,地理位置十分重要,宋代学者曾誉之为"淮右襟喉,江北唇齿"。但是早期如新石器时代至夏商阶段,江淮地区有多个小的文化区域,一个是以皖河流域薛家岗遗址为代表的西南文化区域,一个是以六安、霍邱、寿县为中心的西北文化区域,还有一个就是以含山大城墩文化为中心的东南文化区域。合肥市区一带虽然靠近东南文化区,实际上长期处于三个文化区域的边缘。随着中原王朝中心地位的奠定,江淮地区开始成为中原的外围,也趋向中原。但是楚国的崛起,又把江淮地区变成楚国的东部。只是到了秦汉中央王朝与淮南王国的建立,合肥才逐渐具有成为本区域中心的机会与可能。这就是西汉时期江南通往北方主要依赖巢湖、肥水连接的江淮通道,合肥确立了作为南来北往交通要道的位置,而东汉以迄南北朝时期合肥进一步发展成为军事重镇,尤其是三国以后,上升为州郡府治的所在。这一切可以说是历史持续不断发展的结果。合肥处在江、淮两大水道的中间位置,南去长江200里,北距淮河200里,距离适中又有水、陆联通,具有开放与流动性,意味着它最终会发展壮大,成为江淮地区越来越重要的中心城市。

二是包括合肥市的江淮地区早期发展或者说文明化进程,与中原地区人群持续不断地迁入有着密切关系。

中原地区一些斗争失败的族群或个人,被迫迁徙他乡,而江淮地区与中原隔着淮河,距离不是太远,这使得它能够成为一个天然的"避风港"。典型的就是"桀奔南巢"。商代东夷迁居淮河两岸,周代大批东方夷族因为周人压迫而再次迁入江淮地区。更早期的凌家滩文化族群无疑也是突然迁入的。汉末一些著名士人如许劭、袁甫等,都是因为动乱避难江淮间。东晋南朝时期,中原避乱江淮更是形成潮流,巢湖周边成为中原人群避难首选之地,合肥市区内外、巢湖市周围设立了众多的侨置郡县。对此,史家曾以"早期中国避乱江淮"现象名之。他们一波一波地从中原迁来,带来各种先进的生产技术与思想文化,对于本地区文明化进程无疑起到了积极的推进作用。这种情况一直持续到五代十国时期还有表现。

　　三是合肥地区的风俗文化特点鲜明,大抵形成于春秋战国时期,影响至于今天。

　　早期这里是淮夷的一部分,《说文解字》言"夷俗仁",《后汉书·东夷传》也说:"夷者,柢也,言仁而好生,万物柢地而出。故天性柔顺,易以道御,至有君子、不死之国焉。"前述皋陶品行高洁,就是夷人的代表。夷族的另一个也是善射的著名人物后羿,文献也写作"仁羿"。淮夷国家最大者为徐国,曾经是江淮区域数十国族的盟主,徐国最有盛名的君主是徐偃王,他的最为出名的故事就是"仁义而亡国"。夷族文化的另一方面是简朴,老子概括为"俭"与"啬",孔子的友人谓之"陋"。俭养德,侈荡心,故夷俗仁。后来楚人大量迁居江淮地区,楚人的"僄勇轻悍""其民轻果而(好)贼",与仁文化的淮夷相化合,形成陈寿所说的"扬(即扬州,时治合肥)士多轻侠狡桀"的人文特质,用今天的话说就是俗尚劲悍,轻侠仗义,忠勇果敢并且富有智谋。司马迁总结淮南王刘安叛乱时也说"夫荆楚僄勇轻悍,好作乱,乃自古记之矣"。所以魏晋以后文献经常可以看到诸如"楚淮之人可为兵""淮南楚子,天下精兵"的记载。《隋书》作者记述淮南、庐江郡一带旧时的风俗文化说:"性并躁劲,风气果决,包藏祸害,视死如归,战而贵诈。"这种影响沿及于近代还有声名卓著的"淮军"出现。清末,李鸿章等人在巢湖姥山岛建设"昭忠祠",一定意义上可以说是对于古代以来合肥历史文化精神的概括,即以纪念先人形式的总结,虽然建祠的目的只在于纪念淮军将士。因为"义"字当先,合肥历史上涌现了刘錡、郑像、余阙等凛然大义之人,及包拯这样清廉正直的杰出代表,杨行密一类宽厚仁义之主,范增、李鸿章一类富有智谋之士。

最近一些人讨论合肥本地人的性格,认为有着农民式的"狡黠",等等,与陈寿等人的总结可以说是若合符节。这一切让我们看到早期文化的深远影响,正所谓"起源意味着本质"。

四是合肥本地水乡生活的特色。

古代合肥水多,《史记》《汉书》已指出"合肥受南北潮(湖),皮革、鲍、木输会也",周边都是水,汉晋合肥城"居四水之中",合肥城区至巢湖之间水道宽广。司马迁描述说:"楚越之地,地广人稀,饭稻羹鱼,或火耕而水耨,果蓏蠃蛤,不待贾而足。地势饶食,无饥馑之患。以故呰窳偷生,无积聚而多贫。是故江淮以南,无冻饿之人,亦无千金之家。"指的主要就是江淮地区,当然包括以鱼米为主要生活来源的巢湖流域。针对江淮之间水乡生活的特点,前言汉政府在九江郡专门设置了陂官、湖官,管理灌溉用水、渔民生活与税收,说明合肥一带靠水吃水的生活特色。还有,刘馥在合肥为扬州刺史,收集鱼脂数千斛以为守备。建安十三年,孙权率十万大军来攻,围困合肥城百余日,阴雨连天,城墙眼看要崩坏,守城将士用刘馥准备的"苫蓑覆之,夜然脂照城外,视贼所作而为备,贼以破走"。鱼的油脂多到可以用于照明视察敌情,也说明本地渔业生活所占比例之大。出行则以船为主要交通工具。汉代,朝廷设置楼船官,即建设水师使用的多层大船,演习水战,全国唯一的楼船官就设在庐江郡,自然是因为这里的水乡泽国和造船技术的先进。水的灵动锻炼人的智性,所以合肥人的智谋,既有楚文化的因子,也是本地水乡特色生活的写照。近世以来南方人迁入本地不少,更增添了智慧的基因。

总的看,合肥这片土地生长出来的历史人物,政治军事人才居多,思想学术文化人才偏少;早期人物月明星稀但是特点鲜明,唐宋以后人才逐渐增多,是早期历史文化精神的展开;所作所为多守护乡土、忠心国家者,体现为仗义而富有智谋。战争、北方人的不断迁入等对于形成合肥人侠义精神、果敢作风起到了重要的作用,而本地水乡鱼米的生活,更加增添了合肥人聪明智慧的因素。

四、本卷资料情况与撰述上的考虑

　　早期合肥地区的历史,过去很少深入地研究,更没有系统的叙述,所以未有多少可以参考的成果。之所以如此,一方面是因为合肥地区处在中原边缘,早期水乡泽国,人烟稀少,留下遗迹不多。所以远古的情况全靠偶尔发现的考古遗迹,三代秦汉时期的情况文献也是提及不多,一鳞半爪。三国魏晋南北朝时期,涉及合肥的战事稍多一些,其余大都缺如,或语焉不详。另一方面是遗留下来的资料支离破碎,有时甚至相互矛盾。所以很多事情不仅难以述其本末,甚至不能略知大概。这种情况下,只能根据现有的资料,依靠一些背景知识进行粗线条的描述。还有一些关乎合肥历史的大事件,如有巢氏传说、桀奔南巢、群舒地望、早期巢国、居巢位置、江淮通道、合肥得名、周瑜故里、早期巢湖,等等,学术界虽然有一些讨论,但是意见纷乱,甚至有很多资料使用上的错误。

　　由此,我们一方面尽可能多地搜集资料,争取无遗漏,关注文献记载、考古发现与前人研究成果,另一方面花费大量时间综合多种情况,重新进行研究。几年间,我们的主要工作都在搜集整理与研究合肥的历史资料、提出合肥早期历史的重要问题上。只有通过研究,把合肥历史发展的过程弄出个大概,才可以为叙述打下基础。是以,很多时候在传闻异辞且少得可怜的资料间反复,有时甚至是数月之间一无所得。反复琢磨、钩稽索引爬梳出线索,这就难免要网罗各种放失旧闻,旁参互证,抉摘幽隐,纲纪古史,即集合多方面资料加以综合考虑。也因为资料不足,一些认识与意见难免推测之言,结果只能是选取其中之最大可能性加以陈述。

　　资料上的限制,使得本卷多数内容的撰写以考述为主,考证史实之概况,理清发展之线索,而后"整齐故事",揭示早期合肥历史之概貌。如果没有考述,早期合肥基本历史大貌根本难以呈现,混沌情形不能改观,缺环会很多,存史、资治之目标难以实现。是以文字表述有些时候是论述的形式,而不是一般全国性或全省性通史所表现的叙述样式。唯其如此,不至于留下过多的历史空白。也因此,考而述之构成本卷区别于以后诸卷的撰述特征。好在全书有简写本,明白流畅地描绘合肥历史的基本面相,避免了本卷因叙述方式而带来的晦涩与烦琐。

每一个地区历史的童年时代都是遥远的,记忆模糊的,但并不是彻底消失的,而是潜藏在这里人们心灵的深处,也残留在故纸边、荒草中与锄头下……有时你可以忽视它,但它永远存在。收拾这些碎片并让她呈现出具体整体的画面来并不是一件容易的事。在全面钩稽索引、系统叙述合肥历史的基础上,我们勾画了早期合肥历史发展的一个概貌,希望能引起人们回味记忆深处的灵性存在,能感觉到我们自己的行为方式与言谈举止并不是毫无来由,而是祖先们的代代努力积淀传承造就了这一切。

目　录

一部人民的合肥史 / 001

总　论 / 001

绪　论 / 001

第一章　史前时期的合肥 / 001

第一节　旧石器时代的合肥 / 003
一、巢县人的发现与研究 / 003
二、巢湖南岸发现的旧石器文化遗存 / 007

第二节　新石器时代的合肥 / 014
一、合肥地区新石器遗存概况 / 014

第三节　史前时期合肥先民的生活 / 025
一、聚落 / 025
二、原始农业 / 027
三、手工业 / 028
四、原始渔猎采集及家畜饲养业 / 031

第四节　有巢氏传说 / 032
一、有巢氏传说的出现 / 032
二、有巢氏传说的演变 / 039
三、巢父传说 / 047

第二章　夏商西周时期的合肥　/ 053

第一节　夏商时期的合肥　/ 055
一、皋陶之后分衍出江淮各国族　/ 055
二、桀奔南巢　/ 062
三、商代合肥及周边的国族　/ 069
四、合肥地区夏商时期的文化遗存　/ 072

第二节　西周时期的合肥　/ 090
一、合肥地区的方国族邑　/ 090
二、西周时期合肥地区的文化遗存　/ 098

第三章　春秋战国时期的合肥　/ 111

第一节　春秋时期的合肥　/ 113
一、春秋时期合肥及周边地区的国族　/ 113
二、春秋时期合肥地区的政治军事形势　/ 140
三、春秋时期合肥地区的考古文化遗存　/ 160

第二节　战国时期的合肥　/ 174
一、蔡、楚在合肥地区的统治　/ 174
二、社会经济的发展　/ 183
三、合肥地区的文化艺术　/ 198

第四章　秦汉时期合肥地区的行政建置与政局　/ 209

第一节　秦汉时期合肥地区的行政建置　/ 211
一、合肥地区行政区划与建置概况　/ 211
二、合肥的名义与地理　/ 220
三、居巢地望　/ 235

第二节　以合肥为中心的江淮政局演变　/ 244
一、秦朝统治与江淮地区反秦起义　/ 244
二、诸侯王统治时期的合肥及周边地区　/ 247
三、郡县治下的合肥地区政局　/ 259
四、东汉后期合肥地区的社会动乱　/ 270

第五章　秦汉时期合肥地区社会经济的发展　/ 277

第一节　合肥地区的人口变化与城乡生活　/ 279
一、秦汉时期江淮地区开发的基本情况　/ 279
二、两汉时期合肥地区的人口与移民　/ 282
三、城乡生活基本面貌　/ 293

第二节　经济发展　/ 302
一、农业的发展　/ 302
二、手工业的发展　/ 308
三、渔业林业的发展　/ 321
四、合肥"输会"地位与江淮水道线路　/ 323

第六章　秦汉时期合肥地区的风俗与文化　/ 329

第一节　社会风尚　/ 331
一、社会风俗基本情况　/ 331
二、日常礼俗　/ 335

第二节　学术与文化　/ 344
一、学术教育　/ 344
二、儒家教化流行合肥地区　/ 348
三、文化成就与艺术风格　/ 349

第七章　三国时期的合肥　/ 365

第一节　东汉末年江淮地区乱象丛生　/ 368
一、袁术占据九江，控制寿春、合肥　/ 369
二、庐江吏民殊死反抗袁术兼并　/ 371
三、孙策、周瑜举事历阳　/ 373
四、袁术僭越称帝，自取灭亡　/ 377
五、孙策周瑜智夺庐江郡，皖城娶二乔　/ 380

第二节　曹操经略合肥，确定基本方针　/ 387
一、曹操谋划合肥发展方略　/ 388
二、曹操四次视事合肥　/ 392

三、曹操四视合肥的主要政绩 / 400

第三节 曹丕、曹叡戍守合肥战略与孙权的争夺 / 403

一、曹丕经略合肥的两大战略 / 405

二、曹叡时满宠筑"新城"，巩固合肥堡垒阵地 / 410

第四节 孙权极力争夺合肥的考虑与作为 / 418

第五节 魏三少帝与吴三后主争夺合肥 / 424

一、魏吴"濡须坞"大战 / 424

二、合肥新城保卫战 / 426

三、司马氏讨伐扬州诸葛诞 / 429

第八章 两晋南北朝时期合肥的行政建置与政局 / 435

第一节 两晋时期的合肥政局 / 437

一、西晋统一与淮南郡的设置 / 437

二、东晋时期合肥成为南北方对峙的前沿 / 442

第二节 南北朝时期合肥的政局 / 457

一、人口迁移与合肥地区侨置郡县 / 457

二、南北朝时期合肥政局的演变 / 464

第九章 两晋南北朝时期合肥的经济与文化 / 479

第一节 社会经济概况 / 481

一、汉末以来的新变化 / 481

二、农业生产 / 483

三、手工业、商业概况 / 492

第二节 魏晋南北朝时期合肥的文化艺术与社会风俗 / 495

一、宗教的传播 / 495

二、科技、教育与学术 / 508

三、社会风尚 / 517

四、文化艺术风格 / 531

大事记 / 533

参考文献 / 534

后　记 / 562

第一章

史前时期的合肥

合肥地区是我国早期人类活动的重要地区之一,早在距今50万年前的旧石器早期开始,就一直有人类生息繁衍,主要集中在庐江、巢湖一带,其石器制作特征与南方的旧石器中多砾石器传统较一致,以大型砍斫器为主。巢县智人化石的发现是继和县猿人化石后的又一重大发现,其活动年代是人类进化史的重要时段,也是探索中国现代人类起源的重要时期。

合肥地区的新石器时期遗存,可分为三个时期,最早可追溯到六千年前的肥西古梗下层文化,这时已经出现半地穴式房屋,制陶业也发展到了一定程度,并出现彩陶。距今五千余年的凌家滩文化在巢湖一带也有零星分布,其制玉业有较高水准。新石器末期的龙山文化遗存在本地区有分布广泛,其中水稻遗存大量发现,开始出现快轮制陶的技术。各个时期均表现出与周边地区密切的文化交流现象。后世关于有巢氏"构木为巢"的传说,一般放在燧人氏"钻燧取火"之前,是战国学人对于早期历史发展的合理推度,根据考古学研究,最初"构木为巢"的时间当在距今数万年之前。

第一节 旧石器时代的合肥

一、巢县人的发现与研究

1982年3月,巢县文化局向中科院古脊椎动物与古人类研究所报告,银山村采石场发现第四纪哺乳动物化石。巢县人化石出土于巢县岱山乡银山村旁的裂隙洞穴堆积,海拔高度25米。4月,古脊椎动物与古人类研究所和安徽省文物考古研究所共同对含化石地点进行发掘,结果发现一块不太完整的人类枕骨化石。1983年10月至11月,古脊椎动物与古人类研究所和安徽省文物考古研究所再次对化石地点进行发掘,获得一块不太完整的人类上颌骨化石(带有第一前臼齿、第二前臼齿)和4颗破碎的牙齿以及一批哺乳动物化石。1986年11月至12月,安徽省文物考古研究所对银山村人类化石遗址进行第三次发掘,在原含人类化石的地层中未发现人类化石,但获得一批保存较好的哺乳动物化石。按照古人类学的定名标准,银山村发现的这批古人类化石被命名为"巢县人"。在巢县银山发现智人化石[1],经专家鉴定属旧石器时代中期。由于和县猿人和银山智人化石的发现,环巢湖地区过去不太受到古人类学及考古学家重视的地区,成为关注的焦点之一。此后在这一地区进行过一系列古人类活动情况的调查和发掘工作,为中国旧石器时代文化研究开辟了一片新的区域。为以后人们对这一地区的研究奠定了很好的基础。

(一)巢县人的生存时代

巢县人化石所在的洞穴堆积分为上下两部分,上部堆积为1—2层,人类化石出自第二层。在该层中发现的动物化石有中国鬣狗、肿骨鹿、小猪、剑齿象等种类。试比较之,中国鬣狗存在于北京周口店第一地点1—13层中,肿骨鹿发现于周口店第一地点1—10层中,在和县猿人地点的含人类化石堆积中也发现了中国鬣狗与肿骨鹿化石。小猪化石现发现于早更新世地点如广亚柳城巨猿洞,又发现于中更新世的一些地点,如和县龙潭洞和湖北郧县龙骨洞。但在巢县人化石地层中,至今未见第三纪残存种类剑齿虎化石以及始于早更新世而繁盛于中更新世的居氏大河氏狸化石。而剑齿虎和居氏大河狸化石皆见于和县猿人地点和北京猿人地点第四层以下的堆积中。因而可推定,巢县人的生存时代要晚于和县猿人和北京猿人地点第四层以下的时代。用铀系测定巢县人化石的年代为距今16—20万年。其地质时代应为中更新世晚期。

---

[1] 许春华、张运生、方笃生:《安徽巢县发现的人类枕骨化石和哺乳动物化石》,《人类学学报》5(4),1984年;《安徽巢县人类化石地点的新材料》,《人类学学报》5(4),1986年;方笃生:《和县、巢县人类化石研究综述》,《文物研究》总第四期,黄山书社1988年版。

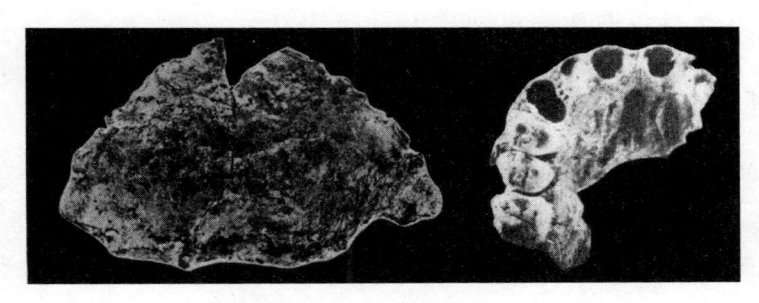

巢县智人枕骨、含牙齿的上颚化石

(二)巢县人体质特征

巢县人化石材料包括1块不太完整的枕骨,1块残缺的左上颌骨(含第一、第二前臼齿)及4颗破碎牙齿,这些材料代表了至少三个不同的个体。其枕骨具有发育的枕外圆枕,显得相当宽,外观与直立人的枕骨相似,显出一定的原始形。但枕骨骨壁较薄,曲度角较北京猿人的为大,枕骨的内外隆凸点的距离比北京猿人短,又与早期智人形态接近,代表着较直立人先进的人类体质特征。其年龄推断可能属于一个青年女性个体。巢县人上颌骨齿槽突颌稍显,其前缘轮廓线稍呈隆起,而不像现代人类那样呈平直状或下凹状。鼻骨很宽,鼻前棘很发育。梨状孔下缘呈线型,有较大的鼻阔。鼻腔底则呈椭圆形,与北京猿人的平坦状不同。上颌窦向前展伸,达到相当于第一前臼齿的位置,并向中矢方向展伸,可达上颌腭突。巢县人还有不发达的犬齿齿槽轭等特征。这些形态特征表明,上颌骨所代表的个体属早期智人。研究推测,该下颌骨可能为男性。巢县人牙齿的尺寸,都在直立人相应牙齿的变异范围内,无论齿冠还是齿根都比现代人大而粗壮。牙齿咬合面有丰富的副脊,咬合面纹理比现代人复杂,牙齿的基部有较发达的扣带。齿冠磨损较重,代表了男性中年个体。

巢县人的枕骨、上颌骨化石所显示的形态特征表明,其基本形态具有早期智人的许多典型特征。例如,枕骨骨壁较薄,枕骨曲度较直立人为大,上颌骨鼻前棘发育,门齿孔的位置紧靠齿槽缘,有不发达的犬齿齿槽轭等,都与北京猿人、和县猿人的形态明显不同。因此,研究者将巢县人归属于早期智人。

（三）巢县人时期的气候环境与生产生活

在与巢县人共同生长的哺乳动物群中，中国鬣狗常栖息于草原或沙漠，貘、犀、肿骨鹿习惯栖息于森林和多水地带，剑齿象、野猪、虎等栖息于森林。分布于热带亚热带地区的南方种类有剑齿象、貘、犀和中国鬣狗；分布于寒冷地区的北方种类肿骨鹿适应性较强；分布范围广大的种类有猫、獾、豹、熊和野猪。可见，巢县人地点的动物化石中，生活于森林和多水地带的种类占大多数，而且以生活在热带亚热带地区的动物为主。反映出巢县人生活时期的气候温暖湿润，为热带或亚热带气候，气温与现在巢县一带相当或稍高。从地理位置上看，银山一带为低山丘陵地带，有茂密森林。银山东部和北部为宽阔的平地，银山东北部有裕溪河流经并汇入长江，裕溪河两岸是广阔的旷野，当时有广大草原和湖泊沼泽。巢县人与和县猿人相距仅40公里，自然生态环境应该没有太大的差别。生产活动主要是采集、捕捞和狩猎，他们过着集体劳动的共同生活。

巢县人选择居住的地点颇为讲究。发现人骨化石的地点的小山丘，当地人称作"银山"，海拔仅有20余米，与之相对的另一处小山头略高，当地人称之为"金山"，两者相距仅有数百米。两山地势显得较突兀，东部为河漫滩，地势平坦，处于裕溪河二级台地范围之内，但在其毗邻的西南处，有成片的小丘陵地貌，最高峰海拔可达500米以上。相比该处地点的周边环境而言，巢县人没有将栖居之所选在附近的丘陵，而更青睐于这一处小山，可能主要因为这处小山头，高度有限，便于下山活动。而所在洞穴更是位于山南一侧近山顶处，光照良好，是一处天然的"庇护所"，而且这里视野开阔，便于进行日常所需的采集、狩猎活动。由于择高而居，自然也减少了来自食肉类野兽的侵扰。

二、巢湖南岸发现的旧石器文化遗存

（一）望城岗旧石器地点群概况

望城岗旧石器地点群，位于巢湖南岸。这一带岗丘起伏，为大别山向东延伸的余脉，当地人称之为银屏山区，最高峰银屏山海拔508米。更新世以来，由于长江摆动，裕溪河下游阶地发育不全，只在林头一带发育一、二、三级阶地。望城岗旧石器地点群，主要分布在巢湖南岸及裕溪河口与巢湖交界处，有些地方只有二、三级阶地。这些阶地也非裕溪河形成的，而是晚更新世以前河流流经巢湖的古河流形成的阶地。这条古河流与现在的裕溪河可能相连。由于巢湖下陷，流经巢湖的古河流自然消失或沉入湖底，但是局部河段仍保留于地面，所见石器即含在这一古河流的二、三级阶地的网纹红土中。经过发掘，可以看出二级阶地地层发育较全，共有11层，其中下层中所含的石器较丰富。

1988年2月，安徽省文物考古研究所研究人员在巢湖市岱山乡三胜砖窑厂进行旧石器时代考古调查，在窑厂取土处采集到10多件旧石器标本。这些石器的人工打击痕迹清楚，并且距巢县银山发现的智人化石地点只有2公里，因此更加引起学界的浓厚兴趣。为了进一步搞清这一地区的旧石器时代文化面貌，1988年11月，安徽省文物考古研究所再次组织力量对岱山乡所在的巢湖市望城岗一带进行调查，除2月发现的旧石器点外，又在附近的三合窑厂、望城窑厂、屏峰窑厂、红光窑厂的取土处发现了四个新的旧石器地点，并采集了一批标本。这是安徽省旧石器时代考古的又一重要发现，此处成为水阳江旧石器地点群之外的又一处旧石器地点群，且处于江淮之间，又因为与和县猿人、巢县人遗址的距离不远,所以格外引人注目。①1991年,经国家文物局批准,对望城岗旧石器地点进行发掘,选择石器较丰富、地层发育较好的屏峰窑厂、红星窑厂附近取土的阶地作为发掘点,弄清了石器分布的确切地层和石器埋藏环境等重要问题。

(二)望城岗旧石器地点的古气候与环境

据巢湖银山早期智人化石层的特征和其中出土的动物化石推测,远古时期,这一带的气候为温暖湿润的亚热带气候,年平均气温与现今巢湖的气候相当或稍高,基本上与现今气温相吻合。因此,望城岗旧石器地点的古气候为温暖湿润的亚热带气候。②

望城岗位于巢湖市城南4公里,北滨巢湖,东临巢湖水出口通道裕溪河边,西面和南面为低山丘陵地带,是由大别山东麓延伸而成,附近的鸡毛山、燕山、岱山、银山等,海波达到500多米。银山及附近小山为灰岩地区,岩溶较发达,因此,望城岗远古人类生活时期,当时的地理环境是,山上有茂密的森林,巢湖边和裕溪河两岸是宽阔的旷野,有大片的草原,湖泊发育,土地肥沃,是适合古人栖息、繁衍和生活的理想场所。

望城岗旧石器地点处在江淮丘陵地带,介于我国华北与华南之间的一个文化过度地带。因而江淮丘陵地区所发现的旧石器,将对于研究我国南、北旧石器时代文化的分布及相互关系等方面有着较重要的学术意义。同时,望城岗旧石器地点距著名和县猿人遗址约40公里,距银山村早期智人遗址仅2公里,这对进一步研究我省远古人类的生产和生活状况提供了重要的线索。

---

① 在和县人遗址与巢县人遗址出土遗物,基本仅包括人类化石和哺乳动物化石,和县人遗址中另发现有少量骨、角、牙制品,有些保留人工加工过的痕迹。两处地点没有石制品出土,为了解当地的文化面貌带来了困难。望城岗一带的石制品地点年代下限在20万年之前,和县猿人年代大致可含盖其内,说明这里自百万年前就一直流行以砾石为原料的大型石器风格,这就为复原巢县智人的石器文化提供了依据。

② 许春华、张运生、方笃生:《安徽巢县发现的人类枕骨化石和哺乳动物化石》,《人类学学报》5(4),1984年。

综上所述，可以看出望城岗旧石器属于华南砾石石器文化传统范畴，也是华南旧石器文化大石器类型中的一部分。无论是从文化遗物方面看，还是从文化层的层位看，望城岗旧石器地点群无疑在我国旧石器文化中占有相当重要的地位。

另外，由于望城岗的旧石器是在河流阶地堆积中发现的，因此，对研究长江下游河流阶地堆积时代划分问题，提供了有价值的资料。但是，由于发掘面积较少，所发现的资料还很有限，尤其是至今未发现典型的动物化石标本，因而使目前的研究工作还难以进一步深入。随着今后工作的进一步开展，将会有新资料不断发现。

（三）望城岗石制品概貌

望城岗旧石器地点群的石制品的原料主要是石英砂岩，极少数为石英岩。制作石制品的毛坯为经过河流搬动的砾石。砾石来源于附近裕溪河二、三级阶地。砾石磨圆度中等，质地坚硬，是制造石器的理想材料。

望城岗石器制造方法以锤击法为主，未见到典型的碰砧法和砸击法。原料以砾石石器为主体，其次为石核石器，石片石器很少。器形很不规整，第二次加工简单粗糙。砾石石器表面大部保留着较大面积的砾石自然面，石核石器有的保留部分砾石面，石片石器保留砾

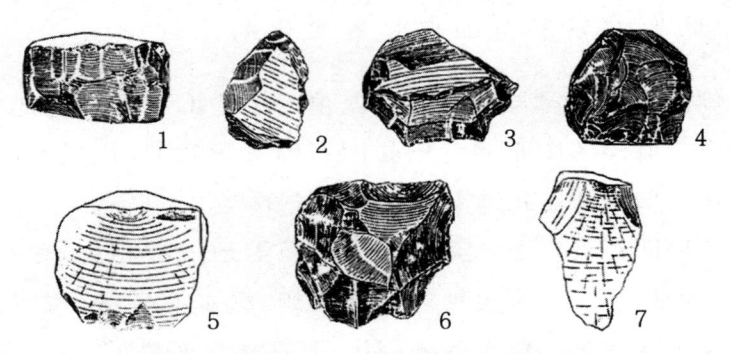

1.双台面石核 2.直刃砍砸器 3.凸刃砍砸
4.石球 5.大石片 6.多变砍砸器 7.长石片

望城岗旧石器

石面较少。石器的修理方式多样,比较常用的是向破裂面或背面加工,向背面加工较多。因而石器刃口钝者多,锋利者少。修理工作比较粗糙,刃缘曲折,器形不规则。望城岗石制品类型有石核、石片、砍砸器、石球、刮削器,其中砍砸器数量最多。

石器类型简单,仅砍砸器、石球和刮削器三类,以砍砸器为主要类型,占石器的61%,石球次之,占26%,刮削器仅占13%。基本上是大、中型石器,小型者少数。石器较粗大,厚重和形制不规定是其主要的特征点之一。

石核和石片大者多,以自然台面为主,打制台面比例较小,形制原始而多样,石片的利用率相当低。石制品棱角尖利清晰,说明未经搬运,属于原地埋藏。

综上,望城岗旧石器以砾石石器为主,器物组合以砍砸器的比例较大,制作方法以锤击法单面打击为主。无论从类型还是制作方法看,都属于我国南方砾石石器文化范畴。望城岗旧石器地点位置特殊,恰好介于我国华北、华南两大旧石器主工业之间的过渡地带,对于研究我国南、北旧石器时代文化的分布、交流及相互关系等方面有着重要的学术意义。该地点又位于和县人和巢县人遗址附近,也为进一步研究长江下游地区远古人类的生产和生活状况提供了重要线索,同时对研究长江下游河流阶地堆积时代划分亦具有重要意义。

(四)望城岗旧石器与国内相关文化的比较

望城岗的旧石器与我国已经发现的一些旧石器文化遗物比较,可以看出望城岗的旧石器与已知旧石器文化的关系,从而可以推断出望城岗的旧石器在我国旧石器文化中的地位。

望城岗旧石器与国内其他一些旧石器地点群相比,有一定的相似之处。例如与广西百色地区右江流域、汉水流域汉中盆地的龙岗和梁山及皖南水阳江流域等处相比,其共性显而易见,均以砾石石器为主,器物组合中以砍砸器占很大的比例,石球也占有一定的数量,制作方法以锤击法单面打击为主。不过,望城岗发现的尖状砍砸器,我们未按照尖状器器形分类,实际上与广西百色,湖南澧水,汉水流域龙岗、梁山及皖南水阳江流域等处发现的尖状器基本相似,多方比较差异不大,均用砾石打成。但百色、澧水、汉水等地发现的尖状器制作精美,近似手斧尖状器,还有两侧缘修理成对称的两面加工的尖状器。而望城岗的尖状砍砸器是一侧缘修理加工而成,制作简单、粗糙,均采用锤击法打片。总之,从总体看来,望城岗的旧石器与河流阶地类型的旧石器两者内在联系似乎更紧密些。

而与国内某些洞穴旧石器遗址相比,却有一定的差异,如我国华北的北京人旧石器文化和山西丁村文化都是以石片石器为主。北京人的石器中刮削器数量最多,式样也最丰富,砍砸器数量不算少,但仅多于尖状器;丁村虽然发现不少大型石器,但刮削器是一种极为普遍的石器,数量较多。北京、丁村以用石片制成大三棱尖状器为显明特征,这与华南旧石器文化及我省皖南水阳江、巢湖望城岗用砾石制成的尖状器之间的关系有待进一步的研究。从打片技术上来看,北京、丁村以砸击法为主,锤击法处于次要地位,而望城岗主要采用锤击法。但望城岗旧石器与华南湖北大冶石龙头洞穴内旧石器文化,均有若干相似处,都是以砾石石器为主,砍砸器占很大的比例,石器粗大而厚重,器类简单、加工粗糙、刮削器较少等特征,两者比较接近,打片技术均用锤击法,不同之处,大活石龙头原料以石英岩为主,未发现石球,两者从总体来看是有一些相似之处。

石球在国内外有过发现,在我国过去发现于华北、西南、华南各地,如华北蓝田稠水沟和汉中梁山;山西许家窑、丁村,河南三门峡;西南云南的丽江和华南广西百色,湖南澧水,汉水流域及皖南水阳江流域等各地。石球出现在旧石器时代早期、中期和晚期,有人曾把石球看作为某种文化内部联系的一个重要纽带,而望城岗石球发现至少可以给华北和华南旧石器文化的联系增添了新的证据。

总之,望城岗的旧石器,无论是类型或制作,总体上来看是属于华南砾石石器文化传统范畴。

(五)望城岗旧石器地点群的若干问题

有研究者认为,望城岗旧石器地点的时代为:地质年代至迟为中更新世中晚期,文化年代为旧石器时代中期。其依据为,望城岗旧石器全部出土于砾石层之上的网纹红土层中,对照其他地区地层构造与地貌、古环境的年代测定结果,亚洲南部晚新生代的强烈砖红壤化(即网纹红土)事件可能发生于北京猿人早期,距今60—40万年。

近年来,有关单位对南京附近宜兴张渚镇的下蜀土及下伏的网纹红土进行的热释光年代测定,以及庐山地区网纹红土和下伏的砾石层进行的古地磁法年代测定有了很大进展,建立了长江下游第四纪沉积的综合年代序列:下蜀黄土距今31.8—15万年,网纹红土距今90—40万年,泥砾层距今110—90万年。2001年,郑龙亭根据望城岗旧石器地点的地层剖面描述及石制品皆出土于网纹红土层,结合与水阳江旧石器地点的地层对比,认为望城岗旧石器的地质年代与水阳江陈山地点下部(B组)6—7层相当,似应为早更新世晚期至中更新世中期,文化年代为旧石器时代早期。

望城岗旧石器与国内已知的旧石器时代文化的关系,可从以下比较中发现。望城岗旧石器与我国的一些河流阶地类型的旧石器地点相比,有相似之处。如广西百色右江流域,汉水流域汉中盆地的龙岗、梁山及皖南水阳江等地的旧石器,皆以砾石石器为主,器物组合以砍砸器比例较大,制作方法以锤击法单面打击为主,这些皆可看出望城岗的旧石器属于河流阶地类型,无论从类型或制作方法看,都属于华南砾石石器文化范畴。

望城岗旧石器地点在我国旧石器时代文化中占有相当重要的地位。从地域上看,望城岗旧石器地点所处的位置,恰好介于我国华北、华南两大旧石器主文化之间的过渡地带,对于研究我国南、北旧石器时代文化的分布、交流及相互关系等方面有着重要的学术意义。望城岗旧石器地点又位于和县人和巢县人遗址附近,为进一步研究长江下游地区远古人类的生产和生活状况提供了重要线索。从旧石器出土情况看,望城岗旧石器出土于河流阶地堆积地层中,对研究长江下游河流阶地堆积时代划分亦具有重要意义。

(六)庐江发现的旧石器遗存①

1990年,考古单位在庐江县建材厂、城南窑厂、三里岗调查到四处旧石器地点。它们地处庐江县中部和南部,石器地点均位于河流的二级阶地上,相对高度20—30米。主要堆积物大致分为上下两部分:下部为厚度一般不超过10米的网纹红土;上部为类似黄土的棕黄色、褐黄色粉砂质黏土,厚度小于5米。底部为已经网纹化的砾石层,厚度不等。

发现有数十件石制品,以石英砂岩制作而成,有石刀、石核、石球、单边砍砸器、双边砍砸器、刮削器、小尖状器和砍斫器等。石器中以砍砸器为主,占全部石制品的36.8%,刮削器和尖状砍砸器分别为10.5%。存在石球和使用石核。石器采用捶击法制作,体型较大,制作方法直接,工具器型也比较简单。这批旧石器的地质时代属于中更新世,时间略有早晚区别,其中建材厂和后方窑厂地点的石制品为旧石器时代早期到旧石器时代中期,而城南窑厂、三里岗地点的石制品为旧石器时代中期。时间在20万年前至50万年前。

这批石制品制作风格与望城岗一带石器基本一致,并同时可以纳入我国南方旧石器文化传统中来。

---

① 房迎三:《安徽庐江、枞阳发现的旧石器》,《文物季刊》1996年第4期。

第二节　新石器时代的合肥

一、合肥地区新石器遗存概况

　　安徽地处南北交汇地带,新石器时代遗址文化面貌表现出多种不同特征。宏观上看,淮河流域文化与中原黄河中下游文化有密切关系,属于北方文化系统;江淮南半部和皖南地区文化明显与长江中下游一带文化关联,属南方系统。微观上,可再分为四个大区域:淮北和沿淮区、环巢湖区、皖西南区、皖南区。其中环巢湖区则以合肥为中心,并包括含山境内的滁河上游支流一部分。地形上呈四周高、中间低,近湖区域海拔较低,在 20 米以下;远离巢湖区域海拔较高,可达 40—200 米。总体上属于平原或低矮的岗丘地貌。

　　根据目前的发现,整个环巢湖区域新石器文化出现年代较淮河流域晚,目前还没有 6000 年以前的文化发现,而以距今 6000—5000 年的文化较发达,至 4500 年左右,遗址数量有较大增加,但与淮河流域仍差异较大。合肥地区已发掘的主要遗址有肥西古埂①、塘岗②;肥东药刘、岗赵③、吴大墩④、大城墩;巢湖大城墩⑤等遗址。未发掘但经过调查可知属于新石器时代遗址的也有不少⑥。此外,含山凌家滩文

---

①　安徽省文物考古研究所:《安徽肥西县古埂新石器时代遗址》,《考古》1985 年第 7 期。
②　安徽省文物考古研究所:《安徽肥西塘岗遗址发掘》,《东南文化》2007 年第 1 期。
③　张敬国:《安徽肥东肥西古文化遗址调查》,《文物研究》第二辑,1986 年。
④　张敬国、贾庆元:《肥东县古城吴大墩遗址发掘简报》,《文物研究》第二辑,1985 年。
⑤　安徽省文物考古研究所:《安徽含山大城墩遗址第四次发掘报告》,《考古》1989 年第 2 期。
⑥　数据来源于安徽省第三次文物普查报告。经统计,合肥市区无相应时期遗址,长丰县 1 处,肥东县 11 处,肥西县 29 处,巢湖市 6 处,庐江县 14 处。

化类型遗址[①]在临近合肥的区域也有少量发现。巢湖流域古代文化源远流长,有其独立起源的过程,可以作为一个稳定的独立的文化区系。

(一)古埂下层文化类型

该文化类型也称"侯家寨二期——古埂下层类型",此类遗存的代表性遗存还有侯家寨遗址第二期文化,且同类遗存在含山大城墩、霍邱红墩寺、滁州朱郢山、肥东岗赵、药刘等遗址内均有发现。该类遗存陶器以夹砂红褐陶和红陶为主,有少量灰陶和黑衣陶。器表纹饰有弦纹、刻划纹、附加堆纹、按窝、镂孔等。出现彩陶,一般为红彩,有宽带纹、三角纹、网纹、水波纹等,主要见于豆、盘、钵、碗、罐等泥质陶器上。还发现一片草叶花瓣纹彩绘,黄底黑彩。部分器物的肩部流行扁錾手、鸟首形耳系、扁环耳、把手等。主要器形有鼎、釜、支架、钵、罐、豆、甑、壶、盘等。鼎的变化较大,有罐形、釜形和钵形等。鼎足有扁圆锥形、扁铲形、弯曲形,扁鼎足正面一般由凹槽和按窝。其他有石斧、石锛、砺石、骨锥、陶纺轮和陶网坠等。该类遗存中的直口扁腹釜形鼎、高领釜形鼎、束颈罐形鼎、带把手壶形鼎、平底钵、盆形甑、圈足钵、彩绘圈足盘、小盂、红彩圈足碗等比较典型,其他文化少见,具有当地文化特点。在这类遗存中,扁腹釜形鼎、三足盘、鸟首形器耳以及花瓣纹彩绘等,与大汶口早期同类器风格相近。还有不少碗、钵、盆的外口沿绘有1—2周红彩,这种现象在南京北阴阳营遗址同类器上常见。

这些情况表明该类遗存年代与大汶口早期、北阴阳营文化相当,距今约6000年。古埂下层文化遗存与淮河中游、皖西南地区有一定的渊源关系。在古埂遗址下层发现有与薛家岗二期文化相似的钵形豆,在遗址上还采集到半个陶球,说明薛家岗文化早期与古埂类型间

---

① 安徽省文物考古研究所:《凌家滩:田野考古发掘报告之一》,文物出版社2006年版;《安徽含山县凌家滩遗址第五次发掘的新发现》,《考古》2008年第3期。

或许有一定的关联。红褐陶釜、红衣陶圈足碗等则与淮河沿岸的双墩文化晚期有一定联系,此外陶器上流行鸟首形器耳、鸡冠形和扁长方形錾手、角形把手等装饰手法,也与双墩文化风格相近。说明古埂类型与双墩文化有内在的承袭关系。这种传播甚至远达巢湖以南的凌家滩文化,在该文化的部分遗存以及裕溪后河北岸曾发现过一些红衣陶和红彩陶。

古埂遗址下层文化遗存。古埂遗址位于肥西上派镇,1981年由肥西县文物组普查文物时发现,1983年安徽省文物考古研究所负责

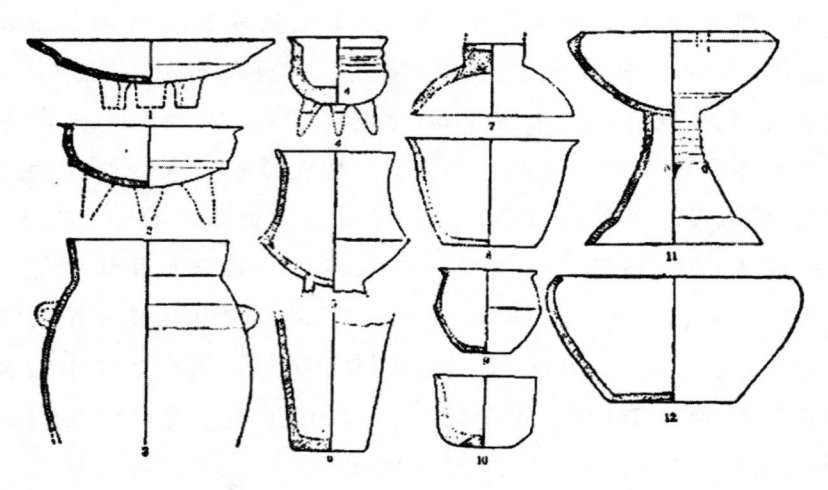

古梗下层陶器

组织发掘150平方米。遗址海拔仅10余米,东南距巢湖约15公里,上派河经遗址东北汇入巢湖。遗址呈漫坡状,高出周围农耕水田约两米,总面积约2万平方米。古埂遗址的地层堆积分为四层,其中第三、四层遗物无明显变化,被定为古埂早期文化;第二层为古埂晚期文化,属龙山文化时期。该地属古埂类型是指以古埂遗址早期文化为代表的新石器时代文化遗存,年代距今6000—5800年。属于该时期的遗存有房址、灰坑及部分陶、石制生产生活用具。陶器中以夹砂红陶为主,灰陶、黑陶次之。夹砂陶器为手制,胎壁厚薄不均。烧制温度低,陶质松软,吸水性较强。泥质红陶器表打磨光亮,部分表面上涂一层红衣。陶器以素面为主,仅见少量器物上有刻划纹、波浪

纹、附加堆纹，陶豆的柄上还出现镂孔装饰。器型主要有鼎、豆、壶、罐、尊、甑、杯等。盛行三足器与平底器，无圈足器。鼎足形态较多，有圆锥形、宽扁形、半圆扁凹足、扁足等，其中的扁足颇具特色，足根上部圆形内弯，下部扁凹外撇，应为古埂早期遗存中的自身特色。喇叭形圈足钵形豆、平底小陶杯、鸟首耳陶罐等也是早期遗存中常见器物。石器有石斧、石锛等磨制器物，陶网坠、陶弹丸也是常见器物。

古埂早期文化的陶器以夹砂红陶为主，占70.6%；其次是灰陶，占18.4%；黑陶较少，只占11%。夹砂粗红陶数量多，陶质疏松，火候低，吸水性较强，陶胎易碎，陶器均手制，壁厚薄不均，器表略磨光。泥质红陶，器表打磨光亮，有部分泥质红陶在表面涂一层红衣，呈血红色。以素面为主，占总数的85%，少量器物上有针刺纹、附加堆纹、刻划纹、波浪纹、镂孔等装饰，还发现彩陶片，以淡黄色作地上绘黑色草叶花瓣纹。器型主要有鼎、豆、壶、罐、尊、甑、杯等。盛行三足器与平底器，不见圈足器。三足器中的鼎足，型式较多，除圆锥形、宽扁形外，半圆扁凹形足是早期文化盛行的器足，在足正面均有一竖凹槽，凹槽有宽窄、深浅之分。另一种扁鼎足，亦颇具特色，足根上部圆形内弯，下部扁凹外撇。这两种鼎足，应为古埂早期遗存的自身特征，在长江下游地区同时期诸原始文化中不见或少见。喇叭形圈足钵形豆、深腹直壁尊、平底斜壁小陶杯、鸟首耳陶罐等也都是古埂早期文化遗存中常见器物。另外还有伞形器盖、直口平底小盅、多种形状的把手（三角形、扁弓形、扁凿形、扁錾形等）以及牛鼻形、鸟首形、扁方形的器耳等。

岗赵遗址。位于肥东县长乐乡，南距巢湖5公里，遗址面积约5万平方米，文化层厚约1.5米。遗址上采集的陶片主要是夹砂红陶，器形有鼎、罐、豆等。鼎足有外侧饰泥乳丁的圆锥形足、饰凹槽的扁圆形足、扁圆形足。

药刘遗址。位于肥东县撮镇大姚村药刘圩，遗址呈圆形平缓岗丘，面积约5万平方米，高于周围地表1—4米。遗址西500米二十埠河，南2000米为南淝河，四周地势低平。遗址上可见陶片、人骨等遗物,采集陶片有器口沿、器錾、鼎足等。以泥质红陶为主,但陶色不纯,大多器表为橙黄色,胎呈褐色。另有少量夹砂陶、夹蚌水陶。鼎足类型与岗赵遗址较相似,也流行圆锥形和扁圆形足。陶盆口沿和内壁上部饰红色陶衣。器錾呈鸟喙状,外壁施加红色陶衣,造型上与皖北大汶口中期遗存中出现的鸟首状器耳相似。

(二)凌家滩文化

以含山凌家滩遗址为代表。据近年来调查,发现其分布范围已包括巢湖市部分区域,在裕溪河上游已发现同时期遗址。凌家滩遗址包括居住遗址、墓地、红烧土建筑遗迹等,目前资料显示其基本属

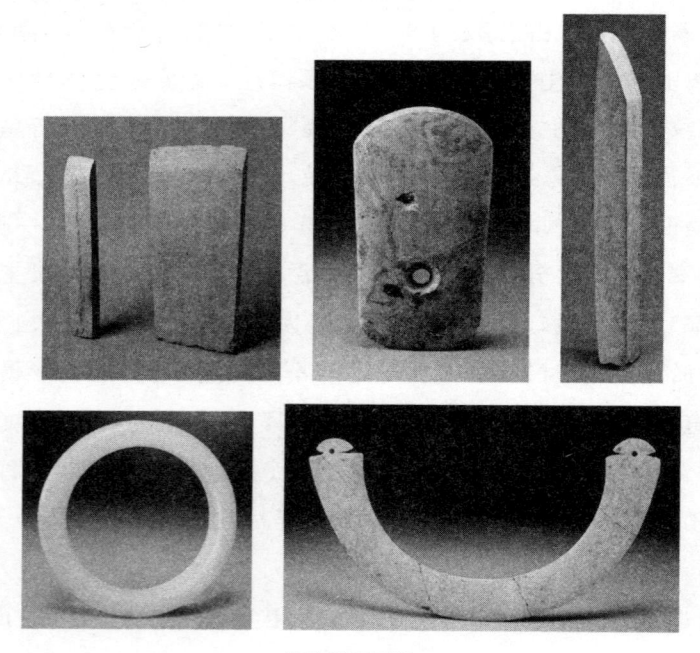

凌家滩玉石器

于墓葬。其陶器多夹砂和泥质灰陶,也有较多红陶,但火候底,胎质疏松易碎。主要器形有罐形鼎、盆形鼎、扁高足盘形鼎、三足鬶、小口平底罐、高圈足壶、鸡形壶、镂空钵形豆、细竹节高柄豆和壶形豆、背壶、红陶缸等,鼎足以扁凿形足和扁条形足居多,具有明显地方特色。石器有斧、铲、锛、凿、钺、环等,磨制精细。其中铲以舌形、凤形居多,

锛形制变化较大。出土玉器种类多样,有龙、人、鹰、璜、玦、环、管、铲、斧等,其中玉璜较多,形式多样,有半壁形、长条形、桥形等,是凌家滩玉器的一大特点。

而其周边同期的小遗址出土遗物则以陶器为主,但基本不见完整者,以夹细砂红褐陶数量最多,另有夹粗砂红陶、泥质灰陶、红衣陶、黑陶和少量夹砂白陶等。夹砂陶中都夹有大小不一的碎石英;质地疏松的夹植物陶最有特点,表面常饰一层红色陶衣或装饰简单的彩绘图案,主要为鼎类器。器表装饰大都较为简单,以素面为主,少量凹弦纹、凸弦纹,个别饰附加堆纹,鼎足多有凹槽、按窝。器类有鼎、缸、豆、纺轮、饼、丸等,厚胎陶缸的数量很多。出土石器数量较少,仅有少量锛、斧、凿,且均有残损,但砺石较多。此外,动物骨骼发现较多,包括牙齿、颌骨、鹿角等。从出土遗物看,均为日常生活用器,未发现玉器,石器则以砺石为主,陶器无论是质地、器形也都明显不同于以往在凌家滩墓葬中所出,文化面貌与凌家滩居住区发掘的遗物一致,当属于凌家滩文化的一部分。[①]

凌家滩文化遗存文化面貌具有独特的地方特征,其年代距今5600—5300年,但也或多或少地吸收了周边文化的一些因素。大汶口文化对环巢湖一带产生过冲击,如遗址中发现的背壶、小口高柄杯、双连壁等,明显具有大汶口文化的因素。与崧泽文化中晚期、薛家岗文化二期文化比较有一定共性,如流行豆柄壶、折肩折腹豆、高柄镂孔折腹豆、三足鬶和半壁形玉璜、长条形玉璜等。

值得注意的是,在肥东刘岗、定远山根许均发现良渚式玉器,有多节琮、大玉璧、簪、镯等,但几处遗址均略晚于凌家滩遗址,大体相当于良渚早中期。从文化遗存年代看,应是介于凌家滩文化至龙山文化之间的一类文化遗存。与良渚文化北上的活动有关。类似良渚式玉器或变异玉器在淮河以北的萧县金寨遗址、怀远龙王庙遗址出

---

① 安徽省文物考古研究所:《凌家滩文化内涵的新收获——含山韦岗遗址发掘》,《中国文物报》2014年1月17日第八版。

土过,有玉刀形器、玉璧、玉饰件等,在形制上与良渚类似,雕刻有极细的兽面纹,与良渚神人兽面也很相似。在长江北岸的和县(现属芜湖鸠江区)沈巷镇计村大城子遗址①的新石器时代地层中也发现有5件玉锥形器,器体呈圆形或方形,头部呈尖锥状,尾部有凸榫,乳白色或墨绿色,体型较小,磨制精美,属于典型的良渚文化玉器。而同出的陶器、石器中,也有常见的良渚风格陶器,如T字形鼎足、石犁等。

凌家滩文化陶器

　　良渚文化是新石器时期高度发达的文明类型,距今5200年至4200年,其核心区在环太湖地区。有证据表明,在其繁盛的中晚期,良渚族群曾向北方迁徙,这些认识以往是基于江苏的长江以北地区考古材料初步形成所得,如常州象墩遗址及兴化市蒋庄遗址大量良渚时期遗存的出土,说明长江绝不是阻挡良渚文化向北传播的天堑。良渚文化时期的先民不仅在长江以南建立起高度文明的聚落,也在长江北岸播下了光明的种子,并将这种发达文化的基因传播至更遥远的苏北的新沂花厅遗址,在这里南下的大汶口文化与良渚文化发

---

① 张小雷、叶润青、罗虎:《皖江中下游北岸发现首个先秦遗址》,《中国文物报》2014年5月23日第八版。

生了激烈的碰撞。而偏于西北方向的安徽境内,良渚文化在江北的传播过去的认识较为模糊。不过现在,种种迹象表明,合肥地区在龙山文化之前应该受到了良渚文化的强烈影响,一条良渚文化跨过长江向北传播的路径,在江淮地区历历在目。

(三)龙山时期文化

龙山时期黄淮地区的原始文化继续南下,对环巢湖一带史前文化产生了强烈影响。该时期遗址数量最多,经过发掘,相应时段遗存的遗址有古埂遗址、肥西塘岗遗址、肥东吴大墩,周边地区的含山董城、大城墩遗址、寿县斗鸡台等。在庐江和杭埠河中游一带的调查也表明属于这一时代文化的繁盛,所找到的新石器文化遗存基本属于该段时间。

该段文化陶器早期多夹砂红陶,质地粗糙,主要有鼎、豆、壶、罐、缸等。流行三角形侧扁足鼎和T形足。晚期多夹砂灰陶和黑陶,纹饰有篮纹、弦纹、附加堆纹、方格纹和少量细绳纹,器型有罐形鼎、镂空豆、平底岗、小平底碗、长颈鬶、黑陶杯等。生产工具有石锛、石刀、石镞及陶纺轮等。罐形鼎居多,鼎足多三角形扁足,足跟部正面有几个按窝,足端捏尖。总体上看,这一区域文化面貌自身特色明显,但也存在其他文化因素影响,呈现出一定复杂性。如在一些遗址内发现的鱼鳍形足和T形足,明显受到良渚晚期文化的影响。而一些薄胎黑陶的发现则说明与山东龙山文化联系密切。

古埂上层文化遗存属于古埂晚期文化遗存,红陶显著地减少,黑陶明显增加。陶质仍以夹砂粗陶为主,泥质陶次之。纹饰主要是斜篮纹,其次是细绳纹、弦纹、附加堆纹等。其中鼎腹饰细绳纹,在中原龙山文化时期则是常见的纹饰。生产工具中有石铲、石锹、石刀,陶纺轮、陶弹丸等。石器磨制精细,刃部锋利。弹丸圆滑,表面饰交错的指甲纹。遗迹发现有灰坑1座。坑口呈椭圆形,南北直径1.55米,东西直径1.15米,深0.67米。坑内填满灰黑色土和少量红烧土颗粒。出土遗物有高颈红陶鬶、黑陶篮纹罐形鼎、蛋壳黑陶高柄杯以及红、黑陶片等。

遗物有陶、石等,陶器仍以红陶为多,黑灰陶次之。陶质以夹砂陶为主,泥质陶次之。部分器底有轮旋痕迹。主要器型有鼎、豆、鬲、罐、甑、钵、盆、盉、碗等。纹饰以篮纹为多,其次有弦纹、方格纹、绳纹、附加堆纹、划纹等。器形有鼎、豆、碗、鬲、盘、杯、罐、缸等。鼎为扁侧足和扁三角形足的罐形鼎;豆柄上端有五道凸弦纹,下饰等距离三行圆镂孔,每行4个,间饰椭圆形镂孔;鬲折沿、喇叭口,上短流,细长颈,扁带状把手,肩饰两对称的小鼻,三袋足;杯高柄,为蛋壳黑陶;缸平沿,束颈,深腹,平底,颈下饰斜篮纹,腹中部饰平堆纹一周。鼎足有扁三角凿形足、扁侧形足、半圆锥形足、扁长方形足等四种。其他可辨器形还有甑、盘、器盖、环形器耳、鸡冠耳以及麻花状把手等。

生产工具有石质和陶质两种。石质生产工具有刀、镞、锛、铲及砺石等,皆磨制精细,刃部锋利。石刀为长柱形,单面刃;石镞为菱形,通体磨光。陶质生产工具有实心陶弹丸,有的球面饰交错指甲纹;陶纺轮为圆饼形,有的一面有4个对称的戳划纹。

吴大墩新石器时代遗存遗址位于安徽肥东县东部,与全椒,定远,滁县三县交界。遗址总面积4万多平方米,文化堆积有3米多厚。文化堆积分为9层,分别为龙山、二里头、商、周共四期。属于龙

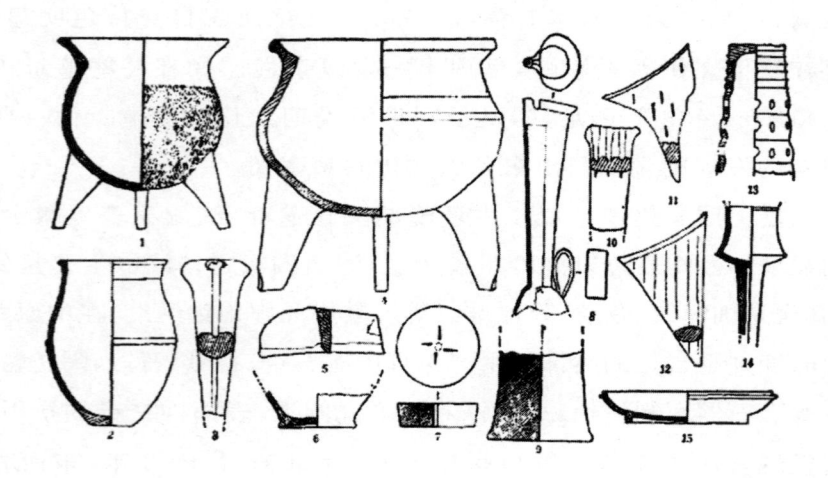

古梗上层陶器

山时期的遗存极薄,未见任何遗迹,仅有少量陶器,有夹砂红陶居多,

器形有鬶足、陶灰小平底碗、器耳等。

肥西县塘岗遗址是安徽省江淮之间具有新石器和商、周时代文化遗存并存的重要遗址。遗址位于肥西县南岗镇鸡鸣村牌坊自然村北岗地上，占地面积约 35900 平方米。该遗址最早地层堆积属于新石器时代晚期，遗址最早距今约 4500 年。共发现了 7 个房址和一些其他遗迹，出土遗物包括陶器、石器。该遗址另有少量 4000 年以下的岳石文化时期和周代遗物。

遗址中第一、二期属于新石器时期的文化，其文化遗存，以夹砂褐陶为主，器表多为素面，器型以扁三角形和筒瓦型三足器最具特征。兼有大型厚壁夹砂陶瓮、罐等。其中足外缘饰压印齿状花边的扁三角形和筒瓦型足，石斧、石铲及小型凿型楔等石质生产工具，与安徽蒙城尉迟寺龙山文化类型中的文化遗存有许多相似之处。本遗存还有许多与蒙城尉迟寺龙山文化遗存差异较大的地方。如有些房址的主体分间结构和单房布局形式与尉迟寺的排房就存在着较大的区别，但是附近设有存放建筑烧土储藏坑的做法，又存在着相似之处。这就表明，本遗址在第一期文化遗存发展过程中，一定程度上在接受着同期其他文化影响的同时，还发展着自身文化的个性。

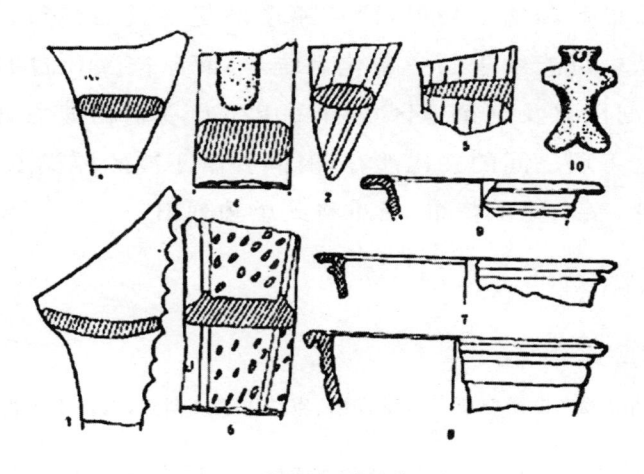

孙墩遗址采集遗物

庐江孙墩遗址①位于庐江县城西北3公里处,呈漫坡状,高出周围农田2米,东西长120米、南北宽70米。经过调查得知其文化层厚约半米,采集品均为陶片,有鼎、罐、盆、豆几类,陶质多为夹砂红陶或灰陶,质地粗糙,器形偏大,个别器物上装饰篮纹。鼎足可分为侧面有划纹扁三角形、正面有一道凹槽的扁圆形、侧面有划纹的T形,以三角形、T形足常见。罐、盆口沿一般较宽大,颈部有数道弦纹。陶豆为泥质黑陶制成,表面光滑,柄上有弦纹和圆形镂孔。另采集到一件陶制动物塑像。这些器足特征与良渚文化较接近,而动物塑像则是皖西南一带的新石器文化常见器物。总体来看,该遗址年代相当于中原的龙山时期。

庐江县境内还有部分遗址经调查存在该期遗存,如三板桥遗址、三官殿遗址、毕家墩遗址等,均为一些小型遗址。

此外在毗邻肥西县的六安双河镇王大岗遗址②还发现有介于古埂遗址上下层之间的遗存。该遗址早期陶器以夹炭、夹砂红陶及细泥红陶为主,晚期黑、灰陶比例增加。各层均出少量彩陶。陶器多素面,所见纹饰以刻划纹、弦纹为主,有少量附加堆纹、锥刺纹、戳印纹、镂空等装饰,并见有少量篮纹。陶器中有鼎、豆、盆、罐、觚形器、鬶、器盖、陶球等,其中鼎足最多,形式多样,下层以圆锥形为主,此后流行扁凹槽形鼎足和扁三角形,而鱼鳍形鼎足在其后流行。该遗址与肥西古梗遗址可能处于同一文化系统,与薛家岗文化也有较为紧密联系,与淮河以北及宁镇地区史前文化亦有一定相似之处。该遗址属于古梗上下层之间的文化遗存,时间要早于凌家滩类型文化,但由于材料过少,又未完全公布,尚难将此单独列出。

---

① 安徽省文物考古研究所:《安徽枞阳、庐江古遗址调查》,《江汉考古》1987年第4期。
② 高一龙、吴建民、李为民:《安徽六安王大岗遗址发掘纪要》,《东南文化》1991年第2期。

第三节　史前时期合肥先民的生活

一、聚落

选址。合肥地区史前聚落早期多位于海拔 10 余米地势、河流的中、小型支流附近,即相对独立的平缓岗地或略高起的地点,尤其是巢湖西、北两面的江淮分水岭以南区域可能数量更多。中期则多选择在面对较大河流的长条形岗地尽头及其两侧平地。晚期则向近水地域发展,相对独立的低矮漫坡状岗地仍是理想的居住地。

建筑。根据考古资料,史前时期的合肥地域内所见建筑类遗存均为一些小型地面式建筑,先在地面挖槽,以植入的木头为骨架,建成木骨泥墙,这种建筑相对来说是新石器时代房屋建筑技术较高发展阶段,也与这些遗址所处年代相当。如古埂早期文化的遗迹发现残房基两座(F1、F2),房基均为平地起建,地面用大块红烧土铺垫,烧土内含有少量草杆痕迹与木炭,基面坚硬,铺垫平整。F1 地基厚 0.11—0.6 米,在 F1 东南部发现一长 4 米、宽 1.25 米、厚 0.42 米的长方形红烧土台(未全部揭露),可能是人们睡觉的土台。F2 地基厚 0.1—0.37 米,在 F2 基面下又铺垫一层灰黄色土,内夹有大量红烧土颗粒,厚 0.1—0.4 米。

再如肥西塘岗遗址本第一期遗存,相当于龙山文化地层中发现一座房址(F6),平面呈方形,外围边长 5.5 米,室内使用面积 21.6 平方米。基槽开挖于外围主墙下,槽口宽度略有差异。槽宽 0.4 米、深 0.2 米。槽内填土红褐色,土质略硬,其中夹杂有少量夹砂褐陶片及可辨器形有鼎、釜等。未见隔间基槽,但由室内排柱和中心柱布局看,房子的结构是面阔一间、进深两间的结构模式。房址主门道开在房子东南角，面朝东，门宽0.8米，门道下有部分红烧土堆积，推断是门下垫土台的残余部分。在房子的北侧和西侧，基槽有中断现象，北侧中断宽度0.6米、西侧中断宽度1.05米，推断为隔间门道。该房主墙体应为木骨草拌泥烧土泥墙。该房未见墙内柱，只有室内排柱和中心柱且用料较大，排柱作用除分间外还可撑顶，而中心柱的主要作用就是撑顶，该房的中心柱和与之相对应的房外柱，柱洞底部见有碎石柱础。据此推断该房房顶应为两面坡式，所用材料依据未见塌落烧土状况推测为草顶。该房的使用功能应以居住为主，但依据其北间室内打破地面的小坑推断，北小间应该还有贮藏功能。

此外，在临近肥东的含山韦岗遗址，发现近百个柱洞，属于凌家滩文化时期。单个柱洞平面均近圆形，直径在8—60厘米，深浅不一，多数较深，最深的达0.8米左右，部分有倾斜但方向无规律。柱洞的形成方式有两种：一种是直接打入土中；一种事先挖坑后再埋柱。其附近还有一条呈西北—东南走向的浅沟，及一堆陶片，与建筑有一定的联系，其功能尚有待于进一步研究。

而属于凌家滩遗址的红烧土建筑，则更能代表环巢湖一带距今5000余年的建筑技术。凌家滩遗址中除墓地外，还有一处3000平方米的红烧土遗迹区，厚1.5米，很可能就是当时的宫殿区所在。据测试[1]，"红烧土块"应由两部分组成，其外侧为一层拌有红烧土颗粒的黏和土样，应属人为制作的一种起黏合和承重作用的建筑材料，而内层则为人为烧制的红陶块，系黏土原料在950℃以上烧制而成，从而支持了考古学家关于存在大型建筑基础的推测。同时也表明，在5500年前的新石器晚期，我国就出现了人工烧制陶质建材和调制黏和建筑材料的建筑文明。

---

[1] 李乃胜：《凌家滩红烧土遗迹建筑初探》，《中国文物科学研究》，2008年第3期。

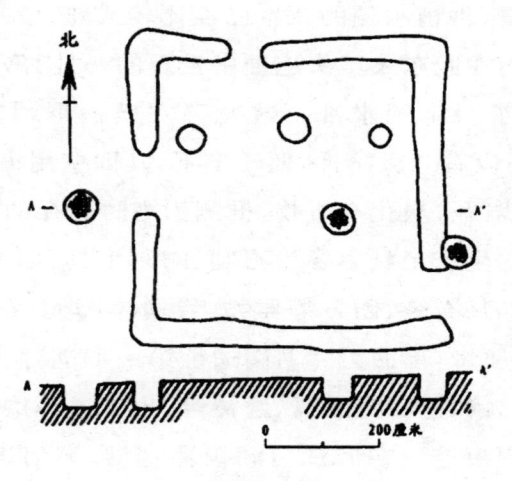

塘岗遗址 F1 平面图

二、原始农业

　　合肥地处江淮之间,位于秦岭—淮河自然地理分界线以南,属于亚热带气候。这里土地肥沃,河网密布,雨量充沛,气温适宜,非常适宜农作物的生长。目前这一地区发现的史前遗址中,最早的可上溯到七八千年前。这些遗址大部分沿河流湖泊分布,文化堆积层都比较厚,普遍都出土石斧、石锛、蚌刀、石刀蚌镰等常见的农业生产工具。这表明进入新石器时代以来,当时的氏族经济已从简单的采集利用野生植物,发展到以种植为主的农业,人们已过着比较稳定的定居的农业经济生活。

　　江淮地区自古就是我国传统的水稻种植区域。在离合肥不远的定远地区侯家寨遗址,距今 7000 年前,曾发现陶器上的稻谷印痕。在稍后的潜山薛家岗、肥东大陈墩、固镇濠城等一些新石器时代遗址中,曾多次发现过炭化稻谷凝块和烧焦的稻粒。有关专家认为,越过北纬 30°地区种植水稻,稻谷将由籼型变为粳型。粳型水稻的存在必然有气候的因素,同时也说明最迟在三四千年前,江淮地区的先民们已经掌握了粳型稻的种植和培育技术。从史前遗址普遍出土农业生产工具的现象看,种植水稻的技术已经比较成熟,应是这一地区原始农业的特点。而在肥东大城头遗址中发现的一处窖穴①,则说明农业贮藏技术达到了一定的水准。这处窖穴呈锅形,口径1.98米、深1.68米,一侧还设有二级阶梯,便于上下,其四壁用火烧结,表面呈红色。窖穴内还残留有炭化有机物,推测为当时储存的粮食。

合肥史前的生产工具主要为石制、陶制工具,如古埂早晚期下层均发现石斧、石刀、石镞、砺石等器物,皆通体磨光,石刀完整者长11厘米、宽约2.5厘米,单面刃。塘岗遗址第一期遗存中石器种类也较多,有斧、铲、刀、锛、凿、镰、磨盘、磨棒等,也多通体磨光,一些石器刃部可见明显使用痕迹。在庐江白湖镇慕容城、泥河镇三官殿等遗址中都曾采集到磨光石质生产工具。这些工具与农业生产加工活动密切相关。

庐江县出土的石斧与石锛

三、手工业

制陶业。陶器制作是进入新石器时代文化的重要标志之一。合肥地区早期新石器文化遗存尽管略晚,但其制陶业水平依然与其时代特征相符,并随着文化发展逐渐进步。

以古埂下层为代表的本地最早新石器文化中,陶器依然以手制为主,表现出胎壁厚薄不均的特征,由于窑内温度不够,烧成的陶器色泽多为红色,质地疏松,使用时间短。

---

① 胡悦谦:《试谈安徽地区的原始社会》,《安徽日报》1961年8月23日。

至古埂上层遗存,陶器中已出现手、轮兼制技术,但仍以手制为主,较为明显的是有的器物口沿和器底经慢轮修整。袋足红陶鬶,是先将三袋足粘捏而成后,再将弩颈部分插入袋足上部的交合口处,再行粘捏,这样在颈足交合处就常有一二厘米长的颈部伸向袋足内而无法再用手抹平。鼎、杯等也都是用手捏制而成的。制成后,器表再经过磨光处理。塘岗一期遗存中还发现了陶拍和石球,属于制陶常用工具。陶拍呈倒置蘑菇形,圆柱形柄,拍面呈球体,素面,长5.8厘米、拍面直径6.2厘米。石球整体呈椭圆形,器表未见精细打磨,直径约4厘米。其用途是在制作陶坯时,用石球垫付在陶坯内,外用陶拍敲击,使得胎壁更加均匀。

龙山时期烧制黑陶的技术已经传入江淮一带,尤其像古埂上层遗存发现的蛋壳黑陶高柄杯,更是当时制陶术的杰出代表,其制作水准与山东龙山文化同类器已无明显差别。这里黑陶为泥质,陶土经过精心淘洗,陶质细腻,轮制,胎壁厚仅0.5—1毫米,表面乌黑发亮,质地细密坚硬,几乎没有渗水率。这说明窑内密封较好,烧成的温度高,同时也采用了当时流行的渗碳工艺,利用密闭的窑室,将含炭的烟雾渗透进陶器,使得陶器器表产生乌黑的色泽。

制玉业。凌家滩文化玉器可以代表新石器时期环巢湖流域制玉业的最高水平。经过测定[①],其原料比较复杂,说明当时还没有一个基本固定的玉矿来源,而是到处收集或采集美石来做玉器。其质地包括透闪石、阳起石、蛇纹石、水晶、玛瑙和玉髓等,有的还算不上是真玉。以上这些玉石的种类中透闪石玉质最好,因而大多数精美玉器都选用质量非常好的透闪石玉,玉器在颜色上表现出纯正的鸡骨白色或鸡骨白闪青色,不含杂质,透明度、光泽、硬度、细腻程度都显示好看的感觉。但凌家滩玉器的加工技术已经相当高了,从一些器物上的痕迹来看,当时已经广泛地采用切割开坯的技术,包括线切割

---

① 朱勤文、张敬国:《安徽凌家滩出土古玉器软玉的化学成分特征》,《宝石和宝石学杂志》2002年第2期。

和片切割;同时采用了管钻的技术,可能已使用了陀具作为钻孔工具,表面还有抛光的处理,看不出一点工具的痕迹,晶莹温润,造型优美,在同一时期的玉器中是首屈一指的。

其玉器原料主要是透闪石,经过调查并非产自最接近凌家滩遗址的太湖山,这里没有发现透闪石矿原料,只有玛瑙和石英矿石矿。而透闪石矿,现在主要分布在巢湖市和肥东县。就是因为凌家滩文化有玉器原料的来源,原料都来自当地,从巢湖到凌家滩水路只有十几里,交通运输十分方便。有了源源不断的玉资源,保证了玉文化的需求,推进了凌家滩文化的发展,奠定了凌家滩玉器文明的辉煌时代。

肥东张集乡刘岗村的一件玉琮,具有一定的良渚文化风格,高39.9厘米,宽约7.5厘米,灰白色,上大下小的方柱形;内圆外方,中心有一对穿圆孔。四面正中饰一道竖直宽凹槽,以较粗的横刻阴线纹为界,将器体分为十五节,每节以转角为中线,各饰四组神人兽面纹,以折角的凸长方块为鼻,以两道凸旋纹为冠,在其中一面可见有五处很浅的阴线刻小半圆圈,表示眼睛。制作规整,表面抛光细致。这是目前发现的形体最大、节数最多、雕琢最为精致的玉琮。其制作水平表明了凌家滩文化制玉工艺在本地的延续。

肥东出土的玉琮

四、原始渔猎采集及家畜饲养业

原始农业是在采集经济的基础上发展起来的。同样,家畜饲养业的前身是渔猎经济。由采集经济发展到原始农业,由渔猎经济发展到家畜饲养业,是人类认识自然、改造自然的重大成果。在采集过程中人们发现了植物的生长规律,驯化了野生植物而成农作物。狩猎获得的动物经驯化、繁殖而成家畜。在原始农业经济的主导地位确定以后,渔猎、采集和家畜饲养业作为一种补充的经济形式依然存在,并起相当重要的作用。

渔猎采集业。合肥地处江淮,河网密布,水源充沛,优越的地理条件为渔猎、采集提供了便利。如在合肥地区的新石器时代遗址中,一般都有大量的动物骨骼和水生动物骨骸。当时的渔猎工具,有石镞、骨镞、骨镖、陶网坠、陶弹丸和投掷器等。通过对遗址内动物骨骼的鉴定,当时的渔猎对象有野猪、獾、豹、梅花鹿、四不象、水鹿、獐、麂、鸡以及鳄鱼、鱼、龟、鳖等,其中以猪、鹿数量最多。在合肥附近的定远侯家寨等遗址中都出土有陶制和石制的渔猎工具,如网坠、镞、矛,还出土有大量制作粗糙的骨、角、牙器,不少地层和灰坑内包含有一些野生动物和鱼的骨骼、蚌螺壳等,为人们食后丢弃的生活垃圾,这些都是当时渔猎生活的生动写照。还如塘岗一期遗存所见动物种类有鹿、野猪、兔、狗等,另有少量蚌类。

家畜饲养业。新石器时代合肥地区的先民们已经开始驯养家畜。将野生动物驯养成家畜需要长期不懈的努力,因而动物的驯养和繁殖被看作是划时代的重大事件。家畜的饲养还有赖于农业的发展为其提供充足的饲料。原始饲养业不仅为人类提供了可靠的肉食来源,改善了人们的生活,减少了对原始农业的依赖,而且也为农业生产提供了重要来源。所以,家猪等饲养的牲畜在史前乃至近现代农业中普遍受到重视。原始农业和家畜饲养业密不可分,因此在考古发掘中家畜遗迹总是与原始农业相伴存。合肥的家畜、家禽有猪、狗、牛、羊、鸡、马、鹿等。

第四节 有巢氏传说

一、有巢氏传说的出现

远古有巢氏传说,文献记载初见于《庄子·盗跖篇》:

古者禽兽多而人少,于是民皆巢居以避之。昼拾橡栗,暮栖木上,故命之曰"有巢氏之民"。古者民不知衣服,夏多积薪,冬则炀之,故命之曰"知生之民"。神农之世,卧则居居,起则于于。民知其母,不知其父,与麋鹿共处,耕而食,织而衣,无有相害之心。此至德之隆也。然而黄帝不能致德,与蚩尤战于涿鹿之野,流血百里。尧、舜作,立群臣,汤放其主,武王杀纣。自是之后,以强陵弱,以众暴寡。

比庄子晚一些的韩非子也讲到有巢氏。《韩非子·五蠹》载:

上古之世,人民少而禽兽众,人民不胜禽兽虫蛇。有圣人作,构木为巢以避群害而民悦之,使王天下,号曰有巢氏。民食果蓏蚌蛤,腥臊恶臭而伤害腹胃,民多疾病。有圣人作,钻燧取火以化腥臊而民说之,使王天下号之曰燧人氏。中古之世,天下大水而鲧禹决渎。近古之世,桀纣暴乱而汤武征伐。今有构木、钻燧于夏后氏之世者,必为鲧禹笑矣。

这里,庄子、韩非只是简单地把"有巢氏"与"知生之民"即燧人氏列在黄帝、中古之世的前面,谓之"至德"之世,或"上古之世"。韩非子甚至说他们因此而"使王天下",即成为天下的共主。现在大家都知道,黄帝以前的远古时代并不存在大一统问题。所以他的话明显是受当时大一统思想影响的结果。① 至于他们说的人少兽多、巢居以避其害具体当什么时候，根据的又是什么，今天都已不可考。司马迁写《史记》时摒落"三皇"，径从"五帝"开始，就是因为"五帝"前的各种说法扑朔迷离，难以稽考。就算"五帝"之首的黄帝，司马迁认为也是"百家言黄帝，其文不雅驯，荐绅先生难言之"，各地长老所说往往不同，只能"摘其言尤雅者"加以著录。所以现代学者一般认为远古"三皇"等都是推想出来的。②

《庄子》讲上古"至德之世"时还提到很多上古的氏族，如《胠箧篇》：

> 昔者容成氏、大庭氏、伯皇氏、中央氏、栗陆氏、骊畜氏、轩辕氏、赫胥氏、尊卢氏、祝融氏、伏戏氏、神农氏，当是时也，民结绳而用之。甘其食，美其服，乐其俗，安其居，邻国相望，鸡狗之音相闻，民至老死而不相往来。若此之时，则至治已。

这个"结绳而治"的时代，国家不大，相互之间很少往来，被庄子认为是"治世"。庄子举出了十二个氏族生活于这个时代。这其中轩辕氏，学界通常和黄帝联系在一起；祝融氏为楚国等的先祖，时代在夏朝早期前后；神农过去有一种说法即炎帝；大庭氏可能和东夷族有关系；③容成氏传说有著名的容成子，曾被说为黄帝的老师，也有说是黄帝的臣子，甚至商代的大臣，老子的师傅等；④赫胥氏，成玄英以为

---

① 陈琦猷《韩非子集释》卷十九注文已指出，韩非子的说法是对于庄子学说的发挥、演绎。
② 钱穆：《国史大纲》第一编第一章第一节，商务印书馆 2010 年版；徐旭生：《中国古史的传说时代》，科学出版社 1960 年版，第 221 页；苏秉琦：《前言》，《中国通史》第二卷，上海人民出版社 1994 年版。
③ 曲阜有"大庭氏之库"，见《左传》昭公十八年。
④ 饶宗颐：《先老学初探——(传老子师)荣成遗说钩沉》，《中国思想史新页》，北京大学出版社 2000 年版。

即炎帝。① 如此等等，大略可以知道他们是从黄帝时代前后到夏商时期活动于各地的氏族部落。

战国成书的上博简《容成氏》里也讲一些上古的氏族：

[尊]卢氏、赫胥氏、乔结氏、仓颉氏、轩辕氏、神农氏、椲（？）丨氏、墉遵氏之有天下也，皆不授其子而授贤。其德酋清，而上爱下，而一其志，而寝其兵，而官其材。②

这些古族与《庄子》讲的有同有异，如仓颉，很多文献说是黄帝的臣子；赫胥氏也有说是黄帝的。似乎都是尧舜以前的。此外，大概成书于战国的《六韬》等轶书遗文有：

昔柏皇氏、栗陆氏、骊连氏、轩辕氏、赫胥氏、尊卢氏、祝融氏，此古之王者也。未使民，民化；未赏民，民劝。此皆古之善为政者也。至于伏羲氏、神农氏，教化而不诛，黄帝尧舜诛而不怒。古之不变者，有苗有之，尧化而取之；尧德衰，舜化而受之；舜德衰，禹化而取之。③

其中的古族，与《庄子》《容成氏》等所说的有些相近。唯是各氏族生活时代的先后，各书排列不甚统一，说明战国时期的学者对于他们生活的时代已没有一致的看法。大体言之，他们的时代正是氏族走向部族国家的融合开始时期，应该是包括"五帝"前后较长时期的情况。

目前所知，先秦时期学者提到的有巢氏不是很多，《礼记·礼运》有："昔者先王未有宫室，冬则居营窟，夏则居橧巢。未有火化，食草

---

① 成玄英疏："赫胥，上古帝王也。亦言有赫然之德，使民胥附，故曰赫胥。盖炎帝也。"《庄子补正》，《刘文典全集》（二），安徽大学出版社、云南大学出版社1999年版。
② 陈剑：《上博简〈容成氏〉与古史传说》，《"中研院"成立75周年纪念论文集——中国南方文明学术研讨会》（台湾史语所，2003年）。
③ 参考《北堂书钞》卷十五、《太平御览》卷七八引《六韬》文。

木之实,鸟兽之肉,饮其血,茹其毛。未有麻丝,衣其羽皮。"相近的如《周易·系辞》:"上古穴居而野处,后世圣人易之以宫室,上栋下宇,以待风雨。"《孟子·滕文公》:"天下之生久矣,一治一乱。当尧之时,水逆行,泛滥于中国,蛇龙居之,民无所定。下者为巢,上者为营窟。"这些虽讲到巢与巢(穴)居,但没有提到有巢氏。他们说的上古氏族与有巢氏有否关系,也不可知。西周时,穆王考虑到保持王位不容易,叫左史戎夫"取遂事之要戒,朔望以闻"。戎夫选取数十国族之所以亡国的例子,做成《记》(又称《史记》)一篇。其中有"有巢氏以亡"的内容:

昔者有巢氏有乱臣而贵,任之以国,假之以权,擅国而主断。君已而夺之,臣怒而生变,有巢以亡。

这个有巢氏,有国家有大臣,而且大臣因为位居显贵,擅权而主断,君臣之间发生矛盾,结果导致国家灭亡。很显然,这个有巢氏不是庄子所说的构木为巢以避群害的远古有巢氏。《逸周书·史记解》所言诸亡国,具体朝代不好确定,但可以判为唐虞夏商时期的国族[①]。正是在这一时期,也即是各部族形成的早期,部族间不断兼并与融合,《史记解》描述的正是这一时代的历史情景。

可以看出,先秦时期学人们对于黄帝以前的古史,还处在初步的认识与探索当中。那么,战国中后期的学人们为什么会提出远古时期的历史发展问题?根据的又是什么?

依据庄子、韩非子等的说法,有巢氏为了避开群害才构木为巢的。以后为了保护腹胃,又发明钻燧取火、钻木取火等,以化腥臊,这就到了燧人氏的时代。根据考古学的发现知道,远在18000—30000年以前的北京山顶洞人,早已经学会用火。现代考古学、民族学与历史学研究表明,旧石器时代人类已经知道在洞穴居住,躲避风雨与虫

[①] 黄怀信等:《逸周书汇校集注》,上海古籍出版社2007年版,第942—971页。

害。人类住在洞穴的时间很漫长,直到晚近还有不少较落后的民族依然如此。巢居的情况可能也是如此,没有山洞的地方只能求助树木遮挡。最初是在大树之下,或者树洞里。有的学者依据浙江河姆渡文化遗址(距今 6000 年以上)已经出现干栏式建筑,推断"有巢氏发明巢屋(最早的单棵树)的时间当在距今万年以上"①。从庄子、韩非等把它安排在"钻燧取火"之前看只怕要更早。距今 9000 年前后的河南舞阳贾湖遗址,已经有了房屋建造、酿酒技术、各种陶器、骨笛制作等的发明,这些技术比简单的巢居不知要复杂到多少倍。与贾湖遗址年代接近的湖南澧县彭头山遗址遗迹有地面式和浅穴式建筑、灶坑、墓葬、灰坑等,出土陶器以夹炭红褐陶、夹砂红褐陶和泥质红陶为主,全部为原始的贴塑法制成。其纹饰有绳纹、刻划纹,器形有圜底罐及深腹钵、盆等。出土的石器以打制为主,另有少量石质装饰品。更早的,如 18000 年前湖南临澧竹马村遗址出土的"高台式土木建筑"工艺体现了人类最早期的建筑科技;湖南道县玉蟾岩遗址出土的陶制食物盛器与植物纤维编织物,据研究已有 20000 年左右的历史。

如此等等,可以说人类在 10000—20000 年前已经有了很多非常复杂的发明创造。因此,简单的巢居发明应该是更加遥远以前的事情,说它是旧石器时代的产物完全合理的。② 如此之早的时代,自然不会有文献记载,传说而来的只怕也不可靠,因为数万年以上的时间太过久远了。目前所知凭借记忆传说能记住一万年以上事情的民族很少。因此,庄子等人所说最初发明"巢居"的有巢氏,不太可能有传说或者文献记载的根据。从其名字"有巢氏"也可以看出,这是作者根据自己推想的时代的情形即"构木为巢"而加以命名的,与炎黄时代很多有自己名字的氏族不同。因此可以说,这个有巢氏不太可能

---

① 张钦楠:《有巢氏——中国第一名建筑师与他的原始屋》,《北京规划建设》2008 年第 03 期,后收《中国古代建筑师》一书,三联书店 2008 年版。
② 姜广辉就认为"有巢氏大致相当于蒙昧时代的低级阶段",参氏著:《论略这个文化基因的形成——前轴心时代的史影与传统》,载《国际儒学研究》第 6 辑。

是新石器时代以后出现的一个氏族,即与古文献所说的伏羲氏、容成氏、轩辕氏、赫胥氏、尊卢氏、祝融氏的时代相近的氏族。《庄子·胠箧篇》所列古族中没有有巢氏,先秦时期其他文献也很少将有巢氏列于这些古氏族之间的,说明后世学者认为的有巢氏与这个有巢氏是不一样的。

那么,庄子等人为什么会对更早期的历史发展感兴趣,并且宣讲诸如有巢氏、燧人氏之类更遥远的故事?这就与庄子等人所处时代的情形与要求相关了。

庄子等人所处的时代正是雅斯贝斯所说的"轴心时期(前8—前2世纪)",或刘家和先生所言的"古代的人类觉醒"期。① 这个时候,学人们脱开神灵(帝、天)的束缚,开始在自己建构的观念世界驰骋想象,阐发思想,从而印度、中国、希腊甚至伊朗等文明古国,在公元前6世纪前后均出现了一大批阐发各古文明精神之大学者。"大智观于远近",②他们思考能够遇到的各种问题甚至自己想象的问题,也研究追索人类更早期的情况是怎么回事。于是便有了对于已知之历史以前是什么样的思考与研究。人类就是不堪忍受无根生活的生物,尤其是理性思考开始之后,推理的能力大大提高,想象的空间大大扩展。这大概是为什么越往后来,人类的历史越被拉长、提早的内在原因。兴趣不在历史的康德却可以讨论普遍的历史,提出人类永久和平的方案,即是理性能力的具体表现。在中国,战国的学人们先是构建了"三皇五帝"的历史发展序列,进一步向上追溯也就提出了诸如有巢氏、燧人氏之类更早期人类发展的可能情况。

事实上,当时的一部分学者已经怀疑这些早期历史建构的可信性问题。如杨朱(阳子居)之言曰:"太古之事灭矣,孰志之哉?"③屈原也说:"遂古之初,谁传道之?"④那么遥远的过去,是如何传述下来的?

---

① 刘家和:《论古代人类的觉醒》,《北京师范大学学报》1989年第5期。
② 《庄子·秋水》。
③ 《列子·杨朱》。
④ 《楚辞·天问》。

虽然如此，两汉时期的学人还是继续向前追溯。于是，天地开辟之类更遥远的问题就提了出来：

> 天坠未形，冯冯翼翼，洞洞灟灟，故曰太昭。道始生虚廓，虚廓生宇宙，宇宙生气。气有涯垠，清阳者薄靡而为天，重浊者凝滞而为地。①

如此之类有很多。人是如何而来的，也被提了出来。最有名的就是女娲抟黄土造人的故事，也见于《淮南子》。东汉以后又出现盘古开天辟地的新说法，比之战国时期所说的三皇五帝、有巢氏等又推前了许多。这些都是理性思考或逻辑推演的产物。西周时期的古人还没有这样的能力，所以最古的人，他们记得的只有大禹。周公讲历史经验，只是举例夏、商、周的替代，没有更早的时代或人物被提及。

另一方面，春秋后期，氏族、宗族开始瓦解，原来氏族内部代代相传的祖先故事开始传播开来，也为一些学者的思考提供了参考。道家多是崇尚上古民风朴实的学者，中国古人"尚古"传统的深厚，也是他们喜欢追溯更早期历史的社会背景，即根据一些氏族早期的传闻故事提出对于远古理想时代的设计。《庄子》《淮南子》中大量的上古时代情形的描述即是此类。

研究、追溯我们可以理解的更早期的历史，似乎是人类理性的一个永恒的追求，不停地追问自身更早期的起源是人类历史意识产生以后，人类最重要的思想活动之一。起源意味着本质。对于人类历史起源的不停追溯，正是人类想要弄明白自己、世界、人与人之间关系等问题的努力所在。正因为此，这个时期各个民族的思想家们对于本族起源问题都提出了一系列的问题与思考。三皇五帝以及之前的有巢氏、燧人氏时代的提出，正是理性觉醒时代人们理智思考的产物。后来有的学者如崔述不懂得这个道理，在《补上古考信录》中批

---

① 《淮南子·天文训》。

评说：

　　夫《尚书》但始于唐虞，及司马迁作《史记》乃起于黄帝，谯周、皇甫谧又推之以至于伏牺氏，而徐整以后诸家，遂上溯于开辟之初，岂非以其识愈下，世愈后，则其传闻愈繁乎？

　　所以对于战国时期的人来说，各氏（国）族起源问题不是证明的而是思想的，不是记述的而是理性认知的。老子指出："执古之道以御今之有，能知古始，是谓道纪。"①在古希腊，亚里斯多德的名言是："要想认识事物的本质就去研究它的起源。"这就难怪人们都要对于传说以前生活的可能样子进行描写与推想了。

　　起源在消失之中，但是起源也在不断地追索当中。过去人们可以想象女娲抟土造人、盘古开天辟地，今天人类借助科学手段，已在讨论人类的前身是猿猴还是海生的动物了。②

二、有巢氏传说的演变

　　到了汉代，有巢氏的传闻更加多见，尤其是纬书。如《遁甲开山图》云：

　　女娲氏没，大庭氏王有天下，五气异色。次有柏皇氏、中央氏、栗陆氏、骊连氏、赫胥氏、尊卢氏、祝融氏、混沌氏、昊英氏、有巢氏、葛天氏、阴康氏、朱襄氏、无怀氏，凡十五代，皆袭庖牺之号。自无怀氏已上，经史不载，莫知都之所在。"注云："共工氏水德，君木火之间，霸而不王。女娲是三皇之称，三皇者多有不同，以太昊炎帝为二皇，其一

---

① 《老子》第十四章。
② 人类起源于猿猴已成常识，但也有异说，如英国人类学家哈代就提出人类起源于大海的意见。参考张法奎：《人类起源于海洋吗？》，《化石》1986年第2期。近日新闻报道，美国著名的遗传学家麦卡锡甚至提出人类是公猪与母猩猩杂交的产物。

或称女娲，或称祝融，或称共工，未知孰是。自女娲至无怀十五代，合一万七千七百八十七岁。①

这里提到的上古氏族，有些和《庄子》《韩非子》所言的相接近。其中"有巢氏"排在昊英氏之后，属于袭用庖羲之号的十五个氏族之一。这一个提法和班固的基本一样，《汉书·古今人表》正是将之列在太昊宓（伏）羲氏至炎黄二帝之间的十几个氏族当中的。但只是"仁人"，属于第二等的，与伏羲、黄帝、炎帝、少昊帝等被认为是"王天下"一类的"圣人"不一样，说明韩非子说有巢氏因为构木为巢而使民能避除群害，被拥为天下共主（"使王天下"）的说法，未得到班固等人的认可。在这里，有巢氏只是与共工氏、女娲氏、容成氏等上古部族一样罢了。

汉晋时期类似的著述很多。如《春秋元命苞》提出："天地开辟至春秋获麟之岁，凡二百二十六万七千年，分为十纪，其一曰九头纪，二曰五龙纪，三曰摄提纪，四曰合雒纪，五曰连通纪，六曰叙命纪，七曰循蜚纪，八曰因提纪，九曰禅通纪，十曰疏仡纪。"②

《丹壶书》云："皇次四世，蜀山六世，浑敦七世，东户十七世，皇覃七世，启统三世，吉夷四世，九渠一世，豨韦四世，大巢二世，遂皇四世，庸成八世，凡六十八世，是为因提之纪。"③

《春秋命历序》的说法是："有人五色长肘，号曰有巢，治五百九十岁，宇温次之，号遂皇，冬则穴居，夏则巢处，燔物为食，使民无腹疾，治五百三十岁。忽彰次之，号曰包羲。……（春秋纬）。"

晋代项峻《始学篇》曰："天地立有天皇十三头，号曰天灵，治万八千岁。……人皇九头兄弟，各三百岁，依山川土地之势，裁度为九州岛，各居其一方，因是而区别。……上古皆穴处，有圣人教之巢居，号大巢氏，今南方人巢居，北方人穴处，古之遗俗也。注：皇甫谧以为有

---

① 《太平御览》卷七十八引。
② 《绎史》卷一引。
③ 《路史》卷三"前纪"引。

巢在女娲之后。"①

其他如《真源赋》:"盘古氏后有天皇,君一十三人,时遭刼火,乃有地皇,君一十一人,各万八千余年,乃有人皇,君兄弟九人,结绳刻木,四万五千六百年。"皇甫谧《帝王世纪》也列有上古十五个氏族,与《遁甲开山图》不同的是,它有祝融氏而无共工氏。也认为有巢在女娲之后。②

纬书本是解经的,但是经常使用谶书的语言,并加上方术神道的话语,所以很多内容怪诞不经,《遁甲开山图》所谓"一万七千七百八十七岁"说明了这一点。其所述的氏族与《庄子》等的有些重复,显示彼此可能存在某种关系。但不同也是很明显的,如无怀氏在庄子那里是比较早的,《史记·封禅书》中无怀氏也是比较早的,而在这里只是因袭伏羲氏之号的最晚的一个有天下者。学者如姜广辉认为,《庄子·胠篋》和《容成氏》对这些上古帝王的记叙,"是有别于炎黄古史传说体系的另一类古史传说,或者可以认为它是在炎黄古史传说体系之前的未经整理加工的原生态的古史传说。"③可以看出,它应该也是经过加工处理,只是加工者属于不同的学派而已。

《丹壶书》所谓"大巢二世"似乎是指其当朝两代,但真实的意思不得而知。该书传为汉时所作,神仙道士的作品,和谶纬书接近,其所说的根据为何也不可知晓。项峻说的"大巢氏",是从穴居转为巢居,与庄子、韩非所说的接近。或者因为最早的有巢氏时代过于辽远,在燧人氏之前,故又称之为"大巢氏",以与伏羲昊英之后的"有巢氏"以示区别。如此建构越来越完备,到后来终于形成伏羲、神农、轩辕之前还有天皇、人皇、地皇、有巢氏、燧人氏等序列,谓之三皇之前的"帝王"。

---

① 《绎史》卷一引。
② 《初学记》卷九引文较长,可参考;又参《艺文类聚》卷十一引文。
③ 姜广辉:《上博藏简〈容成氏〉的思想史意义——上海博物馆藏战国楚竹书(二)〈容成氏〉初读印象札记》,简帛研究网站,03/01/09,http://www.jianbo.org/Wssf/2003/jiangguanghui01.htm。

汉晋时期关于有巢氏的意见，对于唐宋时期学者的影响很大，他们整理早期的历史传说，即将这些学人的说法按时间顺序编排，努力弥合期间的矛盾。如《初学记·叙帝王》部分，天皇、地皇、人皇之后便是有巢氏、燧人氏，之后为太昊庖牺氏、女娲氏，而后即引《帝王世纪》"次有大庭氏、柏皇氏、中央氏、栗陆氏、骊连氏、赫胥氏、尊卢氏、混沌氏、有巢氏、朱襄氏、葛天氏、阴康氏、无怀氏，凡十五世，皆袭庖牺之号"，与《遁甲开山图》所说的十五氏族接近。唐代国家接受的也是这种古史观。《唐会要》卷二十二"前代帝王"条云：

天宝六岁正月十一日，勅："三皇五帝，创物垂范，永言龟镜，宜有钦崇。三皇：伏羲、神农、轩辕；五帝：少昊、颛顼、高辛、唐尧、虞舜。其择日及置庙地，量事营立。其乐器请用宫悬，祭请用少牢，仍以春、秋二时致享。共置令丞，令太常寺检校。"七载五月十五日，诏："上古之君，存诸氏号，虽事先书契而道着皇王，缅怀厥功，宁忘咸秩？其三皇以前帝王，宜于京城内共置一庙，仍与三皇五帝庙相近，以时致祭。天皇氏、地皇氏、人皇氏、有巢氏、燧人氏，其祭料及乐，请准三皇五帝庙，以春秋二时享祭。"

这是以国家认可的方式提出的古代帝王传述系列。宋代学者延续前人的看法，《太平御览》卷一目录的顺序是：天皇、地皇、人皇、有巢氏、燧人氏、太昊包牺氏、女娲氏、炎帝神农氏……也与《初学记·叙帝王》的一致，即是接受了这个序列。其他学者类似的意见很多，如刘恕《资治通鉴外纪》卷一："有巢氏，上古穴处，人民不胜禽兽虫蛇，有圣人教之构木为巢，以避群害，食草木实，号大巢氏，治石楼山南，有天下百余年，或云百余代。"郑樵《通志》卷一："厥初生民，穴居野处，圣人教之结巢，以避虫豸之害，而食草木之实，故号有巢氏，亦曰大巢氏，亦谓之始君，言君臣之道于是乎始也。有天下百余代，民知巢居，未知熟食，燧人氏出焉。"

善辨正、全面总录这一时期古族、古国的罗泌，就是按照《春秋元命苞》所排顺序展开其《路史·前纪》的。他将构木为巢的有巢氏归于"因提纪"下,叙述其构木为巢、结绳记事与其时代简况,并认为此有巢氏"栖于石楼山之颜"。罗苹注文指出三个石楼山,即琅邪石楼、梁县石楼与石楼县之石楼,并指出后者"为是"。而在其后的"禅通纪"中详述了史皇、粟陆、祝融、昊英等之后的又一个有巢氏,并且勾勒出了这个"王天下"有巢氏的一些基本情况:

有巢氏:昔在上世,人固多难,有圣人者教之巢居,冬则营窟,夏则居橧巢,未有火化,搏兽而食,凿井而饮,秸以为蓐,以辟其难而人说之,使王天下,号曰有巢氏。木处颠,风生燥,颠伤燥夭,于是有圣人焉教之编槿而庐,缉藋而扉,塓涂茨翳,以违其高卑之患而违风雨,以其革有巢之化,故亦号有巢氏。驾六龙,从日月是曰古皇。驾六龙飞麟,从日月,号古皇氏。龟龙效图书畀,于是文成而天下治。其为政也,授而弗恶,予而弗取,故天下之民皈仁焉。其及末也,有礼臣而贵任之,专而不享,欲削之权,惧而生变,有巢氏遂亡。居于埊及盘领。后有巢氏巢父,友许繇、樊竖。繇居沛泽,其道日光尧朝焉,而谊之父适闻之,洗耳于频,竖方饮其牛,乃殴而还。

这里,罗泌叙述一个"革有巢之化"的氏族也叫有巢氏,他教人编槿①、涂芦茅屋,且能驾六龙飞麟从日月,有"龟龙效图书畀",并指出《逸周书》即《汲书》所说的有巢氏是这个有巢氏的后人,也包括著名的巢父。罗苹不能完全同意他的看法,特别注云:

《礼运》所言有巢氏在遂人氏之前,《六韬》所叙乃昊英氏之后有巢也,而《汲书》所说有巢氏,为在夏商间。故《外纪》云非人皇后有巢氏也。

---

① 罗泌对于有巢氏时代一些情况的叙述未能做到统一,如《路史·前纪二》讲因提纪"辰放氏之衣皮,有巢氏之编蓳,燧人氏之出穴",而此处有巢氏也编蓳,混也。

罗泌将早期传下的各种有巢氏传闻加以具体分别，述其事迹作为，指出彼此所处的不同阶段以及居住地点。不过，与汉唐学者认可的后一个有巢氏在包牺氏等之后不同，罗泌将有巢氏都排在太昊伏羲氏之前。所以，罗泌的有巢氏的序列就成了这样的情况：构木为巢的有巢氏为"大巢"，时代非常之早，居住地点在石楼山；教人编槿、涂芦茅屋并以此王天下的古皇有巢氏，在弥与盘领；作为许由之友的巢父有巢氏，在颍水之滨；还有因为内部权臣当道而亡的有巢氏；后两者为古皇有巢氏的继承者。为什么这么排列，罗泌没有说明。明人纂辑的《古微书》卷十七"礼纬"对此总结道：

郑玄《六艺论》云：遂皇之后历六纪九十一代，至伏羲。皇甫世纪云：女娲氏亦风姓，伏羲之妹也。谯周古史考则云：遂人次有三姓，乃至伏羲，伏羲次有三姓，始至女娲。郑玄以大庭氏是神农之别号，而谯周以神农炎帝非一人，自神农至炎帝一百三十三姓。罗泌路史至以为轩辕之前，别有轩辕，而有巢之上更一有巢，何上古之多茫冥也？

可以看出，早期学者们对有关记载前后不同、重复、矛盾的情况已有察觉，并且提出质疑。

汉晋以来诸书等所展现的早期各氏族的世系，即前文提到的"因提纪"到"禅通纪"部分，简单一点可以视之为"传说之前的传说"。过去人们把黄帝以来至于夏时代的各种说法，大略称为"传说时代"（今世又或谓之"原史时代"）。这之前自然也有很多更古的氏族生活在全国各地，前述考古学证实我国10000—20000年前就有很多聚落存在于各地，如有学者就将河南舞阳贾湖文化遗址的主人推测可能是太昊伏羲氏，其时代距今9000—7500年。[①] 还有其他很多支系。这些古族的故事能为后来的学人所知晓，自当是由"传说时代"转述而来的。至于这些古族曾否成为天下共主，则是可以讨论的。

---

① 河南省文物考古研究所：《舞阳贾湖》"前言"，科学出版社1999年版。

考古发现各地的聚落遗址规模与文化的地方性特点说明，4500—10000年的广大中原地区，还看不出有共主王权的迹象，各个地方还处在独立存在的古族、古国阶段等，①没有全国统一的政权。这种情况直到新石器时代后期即龙山文化时代才有所改观，其时各地文化开始趋于接近，尤其是中原地区，因而被称为"龙山时代"。所以更早就有所谓"王天下"之说不可信，实际的情况因为氏族生活的长期存在可能保存一些在各部族体系内。因为氏族时代，各部族的历史故事是在内部传承的，春秋时郯国的君主说"我祖也吾知之"②就是典型的例子。

从春秋时代后期开始，原先生活于氏族当中的人们，随着氏族、宗族组织开始解体，氏族的故事开始流散开来，过去氏族内部世代相传的氏族故事开始为更多的人所知晓，这是诸子们能够接触到相关资料的前提。一些故事经过长期转述会发生许多变化，但世系常常传得更远一些。进入战国，受到追溯上古历史传统大背景的影响，早期氏族被编排为前后相续的"王天下"之传承序列，这当然是学者们整理的结果。他们使用一些新的诸如"某某纪"的排序加以整合。其中的在世年岁数，很多可能是根据历数，甚至三五"运会"观念推演出来的。根据不同，认识不一，推度出的在位时间不一样。而儒家整理出的三皇五帝传承序列，可能也受到过近似的社会影响，只是他们推度的时代更靠后，参考的资料更多，对于说明历史变化更多一些参考价值而已。

另一方面，关于有巢氏的居所地点，前述《遁甲开山图》说："石楼山在琅邪，昔有巢氏治此山南。"③《遁甲开山图》所说的有巢氏，是在昊英氏之后，而罗泌认为在石楼山南的有巢氏是远古有巢氏，昊英氏之后的有巢氏则居住在弥与盘领，注文云"弥属益部，盘领在长安"，相差甚远也。

---

① 苏秉琦：《中国文明起源新探》，三联书店2000年版。
② 《左传》昭公十七年。
③ 《艺文类聚》卷十一引。

至于琅邪所在，《路史·国名纪己》还指出几种情况：

> 娄：石楼也，开山图云：石楼山在琅邪，昔有巢氏治此，在城阳县东北，有娄乡是。然去琅邪远矣。今黑有随，石楼县随本曰土京，东南六十有石楼山。水经注：蒲水出石楼下是也。

城阳县娄乡与琅邪石楼相去甚远，①同时还提到山西石楼县之石楼山。到底如何，罗泌没有给出肯定的意见，疑以传疑，两说并提。如此，则有巢氏最初的居地就有石楼、弥与盘领等几个说法了，石楼山所居为哪一个有巢氏，罗泌与《遁甲开山图》的说法也有别。这些说法前后不同，出处不明，难以深论。这可能是学界讨论有巢氏居地意见纷纭的原因所在。②

后来的梁玉绳作《史记、汉书诸表订补十种》，即接受了罗氏的意见。他说：

> 有巢氏，始见《外纪》引《六韬》。居长安盘岭。《路史前纪》九又引《丹壶书》"有巢七世"，余弟履绳曰：《外纪》《路史》以为古有两有巢氏，一在人皇后，燧人前，亦谓之大巢氏，治石楼山，在位三百年，礼运所谓槢巢，《韩非子·五蠹》所云构木为巢，《三坟》所云生燧人氏者是也。一在昊英后，《六韬》《世纪》所叙者是也。窃疑后之有巢必上世有巢之裔，迁徙异处，降居诸侯，为太昊臣，似不得分为二氏。其末代以任乱臣擅国亡。见逸周书史记解。

这里，即把石楼山说成是最初构木为巢之有巢氏的居地，在位300年，把长安、盘领说成是昊英之后有巢氏的居地，梁氏并且相信

---

① 钱穆认为越王勾践徙琅邪之琅邪在安徽滁县西南，见氏着《史记地名考》卷23，但未有提出证据。

② 谭继和：《论古代巴蜀巢居文化渊源及其历史发展》，见氏着《巴蜀文化思辨集》，四川人民出版社2004年版；何光岳：《巢国的来源与迁徙》，《安徽史学》1993年第3期。

两个有巢氏是祖孙源流关系。

另外,《左传》记载中有多个巢地,鲁国的叫巢丘,卫国的叫巢,江淮之间还有一个巢国,屡被提到。不过,这些和远古有巢氏有什么关系,学者们做过不少研究,或者说有,也有认为不是一回事的。① 目前看,他们之间的历史联系很模糊,难以得出确定的结论。至于后者的地理族属问题,下章有专门论述。

三、巢父传说

"巢父"一名最初见于汉代扬雄《法言·问明》:

或问:"尧将让天下于许由,由耻,有诸?"曰:"好大者为之也。顾由无求于世而已矣。允哲尧儃舜之重,则不轻于由矣。好大累克,巢父洒耳,不亦宜乎? 灵场之威,宜夜矣乎!"

此言有人问及尧让天下与许由,许由以为耻,有没有这回事? 扬雄的回答是好大言的人托词而已。许由无求于世人,而尧善在知人,很慎重地禅让天下于舜,怎可轻易让与许由? 说的太多了,以致巢父要洗耳以清静,就像坛场可以冥夜,不可以经诸白天,偏谬之谈,不可以坐实。这里扬子实际上已经否认尧让天下一事,后来谯周作《古史考》进一步指出,许由避世养性,时人高尚其事,于是编出尧让天下的故事。虽然如此,汉以来学者屡屡引证此事以说古人品行高洁,以致人们觉得真有其事。

尧让天下于许由,初见于《庄子》,其《逍遥游》《让王》篇反复言及,其中没有巢父,但有"子州支父",让人怀疑"巢"字可能是"子州支"的急读。《庄子》讲的故事大都是随口而出的,不可以完全当真。

---

① 何浩:《巢国史迹钩沉》,《楚灭国研究》,武汉出版社 1989 年版;宁业高、张克锁主编:《远古巢湖》,安徽人民出版社 2009 年版。

后来司马迁作《史记·伯夷列传》，已指出禅让乃天下之大事，所谓尧让天下于许由，许由耻以逃隐，何以言哉？也没有提到巢父。扬雄初次提到巢父，学士们编述高士、逸士传，便将许由、巢父整理成一个完整故事，如皇甫谧《高士传》载：

巢父者，尧时隐人也。山居不营世利，年老以树为巢，而寝其上，故时人号曰"巢父"。尧之让许由也，由以告巢父，巢父曰："汝何不隐汝形，藏汝光，若非吾友也。"击其膺而下之，由怅然不自得。乃过清泠之水，洗其耳，拭其目，曰："向闻贪言，负吾之友矣！"遂去终身不相见。

其他的传记大同小异，都不出让位、耻以洗耳之类，以显示一个比一个更高尚。以后巢父与许由是一人还是二人，学者间争议不断。给《法言》作注的汪荣宝总结说："盖事出假托，传述参差，不足怪也。"这个结论最为允当。其实，想象尧时社会生活实际状况，那个时候不会有巢父一样的隐者。因为上古时期以氏族部落为中心生活，一个人离开了氏族等于被判处死刑，不仅难以抵御猛禽野兽，部落间的对立也使得个人难以独自存活。《汉书·刑法志》引《书》讲上古对于人（包括氏族）的惩罚，"大者陈诸原野，小者致之市朝，其所由来者上矣"，就是说的这种情况。许多民族志资料也显示，当时对于一个人最大的惩罚常常是将其驱离部族，如何可以有一个老人脱离氏族而巢居于树上？这些很明显是战国秦汉时期高尚隐者思想的产物，即隐士文化塑造的典型，不可能是尧时代发生的真实故事。

虽然如此，汉代以后关于巢父籍贯与遗迹的文字逐渐多起来。《后汉纪》卷十八讲到朱宠为颍川太守，问及郡人本地有何往哲前贤，对之许由、巢父的故事。以后，嵩山脚下就有了许由冢、洗耳池、巢父墓等；山西临汾有巢溪，那里也就有了洗耳池；山东东昌有巢陵，那里有了巢父墓。于是，哪里有箕山，哪里就有许由；有许由又会有巢父、洗耳池（有的地方没有许由也有巢父）等。《山西通志》卷十九"长治县"条对此总结到：

箕山：在县北八十里彭庄，许由墓在晒布崖下。平陆、辽州、正定、登封、东昌、濮州诸地皆有箕山，汝州有洗耳河，东昌有巢父墓，当阳有箕山洗耳河。附志以备。

翻检明清时期编纂的各地方志，河南、山西、山东、安徽、湖南等等都有巢父墓，正是有巢氏文化传布的缘故。就是罗泌，虽然他说巢父是有巢氏的后人，但在《路史·余论》卷四十许由条也不得不说：

而意而、子与、巢父、严僖、方回，皆许由之友。凡数人者，迹不见于他传，故说者类以周为寓言，靡事实。

而在《路史·前纪七》甚至明说："巢、许之事，予无信焉。"可以看出，古代关于许由、巢父以及相关的事迹，皆为传言，越传越远，越传越多，越传越富有故事性。所以到了明清时期，学者们能以更加理性的态度对待之。如马骕言：

阳子居之言曰：太古之事灭矣，孰志之哉？屈原曰：遂古之初，谁传道之？三复斯言，而知稽古之难信，考论者之无征也。夫二子者生当周季，去古未远，而已叹古初之莫纪，矧百世以下，遭秦燔灭之余，而妄称上世之遗事，岂不亦迂诞哉？夫物必有所自始，事必有所由起，乾坤定位，万彙繁滋，民生总总，气禀不一，意必有人焉，首出庶物以为之主者，由是君道立矣。第文字未兴，史官未设，伊昔之政教约束固甚简略也，孰能默识传述，俾历世罔或失坠？然则，盘古以上谓无君乎？吾不得而知也。天皇以下之君，谓尽可指数乎？吾亦弗敢信也。人寿之不齐，今犹古矣，黄帝在位百年，继此者唐帝殷宗，越周文考多历年所，顾不数见也，何独洪蒙之辟皆身历运会，抑尧舜齐圣，朱均不移，武周并生，管蔡用畔，高阳、高辛氏之子有才有不才矣，安得九头五龙,德皆神异,分理寰区,无或殂落,兄弟各一万八千岁哉?信如十纪之说,名不雅驯,缙绅之所难言,即所称二百二十六万余,年分为十纪,则纪约二十余万年,因提六十八世,禅通九十余世,世当得三千年,而一姓或止二三世,则是享年有永祚,世为不长也。疏仡始黄帝以讫获麟,不过二千年耳,方之以前修短不伦忽焉。……舍诗、书、六艺之文,而妄信诸子、谶纬之杂说,未能悉三代之世及,而遽求洪荒以上之氏号,斯好奇者之过也。尚论者断自庖牺氏,可矣。①

有巢氏是第一个构木为巢以避风雨虫害的氏族,这种情况必定发生在数万年前,庄子等人从社会发展史的角度对之进行了建构,符合历史发展的逻辑。结合考古学的情况看,这种事情的发生,至少在两万年以前的时代才会有。庄子初步构想,汉代以后的学者开始加以发挥,有人将之归于伏羲氏之后,也有人将之看作"初三皇"②之后的氏族,有人还提出了有巢氏的居住地点,如此等等。这些研究都体现了早期学者希望追溯先祖、建构更早期历史序列的愿望与努力。这些努力一定程度讲是有道理的,尽管存在矛盾与不足,但满足了当时人们对于更早期历史之可能的向往与好奇心。

树木容易朽坏,考古发掘也难以证实。所以发生地点所在,不能确知,很多地方都有可能发生过。说在江淮之地也不是没有可能。依据《庄子》的传言,一些人再按实于某地,如汉、晋时的一些说法,就不好相信它是史实了。更晚以后出现的说法也是如此。宋代以后,人们更愿意看到确凿证据支持的历史事实,所以虽然有人还继续相信这些,但提出其不可信、有问题的情况就逐渐多起来了。像前述马骕就宁愿从伏羲氏开始讲起。符合逻辑的不一定就是事实的、或者具体历史过程中曾经发生过的。但符合逻辑的认知常常有其合理

---

① 马骕:《绎史》卷一,中华书局2002年版。
② "初三皇"一般认为是指天皇、地皇、人皇,之后有巢、燧等。儒家创造了三皇五帝,这其中的三皇虽然各家说法不易,但已与初三皇大大不同,一般认为是伏羲、神农、黄帝等,也有很多不同说法。

性,自有其固有的魅力。有巢氏的提出即是如此因而她能影响中国数千年,并且还将继续影响下去。

从文献记载的先后看,江淮地区与巢有关的国族、地名等,最早是春秋时期的巢国,文字屡见于《左传》。桀奔南巢发生在这之前,但有文献记载也是春秋战国以后,秦汉时期才与江淮地区联系在一起。"巢湖"一名,一般认为出现于秦汉时期。将更早的构木为巢的有巢氏与江淮地区联系在一起来,最早可能是郑樵,他在《通志·氏族略二》说:

巢氏:有巢氏之后,尧时有巢父,夏商有巢国,其地在庐江,子孙以国为氏,《左传》吴有巢牛臣,后汉有司空巢堪,又巢元方著《病源》,望出彭城,宋朝登科有巢安,上眉州人。

郑樵把巢国、有巢氏与历史上巢姓人物联系在一起,并说巢国在庐江县。宋元以后尤其是明清时期,巢湖流域关于有巢氏的传说、记载、碑刻等逐渐多起来,尤其是各种地方志中,巢山、巢父、洗耳池等全都具备,内容之丰富逐渐超过其他地区。远古时代可能发生的事情何以会被很晚的人们所记起并传说?原因当然很复杂,但与以下几个方面有关是无疑的:一则西周以来江淮间有一古巢国,而其他地区虽有巢丘、巢亭、巢乡、巢山、巢水、巢父墓等,但没有巢国;二则"桀奔南巢"之说很早就有,尤其是"南"字,很容易让人们将之与中原之南的江淮间的巢国联系起来,巢国、居巢以及南巢的传说与地名,又很自然地让人们将有巢氏、夏桀、巢父等与巢湖地区的巢国联系起来。还有,上古的时候,南方曾经有过杆栏式建筑(如河姆渡文化中)也让人们推想:更早的时候,这里曾经"构木为巢"以避群害也不是不可能的。明代成书的《古微书》卷十三引贲居子之言曰:

大古之事,有不可以理诘者,有不可以迹拘者,较于目今,其怪奇更什伯矣。

确乎如此，远古时代人们生存的细节对于战国以后的人们来说，甚至知识大增的今天的人来说，都是陌生的，尤其是他们的思想世界。

第二章
夏商西周时期的合肥

尧舜时期曾经发生一次持续时间长、涉及范围广的大洪水,以鲧、禹为首的有崇氏部族被指派治理洪水,经过多年的努力终于地平天成,去除水害,大禹因此成为天下共主,在涂山大会天下诸侯,还平定了在江淮地区为害的三苗。与禹共事的皋陶给禹帮助很大,所以大禹晚年举荐皋陶以代自己,不幸皋陶早死。后来大禹分封皋陶后人于江淮地区,这就是六、蓼、英等偃姓族人,他们是早期淮夷的一部分,西周后期又称"南淮夷"。群舒、夷虎、巢、宗等江淮诸小国则又是从他们分衍出来的各个小国族,所以皋陶等族领袖的品格对于江淮流域影响深远。

早期江淮地区地处中原的东南边缘,常常是中原地区流亡者的归宿地,像夏桀出奔南巢,商代淮夷迁居淮河两岸、商代晚期在江淮地区设立监狱,以及周代大批东方族群因为周人压迫而迁入本地。这种情况一直持续到汉代,很多。

第一节 夏商时期的合肥

一、皋陶之后分衍出江淮各国族

大禹治水与平定三苗。据后世文献记载,"当尧之时,天下犹未平,洪水横流,泛滥于天下,草木畅茂,禽兽繁殖,五谷不登,禽兽逼人,兽蹄鸟迹之道交于中国"[①]。《尚书·尧典》也形容当时洪水为害剧烈:"汤汤洪水方割(害),荡荡怀山襄陵,浩浩滔天。"

就是说,中华大地被滔天的洪水淹没,只剩下一些丘陵、岗阜裸露于水面,人们避居其上,身受洪水围困,生活极为困难。汉字的

---

① 《孟子·滕文公》。

"州"字,最初的字形就是大水之中有一片可以居人的渚岛,是对当时洪水滔天的形象描写。《说文解字》云,"水中可居曰州。周绕其旁,从重川。昔尧遭洪水,民居水中高土,故曰九州岛。诗曰:在河之州",说的就是当时的情况。江淮地区以低山、丘陵为主,当时无疑是州渚遍布之区。

面对洪水,四方酋长推荐有崇氏部落酋长崇伯鲧,让他带领大家治理洪水。传说鲧大兴徒役,筑九仞(一仞为八尺)之城(堤),企图控制洪水,后来的传说又说他采取"堵"的办法,企图拦截洪水。结果暴涨的洪水将堤溃决,造成更大的灾难。鲧治水9年,未能成功,因而遭到惩罚,被殛死于羽山之下。

甲骨文、金文"州"字

鲧死后,其子禹被推举继续领导治水大业。传说在治水过程中,禹左手持规矩,右手握准绳,认真考察研究,还亲持耒耜,身先士卒,风餐露宿,奋战洪水。在外治水十三年,三过家门而不入。经过长期治理,终于解除了水患,人们纷纷从岗阜、丘陵迁居到平原,开垦那里的土地。

禹领导人民治服洪水,博得了众多部落首领的支持,被拥戴为"共主",成为诸夏之族的最高君长。《尚书·禹贡》记载禹"导淮自桐柏,东会于泗、沂,东入于海"。说明安徽淮河流域也是大禹治水的重要地区。尤其是在淮河中游一带,有关大禹开辟荆、涂二山(在今蚌埠市)以通水,以及"娶涂山氏女"生下儿子启的传闻很多。

治水成功后,禹还在涂山大会诸侯,"执玉帛者万国",乘势进击盘踞在江淮地区的三苗。《战国策·魏策一》云:"昔者,三苗之居,左彭蠡之波,右洞庭之水,文山在其南,而衡山在其北,恃此险也,为政不善,而禹放逐之。""彭蠡"即今之鄱阳湖到安徽宿松一带;"洞庭"为当今何地不知;"衡山"是今安徽潜山境内的天柱山,古名霍山,又名衡山,是上古时期中原势力通过江淮进入江南的重要据点。①《史记·五帝本纪》说尧时"三苗在江淮、荆州数为乱",指的就是这一带。三苗的风俗习惯与华夏集团不同,他们以大别山一带为中心,不断向北方进军。《淮南子·齐俗训》:"三苗髽首,羌人括领,中国冠笄,越人劗鬋,其于服一也。""髽首"即以枲麻束发,与中原冠笄不同。《尚书·吕刑》记载:"苗民弗用灵,制以刑,惟作五虐之刑,曰法。杀戮无辜……皇帝哀矜庶戮之不辜,报虐以威,遏绝苗民,无世在下。"这里的"苗民弗用灵",灵即巫,指当时的巫教,说明三苗的宗教与华夏集团的宗教也不同,不采用华夏之教,进而制作五种酷虐之刑,杀戮不辜,因此遭到上天的惩罚。三苗是当时南方苗蛮集团的一支,三苗之"三"言其部落众多,与犹言九夷之"九"为很多一样。尧的时候,三苗曾进攻中原。现在大禹借机进一步征伐三苗。《墨子·非攻下》对此有比较细致的追述:

  昔者,三苗大乱,天命殛之。日妖宵出,雨血三朝。龙生于庙,犬哭于市。夏冰,地坼及泉。五谷变化,民乃大振。高阳乃命玄宫,禹亲把天之瑞令,以征有苗。四电诱祗,有神人面鸟身,若瑾以侍,搤矢有苗之祥。苗师大乱,后乃遂几。禹既已克有苗焉,磨为山川,别物上下,卿制大极,而神民不违,天下乃静。此则禹之所以征有苗也。

  大意是说:三苗遭到"夏冰,地坼及泉"等特大自然灾害,大禹认为"天命殛之",乘机发动对三苗的大规模讨伐,彻底打败了三苗,从而恢复了部落联盟的秩序,使天下安定。《墨子·兼爱下》还记述大禹给军队的誓词:"济济有众,咸听朕言:非惟小子,敢行称乱。蠢兹有苗,用天之罚。若予既率尔群对诸群,以征有苗。"说明禹征三苗是

---

  ① 陈立柱:《古代衡山地望与〈禹贡〉荆州范围综说》,《中国历史地理论丛》2011 年第 3 期。

替天下除害兴利之举。三苗的中心原在长江中游地区，相当于考古学上的石家河文化区，其不断发展进入江淮，所以后来人们在巢湖流域以及大别山以东地区发现石家河文化遗迹。其后三苗彻底退出了江淮地区。

大禹封皋陶之后于江淮。战胜三苗之后，大禹巡行南方，到达衡山，即今霍山县的南岳山一带，聚会南方诸侯，礼拜天地。《吴越春秋·越王无余外传第六》："禹乃东巡，登衡岳……复返归岳，乘四载，以行川。始于霍山，徊集五岳。"

此处"衡岳"，《艺文类聚》卷十一、《初学记》卷五、《史记》卷一百三十《太史公自序·正义》、《太平御览》卷三十九、《事类赋》卷七注引《吴越春秋》则作"衡山"。《尚书大传》亦云"禹奠南方霍山"[①]，"五岳谓岱山、霍山、华山、恒山、嵩山也"[②]。

大禹是什么时候巡狩南方至霍山，事远不能具知。不过二里头夏文化因素不少内容已见于皖西南，尤其是霍山周围地区，特别是陶器（从材料质地到器物类型等方面）、铜器、卜骨与占卜方式等。[③] 巡守是上古中国统治者功成名就后，告慰上天与四方的典型做法，据说每五年到四方巡视一番。

大禹治水成功与成为共主，与皋陶的帮助与支持是分不开的。《史记·殷本纪》引《汤诰》记成汤"曰：'古禹、皋陶久劳于外，其有功于民，民乃有安。'……三公（指舜时的禹、皋陶、后稷）咸有功于民，故后有立"。先秦文献屡屡将禹和皋陶并列。皋陶在不同的文献中有作咎陶或皋繇或咎繇，是功劳仅次于禹的"上古四圣"（尧、舜、禹、皋陶）之一。《史记·五帝本纪》和《帝王世纪》等都记载皋陶生于曲阜，即今山东之曲阜市。曲阜是古帝"少昊之虚"，因此皋陶是少昊氏的后裔，也就是夷族的领袖。据记载他是尧时始被"举用"的，历尧、舜、禹三代，舜时授以重任，舜、禹两朝功勋卓著。从零星记载来看，皋陶

---

① 吴仁杰：《两汉刊误补遗》卷四引，《文渊阁四库全书》本。
② 《白虎通义·巡狩》引。
③ 《文物考古工作十年（1979—1989）》，文物出版社1989年版，第131页。

之功德主要在以下几方面:

第一,道德高尚,富有智慧。

《史记·五帝本纪》:"帝(舜)曰:'皋陶,蛮夷猾夏,寇贼奸宄,汝作士。五刑有服,五服三就,五流有宅,五宅三居,惟明克允。'"《史记·夏本纪》云"皋陶作士以理民",《左传·庄公八年》引《夏书》曰:"皋陶迈种德,德,乃降。"意思是皋陶理政,力行道德,因为他德行高尚,所以人们宾服他,说明皋陶以德治民。《论语·颜渊》记孔子弟子子夏回答樊迟"问仁"时说:"舜有天下,选于众,举皋陶,不仁者远矣。"《尚书》中有《皋陶谟》一篇,虽然成书于战国晚期,有后人增益的成分,但其中不少内容也是上古不断传衍下来的。谟,谋也,即智谋之意。唐孔颖达《正义》曰:"皋陶为帝舜陈其谋,禹为帝舜陈已成所治水之功,帝舜因其所陈从而重美之。"说明皋陶善谋略,是舜的智囊。《皋陶谟》中所体现的"知人""安民"思想,便是他政治智慧的体现。

第二,主持制定实施"五刑",成为中国司法之鼻祖。

《竹书纪年》记"帝舜三年,命咎陶作刑"。《史记·五帝本纪》等记皋陶作"五刑"。"皋陶为大理,平,民各伏得其实"。《左传·昭公十四年》记晋大夫叔向和韩子议论邢侯等人之罪时说:"三人同罪,施生戮死可也。……《夏书》曰:'昏、墨、贼、杀,皋陶之刑也,请从之。'"《后汉书·张敏传》:"孔子垂经典,皋陶造法律,原其本意,皆欲禁民为非也。"《尚书·益稷》记皋陶辅助舜,"方祇厥叙,方施象刑惟明"。史游《急救章》记:"皋陶造狱而法律存。"所有这些记载,都说明皋陶是我国早期主持制定刑法者,即早期的大法官。传说皋陶善用獬豸断案,据说这种獬豸又叫鲑鮵,能辨忠奸、别曲直。汉代王充《论衡·是应》载:"鲑鮵者,一角之羊也。性知有罪。皋陶治狱,其罪疑者,令羊触之。有罪则触,无罪则不触。"据说皋陶"敬羊,起坐事之"。其实,这是原始社会"神判"的一种方法。在现代,仍有落后民族运用习惯法,采用"神判"的方式断案。如今在北京故宫的御座前还昂然蹲着一只铜铸獬豸,这种獬豸便来源于皋陶利用其断案的传说。在六安皋陶墓前,也有蹲着的獬豸雕像。獬豸一作"解廌",《说文》:"廌,解廌兽也,似牛一角。古者决狱,令触不直。""刑法"的"法"字古作"灋",《说文》:"灋,刑也,平之如水,从水;'廌'所以触不直者去之,从廌、去。"可见"法"字的古意便来源于皋陶断狱"平之如水",以象廌兽触不直者去之。

第三,辅助大禹,治理天下。

皋陶与禹共同辅舜,而且皋陶早在尧时已被举荐,资格比禹还老。但他心胸开阔,一心奉公。当舜荐禹授政后,"皋陶于是敬禹之德,令民皆则禹,不如言,刑从之,舜德大明"①。皋陶运用文武之道协助大禹治理人民,一方面"敬禹之德",令人民学习、效法禹;另一方面,对于不听命令,胡作非为者,用制定的刑法强制他们就范。这里说的"刑从之",既有对不服从的氏族部落"用甲兵"之义,也有对部落联盟内部敢于不听命令、为非作歹之徒处之以刑之义。所以使"舜德大明",亦即使舜荐禹授政的功德大放光彩。可以说,禹在作为部落联盟首领继承者身份"试政"期间之所以能率领人民治服洪水,平灭四凶,赶走三苗,发展生产,成就万世不朽之功,皋陶的辅助之力是十分重要的。《墨子·尚贤下》云:"尧有舜,舜有禹,禹有皋陶。"说明禹之有皋陶辅助,如同尧之有舜、舜之有禹一样重要。

《史记·夏本纪》记曰:"帝禹立,而举皋陶荐之,且授政焉,而皋陶卒;封皋陶之后于英、六,或在许。而后举益,任之政。"张守节《史记正义》引《帝王世纪》云:"尧禅舜,命之作士;舜禅禹,禹即帝位,以咎陶最贤,荐之于天,将有禅之意。未及禅,会皋陶卒。"这两条材料说明,禹即天下共主首领之位后,因为皋陶最为贤能,向上天神灵举荐,准备禅位给他。为此,禹以当年舜为榜样,准备授政给皋陶,让他协助自己掌握处理部落联盟首领的政务。但未等到禅位,而皋陶先逝。为了报答,大禹封皋陶之后与江淮地区,这就是英、六、许等诸侯。然后举荐皋陶之子伯益为继承人,任用他处理政务。由此更可

---

① 《史记·五帝本纪》。

知皋陶辅助大禹功劳之大。

雷学淇《世本辑校》云:"皋陶出自少昊,其后为六,偃姓。"《史记·五帝本纪》亦记皋陶"生于曲阜。曲阜,偃地,故帝(舜)因之而赐姓曰偃"。裴骃就《夏本纪》之"会皋陶卒"《集解》引《皇览》云:"皋陶冢在庐江六县。"孔颖达于此处《正义》引《括地志》说:"咎繇墓在寿州安丰县南一百三十里故六城东,东都陂内大冢也。""庐江六县""故六城",当在今六安市。《路史·后纪七》云:皋陶"卒崩于皋,所谓公琴者"。注"皋"云:"在六安县北十五(里)安丰芍陂中大冢也。《广记》曰:'即皋陶冢,楚人谓之公琴。'《寰宇记》:'六安北十三(里)有二古城,一曰六合,一曰白沙,上有皋陶庙,冢在东五里。'郦元云:'楚人谓冢谓公琴。'"大意是说,皋陶最终死于皋,楚人称皋陶墓为公琴,在今六安境内,古代不仅有皋陶墓,而且还曾有皋陶庙。也因此,今六安市简称"皋城"。

《路史·国名纪乙》还进一步地说明:"六,中甄国,寿(州)之安丰南有故六城,汉九江王都。有皋陶冢,在舒城东南六十(里)陂中。"《左传·文公五年》记楚人灭六与蓼,臧文仲闻而叹曰:"哀哉!皋陶、庭坚不祀忽诸。"杜预注云:"蓼与六皆皋陶后。"六为偃姓,《汉书·地理志》说:"六安国六县,咎繇后偃姓所封国。"联系前述,皋陶有三子伯翳(偃)、仲甄(偃)和偃,这里所封的正好是三国。"六"即今六安市,在淮河之南。"英"之所在,《史记·陈杞世家》云:"皋陶之后,封于英六,楚穆王灭之。"《索隐》:"二国皆偃姓。"《六安州志》谓州之西有英氏城,地当今安徽金寨一带,近六。"许"的地望,《史记·夏本纪》之《集解》引《括地志》云"许故城在许昌县南三十里",即今许昌之南,地当淮北。这说明,早在禹之时,皋陶之部落已徙居淮河流域。因为当时的所谓"封"与后来分封制的"封"是指封往异地为诸侯不同,不过是表示部落联盟承认其氏族部落及其占有的居地,并将其纳入受保护的范围而已。

皋陶部落属于少暤氏之族,是舜禹时业已衰微的少暤氏的继承者;伯益是皋陶之子,伯益部落为皋陶部落的分支。史载,徐祖为伯益,①舒祖皋陶。其实伯益既为皋陶之子,徐之嬴姓与舒之偃姓既然原本相同,则皋陶亦为徐淮夷之祖。据李修松考证,"大禹会诸侯于涂山"并"娶涂山氏之女"的"涂山氏"(在今安徽蚌埠市怀远县)就是徐夷。徐在古文字中有余、斜郐、涂诸种写法,其本字作余。"余"字在甲骨文和金文中的字形都像"构木为巢"的巢居,"余""徐""舍"等字,都是东南地区民族巢居的象形,也就是干栏式建筑的象形。因为上古时期,包括淮河流域在内的东南地区低下潮湿,虫蛇为害,所以该地居民住房往往采取打桩立柱架空的干栏式木结构建筑形式。所以徐、涂二字可通转,本为一字,为徐夷族名,只不过"涂"表示该族居于水滨而已。②

舒是指散布于江淮之间的群舒(舒夷),与徐夷本为同族。"徐"与"舒"古音相通。《史记·齐太公世家》"田常执简公于徐州",《春秋》经作"舒州";《战国策·齐策一》曰:"楚威王战胜于徐州。"高诱注:"徐州或作舒州。""徐"之本字"余",章太炎《新方言·释词》云:"余训何? 通借作舍。"《说文》云:"余,从舍省声。"所以徐、舒不仅音近,而且本为一字。后来之所以区分徐、舒,只不过因长期居地不同,受方言的影响而导致。所以徐与舒可以理解为同源而异支(流)。

二、桀奔南巢

夷人是与西方华夏部族不同的东方部族,古书常称之为"东夷",也称"淮夷",范围广大,部族众多,夏王朝与东夷的关系是夏代最复杂的民族关系。夏的最后一位君主夏桀,因为荒淫无道,遭到东方夷族的反抗,尤其是后起之秀商族的讨伐。商王成汤联合东夷各部,西进围讨夏部族,接着又在鸣条大败夏桀。传说夏桀被迫逃亡,几经辗

---

① 《太平寰宇记》卷十六引《都城记》。
② 李修松:《先秦史探研》,安徽大学出版社2006年版,第405—425页。

转,最后和妃子妹喜浮江到达南巢。南巢者南方之巢也。①

夏王朝时期,包括今山东、河南东部、江苏北部和安徽大部分地区都是夷族分布区。他们支系众多,《后汉书·东夷传》载:"夷有九种,曰畎夷、于夷、方夷、黄夷、白夷、赤夷、玄夷、风夷、阳夷。"九者多也,九夷是指夷人分为很多族系。此外还有蓝夷、越夷、童夷等,见于甲骨、金文。淮夷当初是其中一支,以后发展壮大成为夷族的代表,势力遍布淮河流域,黄河、长江下游也多有分布。②

有夏一朝,民族关系主要体现在夷夏关系上,大部分时间里两者关系较为平和,但某些特殊时期则关系错综复杂,夷人对夏王朝叛服无常,而且不同地区、不同族系的夷人对夏王朝的叛服也不同。夏启之后太康继位,因"盘于游田,不恤民事",东夷族的有穷后羿乘机而起,"因夏民以代夏政",夺取了统治权,导致"太康失国"。不久后羿又被东夷的一支伯明氏寒浞所杀,寒浞夺得统治权。失位的夏后相之妻缗逃回母家有仍氏,生子少康。后来少康依靠有虞氏的支持,联络夏的余众和母家部族的势力,灭掉寒浞等,恢复了夏王朝的统治,史称"少康中兴"。从"太康失国"到"少康中兴"经历了40多年的夷夏斗争。《竹书纪年》也记载了夏后相时期夏与一些夷人部族的关系,如:"元年戊戌,帝即位,居商,征淮夷。""二年,征风夷及黄夷。""七年,于夷来宾。"总体上征战多于"来宾"。"征淮夷"则应包括安徽淮河两岸。"少康中兴"之后,夷夏关系发生了根本性的变化。《竹书纪年》记云:

少康即位,方夷来宾,献其乐舞。
柏杼子征于东海及王寿,得一狐九尾。
后芬即位,三年,九夷来御。

---

① 《史记·律书》"汤有南巢之伐,以殄夏乱","正义":南巢,今庐州巢县是也。淮南子云:汤伐桀,放之歷山,与末喜同舟浮江,奔南巢之山而死。按:巢即山名,古巢伯之国云。南巢者,在中国之南也。

② 陈立柱、吕壮:《古代淮河多种称谓问题研究》,《史学月刊》2011年11期。

后荒即位,元年,以玄王圭宾于河,命九(夷)东狩于海,获大鸟。后泄二十一年,命畎夷、白夷、赤夷、玄夷、风夷、阳夷,由是服从。后发即位,元年,诸侯宾于王门,诸夷入舞。

夏朝后期夷夏关系趋于和缓。夏代最后一位君主夏桀在位期间,统治残暴,双方关系急转直下。史载,夏桀为了有效控制东夷,特地在有仍(今山东金乡境)举行诸侯大会,没想到"有缗叛之"[①]。虽然桀率大军征讨获胜,但是导致天下离心,引起更多的叛乱,最终使他逃死南巢。故史称"桀克有缗以丧其身"[②]。众多文献记载,夏代亡国之君桀被商汤击败后,逃奔(亦说放逐)南巢。例如:

《尚书·仲虺之诰》:"成汤放桀于南巢。"

《国语·鲁语上》:"桀奔南巢。"

《古本竹书纪年》:"汤遂灭夏,桀逃南巢氏。"(《太平御览》卷八十二皇王部引)

《上海博物馆藏楚竹书(二)》之《容成氏》:"汤或从而攻之,降自鸣攸(条)之述(遂),以伐高神之门,亻桀(桀)乃逃之南巢是(氏)。"[③]

《尸子》云:"桀为旋室瑶台,象廊玉床,权天下,虐百姓。于是汤以革车三百乘,伐于南巢。"(《太平御览》卷八十二皇王部引)

《荀子·解蔽》:"桀死于亭山",注:"亭山南巢之山,或本作禺山。"

《吕氏春秋·仲秋纪·论威》:"此夏桀之所以死于南巢也。"

《吕氏春秋·简选》:殷汤良车七十,乘必死六千人,以戊子战于郕,遂禽移大牺,登自鸣条乃入巢门,遂有夏。桀既奔走。

《淮南子·修务训》:(汤)"乃整兵鸣条,困夏南巢,谯以其过,放

---

① 《左传·昭公四年》。今本《竹书纪年》亦有大搜于黎的记载。

② 《左传·昭公十一年》。

③ 马承源主编《上海博物馆藏战国楚竹书(二)》,上海古籍出版社2002年版。按此简记桀最终逃至苍梧之野,与所有文献所记有异,应是因舜帝故事以至错乱。

之历山。"

《淮南子·本经训》:"汤乃以革车三百乘,伐桀于南巢,放之夏台。"

《淮南子·主术训》作:"然汤革车三百乘,困之鸣条,擒之焦门。"

《淮南子·泛论训》:"故桀囚于焦门,而不能自非其所行,而悔不杀汤于夏台。"

《史记·殷本纪》:"桀败于有娀之虚,桀奔于鸣条,夏师败绩。汤遂伐三㚇,俘厥宝玉。"

《史记·律书》:"成汤有南巢之伐,以殄夏乱。"

《说苑·权谋》:"迁桀南巢氏焉。"

杨雄《荆州箴》:"亦有成汤,果秉其钺,放之南巢,号之以桀。南巢茫茫,包楚与荆。"(《太平御览》卷八十二皇王部引)

《史记·夏本纪》"正义"引《淮南子》:"汤败桀于历山,与妹喜同舟浮江,奔南巢之山而死。"

《帝王世纪》:"桀醉不寤。汤来伐桀,以乙卯日战于鸣条之野。桀未战而败绩,汤追至大涉,遂禽桀于焦门,放之厉山。乃与妹喜及诸嬖妾,同舟浮海,奔于南巢之山而死。"(《太平御览》卷八十二皇王部引)

《列女传·孽嬖末喜传》:"战于鸣条,桀师不战,汤遂放桀,与末喜嬖女同舟流于海,死于南巢之山。"

应该说,文献关于商夏之战的记述是比较多的,也是混乱的,主要因为时间久远,传闻异辞的结果。南巢,既有说是夏桀被困、被伐之地,也有说是奔逃、死亡之地。又有一个焦(巢)门,它应该是城邑的一个门,不是巢湖的代称或简称,不然何以曰"门"?上博楚简《容成氏》作"高神之门",其他书作"焦(巢)门",都说是夏桀被擒获或战败之地,可能在中原之地,也说在南巢之地。还有一个历山,《容成氏》说桀逃亡鬲山氏,汤从而攻之,降自鸣条之遂,以伐高神之门。桀乃逃亡南巢氏,汤再攻,夏桀再逃亡苍梧之野,则鸣条、高神之门都在鬲山氏的地面。南巢，一说是战败之地，又说是放逐之地；到底是逃亡还是被放逐，传闻也不一样；历山与南巢是什么关系，照《容成氏》的说法是两个部族，夏桀先在鬲山失败，再逃亡南巢。汉代前期成书的《淮南子》说成汤困夏南巢，伐桀于南巢，南巢似乎应在中原某地，以后的学者如高诱等则认为南巢在江淮之地。如《淮南子·修务训》高注："鸣条，地名；南巢，今庐江居巢。"《尚书·仲虺之诰》孔传以为地名，未指出具体所在，《正义》引郑玄云："巢，南方之国，世一见者，桀之所奔，盖彼国也，以其国在南，故称南巢耳。"郑玄说是"南方远国"，则江淮之地自可当之。《国语·周语上》韦昭注云："南巢，扬州地，巢伯之国，今庐江居巢县是也。"韦昭，三国时吴人，其时庐江郡有居巢县。《史记·夏本纪》："桀走鸣条，遂放而死。"《正义》引《括地志》："庐州巢县有巢湖，即《尚书》成汤伐桀，放于南巢也。"看来汉代以后学者大多倾向于南巢在江淮。① 郑樵《通志·氏族略·以国为氏》甚至将之和早期的有巢氏联系起来，说巢为"有巢氏之后，尧时有巢父，夏商有巢国，其地在庐江"。

在现代学者中，认可南巢在江淮的虽然很多，但异说也有。如孙淼等就认为，鸣条在山西中条山下，夏桀失败逃入中条山（历山），最后死在山中。② 山西南部有巢山、巢水，自地理上近之。最近还有学者研究说在山东济宁以西的地方。③ 从夏桀奔逃路线的各种记载看，尤其是结合考古新发现，说南巢在江淮可能更在理一些。关于夏桀奔逃路线，西周以来就有记载：

《逸周书·殷祝解》："汤将放桀于（居）中野，士民闻汤在野，皆委

---

① 也有异说，如元代于钦《齐乘》卷一："亭山：章丘西南六十里，桀死处。汤放桀于南巢，书传皆谓今庐江巢县，独尸子云：放之歷山，岂古有巢氏治琅邪之石娄山，齐地亦有南巢邪？又桀死后其子淳维，妻其众妾，遁于北野，随畜转徙，号曰荤育。若桀死南方，其子岂能北遁？自齐奔漠则易矣。"
② 孙淼：《夏商史稿》，文物出版社1987年版，第319页。
③ 王宁：《上博二〈容成氏〉"南藻氏"相关问题考论》，复旦大学出土文献与古文字研究中心网站论文。

货扶老携幼以奔(之),国中虚。……桀与其属五百人南徙千里,止于不齐,民往奔汤于中野。……桀与其属五百人徙于鲁,鲁士民复奔汤。……桀与其属五百人去,据南巢。"①

《尚书大传》:"汤放桀居中野,士民皆奔汤,桀与属五百人南徙十(千)里止于不齐,不齐士民往奔汤。桀与属五百人徙于鲁,鲁士民复奔汤。桀曰:'国,君之有也,吾闻海外有人。'与五百人俱去。"

《尚书·汤誓》孔传:桀自安邑东入山,出太行东南涉河,汤缓追之,不迫,遂奔南巢。

《史记·殷本纪》:"桀败于有娀之虚,桀奔于鸣条。夏师败绩,汤遂伐三㚇,俘厥宝玉。""正义"《括地志》云:高涯原,在蒲州安邑县北三十里,南坡口即古鸣条陌也。鸣条战地,在安邑西。"集解"引孔安国曰:三㚇,国名,桀走保之,今定陶也。"正义"引《括地志》云:曹州济阴县,即古定陶也,东有三㚇亭是也。

这几处记载,《逸周书》与《尚书大传》的基本一样,夏桀从其战败之地南奔千里至于不齐。"不"为"丕"之本字,大略在今河南浚县大伾山一带。自山西鸣条陌东南来,从大伾一带过河,向东南即到位于定陶的三㚇国,与《史记》所说一致。再东南则至于鲁。这种情况与孔传所言"自太行东南涉河"也相符合。可以看出,几个记载彼此是一条路线的不同阶段,合在一起正是一条完整的路线。过去学者对于桀奔南巢的路线有几种说法,其中就有认为夏桀战败走西南方向,经过河南鲁山县,南行到唐河县,再向东南到达南巢。夏桀不能走太行东南路线,因为那里是商汤的地盘。② 此说不可取。首先,此说与《尚书大传》讲自太行东南方向过河,基本方位不一致;其次,河南虽有飂叔安所封的鄾川,但没有叫三㚇的,不能将两者视为同一;再者,古文献一再说汤伐桀"惟有惭德。曰:'予恐来世以台为口实。'"是以

---

① 黄怀信等:《逸周书汇校集注》,上海古籍出版社2007年版,第1040—1044页。
② 杜金鹏:《商汤伐桀之史实与其历史地理问题》,《史学月刊》1988年第1期;《关于夏桀奔南巢的考古学探索及其意义》,《华夏考古》1991年第2期。

追之不急,故意放其远走。正《汤誓》所言:"缓追之,不迫。"如此,夏桀才能自安邑向东南过黄河,经过鲁地而南行。

至于夏桀要去的"海外",不可机械地理解为东海之外。上古所说的"海",常常非指今天的东海、渤海、黄海或南海,多数时候较大的湖泽也称"海",如《左传》僖公四年载楚王使人对齐桓公言:"君处北海,寡人处南海。"说桓公处北海有渤海可以附会,而楚王住在"南海",则此南海只能理解为长江中游的云梦大泽。又,《山海经》中的不少海,指的都不是后世所谓之海洋,而是内地的湖海,如《大荒北经》:"东南(北)海之外,大荒之中,河水之间,附禺之山,帝颛顼与九嫔葬焉。"这里的"东南(北)海"在河水之间、附禺之山(濮阳一带)东南方向的地方,显然是指的巨野大泽。《大荒东经》:"东海之外,大壑,少昊之国。少昊孺帝颛顼于此。"此处之"东海"之外有少昊之国,自然也指鲁国(少昊之虚)西边的巨野泽。还有其中的多处"南海"等,也是指长江中下游地区的湖海。《说文解字》云:"海,天(大)池也,以纳百川者。"上古所谓"海",多指的是容纳百川的湖海。所以,夏桀与夫人同舟浮江流海,到达南巢,可以理解为乘舟而行,深入江淮。

再者,江淮之中有施水,即今南淝河。施水之名可见于《水经》,即汉末已有此名。施水的得名,过去有说是与有施氏相关的。还有一种可能就是与妹喜的到来有关,因为她是有施氏的女儿,来到这里从而地以人之氏出名。

再次,考古学上也能提供一些有价值的证据,就是江淮地区有不少二里头文化晚期遗迹。尤其是肥西县大墩子遗址发现的单扉铜铃、铜斝、陶爵等,是除四川三星堆与二里头遗址之外,唯一发现的与二里头出土的完全相同的器物。铜斝、铜铃与陶爵等都是礼器,不是一般的文化传播产物,因此它体现的不仅仅是文化影响的问题,而更像是人群迁移带来的。这种情况与夏桀逃奔南巢的记载是一致的。大墩子遗址的年代,学者间还有一些争论,多数人认为其是早商时期的,也有人认为它是二里头文化时期的,而二里头文化遗址第四期一般认为已经入商代纪年,所以大墩子遗址出土器物被看作是夏商之际的,这种看法大体可以接受,此正可以与桀奔南巢对证。有关情况近年来讨论的人非常多。①

关于桀奔南巢以后的情况,以及南巢氏的问题,文献没有载述。稍晚的《路史》卷二十七"国名纪丁"云:

南巢氏,桀之封,秦为居巢(注:范增居鄛人),今无为之属鄛县也,古巢伯国(注:亦作鄛,羽传见书,亦为子,入楚为巢公),吴灭之(注:昭二十四寰宇记楚灭非既为羣舒邑故楚围之)。故巢城在皖北六东(注:同安志巢城在桐城,寰宇记:在县南六十五,号古重城,城有三重,南北川泽,左右陂湖),故有夏水(注:合肥巢胡,云居巢陷者,九域志谓之焦,吴志作剿,同吕交切),非卫巢,(注:杜云吴楚间小国,是。左云楚邑,邑无书灭。)

这里把南巢当作夏桀的封邑,似不可取。《国语》言"桀奔南巢",《竹书纪年》与上博楚简《容成氏》等都说到桀逃"南巢氏",似乎桀来之前,已有南巢氏,桀入居这里,遂以为长?或当然。古史茫昧,未可臆测。

三、商代合肥与周边的国族

商朝时期安徽江淮一带方国族邑,现在所知主要有霍、虎方、六等,大部分为土著淮夷,一部分可能是从各地迁入的族群。地处商代"南土"的合肥地区,自商早期晚段起就受到了中原商族势力的影响,在中商时期达到顶峰,这种影响既包括中原文化的输入,更涉及商系

---

① 相关研究较多,较有代表性的有杜金鹏:《关于夏桀奔南巢的考古学探索及其意义》,《华夏考古》1991年第2期;王迅:《东夷文化与淮夷文化研究》,北京大学出版社版,1994年,第48—93页;曹定云:《从皖西地区夏代遗存看夏王朝与淮夷之关系》,载《蚌埠涂山与华夏文明》,黄山书社2002年版。

氏族的迁徙定居。

虎方。卜辞关于虎方的记载有几条：

贞，令望乘暨举途虎方，十一月。
围举其途虎方，告于大甲，十一月。
围举其途虎方，告于丁，十一月。
围举其途虎方，告于祖乙，十一月。①

丁山认为虎方即春秋时的"夷虎"②。《左传·哀公四年》记"夏，楚人既克夷虎"，"夷虎"在何地？《水经·肥水注》："肥水北迳芍坡（陂）东；又北，迳死虎塘东；又北，右合阎涧水，水积为阳湖，阳湖水自塘西北迳死虎亭南，夹横塘西注。"此死虎塘在今安徽寿县东南与长丰之间。"死虎"即"夷虎"，上古夷、尸、死为一字。此地当淮水之南长丰一带。肥西出土的一组青铜器不少带有族徽，其中一件觚内底有组合铭文，最上方为一虎，中间为一叉腿的人形，最下方铭文最小，隶定为"父丁"，当属祭辞。另一件爵也有类似虎形族徽。此虎形族徽极有可能就是卜辞和文献记载的"虎方"。郭沫若疑"虎方"为"徐方"③。"虎"与"舒"古音相通，所以也有人认为虎方可能即后来的舒方。

戈。一件爵有单一族徽，是为"戈"字无疑。据有关记载，戈人在夏代就掌握了铸铜技术，《潜夫论·五德志》明说戈等"禹后也"，学者也有人考证，殷代凡有"戈"氏族图徽的族体都是夏后氏苗裔。④ 向江淮迁徙的戈人是目前所记载的商代从中原迁到南方有族徽可考的重要氏族之一。戈人本是氏羌族的一支，早年自甘青高原迁徙至中原，

---

① 《甲骨文合集》6667，中华书局1979年版。
② 丁山：《殷商氏族方国志·虎氏、虎方》，《甲骨文所见氏族及其制度》，中华书局1988年版。
③ 郭沫若：《两周金文辞大系图录考释》，上海书店1999年版。
④ 曹定云：《殷代族徽"戈"与夏人后裔氏族》，《考古与文物》1989年第1期。

夏初被分封。夏太康失国后,戈人沦落为东夷寒浞的奴隶,商汤灭夏后,戈族随夏人四处逃散,其中有一部南迁,现在的江西吴城遗址也发现了戈族器物。目前江淮地区尚无戈族器物的出土,这一件商代戈爵的出土,从一个侧面证明了戈族南迁的史实。

六。又写作录,六国之祖皋陶曾为舜之司空。司空即司工,《礼记·曲礼》:"天子之工六,曰土工、金工、石工、木工、兽工、草工。"注"此殷时制也,周则皆属司空"。殷之祖与皋陶同为东夷集团,故"六"之得名当来自皋陶主管之"六工"。皋陶后裔之一的嬴秦亦尚"六"之数,当与此有关。

商王朝与"六"的关系颇为密切。六常向王朝贡龟。如:"戊戌卜𣪕贞,弓斤祀六来𤓰三□一"①;"□戌卜𣪕贞,弓斤祀六来𤓰[三]"②。从"𤓰"的字形来看,显为龟之一种。咸丰《六安州志》:"六地亦产龟。"《史记·龟策列传》:"神龟出江水中,庐江郡常岁时生龟,长尺二寸者二十枚输太仆官。"《诗·泮水》:"憬彼淮夷,来献其琛,元龟象齿,大赂南金。"说明殷周时对淮夷的掠夺包括元龟、象齿、琛及铜。"元龟"即上述《龟策列传》中的大龟。

六还向王朝进女。如:"戊戌帚六示二𠬝"③;"丁巳[帚]六示𠬝,岳"。"帚六"即来自六国的殷王诸妃之一。此外,商还在六国设"六圉"。"圉"即监狱,用于囚禁罪犯或战俘。卜乎还有:"……卜,𣪕[贞]……幸六。""幸"读若"籣",《说文》"籣"与"箝"互训。此为一期卜辞,说明武丁时亦加强对六国的控制。

从以上情况看,商代六是淮水之南重要的方国,以后发展不断分化,群舒很多支系就是从中分化出来的。

"淮"字最早见于帝乙、帝辛"征人方"卜辞。卜辞也有"南土""南邦方"和"夷"字。商代淮夷分布区比夏代更加广泛。如果说夏代皋

---

① 商承祚:《殷契佚存》991,中国文化研究所影印,1933年。
② 董作宾:《殷虚文字甲编》3358,中研院史语所印,1948年。
③ 《甲骨文合集》1834。

陶的后裔徐淮夷一部分还留居山东地区，与此前迁居淮河中游的徐淮夷尚未连成一片的话，则自商代武乙之后，这种情况发生了重大变化。《后汉书·东夷传》记载说："武乙衰敝，东夷寖盛，遂分迁淮岱，渐居中土。"说明在武乙统治衰微之际，东夷曾有一次大规模的迁徙，淮河流域是迁徙的重点区域。经过这次迁徙，再加上早先迁居此处的六、英等的发展繁衍，山东地区的土著淮夷已与淮河流域的淮夷连成一片，形成分布广泛的淮夷聚居区。

　　淮夷势力的壮大，激化了其与商王朝之间的矛盾，故引起商末帝乙、帝辛时期商人与以淮夷为代表的东方夷人之间旷日持久的战争。《吕氏春秋·古乐》说："商人为象，为虐于东夷。"东夷即东方夷人，是包括淮夷在内的。陈梦家先生曾对殷末甲骨文中征人方卜辞进行系统的编排比较，将这次征伐的来回路线分为五段，"始于出发自大邑商（今河南安阳小屯），中经商（今河南商丘）、亳（今商丘南谷熟集一带）而及于淮水，后复由攸（河南永城南、安徽宿州之西北）、商而至于沁阳田猎区"。"自十祀九月至十二月渡淮以后，卜辞记曰'正人方'；自十一祀正月回至淮北攸以后，卜辞记曰'王来征人方'。'正（征）人方'是说去伐人方，指其往程；'来正（征）人方'是说来自征人方，指其归程"①。征伐路线的南部是分布于安徽凤阳一带的林方。这说明当时所征的"人方"就是指居于河南南部、安徽北部的淮河两岸的淮夷。王朝所需的铜、龟、珍珠、象牙等，多通过讨伐淮夷的战争掠夺而来。

四、合肥地区夏商时期的文化遗存

　　江淮地区处在我国南北气候过渡地带，由于这种地理位置的特殊性，自原始时期起这里就是人类活动定居的重要地点。特别是在原始社会末期的龙山时代，江淮一带尤其是江淮中西部地区发现的相应时段遗址，数量激增，现在发现的史前时期遗址，从地面调查来

---

①　陈梦家：《殷虚卜辞综述》第八章，科学出版社1956年版。

看,大多始于这一时段,或在龙山时代最为繁荣,与中原地区龙山时代遗址大量增加的现象一致。据研究①,距今 6000 至 2000 年前,巢湖流域气候总体上温暖湿润,是全新世中气候最适宜人类生活的时期;其中,距今 6000 至 5000 年前为最温暖湿润期,距今 5000 年以后气温整体上逐渐降低、湿度下降,气候向温和干燥发展。巢湖水位下降,使得早期生活在高地的居民转向低处更接近于湖泊的地点定居。

在中华文明起源的历程中,江淮地区的地位不容忽视,在古史和传说中,大禹、皋陶等人物都与这里有着非常密切的联系。早在 20 世纪 30 年代,当时的中央机构就曾对江淮中西部区域做过调查,也涉及现今的合肥地域,所见十余处遗址多为龙山至夏商时期的遗址,这些遗址也多"出自高处或孤堆之上"②。时隔四十年后,北京大学考古学专业师生又对六安、霍邱、寿县古遗址进行了重点调查和试掘,发现了一批属于中原仰韶文化、龙山文化、二里头文化和商周时期的遗存。可以看出,江淮中西部史前文化较具地方特征,也有相当的中原文化因素,主要来自河南东部和山东地区,但仍保持自身特色。

合肥地处江淮之间,江淮分水岭在其北部绵亘而过,整个巢湖也被纳入其中,东部是单独汇入长江的滁河及流域地区,从地貌上看是江淮地区最具有代表性的区域之一,几十年的考古资料证明,合肥地区古代文化兼容并蓄,是安徽江淮地区先秦时期诸文化的汇集之地。

(一)夏代文化遗存

安徽江淮中西部地区夏朝时期的考古学遗存相对丰富,可以划分为三个类型③:一是西北部的斗鸡台类型,包括西北部淮河水系,西至皖豫交界的洰史河流域,东到东淝河一线,涉及六安、寿县、霍邱等县市。二是东南部的大城墩类型,覆盖东南部巢湖水系,包括滁河上

---

① 吴立等:《巢湖流域新石器至汉代古聚落变更与环境变迁》,《地理学报》,2009 年 1 月第 64 卷第 1 期。
② 王湘:《安徽寿县史前遗址调查报告》,《中国考古学报》1947 年 3 月第 2 期。
③ 宫希成:《夏商时期安徽江淮地区的考古学文化》,《东南文化》1991 年第 2 期。

游地区，涉及含山、合肥、肥东、肥西、巢湖和滁州市等市县。三是西南部的以薛家岗遗址 H25 为代表的文化遗存，以西南部皖河—菜子湖水系为中心，涉及安庆市及下辖几个县域。从这样的划分看，合肥地区夏朝时期主体当可归入以巢湖流域为中心的大城墩类型，此类遗存在肥东吴大墩、肥西大墩孜、肥西塘岗、肥西陡岗、长丰古城等遗址有过不同程度的发现。

该区域的夏文化遗存可以划分为三个时期。[①]

第一期文化以夹砂灰陶和黑陶为主，泥质陶较少，磨光黑陶占一定比例，还有一定数量夹砂褐陶和红陶。纹饰以蓝纹为主，绳纹次之，还有方格纹、弦纹、附加堆纹等。器类主要有罐形鼎、盆形鼎、侈口深腹罐、圜底罐、子母口沿罐、鸡冠耳盆、豆、瓮、斝、甗、鬶、器盖等。侧三角形鼎足占绝大多数。肥东吴大墩遗址 T2⑧包含该期文化。此期大体年代为龙山时代晚期阶段，绝对年代为公元前 2100—公元前 2000 年，跨入了夏王朝的纪年范围。

第二期文化遗存发现较少，陶器以夹砂灰、黑陶为主，但数量减少，绳纹比例增加，还有少量方格纹、弦纹、附加堆纹等。器类较多，仍以鼎、罐为主，新出现花边罐、鬲、觚形杯、尊形器等。本期年代相当于二里头文化早期，经碳十四测定年代为距今 3885±100 年[②]。

第三期文化主要以夹砂灰陶为主，泥质黑陶占一定比例，纹饰以绳纹为主，篮纹次之，还有少量弦纹、划纹和附加堆纹、几何形印纹、云雷纹等。器类主要有各类鼎、罐、盆，还有鬲、觚形杯、甑、鬶、豆等。新出现釜、杯、爵、缸、碗等。本期的宽肩小口瓮、盆形鼎等皆与二里头文化三期同类器物相似，经碳十四测试，距今 3600±125 年，故本期年代相当于二里头文化三期，绝对年代为公元前 17 世纪中叶至公元前 17 世纪末叶。

江淮地区夏文化因素相对复杂，在上述三种类型中，斗鸡台类型

---

① 何长风：《安徽江淮地区夏时期文化初析》，《文物研究》总第四期，1988 年 10 月。
② 北京大学考古系碳十四实验室：《碳十四年代测定报告（七）》，《文物》1987 年第 11 期。

和大城墩类型存在一定程度的联系，某些器物风格有一致之处，但差异也很明显。斗鸡台类型主要源自于当地的龙山文化，自第一期开始就受到了中原二里头文化影响与渗透，到了第二、第三期时，源自同时期的山东岳石文化因素开始逐渐渗透进来。二里头文化同样对大城墩类型产生了影响，但要比对斗鸡台类型的影响弱。与此同时，整个江淮夏文化时期，大城墩类型与南方相当于夏商时期的湖熟文化有一些初步交流，在文化特征上反映不明显。如在肥东吴大墩遗址相当于本区第三期遗存中发现的带把器物，别具南方特征。但是必须看到的是，本地土著文化因素在整个夏朝时期的江淮地区占据着绝对的优势，而上述二里头、岳石、湖熟文化器物中仅有少量特征器物可以在本区见到。

合肥地区发现的相当于夏朝时期的遗存不在少数，由于诸多遗址所获材料仅建立在调查基础上，众多被断代为商周时期的遗址，其始建年代可能更早。本区商周遗址分布最密集的区域在巢湖西岸地区，即杭埠—丰乐河流域中下游、派河流域和庐江县一带，其次在巢湖东北岸的柘皋河流域。相对于新石器时代中晚期，遗址分布范围大为扩展。宜居的环境，重要的地理位置，丰富的资源，使得合肥在中原地区以外地区中占有重要地位。《史纪·夏本纪》云，"帝禹立，而举皋陶荐之，且授政焉，而皋陶卒；封皋陶之后于英、六"。除前述几处遗址发现的相当于二里头时期的陶器外，在肥西大墩孜遗址还出土过一批典型二里头文化器物，有铜斝、铜铃、陶爵等，均为二里头文化中"礼器"，绝非一般的日用陶器。就目前所知，除了四川三星堆遗址、中原二里头遗址外就只有肥西出土过铜斝和铜铃了。这客观地反映出二里头文化向江淮地区的传播，以及人群之间的迁徙，而不是一般意义上的文化影响与交流。过去曾在六安市附近、肥西西南部发现过几处西周城址，据试掘发现，早在筑城之前，各处就是一些重要的聚居地，都发现有较多龙山时期及夏商时期遗物。二里头文化和肥西一带的聚落应有一定的联系。在二里头文化第二、第三期的时候，该地区还发现了河南龙山文化的孑遗，这里的考古学文化的变迁好像滞后于中原地区。这似乎是距离中原较远的"偏远"地区所特有的现象。

夏朝时期的合肥地区,来自山东的岳石文化的南向辐射也是一个不容忽视的现象。岳石文化在公元前1670±145至公元前1590±135年。这个年代正处于文献所载夏代纪年范围之内。《说文·大部》:"夷,从弓从大,东方之人也。"《后汉书·东夷列传》载:"夷有九神,曰畎夷、于夷、方夷、黄夷、白夷、赤夷、玄夷、风夷、阳夷。"据徐旭生考证,①东夷集团所居之地,"北自山东南部,最盛时候也或者能到达山东的北部。西至河南的中部,西南至河南的极南部,南至安徽的中部,东至海"。考古发现的岳石文化分布范围与东夷族活动地域大致吻合,岳石文化就是夏代的东夷族文化。岳石文化在合肥地区的巢湖以北区域甚至相当强盛,如在肥西塘岗遗址二里头文化时期灰坑中发现的素面陶鼎、罐、器盖、尊与岳石文化同类陶器相似,尊素面、腹部饰凸棱的风格明显受到岳石文化的影响。同时,釜形鼎、碗等陶器的形态特征均属于该地区"土著文化"因素的范畴,但罕见二里头文化和其他文化的影响。②

夏朝时期合肥地区的土著文化与中原二里头文化区别较大,尽管受来自中原的二里头和东方的岳石文化强力冲击,但依旧顽强生存下来,不同程度地保留了土著文化传统,其代表器物平沿罐、大口盆、高足罐形鼎、高圈足云雷纹豆、高柄杯、鬲式鼎等均体现了江淮一带土著文化的主要特征。但是否属于淮夷文化,现在还尚无定论。淮夷的繁盛始于西周时期,"至少可溯源至殷"③,有的学者甚至提出裴李岗文化舞阳贾胡类型是各种夷族文化的祖型与源头。④《竹书纪年》曾有"夏后相元年征伐淮夷、畎夷"的记载,但资料过少。淮夷和

---

① 徐旭生:《中国古史的传说时代》,科学出版社1960年版。
② 段天璟:《二里头文化时期江淮分水岭地区的考古学文化遗存浅析》,《江汉考古》2010年第2期。
③ 黄盛璋:《淮夷新考》,《文物研究》第五期,黄山书社1989年版。
④ 高广仁、邵望平:《试论淮系史前文化及裴李岗文化的主源性》,《燕京学报》新17期。

东夷虽属于大的集团范畴,关系密切,但本地夏朝时期岳石文化相比二里头文化要弱势不少,对于它的内涵和时代变迁需进一步研究。江淮地区土著文化特点明显,或者可以视为淮夷文化的地方性类型,甚至叫形成中的地方性类型。

(二)商朝时期文化遗存

合肥地区商前期的遗存分布范围与夏代的情况基本一致。也可结合江淮地区的分区来陈述,可分为两个区域[1]。其中包括长丰在内的西北部沿淮地区,发现遗物有陶器、石器、铜器等。陶器以夹砂陶为主,器类有鬲、豆、盆、罐等,鼎基本不见。所见文化因素包括商文化因素、岳石文化因素和当地文化因素。其中的锥足鬲,裆部较高,与典型早商文化鬲几乎一样。浅盘豆和深腹平底罐等与岳石文化同类器物很接近,但其影响力较为弱势,目前也只见于早商文化第一期第二段的皖西地区。当地文化因素的影响最强烈,其中的高领鬲等则是其他地区少见或没有的。以合肥地区为主体东南部的巢湖地区是第二个重要早商文化分布区。遗物有陶器、石器和青铜器。陶器以夹砂灰陶为主,其次为泥质灰陶和红褐陶,有少量印文硬陶。纹饰有弦纹、附加堆纹和几何纹饰等,主要器类有鬲、豆、罐、盆、大口尊、簋等。文化因素也有三种成分,即商文化因素、南方文化因素和本地文化因素。所发现的鬲、豆、罐、尊、簋等具有典型早商文化特征,当地流行器物中多数是这些典型的商式器,反映出商文化势力在这一地区的强盛。而印纹硬陶传统则来自相邻的宁镇和皖南同时期文化。当地文化因素中,一些器物是新出现的器形,有些则由大城墩类型文化演变而来,不见于其他地区,在数量上占比重最大,但比之夏时期的强盛,商代江淮中西部地区土著文化势力衰减了不少,地域之间的文化差异也逐渐缩小。

---

[1] 宫希成:《夏商时期安徽江淮地区的考古学文化》,《东南文化》1991年第2期。

合肥地区商文化可分为早中晚三期。①

第一期文化代表器有鬲、簋、豆、罐、爵、盆等。陶质以夹砂红陶为主,有少量粗绳纹、弦纹、附加堆纹等。代表器物与郑州二里岗下层同类器相似,属于商代早期晚段。二里岗文化较可靠的年代范围是公元前1600—公元前1300年,相当于商王成汤至盘庚迁殷之前的时间。

第二期代表器有鬲、罐、豆、大口尊、大口瓮、二足器、直口缸、盆、簋等。陶质以夹砂灰陶为主,次为泥质灰陶和黄褐陶,极少见印纹陶。纹饰以绳纹为主,其次为弦纹、素面、附加堆纹。还发现在陶器上刻画的文字。器形与郑州二里岗上层同类器相似,相当于商代中期。

第三期代表器有鬲、豆、罐、瓮、大口尊、缸、簋、盆、甗等。陶质以夹砂灰陶为主,其次为泥质灰陶和泥质红陶。有少量黄褐陶、印纹硬陶、原始青瓷。纹饰以绳纹为主,其次为弦纹、方格纹、编制纹、云雷纹等。器形与殷墟一、二期同类器相同,相当于殷墟二期。这一时期自夏延续至商前期的地方文化特征几近消失,印纹陶数量增加不少,反映出南方文化对江淮地区影响的加强。

族群与文化。"淮"字最早见于帝乙、帝辛"征人方"卜辞,还有"南土""南邦方"和"夷"字。根据对有关甲骨文资料并结合考古资料和文献记载分析,商朝时期安徽江淮一带方国、族邑主要有霍(今安徽霍山一带)、虎方(可能即舒方,分布于今寿县及其以南地区)、六(今安徽六安一带)等,除部分属于土著外,总体上属于东方夷族,其中很大一部分为淮夷。地处商代"南土"的合肥地区,自商早期晚段起就受到了中原商族势力的影响,在中商时期达到顶峰,这种影响既包括中原文化的输入,更涉及商系氏族的迁徙定居。肥西出土的一组青铜器不少带有族徽,其中一件觚内底有组合铭文,最上方为一虎,中间为一叉腿的人形,最下方铭文最小,隶定为"父丁",属祭辞。

---

① 张敬国:《略论江淮地区夏商周文化分期及族属》,《文物研究》第三期,黄山书社1988年版。

另一件爵也有类似虎形族徽。此虎形族徽极有可能就是卜辞和文献记载的"虎方"。

(三)夏商时期重要遗址

合肥市烟大古堆遗址。① 位于合肥市北郊区大杨镇施大郢村东南约300米,四里河西岸,属商周时期遗址。因合肥市修建大房郢水库,该遗址在水库淹没区内,故进行抢救性发掘。遗址为一高台地,现存面积约5000平方米。发掘区文化层厚约2.6米,发现一批灰坑、墓葬、房屋等遗迹现象。出土器物有陶器、铜器、石器、玉器、骨角器、蚌器等,以陶器数量最多。陶器以夹砂灰黑陶为主。器形有鬲、罐、豆、盆、簋、钵、瓮等。纹饰有绳纹、弦纹、附加堆纹、刻画纹等。铜器主要是小件工具和兵器,有箭头、刀、凿等。石器有刀、镰、斧、铲、锛、凿等。根据出土器物特征初步分析,其年代相当于商代至西周时期。

肥西大墩孜遗址。② 龙山时代至西周初期遗址,位于肥西县上派镇馆驿社区,遗址原高6米,地处高小河南岸,遗址面积约现存1500平方米,仅发掘40平方米。发掘前的1972年就在此地发现铜斝2件。大墩孜遗址地层可分为三个时期。最早属龙山文化时期,地层厚5—78厘米,具有山东和河南龙山文化特点,如盆、细柄镂孔黑陶豆等,文化特征总体上与中原龙山文化稍有差异。该文化层还发现印纹硬陶片,纹饰有人字纹和回纹等。土层中夹杂有木炭屑、灰烬、红烧土块、破碎的石块等。商文化地层,可分为上下两层。较早的下层地层厚40—122厘米,出土陶鬲和陶豆与河南二里岗遗址相似,单扉铜铃和铜斝与二里头遗址的一致。地层中发现木炭屑、铜渣等炼铜遗物。大墩孜商文化下层时间大约为夏晚期至商早期。商文化上层地层厚20—60厘米,出土有原始青瓷,为商晚期文化,或晚至西周初期。发现遗物以夏商时期为主,有石锛、陶鬲、陶豆、陶爵、铜铃、铜

---

① 宫希成:《合肥市烟大古堆商周时期遗址》,《中国考古学年鉴》,文物出版社2003年版,228—209页。

② 胡悦谦:《试谈肥西县大墩孜商文化》,《安徽省考古学会会刊》1980年第一辑。

斝、铜戈等,还发现 3 件有文字的残陶片。经调查,在大墩孜遗址周边,又发现了同时期的四处遗址,面积与大墩孜遗址相当。

肥西县庙墩遗址。位于上派镇南郢村小湾自然村,原面积约 5000 平方米,墩高约 4 米。出土的遗物有陶片和铜镞。陶片为夹砂红、灰陶,纹饰以绳纹为主,器型有豆、鬲、纺轮、网坠等。1987 年派河拓宽改道挖去一半,当地文物部门拣选了一大批商时期遗物,器形多完整,陶器为主,有灰陶乳丁云雷纹尊、红陶双贯耳罐、绳纹钵、陶簋、折腹平底罐、鬲、罐、假腹豆、三乳罐等典型中商时期陶器。出土一件铜锛和一件冶铜用的坩埚,据说该遗址下层还出土过铜爵,可惜被群众熔毁。

庙墩遗址出土商代陶器

塘岗遗址①。遗址位于肥西县南岗镇鸡鸣村牌坊自然村北岗地上,台地相对高度 3—5 米,平面似椭圆形。其北距淝河约 200 米,占地面积约 35900 平方米,发掘面积 810 平方米。最早地层堆积属于新石器时代中期,并沿至商周时期,共发现了 7 处房址和一些其他遗迹,出土遗物包括陶器、石器。在属于该遗址第二期的地层中发现房

---

① 安徽省文物考古研究所:《安徽肥西塘岗遗址发掘》,《东南文化》2007 年第 1 期。

址和灰坑,夹细砂罐类平底器,底的外缘有的较大,呈出缘底,而泥质灰陶尊、碗类生活用具,多带有腰沿,这种现象与岳石文化中同类陶器相比较,具有一定的共性。本遗址的晚期遗存直接或间接地接受了岳石文化的影响。

长丰县古城遗址[①]。遗址位于长丰县下塘镇汪店村刘小庄南500米,为一处岗地遗址,相对高度2米左右,面积3万平米,发掘面积495平方米。遗址包括夏商和周代两个时期遗存,其中夏商遗存有石器、陶器、骨器。陶器以夹砂红褐陶为主,泥质陶少,陶色主要有红、灰、黑三种,纹饰多素面,其次为绳纹,并有少量网格纹、方格纹、戳印纹、变形雷纹等,器型主要有鼎、尊形器、器盖、豆、甗、鬲、盆、盂、罐、杯等。部分陶器文化风格上受到岳石文化影响强烈,但也有自身特点。出土的泥质黑陶高柄杯和白陶麻花状把手鬶则与山东龙山文化同类器相似。

长丰县三江坝遗址。该遗址濒临孔店乡三江坝水库,出土的遗物都归在一个层位内。陶片以夹砂灰陶为主,有少量夹砂红褐陶,纹饰以绳纹为主,有少量弦纹,器类主要有鬲、深腹罐、深腹盆、小口瓮、大口尊、簋、豆等。器物类别与以郑州商城、小双桥为代表的商文化中心区发现的相同,以最富特征的鬲为例,很多器型与郑州地区发现的相同,也有很多器型总体特征与郑州地区发现的相同,略有地方差异,商时期遗存中也有少量岳石文化风格的遗物。该遗址虽然不能为分期提供层位上的依据,但其典型特征为认识江淮西部商时期的考古学文化提供了重要材料。

肥东县吴大墩遗址[②]。位于安徽肥东县东部,与全椒、定远、滁县三县交界。遗址总面积4万多平方米,发掘面积75平方米。其文化堆积有3米多厚,文化堆积分为9层,分别为龙山、二里头、商、周共四期。与本时段相关的遗存属于该遗址的前三期文化。其中,第一

---

① 安徽省文物考古研究所、长丰县文物管理所:《安徽长丰古城遗址发掘报告》,《文物研究》第19辑,科学出版社2012年版。

② 张敬国、贾庆元:《肥东县古城吴大墩遗址发掘简报》,《文物研究》,1985年第2辑。

期属龙山文化晚期,发现有夹砂红陶鬲足、陶灰小平底碗、器耳等遗物。二里头时期的有鼎,釜,盆,罐等,釜、鼎是安徽江淮地区主要文化器物,与含山大城墩遗址第二期遗物相似,相当于二里头文化三期。第二期遗存包括鬲、罐、大口尊等,以泥质黑陶为主,次为夹砂红陶、夹砂灰陶,时代相当于郑州二里岗上层。遗址出土的陶器不论陶质、陶色和器形都与中原文化有较大的区别,反映了江淮地区土著文化的特征,为研究江淮地区淮夷族文化提供了新资料。此外在肥东广兴乡乌龟墩遗址也发现了夏商时期遗存,年代相当于郑州二里岗上层,尊形器还有某些岳石文化因素。

吴大墩遗址远景

(四)夏商时期社会生活

村落与建筑。目前所知合肥地区夏商时期聚落基本为一些临水的台地形村落遗址,面积多在1万米以下。遗址中多发现一些灰坑、房址、水沟等遗迹现象。

这一时期的房屋发现较少,且保存不好。以肥西塘岗遗址夏代房址最有代表性。该期房址发现6座,均为地面式建筑,一般为数十平方米套间。一号房(F1,为报告中原始编号)平面为方形,自南向北面阔3间,外长8米,东西进深1间,建筑面积47.2平方米。二号房(F2)平面呈长方形,清理时基槽仅见西、南部分,而东部有一排柱洞,基址北部见有用火痕迹。整体南北长 5.38 米、东西宽 2.5 米。屋内使用面积 10 平方米。三号房（F3）平面呈长方形，房址南北面阔 3 间，外长 8.96 米，东西进深 1 间，外宽 6.3 米。室内面积 35.6 平方米。四号房（F4）主体建筑南北面阔两间，外长 10.7 米、东西进深 1 间，外宽 7.6 米，跨间南北外长 5.4 米、东西外宽 1.5—2 米，主体建筑室内面积 69 平方米，跨间室内面积 3.6 平方米。五号房（F5）平面呈方形，面阔 1 间，东西长约 4.9 米，进深两间，东西宽约 6.85 米。室内使用面积 16.2 平方米。西北角主房外有 1 跨间，跨间南北长 2.85 米、东西宽约 1.5 米。使用面积 1.36 平方米。基槽呈长方形，宽 0.35—0.6 米，深约 0.5 米。拐角和关键部位一般竖有木柱，木柱直径为 0.25—0.6 米。六号房（F7）平面形状近于方形，东西长 3.4 米、南北宽 3 米。室内使用面积 3.7 平方米。

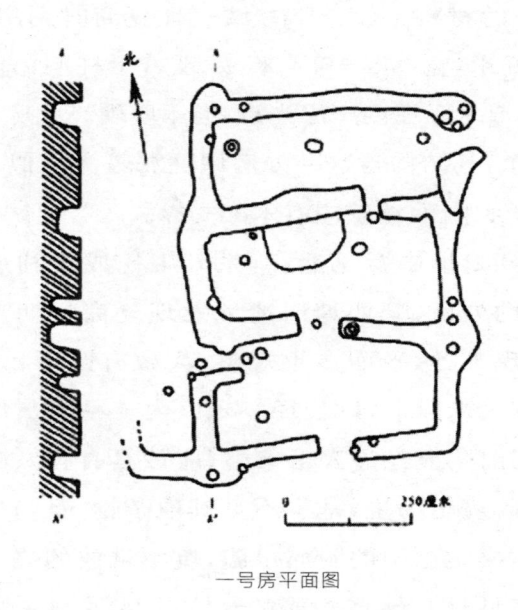

一号房平面图

这一遗址的房址大多属于同一时期建设而成，房屋坐北朝南，整体上形成建筑群落，但是每栋房子都是一个独立存在的个体，从布局上形成同群单体的建筑格局，与江淮地区西周村落建筑有很大区别。就每栋房子而言，都有不同形式的分间，主房外一般都有跨间，房间均有方便进出的门或侧门。墙内立柱多是建筑的承重中心部位，一般竖立于基槽拐角和交汇处，起承重和固墙作用，而一些贴墙柱推测是后期维修加固所竖。室内柱又可分为中心排柱和不规则散柱，中心排柱从结构看应为撑顶而设，不规则散柱则是后期维修加固而设。房顶的结构形式凭用柱布局推断基本为两面坡式，覆顶材料为烧土屋顶或草顶。其中二号房较为特殊，该房的木柱相对密集，用料粗大且东面不见基槽，推断该房总体结构是木泥混合双层半干栏式建筑，房顶结构为单面斜坡式草顶或泥顶。推断其下层用作生火、贮藏，上层用作居住。在总体布局中应属于F1的附属建筑。室外活动面铺筑方法是采用较纯的红烧土铺垫并经简单的夯实，但表面并未见明显的夯打痕迹。有的房间还残存灶址。夏代塘岗遗址受到来自东方的岳石文化影响深厚，这种建筑模式，明显有别于本地建筑风格。此外，还有一些零星的材料。如长丰古城遗址夏商时期房址，可见房屋的一段基槽长2.9米，宽0.3—0.4米，发现若干柱洞，直径0.15—0.6米，最深柱洞深0.5米。屋内土层光滑，但不坚硬。此房屋较远处还发现分散的柱洞9个，其结构与这一处房屋柱洞较为相似。此处房屋结构属于地面式，方形平面，墙壁应有木架支撑。

  灰坑也是此期遗址中常见遗存，系人工挖成或利用自然坑储存物品或抛弃垃圾的处所，肥西塘岗遗址发现夏商时期灰坑18个，长丰古城遗址也发现5处，平面多不规整，大致有圆形、方形和不规则形几种，深一般在1米以下，口长径2米以内。一类灰坑坑壁和坑底都比较规整，使用前明显经过人工修整，应该具有窖穴功能。以堆积大块红烧土或细碎烧土为主，基本不见其他杂物，且与房基同层又较近的灰坑，属于建房施工中的附属设施，坑中堆放的烧土应为建筑材料，故此类坑应该是具有储藏功能的窖穴。另一类灰坑坑内堆积比较杂乱，堆积以夹杂烧土和炭灰的杂花土为主，包含物多为碎陶片、碎石块、兽骨等。此类坑应属废弃的窖穴。

  水沟是村落中用于排水或蓄水的设施，由于村落有一定的使用时间，待到水沟淤塞或妨碍正常生活时，往往被废弃当成灰坑使用，直到被填满。古城遗址水沟长 8.6 米(仅在发掘区域内,非全长),宽 0.3—0.6 米,深半米左右,无遗物出土,沟内被土质较细密花土填塞。塘岗遗址水沟内发现较多陶片等遗物。

　　农业。夏商时期合肥先民的生产方式,以农业为主,渔猎为辅。农业生产工具仍以石器为主,还有一些骨器、蚌器等,如石锛、石铲、石凿、石斧、石镰、石刀、蚌刀等,但耕作技术上已有进步。遗址中发现的石锛,器身长,刃锋利,适合破土、翻土,可能标志着农业耕作已向深耕发展。在塘岗遗址房址中发现的红烧土中包含有谷物壳和谷草痕迹,但未见具体鉴定结果。肥东大陈墩遗址中发现有炭化稻谷结块①。在临近合肥的含山大城墩遗址第三期地层(相当于二里头文化二、三期)中发现大量的碳化稻谷,经鉴定有籼型和粳型两种。② 根据这些发现推测,夏商时期的气候较适应水稻的生长,暂未发现粟、小麦种植的迹象。除青铜酒器外,在遗址中也发现了陶爵、斝等日常饮酒器物,说明此时粮食生产已有较多剩余,可以大量用于酿酒。渔猎活动是夏商时期农业生产模式的一种补充,此前所见遗址多建于临河的高台地上,常见石镞、螺丝壳、兽骨等遗物,在肥西庙墩遗址还发现不少铜箭镞和骨镞,这些与当时采集渔猎经济有联系。

　　制陶业是合肥夏商时期最为基础的手工产业。各遗址出土过大量陶器,基本为日常用器物,如按其功用来说,炊器有鼎、鬲、甗、甑;食器有豆、簋;酒器和水器有觚、爵、尊、壶、斝、杯;其他盛贮器有罐、盆、瓮、缸等。另有诸多特殊用途的陶器,如作为铸铜熔炉使用的陶缸以及陶模、陶范,生产陶器时拍打陶坯的陶垫和制陶印模,捕捞用的网坠,纺织用的陶纺轮。

　　制陶方法基本沿用了龙山时代以来的技术,小件用快轮制作,大件像鬲、甗之类的袋足器,也用手制或模制方法,塘岗遗址还发现有预先制备好的陶鼎足。总体来看,这一时期器物造型规整,厚薄均

---

　　① 安徽省博物馆:《安徽新石器时代遗址的调查》,《考古学报》1957 年第 1 期。
　　② 丁超尘、张敬国、杨立新、高一龙:《对含山仙踪遗址出土古稻浅见》,《安徽农业科学》,1981 年第 1 期。

匀，美观大方。一些器物的制作方法也改进了，如商晚期陶鬲，鬲足一次模制成功，不再在足腔内填塞泥块，表现出其进步性。釉陶和原始瓷的出现是这一时期制陶业的另一个特点。在大墩孜遗址早商文化层发现釉陶标本4件，陶胎为轮制，内侧有陶拍拍打过的痕迹，胎土中二氧化硅和三氧化二铝含量较高，烧成温度在千度左右，有光泽，敲之有声。有一定量的三氧化二铁，在氧化气氛中烧成，呈现深红色，或中心为红色，表里为深灰色。釉层为石灰釉，厚薄不均，厚者青绿色，薄者青黄色，并有细小开片。在商晚期地层发现原始瓷，胎土未淘洗，呈灰白色，烧制温度在1200以上。器皿表面涂釉，底足漏胎，釉厚薄不均，厚处有小开片和小气泡。烧成温度已使瓷胎坯适应高温窑火的烧成温度，胎骨坚硬，吸水率低。所获得标本中，未发现有脱釉的现象，说明胎釉之间产生了中间层，使釉胎紧密结合在一起。

骨器。利用兽骨制作生产生活用具在夏商时期依旧存在。骨镞，肥东吴大墩遗址出土，扁圆形，刃部锋利，残长14.5厘米。长丰古城遗址出土骨凿，两面刃锋利，残长2.9厘米。骨针，肥西山南镇七姑墩遗址出土，长8.5厘米，重9克，整器为锥形，磨制光滑，一头平粗，下有圆孔，一头尖锐。

青铜制作业。属于夏商时期的青铜冶炼遗存、青铜器在合肥地区多有发现，青铜制作业是当时手工业中的重要门类。冶炼青铜至少可追溯到商代，在肥西大墩孜遗址商文化层发现少量木炭屑和铜渣，以及破碎的石英石和红烧土块。这些遗存与当时冶炼青铜有密切关系，木炭被用于融化铜矿石的燃料，被置于炼炉和坩埚中作内燃剂，铜渣是冶炼后的产物，石英石极有可能是由于制作坩埚的原料，在破碎后加入陶土中制作坩埚，可以增强坩埚的强度和耐高温性。此处红烧土块极有可能为炼铜高温所致的地面板结，也有可能为坩埚的残片。在同属肥西上派镇境内的庙墩遗址也出土过一件商代大口尊式坩埚，内有炼铜痕迹，肥西农兴镇陡岗遗址商代地层出土少量粗厚的坩埚残片。此类坩埚在含山大城墩[①]也出土过，高0.4厘米，直径0.3厘米，壁厚5—6厘米，两者造型、规格基本一致。

包括合肥在内的整个江淮西部商代青铜器发现尤为密集，其数量多于安徽其他地区同时期的发现。1972年在肥西大墩孜遗址出土斝2件、铃1件、戈1件，器型属于典型二里头时期造型，其时代下限可定在早商时期。1965年肥西县馆驿出土一组商时期铜器，有爵2件、斝2件、觚1件。斝器形高大，与阜南县朱寨区月牙河出土的兽面纹制作风格相同，纹饰相近。该组器物年代大致相当于中商晚期。1985年合安公路拓宽上派镇段改道取土时发现4件青铜酒器[②]，有爵、觚各两件，属于晚商时期器物。庐江县境内也有过晚商时期青铜器的出土，泥河区出土一件大铙，形制与湖南出土的象纹大铙相似，此类铙在长江以北出土很少，在江淮地区除潜山出土过外，其他地区未见。此外，出土的鼎、爵、戈等物，年代也可定在商晚期至西周前期。合肥市文物部门在20世纪70年代末也征集了一批商式铜器，具体出土地不可考，但可以确定出自合肥市区周边几个县市。[③] 器型包括觚、爵、方壶、钺，共5件，多属于晚商器物。

这批铜器时代横跨整个夏商，组合形态丰富，制作工艺与同时期中原同类器一致。目前对于这几组商代铜器的产地并没有过多讨论，但鉴于合肥周边的淮河沿岸阜南、颍上，江淮西部的金寨、六安等地具有成组的商代青铜器出土，加之长江下游的铜陵也出土过早商时期青铜器，商代青铜器在江淮地区的出现与商族势力顺淮河南下有密切联系，这批青铜器中既有源自中原的可能，本地铸造的可能性也很大。近年来，在沿江枞阳县汤家墩商晚期地层及铜陵师姑墩西周中期地层中，就出土过用于铸造青铜容器的陶范，为沿江地区铸造

---

① 毛振伟等:《商代坩埚的X射线荧光光谱和X射线衍射分析》,《文物研究》第9辑,黄山书社1994年版。
② 肥西县第三次全国文物普查领导小组办公室:《庐西文物》,安徽人民出版社2011年版。
③ 程如峰:《合肥近年征集的青铜器》,《安徽文博》总第二期,1981年9月。

青铜容器提供了直接证据。合肥地区遗址中尽管没有发现陶范,但大量与冶炼有关的遗存表明,商代的合肥先民已掌握基本的青铜冶炼技术。

大墩孜遗址出土铜器

肥西馆驿出土铜器

庐江泥河出土铜铙

文字。大墩孜遗址商文化层发现3件有文字残陶片，根据字迹推断，是采用单刀斜式刻画，学者们释为"戈""甲""癸"三字。类似的陶文在含山大城墩遗址商代地层出土过。夏商时期合肥一地发现的青铜器上不少铸有铭文。肥西发现的一组青铜酒器上皆有铭文，一件青铜觚圈足内有"虎子"和"父丁"铭文，另一件觚圈足内壁有"子"形族徽。一件爵器壁有"虎子"和"父丁"铭文，还有一件爵铸有"戈"字族徽。合肥市在物资回收公司征集的一件商代爵发现叶脉状徽记铭文，据了解此铜器源自合肥周边地区。这批商式器物铭文组合方式与殷墟时期铭文组合一致，除表明用于祭祀的对象外，有的还包括所属部族的徽记，形成复合族徽。其中多数在中原出土过类似铭文，如"戈"族器物。

艺术。夏商时期的青铜乐器以铃、铙等为代表。大墩孜遗址出土单扉铜铃，其体腔扁圆，呈合瓦状，这种造型被商周时期以铙、编钟等击奏乐器所借鉴。泥河湾铜铙是商代大铙的代表，其体高50厘米，横截面为合瓦形，甬中空，上有圆箍状的旋，其造形或被西周早中期的编钟借鉴。青铜器造型艺术突出代表了夏商时期本地艺术水准。可见到的纹饰有兽面纹、弦纹等，或为光洁的素面。纹饰在器物上的布局精巧，表现手法多样，视觉冲击力强烈。以馆驿斝为例，器通高55厘米，口沿上伞状立柱高耸，器身中下部各饰三组兽面纹，每两组相邻处增饰凸出的小兽目，显得稳重而协调。合肥征集的方壶，器形方正，颈部以下的器身纹饰细密，以云雷纹为地，每面的中间以扉棱为栏设置兽面纹，造型简洁，视角富有变化，而类似的壶在商周时期发现很少。

第二节 西周时期的合肥

一、合肥地区的方国族邑

商周之际有巢国,见于金文与传世文献,这个巢国所在的地理位置与族属,学术界有比较大的争议,一些人认为是中原之巢,理由是江淮之间去周太远,难以联系上。至于具体地点,或说在南阳,或说在山东,或说在河南襄邑。不过,更多学者认为周初的巢应在江淮之间,巢国西周中期见于金文,和录(即六)、南夷等有关系,与春秋时期的巢,当一脉相承。可以先确定的西周中期的巢,讨论它最大可能是在江淮地区以及它不可能在中原地区的原因。再进一步上推,商周之际的巢与后来的巢是连续的,就在江淮之间。周人之所以很早便与江淮之间的巢来往,主要是因为这里的铜矿、铜料丰富,所以不仅巢,其他如六、桐等较早为周人所注意。周人克商而巢伯来朝,显示周人胜殷得到远方诸侯的承认,所以周王赞美巢国,芮伯特别作《旅巢命》。

江淮之间除了巢外,还有众多小国,统称为"淮夷",稍晚一些时候又叫"南淮夷",有时也曰"南夷"。南淮夷曾经在徐国的组织下与周对抗,周穆王时期一度强盛,双方发生多次战争,之后与周的关系时好时坏,如史密簋铭文中的"南夷",指的就是南淮夷,其中的"虎"可能是后来的夷虎(在长丰县),"卢则"可能是庐子国(即后来的群舒),他们曾和东方其他的夷国联合,广伐周的盟国。周厉王时双方的冲突尤为激烈。但宣王时期似乎要缓和一些,驹父盨盖铭文记载的情况是周王朝与淮夷在和平时期的一般情况。西周王室的式微,为江淮之间的各个国族逐渐发展并形成自身特点的文化提供了机遇。

(一) 商周之际的巢、蜀

商周之际有一个国族曰巢,有关情况见于多种记载。周原甲骨 H11:110 片有"征巢"卜辞,因为只两个字,过于简单,它之所指与时代问题,研究者之间就出现了很大的偏差,徐锡台释此"巢"为"古巢国",并谓:"可能是在殷时,巢不服从统治,派兵征伐,此为国家大事,抑或周亦参加此役,故周卜记之。"[1]而王宇信认为此片卜辞当为周文王时的。[2] 也就是说都在武王伐纣之前。传世文献《尚书序》有"巢伯来朝,芮伯作《旅巢命》",汉人郑玄注云"殷之诸侯,伯爵也,南方远国。武王克商,慕义来朝",即认为西周初年来朝的巢伯,在南方的江淮地区。现代学者如郭沫若、杨宽、李学勤等都同意此巢为江淮之间巢的说法。

不过,也有人指出,周文王之时周偏在西土,能否与南方江淮地区的巢联系上,很难说。因为他们之间的距离太遥远了。所以,一般学者相信它是西周时期武王以后的占辞。如陈全方就认为:"殆周公征淮夷时事,即征淮夷,亦矛头及于巢也。"[3]他的意见赞同者较多。

还有其他一些说法,如陈梦家认为卜辞上的巢在南阳,即《说文解字》棘阳之鄛乡,在今河南新野县。[4] 黄盛璋提出"周初的巢国应与蔡国相近,去成周也不能过远",略当与《太平寰宇记》所说陈留郡襄邑县南 20 里之巢亭。这是巢之故土所在。而南阳棘阳之鄛乡可能是周初征讨,一度被迫南迁之地。[5] 何光岳也认为卜辞上的巢实则为宋国(当今睢县)的巢,征巢是周武王灭商前夕的军事活动。[6] 何浩在

---

[1] 徐锡台:《周原出土的甲骨文所见人名、官名、方国、地名浅释》,《古文字研究》第一辑。
[2] 王宇信:《西周甲骨探论》,中国社会科学出版社 1984 年版,第 229 页。
[3] 陈全方等:《西周甲文注》,学林出版社 2003 年版,第 76 页。
[4] 陈梦家:《西周铜器断代二》。
[5] 黄盛璋:《班簋的年代、地理与历史问题》,《考古与文物》1981 年第 2 期。
[6] 何光岳:《巢国的来源和迁徙》,《安徽史学》1992 年第 4 期。

分析众说尤其是黄说不可取(认为黄盛璋将宋国的巢说成是卫国的巢,弄错了。按:黄氏理解未必错。详下。)的基础上,提出周初之巢在山东,属于东夷集团,具体地点即《左传》成公二年"齐人伐我北鄙……取龙,遂南侵及巢丘"之巢丘,大约在今曲阜与泰安两地之间以西的大汶河一带。①

巢地所在,众说纷纭,哪一种说法更近事实?

据《左传》记载,春秋时期中原地区,以巢名地的有几个,如鲁国的巢丘、卫国的巢邑②等。这些地方西周时有没有国家?目前不好说。据现有的资料看,周初巢的族属身份也不易弄清楚,地理位置更无法确定。根据后来的记载,似乎巢不只有偃姓的,还有子姓的,如《路史》卷二十七"商氏后"有子姓巢:

巢 子姓,一作鄛,南阳棘阳有鄛乡,吴人伐巢克棘者。有巢亭,在襄邑南二十,与卫巢异(注:鄛大叔疾处巢,哀十一)。或云居巢,非也。

这里虽然有些混乱,如把吴人克棘说在南阳棘阳(实则在江淮地区),但有一子姓的巢,说的是很明白的。这个子姓的巢在什么时候、什么地点独立为国?不好说。

研究西周的巢,可以先讨论资料较多的周穆王时期的巢的情况,再上溯到周初或者更好一些。

何浩的分析主要关注《班簋》上的繁、蜀、巢三地距离相近。他认为繁在河南东北的内黄。蜀即《左传》宣公十八年的蜀,在今泰安以西,距离巢丘相距不过数十公里。班簋讲征伐"东国",三地不远。大概在毛公不再管理三地以后,蜀、巢两国乃为鲁国兼并,巢人从此开始南迁,几经辗转到达淮河之南。以下是班簋铭文:

---

① 何浩:《巢国史迹钩沉》,《楚灭国研究》。
② 因对《左传》文句理解不同,通常认为卫国的巢,宋乐史、今人何浩以为实为宋邑,在襄邑县。

隹八月初吉,才(在)宗周,甲戌,王令毛白(伯)更虢城公服,(屏)王立(位),乍(作)四方亟(极),秉緐、蜀、巢令,昜(赐)铃(勒)。咸,王令毛公(以)邦冢君、土□(徒驭)、呈戈人伐东或(国)瘠戎。咸,王令吴白(伯)曰:(以)乃师左比毛父;王令吕白(伯)曰:(以)乃师右比毛父;(遣)令曰:(以)乃族从父征,□□(诞城),卫父身。三年静(靖)东或(国),亡不成□(仰)天畏(威),否(丕)屯陟。公告氒(厥)事于上,唯民亡苗(拙)才(在)彝,昧天令,故亡。允才□(哉显),隹苟(唯敬)德,亡(攸)违。班拜稽首曰:乌乎(呜呼),不(丕)孔皇公,受京宗懿,育文王王姒圣孙,隥于大(服),广成氒工(厥功),文王孙亡弗裹井(怀型),亡克竞氒□(厥烈)。班非□(敢)觅,隹乍卲(唯作昭)考爽,益(谥)曰大政,子子孙孙,多世(其)永宝。①

何先生的意见出来后,颇有一些追随者。②但仔细分析还是存在不少疑点。首先,河南内黄离山东曲阜并不像何先生所说的那么近,而是有数百公里之遥,而蜀地与巢丘之间只有几十里地,又未免太近。其次,山东有巢丘,但西周时期此地是否有巢国,文献缺少记载。所以说在山东,也存在不少问题。

研究周穆王时期的班簋上的繁、蜀、巢的地望,一定要结合周穆王时期的历史背景。根据文献与铜器铭文记载,穆王时周对东方的战争对象主要是淮夷,文献记载很多,如《竹书纪年》载"周穆王伐大越,起九师,东至九江"③。九江即今安庆地区的宿松一带,说明穆王到了江淮之间的南部。《左传》昭公四年"穆有涂山之会",杜预注涂山"在当涂",即今蚌埠怀远一带。另外,周穆王伐徐偃王的传闻更多,徐国在今泗县与泗洪一带,统治地区西与陈蔡接壤。所以说穆王时讨伐淮夷各部,显然有较多古文献支持。

金文方面,讲穆王时讨伐淮夷的也很多。如录冬戈卣述穆王命

---

① 参考刘翔等编写的《商周古文字读本》,语文出版社1989年版。
② 参考朱继平:《从淮夷族群到编户齐民》,人民出版社2011年版,第89页。
③ 《北堂书钞》卷一一四引。

冬戈率领成周军队驻扎在古（即胡），讨伐淮夷；冬戈方鼎王使冬戈率领虎臣讨伐淮戎；冬戈簋讲冬戈率领军队在胡。其他如录簋、禹甗、臣又尊等，还有不少，都涉及伐淮夷，并且很多都是以胡地作为前沿据点的。① 胡在淮水北岸，即今阜阳市，正是讨伐南淮夷的前沿阵地，也说明胡是从属于周的国家。

文献未见有穆王派军队讨伐山东地方夷族的记载。如果曾有一次长达三年的大规模攻伐山东地方夷族的战争发生，文献不会没有反映的。再说，山东一带，西周发生的战争，除了成、康二王时期外，很多是齐国、鲁国出动军队参与的，周王室军队似乎很少涉及。齐国在东方有专征的特权，所谓"'五侯九伯，女实征之，以夹辅周室'。赐我先君履，东至于海，西至于河，南至于穆陵，北至于无棣。"②所以，我们认为班簋上王室军队所伐的东国，属于东南淮夷的可能性最大，一般也认为是伐淮夷。而其中的痛戎，多数学者认为是徐戎，或淮夷的一支。如此，则繁当即《左传》襄公四年"犹在繁阳"之繁阳，在今临泉县鲷阳镇南，蜀可能即杨宽所说今合肥之大蜀山，③而巢即杜预注《左传》所说"在六县东"之巢国了。这三地不仅在一条线上，而且不远，周朝军队自成周东南方向讨伐夷人，先是占据繁、胡等地，驻扎部队，又联络了淮河之南的巢、蜀，然后进攻东边的胄戎即徐戎、徐国，三年后终于成功。则此繁、巢、蜀都在周人讨伐徐戎的前沿，又符合周穆王时期多次征伐淮夷的历史背景，这种说法显然更可取。

穆王时期去周初数十年，周初之巢也在淮南的可能性就更大了。周原甲骨文除了"征巢""征蜀"的文字，还有"其于伐獣口"的骨片，④其中獣即胡，就是胡国（在今阜阳市）。1964 年长安张家坡西周墓出土铜器希侯鼎，其中有"希侯只（获）巢，孚厥金胄，用乍（作）𥂝鼎。""获巢"即俘获巢国之人，得到很多金胄，用来做鼎。我们知道，与丰富铜

---

① 参考杨宽：《西周史》，第 558—560 页。
② 《左传》僖公四年。
③ 杨宽：《西周史》，第 560 页
④ 陈全方等：《西周甲文注》，学林出版社 2003 年版，第 76 页。

矿相邻的巢，只有江淮之间的巢。所以李学勤说此器当与周原甲骨征巢的卜骨同时，巢是南方之国。① 周原甲骨还有"征蜀"的卜辞，蜀如果是合肥大蜀山一带，则征巢、征胡、征蜀三者或者有某种联系，即是一次征伐的三个相邻的地方。又有陕貯簋铭文："□陕貯众子鼓㝬铸旅盨。佳巢来钦，王令（命）东宫追以六自之年。"器铭似乎是说巢国来朝的，这个器物如果也是周初的，②或者与芮伯作《旅巢命》有关系；如果是孝王时期的，说明穆王之后巢国与周也有来往。《竹书纪年》载"（周）武王十三年，巢伯来宾"，也可能与《旅巢命》有关系。成王时期的大保簋记载："王伐录子圣……"郭沫若、杨宽说录即群舒之一的六。③ 六临近巢，伐六、伐巢或者是一次行动也非不可能。夏商周三代都比较重视铜矿、铜料的获得，周人对于六、巢、蜀、胡等的讨伐，并且将之变为盟国，军队受到周王室大臣的节制，显示周人对于东南方江淮地区的重视，应该也是与铜料的获得有关系。

依据以上资料，西周初巢与周王朝有着密切的关系，先是武王伐纣，巢国前来朝贺。周对于其与巢的关系很重视，巢可能是周人前往江淮获取铜料的重要帮手、盟国。之后因为某种原因，彼此出现了矛盾，周人征巢，在周人的压力下又恢复了关系，直到穆王时期，巢国一直是周的重要盟国。安徽江淮地区尤其是沿江地带是重要的产铜区，目前已发现商代采矿遗迹多处，周代更多。④ 周王朝讨伐淮夷而"俘金"的记载比比皆是。如过白（伯）簋："白从王伐反荆，浮金，用作宗室宝尊彝。"小子生方鼎铭文："唯王南征……小子生易（赐）金首，用作簋宝尊彝……"穆王时繆生盨："王征南淮夷……繆生从，执讯折（斩）首，孚戎器。孚金，用作旅盨。"如此之类很多，不赘述。巢、蜀等或者是被征伐后，成为周在南方的盟国。所以能一起进攻徐国匽戎。

---

① 李学勤：《西周甲骨》，《李学勤学术文化随笔》，中国青年出版社1999年版。
② 本器，马承源定为周初器，《殷周金文集成》定为西周中期器，郭沫若说是孝王时器。
③ 杨宽：《西周史》，第551—552页。
④ 裘士京：《江南铜研究——中国古代青铜铜源的探索》，黄山书社2004年版。

卢方、虎方。周代的卢方、虎方见于史密簋铭文：

隹（唯）十又一月，王令（命）师俗、史密曰："东征。"敆（会）南尸（夷）肤（卢）、虎会杞尸（夷）、舟尸（夷），雚不折（坠），广伐东或（国）。齐（师）、族土（徒）、述（遂）人，乃执啚（鄙）宽亚（恶）。师俗（率）齐（师）、述（遂）人左，□伐长必，史密右，（率）族人、厘白（莱伯）、僰，周伐长必，只（获）百人，（对扬）天子休，用乍（作朕）文考乙白（伯）尊簋，子子孙孙（其）永宝用。

史密簋是周孝王时期的铜器，记载被称为南夷的卢国、虎国会同杞国、舟国，讨伐周的东方国家一事，周王室派师俗、史密等率领齐、莱、逼阳、夷等国的军队，围攻长必这个地方，取得胜利。其中卢、虎两国的所在地，张懋镕认为在江汉地区，即春秋时期为楚所灭的卢国，[1]李学勤认为在淮河之南，即《左传》上的夷虎与汉代学者所说的庐子国。[2] 比较而言，李说似乎更在理。

一者，西周后期的南国、南夷包括淮夷、徐戎等。如西周晚期的诗文《诗经·常武》："整我六师，以修我戎。既敬既戒，惠此南国。……率彼淮浦，省此徐土。"其中"南国"是包括淮夷与徐戎的。

二者，近期面世的应侯视工鼎与应侯视工簋盖铭文确证，"南夷""淮南夷"名称是可以互换的。鼎铭有："用南夷逆敢作非良，广伐南国。王命应侯视工曰：征伐逆。我（受）命，扑伐南夷逆……"而簋盖铭文有："应侯视工伐淮南夷逆，敢搏厥众鲁，敢加兴作戎，广伐南国。王命应侯征伐淮南逆夷，休克扑伐南夷……"[3]此处，南淮夷、南夷、淮南夷三名可以互用。过去认为南夷不包括淮夷，只是江汉地区的夷族，现在看来主要指的可能是南淮夷。

---

[1] 张懋镕：《古文字与青铜器论集》，第172—175页。
[2] 李学勤：《史密簋铭所记西周重要史实》，《中国社会科学院研究生院学报》1991年第2期。
[3] 《首阳吉金》，上海古籍出版社2008年版，第115页。

三者，禹鼎铭文也有"亦惟鄂侯驭方帅南淮夷、东夷，广伐南国、东国……"鄂侯在江汉地区，率领的反军当然有当地的，统称为"南淮夷"，说明南淮夷也包括南夷。

史密簋南夷既然为南淮夷，则卢方、虎方国就当在淮水之南的地方。《汉书·地理志》庐江郡注引应昭曰："故庐子国。"《通典》载："庐江郡，庐州，今理合肥县，古庐子国也，春秋舒国之地。"据此，合肥周围包括舒城一带，古代可能存在一个以卢（庐）为名的方国。

虎方距卢方不应太远，《左传》哀公四年："夏，楚人即克夷虎，乃谋北方。"杜预注曰："夷虎，蛮夷叛楚者。"由传文，夷虎不在楚国以北，不会是在今湖北襄阳市之南而为楚所灭的古卢国，其地在楚国以北。谭其骧主编《中国历史地图集》即定夷虎在淮河以南的长丰县。大体可取。

南淮夷。南淮夷就是淮水之南的夷人。"南淮夷"一名出现于西周后期的铜器铭文，张懋镕1990年有过统计，说凡六见。① 随着铜器不断出土，会越来越多。目前所知，西周淮水之南的夷人，除了金文中涉及的有六、巢、阴、桐、卢、虎等名目外。害夫钟铭文中讲到"南夷、东夷具见，二十又六邦"，驹父盨盖铭文有"小大邦亡敢不着（贮），具（俱）逆王命"，说明淮夷邦国是很多的。未见于金铭的如群舒、宗、皖等，应该也包括在其中。

驹父盨盖铭文可以作为和平时期，周王朝与淮夷关系的一个典型例子：

唯王十又八年正月，南中（仲）邦父命驹父即（即）南者（诸）侯，率高父，惠南淮尸（夷），厥取厥服。董（谨）尸（夷）俗，遂不敢不苟（敬）畏王命，逆见我，厥献厥服。我乃至于淮，小大邦亡敢不着（贮），具（俱）逆王命。四月，裛（还）至于蔡，作旅盨，驹父其万年永用多休。②

---

① 张懋镕:《古文字与青铜器论集》，第169页。
② 黄德宽:《淮夷文化研究的重要发现——驹父盨盖铭文及其史实》，《东南文化》1991年第2期。

铭文的大意是：在周宣王十八年的正月，南仲邦父命令驹父出使南方诸侯小国，让他率领高父往南淮夷催纳贡赋。告诫驹父，要谦敬淮夷风俗习惯。于是淮夷不敢不对王命表示敬畏，恭迎驹父，献纳贡赋。驹父受命到达淮水之滨，大小诸邦无不贮积财物，全都顺从王命，交纳贡赋。四月，驹父与高父返回到蔡国，制作此盨，希望能够永远保留。

本铭值得注意的地方有：宣王时期蔡是周王统治南淮夷的一个重要据点，这和中前期胡为周王朝的重点盟友有所不同；周王室有南仲邦父，似乎是管理南方邦国的首领，他可以命令驹父前往淮夷地区，征收赋税；也要求驹父尊敬淮夷的风俗习惯，淮夷对于周王的命令谨敬服从，恭迎驹父；一月份接到命令，之后到达淮河之滨，大小各邦无不储备财物，恭敬王命，交纳贡赋，四月份驹父返回上蔡，制作这个盨，似乎驹父就是驻守在蔡国的。

二、西周时期合肥地区的文化遗存

西周时期，安徽长江以北地区主要为徐淮夷国，如钟离（今安徽凤阳临淮关一带）、英（今安徽金寨、湖北英山一带）、六（今安徽六安一带）、虎方（即舒方，今安徽寿县、舒城、庐江、潜山、巢湖一带）、蓼（今安徽霍邱、河南固始一带）、巢（今安徽巢湖一带）、桐（今安徽桐城一带）。他们大多数为当地土著之国族，其中徐淮夷（含舒夷）是主体。西周的合肥地区多数处在这些相邻小国的控制之下，其中一部分可能是庐子国统治范围。

由于环境适宜，人口的增长，生产力的发展，西周时期的合肥地区聚落较之前期有明显增加，多沿河分布，附近的六安、肥西境内还发现了几座西周时期的城址。已发掘过一批属于西周时期的遗址，加上周边的六安、霍邱、滁州等地同类遗址的发掘，为了解这一时期先民们的政治、经济、生活等提供了翔实资料。地处江淮之中的合肥地区此时属于淮夷文化区，本地文化特色明显，同时也深受周文化的影响，接受了南方湖熟文化的因素，其南北交汇的地理位置愈发凸显。

(一)分期与文化面貌

合肥西周时期遗存可以江淮西周分期为参考,大致归为三期。[①]

第一期文化代表器物有鬲、盆、豆、罐、簋、甗、瓮、原始青瓷等,生产工具有石锛、铜镞等。陶器以夹砂灰陶为主,其次是磨光黑陶,有少量夹砂红陶,印纹硬陶占一定比例,主要饰以绳纹。其中鬲的数量最多,是当时使用最多的炊煮陶器,其造型有折肩瘪裆和圆肩瘪裆两类,鬲足锥状略尖,实足较矮。罐有圆肩和折肩两类。簋深腹,圈底,高圈足。甗大口,细腰,有的修饰一周附加堆纹,上面按压指窝。出现大量原始青瓷豆,釉色青绿,胎灰白。在巢湖市庙集大城墩下层还出土有木勺、钻灼的龟甲。此期年代约相当于西周早期。

第二期文化代表器物有鬲、豆、罐、簋、盆、缸等。陶器类型与一期变化不大,陶质以夹砂灰陶为主,多绳纹装饰。原始青瓷豆数量较前期增多。生产工具有石刀、石斧、铜镞、陶纺轮、陶拍等。鬲的实足较高,开始向柱状足过渡。瘪裆鬲减少,圆体裆鬲出现,有少数素面鬲出现。原始青瓷豆数量继续增加。本期年代相当于西周中期。

第三期文化代表器物有鬲、罐、盆、豆、瓮等。陶质以夹砂红陶为主,次为夹砂灰陶,下部饰绳纹。鬲足圆锥状平底,有的呈柱状,平底,素面鬲较多。此前的簋消失不见,印纹硬陶比上期明显增多。甗腰不见堆纹。豆柄细高。此期年代约为西周晚期或春秋初期。

综上所述,安徽江淮地区西周时期三期文化面貌大体一致,没有大的区别。陶器方面,均以夹砂灰陶为主,夹砂黑陶和夹砂褐陶次之,泥质陶器只占极小的比例。纹饰以绳纹占绝大多数,素面陶次之,并有少量的附加堆纹、弦纹和指窝纹等。陶器器类组合也基本相同,均以鬲、罐为主,还有豆、盆、甗、瓮、簋等。在器物形态特征上,总的来说早、中、晚三期之间也很接近,但一些典型器物存在着明显的

[①] 张敬国:《略论江淮地区夏商周文化分期及族属》,《文物研究》第三期,黄山书社1988年版。

演化轨迹。合肥地区西周时期文化总体上与江淮地区趋同,但内部也可大致分为北、西、东南三个小区域,即江淮分水岭以北区域、以肥西为主体的西部区域和肥东东部滁河流域。周势力在西周时期已深入淮河中游地区,其南界并未越过江淮分水岭一线。考古证据也表明,淮河流域西周文化与相邻的江淮分水岭以南地区同时期文化迥然有别。江淮南部文化以甗形盉、折肩锥足素面鬲为代表,具有悠久地方文化传统,其渊源至少可追溯到夏商时期。① 春秋时期的江淮中西部的群舒文化与此也有着直接的关联。合肥东部滁河流域西周文化受宁镇地区湖熟文化影响较大,但也有较多差别,像流行的绳纹联裆鬲、粗柄高圈足豆,簋的数量仅次于豆,陶器群中缺少鼎类器。在纹饰上,整个西周时期绳纹均流行,刻画纹丰富,很有特点。两者之间的这些差异还是比较明显的,但到了春秋早期,差异便逐渐缩小,出现同一化趋势。②

安徽江淮地区西周文化中主要存在三种文化因素,即本地土著因素、周文化因素、湖熟文化因素。第一种因素,大口鬲与小口鬲的并存,以及深盘粗柄豆与浅盘细高柄豆并存的现象极具地方特色。周文化因素,以绳纹鬲为例,西周早期此区的绳纹鬲受到西周关中地区陶器的影响,鬲档多向内陷入,形成较深的凹沟,这种情形在六安地区最突出。六国在政治上亲周,故在文化上的交流理当更趋频繁。值得注意的是,这种来自关中的影响甚至一度延伸到长江南岸宁镇地区湖熟文化之中。当然,湖熟文化对安徽江淮地区及关中周文化也有自己的影响,最明显的就是在这两个地区发现的原始瓷器,如含山大城墩五期、六安堰墩以及在周人中心区墓葬的随葬器中都有发现。安徽江淮地区充当了南北文化交流的通道。由东夷文化带入的素面鬲、素面甗、折肩罐等代表器物,在西周时期传入江淮地区,并逐渐被本地土著文化吸收,形成与东夷系统器物相仿的持续发展趋

---

① 宫希成:《安徽淮河流域西周时期文化试析》,《东南文化》1999 年第 5 期。
② 宋建:《试论滁河流域的周代文化》,《东南文化》1990 年第 5 期。

势。① 西周晚期,安徽江淮地区淮夷文化器物愈发显现出自己独特的个性来,"淮式鬲""折肩鬲"等一批典型器的出现,标志着安徽江淮地区已经发展出一批堪称淮夷文化的代表性器物。这期间,由于周厉王的南征以及其后周宣王更大规模的旨在重建南土秩序的征伐,周式器物对本区又形成了一次影响,比如西周晚期关中盛行的一种所谓"疙瘩鬲",在六安堰墩、肥东吴大墩均有不少发现。这一时期,传统上认为来自长江南岸的原始瓷器和印纹硬陶数量亦较之前有显著增多。

淮夷问题是与本地区历史有关的重要课题,淮夷本身历时既长,活动范围又广,遍及整个淮河流域,而与淮夷有关的记载却非常零散并易生歧义,使淮夷问题成为先秦历史上的一大谜团。根据文献记载和铜器铭文,目前至少可以确定,西周时期今安徽中部地区是淮夷的重要活动地。厉王时期《翏生盨》铭文:"王征南淮尸(夷),伐角、㠯(津)、伐桐,翏生从。执讯折首,孚戎器,孚金。"据考证,角、津在淮河下游淮泗之会,桐、遹即在今安徽庐江、桐城一带,两地当为淮夷的重要据点。西周时期对淮夷屡加征伐,原因除淮夷之叛服无常外,更主要的还是要掠夺淮夷所占有的资源。《诗·鲁颂·泮水》云:"憬彼淮夷,来献其琛,元龟、象齿,大赂南金。"说明淮夷所拥有的奇珍特产非常丰富,尤其是拥有重要的铜资源,即"吉金"。江淮南部地区近年来已发现多处西周时期铜矿遗址,且铜器铭文中有"南淮夷"之称,再结合考古学文化面貌来分析,今江淮南部地区西周时期文化即为淮夷文化的一支,相当于铭文中所称的"南淮夷"。而沿淮一带淮北地区,则大多为周王朝所控制,既是周王朝与淮夷所着力争夺的地区,又是双方文化交流的前沿。

(二)重要遗址

长丰古城遗址。属于周代遗迹发现16处,其中房址2处,灰坑13处,沟1处。出土陶器陶质仍以夹砂陶为主,但比例下降,泥质陶

---

① 王迅:《东夷文化与淮夷文化研究》,北京大学出版社1994年版,第118页。

数量上升，红褐陶、灰陶和黑陶居多，纹饰以素面为主，但绳纹数量有所上升，其他纹饰较少。器形有鬲、豆、簋、纺轮、拍、器盖、钵、甗、罐、盆、瓮等。在文化内涵上属于江淮地区周代文化遗存，在陶质、陶色、纹饰等方面与霍邱堰台遗址及六安堰墩遗址陶器基本相同。器形中鬲、钵、豆等均带有浓厚的江淮地域特色。此外，本时期还出土的一些印纹硬陶与原始瓷碎片，应是受到了南方文化的影响。

巢湖市大城墩商周遗址[①]。遗址位于巢湖市庙集乡，主要是西周时期文化堆积，个别探方内发现少量的商代遗迹。商代遗迹主要是灰坑，坑内有极少的商代陶片。发掘中发现，商代灰坑和生土层都有水长期浸泡的痕迹，可能在商代晚期巢湖水曾淹没该遗址。该遗址距现在巢湖岸约为3公里。西周文化堆积厚约4米。可分为早中晚三期。早期陶器主要以夹砂灰陶和泥质黑陶为主。出土遗物有鬲、豆、罐、簋、盆、瓮、原始青瓷豆、铜镞、石斧、骨锥、木勺、有卯榫结构的骨制品、鹿角、竹篾编织的席子、人工栽培的桃核、杏核、甜瓜子、钻灼的龟甲、鱼骨等。中期，发现有红烧土房屋地面的残迹，红烧土厚10—20厘米，红烧土上有一层白灰面。发现墓葬6座，其中儿童墓3座，均无随葬品。土坑竖穴，头向东。陶器陶质以夹砂灰陶为主，其次是夹砂红陶，泥质黑陶，还有少量的印纹硬陶。出土遗物有鬲、豆、罐、盆、簋、瓮、缸、陶纺轮、大小网坠多种、青铜削、铜镞、铜鱼钩、石斧、石锛及少量的原始青瓷豆。晚期发现大面积的红烧土层，厚2—15厘米，主体部分因为修公路破坏。遗物有鬲、豆、罐、盆、瓮、缸、铜镞、石斧等。

肥东吴大墩遗址。该遗址第四、五、六期遗存属于西周时期，其下限可能到春秋早期。所发现遗存较夏商时期丰富，有遗迹和遗物。遗迹以灰坑和个别房基为主。所发现陶器较多，第三期以夹砂陶为主，其次为泥质黑陶，少量夹砂红陶。主要装饰绳纹，器形有鬲、豆、

[①] 张敬国：《巢湖市庙集乡大城墩商周遗址》，《中国考古学年鉴1986年》，文物出版社1986年版，174—175页。

罐、簋、盆、缸等。属西周早期。第五期陶器多夹砂红陶,其次为夹砂灰陶和泥质黑陶,印纹陶很少,器形中鬲最多,还有盆、罐、瓮、缸、甗等。还出土极少的原始青瓷豆。陶范的出土表明该遗址此时有冶铸作坊存在。出土有较多鹿、牛、羊骨。属西周中期。第六期陶器多夹砂红陶,其次为夹砂灰陶和泥质黑陶。印纹陶数量明显增多,纹饰依然多绳纹装饰。器形有鬲、罐、盆、豆、瓮等。属西周晚期至春秋初期。

这些西周时期遗址从文化堆积情况看,有如下三种情况:第一种为单纯的西周遗址,仅有西周一个时期的文化层。如庐江大神墩遗址等。第二种有两个以上时期文化遗存,但以西周时期遗存为主,如巢湖大城墩遗址等。第三种有两个以上时期文化遗存,而以其他时期遗存为主,西周时期遗存在遗址中仅有少量堆积,如肥西塘岗遗址。合肥地区多见西周遗址以第二种情况居多。

(三) 西周时期的生活

村落与建筑。台地形或称墩台式遗址是江淮地区商周时期普遍存在的一种古代居民聚落形态,面积在 1 万平方米以下,呈圆形,相对高度一般在 2—5 米,个别高达 8—10 米,海拔 20—100 米,数量众多,少数遗址经过发掘,发现其年代主体在西周时期。这些遗址数量众多,据第三次全国文物普查数据统计,合肥市境内西周遗址达 500 余处,其中市区较少,仅残存 23 处遗址,肥西境内接近 200 处,庐江县分布也较密集,有 100 余处。近年来,分别对合肥南淝河、巢湖流域柘皋河、十五里河、丰乐河三个小流域进行过系统的调查①,对其分布和特征有了一定了解,对复原商周时期合肥先民的聚落形态提供了翔实的资料。其中南淝河流域 8 条支流发现 12 处遗址,大体包括 3 个阶段文化遗存,新石器时代晚期遗址偏少,商周遗址最多,遗址多分布在河旁的平地上,有几处遗址由 2 个土墩相连而成,遗址散布

---

① 巢湖流域先秦遗址调查课题组:《安徽合肥市南淝河流域先秦遗址调查报告》,《文物研究》第 16 辑,黄山书社 2009 年版;朔知:《巢湖流域新石器时代至东周时期遗址》,《中国考古学年鉴 2006 年》,文物出版社 2007 年版。

较多螺蛳壳并有红烧土堆积。这些遗址分布较密集,也有一定规律,其中板桥河沿岸5公里范围内分布有3处遗址,南淝河沿岸的大雁墩遗址,其下游2公里处为汉合肥城。

巢湖流域的先秦遗址40余处,其中距今6000—5500年的遗址1处,距今4500—4000年的遗址5处,西周早期遗址1处,西周中晚期遗址23处,春秋遗址10处,另有难以准确断代的周代遗址19处。全部遗址分为岗地型和土墩型两种,新石器时代的遗址绝大多数属于岗地型,个别存在于周代土墩型遗址之下,西周、春秋时期的遗址则绝大多数属于土墩型,仅极少数属于岗地型。西周或者春秋时期的土墩型遗址中有一小部分在遗址的外围还有环壕,其中4个遗址边缘高起,似土埂。从调查情况来看,新石器时代遗址较少,到西周早期仍然不多,西周中期以后达到峰值,至春秋开始又趋减少。各遗址重复利用程度不高,新石器遗址部分被西周时期重复利用,而西周遗址中也仅一部分延续至春秋时期。新石器时代遗址一般规模较大,面积都在数万平方米以上;西周、春秋时期大多数规模在1000—3000平方米,也有不少在4000—10000平方米,另出现了个别5万甚至10万多平方米的大型遗址,其特点是超过1万平方米的遗址多数有土埂,这些大型遗址在当时应属于一个区域的中心,说明这一时期聚落已有明显的等级分化。

西周城址的发现。合肥地区西周考古活动的重大发现,经过著录的六安市境内的城址就有3座。近年来又有少量发现,尤其是靠近肥西的东城都遗址,或被视为古六国的都城。近年来,在肥西县调查发现数座西周城址。这些城址基本利用早期聚落营建而成。其中盒墩城址位于山南镇新圩村,城址呈长方形,南北长、东西宽,四周为高埂,墙残高5米,宽20米,城内有6处城门,墙外四周有壕沟。墩子哄城址,位于山南镇吕楼村,城梗宽50—80米,有三道门,城东南长、南北宽。张马墩城址位于柿树岗乡龙潭村,呈长方形,南北长280米,东西宽150米,面积约5万平方米,城墙宽20米,四边各有一出口。松墩城,位于柿树岗乡柿树村,平面呈椭圆形,四周有高埂隆起,残高6米,墙基宽15米,城墙系用土夯筑而成。城址南北长250米、东西宽200米,面积5万平方米。南北城墙各设一道城门,宽20米。城中央有一处高台地,上有房屋基础。翟家城,位于柿树岗乡中洋村,城址呈长方形,四周有高埝,东西长300米,南北宽260米,面积近8万平方米。墙残高8米,基座宽15米。四面城墙各有一道城门,门宽20米。城址面积均不大,上限与六安东城都古城相近。还有几座城址数据不详,分别是位于山南镇的湾墩城址、郭益墩城址,官亭镇的金华陈墩城址等。这批西周小城基本位于肥西县西南,靠近六安、舒城一线,地处丰乐河以西的江淮分水岭沿线,地势较高,各城周边也还有若干1万米以下的小遗址。在一片不大的区域内出现如此密集的城址,其用途如何,是出于政治还是军事的需要,与六安一带城址有何关系,由于尚未发掘,还有待于进一步探究。

盒墩城址远景

合肥地区西周时期房屋发现不多,均为小型房址,房内土层经过火烤,有的还铺了一层白石灰。如在长丰古城遗址发现两座,其中一号房内有一层红烧土,厚2—8厘米,长2米,宽1米,表面烧制板结,较粗糙,在红烧土中间有一处圆坑,直径0.22米,深0.24米,有火烧痕迹,可能为灶坑。另一座房址平面不规整,面积较大,其长径达5.05米,短径3.95米。房内红烧土厚0.1—0.24米。发现两个柱洞，直径在0.3米左右。肥东吴大墩遗址发现的一座房屋也为地面式建筑，残留十余个大小不等的柱洞，大者直径40厘米，小者有16厘米，从其走向看，房屋平面应为长方形。房屋内还出土一些日用陶器残片。肥东吴大墩遗址第五期遗存发现一座残房基，属西周中期，是一座地面式建筑，从柱洞布局看，形状为长方形。房基土略坚硬，残存柱洞8个，大柱洞3个，呈椭圆形，最大径40厘米，小柱洞5个，洞径16厘米，未见柱础石。巢湖市大城墩遗址发现一座西周中期的红烧土房屋，红烧土厚10—20厘米，红烧土上还有一层白灰面，应该是为了防潮，在地面上铺垫石灰所致。吴大墩遗址发现的竹席说明当时还会在屋内局部地面铺设一层竹篾编制的席子，而在制作陶器时也常将陶坯放在竹席之上。

灰坑是这一时期聚落中常见的遗迹现象。肥东吴大墩遗址发现10处西周时期灰坑，有椭圆形和圆形两种，结构为斜壁平底或锅底状，深度不过1米，大者口径达2米有余，小者不足1米。坑壁一般较光滑，未见工具加工痕迹。灰坑内出土物以破碎的陶器为主，似为垃圾堆放点，但早期有些灰坑当作窖穴来贮藏食物使用，也有可能是用瓮、罐之类的大型陶器作容器存储粮食。

同类的房址和灰坑类遗存也为此类台地式聚落常见的遗迹现象。从六安、霍邱、霍山等地已发掘的同类遗址看，此类聚落边缘区域地层堆积较厚，向中央趋深趋薄。主要由环濠、房址、墓葬构成，遗址西部、东南部是聚落的居住中心，其他地方相对稀疏。台地中央探方的地层堆积土，土质有淤积现象，为当时居民处理废弃生活垃圾的场所。屋外还有一些未成年人墓葬，多数遗址墓葬中无随葬品。

农业。西周时期的合肥居民生活与夏商时期相似，仍以农业、饲养业为主，以渔猎作为补充。按工具材料分，有石器、陶器、青铜器、骨器、木器、蚌器等。石器仍是考古发掘所见的最多的农业生产工具，器型有斧、锛、刀、凿、镰等，与夏商时期相似。如吴大墩遗址石斧、铜镞。骨锥刃部锋利，残长14.5厘米。西周中期的石镰，扁长，长14.6厘米。骨钩，系鹿角磨制而成，形如钩状，残长22厘米。晚期石锛 2 件。长丰古城遗址石刀、石锛、石凿等磨制石器，但部分石器仅在刃部打磨光滑。铜制工具本期有了更多的发现，如凿、斧、镞、鱼钩等，因为铜的重复利用性，在当时铜制工具数量应该更多。铜制生产工具更加经久耐用，它的投入使用，生产效能得以较快提高。早在夏商时期，合肥地区就以种植水稻作为主要农作物，西周时期从合肥临近地区看，①应该仍以种植水稻为主，可能还有少量的小麦和粟。一些经济作物也成了当时居民的种植对象，如巢湖大城墩遗址发现不少桃核、杏核、甜瓜子，经鉴定属于人工栽培，这些果实在一定程度上丰富了当时居民的食谱。家畜中牛、羊或被较多饲养，正如《师寰簋》记云，"征淮夷……殴俘士女牛羊"，说明淮夷分布的淮河流域出产牛羊。当时渔猎的对象以鹿、龟、鱼等为主，除了食用以外，还常用鹿角制作工具，用龟甲来占卜。

制陶业。仍是当时的重要手工门类，所生产的器物基本为日用陶器，种类丰富，有鬲、罐、钵、豆、甗、盆、簋、盉、碗、器盖等这样的炊煮承食器，也生产像纺轮、拍、垫、网坠等这样的小件器物。陶器纹饰简单，多绳纹，也有一种模印装饰，系使用带有纹样的陶拍在陶坯上直接拍打而成，提高了工作效率。这样的陶拍在合肥西周遗址中屡有发现，长不过 10 厘米，背面有一提手，正面纹饰以叶脉纹为主，也有绳纹、方格纹、水波纹、划纹等。源自长江以南的印纹硬陶和原始青瓷器在西周时期的合肥地区继续流行，遗址中发现的数量和频率要超过早一时期，但器类比较简单，有原始瓷豆、印纹陶罐、瓮等。

纺织业。在肥东吴大墩遗址、庐江大神墩遗址出土过陶纺轮，算珠形，直径一般 4—5 厘米，中间有一圆孔。长丰古城遗址还有石质纺轮，表面打磨光滑，直径 5.5 厘米。纺轮是一种纺纱的小型工具，可将一束纤维绞编在一起，原始时期就已经出现。

青铜冶铸业。现在发掘的几处西周时期遗址，均发现一些像削、

---

① 霍邱县石店镇堰台遗址发现有大量的炭化稻谷，该遗址北距淮河南岸 25 公里。说明至少淮河以南地区西周时期以种植水稻为主。

凿、镞、鱼钩、斧这样的小件铜工具或与铸铜相关的遗存。铜工具和箭镞这样的消耗性铜器的大量铸造，表明这一时期铜料获取较之前期更加容易，掌握铸铜技术的工匠也更多。合肥东南部的庐江县在先秦时期也是重要的铜矿产地，属于地质上的枞庐铜矿带，与此同时，东部的滁州、长江南岸的铜陵均发现大量古铜矿，当时的铜料可通过长江、巢湖水域顺利运达合肥地区。

吴大墩遗址还出土了几块西周中期陶范，范面刻有箭槽，中间有流槽，便于铜液浇灌，残长 11 厘米，完整范应为数个整齐排列的箭槽，这样可以一次浇铸获得数件箭镞。这些陶范是相当难得的铸铜遗存，为铜器的本地铸造又提供了直接的证据。该遗址西周早期铜镞，西周中期铜锥，圆锥形，铜色发亮，残长 7.6 厘米。还出土一件不明器形的残铜器。这些小件铜器经检测后发现，其合金成分中锡含量在 20%—25%，部分含有少量铅，基本属于铜锡合金青铜。由于发掘所获青铜器属于小件的工具，根据所测得锡的含量可知，西周时期的吴大墩居民，不仅掌握了冶铸青铜的技术，同时还能就工具铸造的对象，合理分配锡、铅的比例，以使所铸器物达到使用的要求。《考工记》中有关于"六齐"的记载，说明了六种不同器类的铜、锡配比关系，其中"五分其金而锡居二，谓之削杀矢之齐"涉及铜锥、铜镞此类器物的配比关系，据实验研究，其最合理的物理性能应该是锡含量在 30% 左右，如果扣除浇铸过程中锡的烧损量，吴大墩遗址这些铜器含锡量基本与《考工记》记载相符。合肥地区早在商代就已开始铸造铜器，发展至西周时期，冶铸技术就已相当成熟，已经可以根据不同铜锡比例，来制造不同用途的青铜器了。

西周时期的青铜礼乐器，在合肥地区有以下几个出土地点。20世纪 70 年代末农民犁地时在长丰县义井乡紫燕墩遗址发现云纹甬钟 8 件[①]，有 2 件被毁，发现时小钟置于大钟之内，属于窖藏。钟体通高 27.5—37.5 厘米，圆甬，锥状短枚，钲部与枚四周设细密小乳钉。

---

① 程如峰：《合肥近年征集的青铜器》，《安徽文博》总第二期，1981 年。

篆间纹饰不清,舞和中鼓部饰云纹。1980年12月巢湖市岠山乡农民挖土烧窑时发现一件龙钮盖盉①,为一件西周中晚期的盛酒器,通高26厘米,口径12.3厘米。1982年巢湖文管所在回收站收购了一件环带纹垂腹鼎②,与大、小克鼎的造型、纹饰相似,属西周晚期器物。巢湖博物馆另藏有一件西周云纹编钟,通高32厘米。这批器物既有中原地区的风格又保留有地方特色。像中原地区西周早中期主要流行的三足罐形盉和三足或四足的鬲形盉,西周晚期多见鬲形盉。岠山出土的这件龙钮盖盉,蟠龙钮盖,直颈,鼓腹,管状流,柱形三足。造型与纹饰,显示了对中原传统风格的一种革新。过去在皖南曾有西周晚期编钟出土,纹饰和造型与典型西周钟还有一定差异,现在对其时代界定尚有争议,但长丰和巢湖编钟其造型与纹饰和陕西宝鸡、扶风一带出土的断代明确的西周钟却几乎相同,属于西周时期毋庸置疑。长丰编钟的式样属于中原地区西周早中期,但其八件的组合形式要晚至西周晚期。考虑到安徽江淮和皖南一带,近年来就频有商代大铙出土,这些编钟造型借鉴了大铙的主体特征,并加以改造,成为一种新的乐器,其一脉相承的技术传统,促成了江淮一带编钟技术的成熟,同时也反映出本地在礼乐制度方面和中原西周文化的一致性。

合肥出土的西周青铜器

---

① 安徽省地方志编纂委员会:《安徽文物志》,方志出版社1998年版,第341页。
② 安徽省地方志编纂委员会:《安徽文物志》,方志出版社1998年版,第343页。

(四)文化、艺术与宗教

庐江大神墩出土的一件西周晚期陶纺轮,为磨光灰褐陶,扁圆形,断面为梯形,高 3.3 厘米,也比一般纺轮要高。这件纺轮不仅是表面光洁,而且在其侧面还装饰了 8 道刻画弦纹,在当时应该还涂有颜色。如此设计,就是为了使纺轮在高速旋转时,使得侧面的弦纹呈现出独特的视觉效果。

周初周公"制礼作乐",西周时期的音乐最重要的演奏乐器莫过于编钟。编钟(甬钟)在西周早期出现,但多为三件一组,无固定音阶规律,无第二基音的使用,尚不能单独演奏。至西周中晚期始出现六件或八件一套的编钟,音律上避免了商音,按宫、商、角、徵、羽为顺序排列的四声音阶,其音域已达到三个八度加一个三度的宽度。[①] 长丰编钟一组八件,属于实用器物,在音律上已近完备,可以演奏出和谐的乐曲。

西周时期江淮地区的村落中占卜活动相当流行。在巢湖大城墩遗址发现龟甲、羊骨、牛骨,有些可用于占卜,像龟甲上有被钻灼的痕迹。有些小型遗址可能被当作祭祀场所使用,在临近的霍山县戴家院遗址发现了一座小型圜丘遗迹,[②]或许可以提供借鉴。该遗迹现象可能与文献记载中的"冬至奏丘""祭天燔柴"等有关。实地模拟观测,表明该遗迹与冬至祭天迎日以及观象授时等活动有关;由于遗址规模较小,可能属于乡村公社祭祀土谷神以及民间祭祀天神活动的场所。

---

① 蒋定穗:《试论陕西出土的西周钟》,《考古与文物》1984 年第 5 期。
② 武家璧、朔知:《试论霍山戴家院西周圜丘遗迹》,《东南文化》2008 年 3 期。

第三章

春秋战国时期的合肥

春秋时期,合肥地区有记载的国族有近 10 个,如巢、夷虎、宗、群舒中的一部分等,像橐皋、浚遒等可能也是国族名。随着楚国东进江淮地区,这些小国族逐渐为楚所征服,最后被兼并或消灭。比楚稍晚,吴越势力也进入江淮,尤其是春秋后期,吴与楚展开了争夺江淮地区的斗争,一度取得胜利。因为相互争夺当地的人口与土地,导致这些小国族迁移,一些国族的地理位置不易确定。虽然如此,这些国族也创造了自己的青铜文化,如西部出土的典型的群舒系青铜器。春秋后期蔡国迁入州来(今寿县),向南扩张势力,进入合肥地区,合肥南部则在越国的统治之下。楚国灭蔡后与越争夺江淮,最后战胜越国,到战国中期江淮全境属于楚国。楚在这里除了设立一些直管的县如居巢、浚遒(龙城)、舒等外,还有如橐皋君、陵君等封君的统治。江淮地区春秋以后因为是多国争夺之地,加上原来一些国族的语言,成为语言混杂的地区。楚在江淮地区的长期统治,对于江淮地区经济社会的发展起到一定的推动作用,尤其是楚国最后的都城在寿春(今寿县),合肥地区成为楚的后院,居巢成为楚在江淮之中的水陆大码头。楚国败亡后,很多楚人逃到了合肥地区的山乡野地,至今合肥地区以"郢"名地的还有很多。"郢"字,古文从土从口从阝,原是楚国都城的专用名。

第一节　春秋时期的合肥

一、春秋时期合肥及周边地区的国族

春秋时期,"南淮夷"这个名字已不存在,根据《左传》《世本》《史记》等书的记载,生活于今天合肥地区的古国族主要为偃姓的群舒、巢以及夷虎等。群舒中的舒是宗主国,其余舒庸、舒鸠、舒蓼、舒龚、舒鲍、舒龙为附庸或分支,所以群舒又叫"众舒"。群舒分布的具体地点,学术界有不同意见,大致在从庐江、舒城、合肥到巢湖水域的广大地区,这里不包括皖、桐等小国。具体来讲,舒的宗子可能在舒城一带,舒鸠在庐江,舒庸在庐江到舒城之间,舒龙等其他舒的分支多在舒城县各地,夷虎在今长丰到淮南一带,巢国旧城在六安以东、寿县以南的肥西县地,后迁徙到合肥以南地区,相当于今巢湖水域一带。需要说明的是,巢湖水域在先秦的时候是沼泽、河流与众多小的湖泊所在地,可能还没有形成现在这样连在一起的巨大湖面,涨潮或者长江涨水出现倒灌时,水域的面积会扩大,属于今天巢湖市炯炀镇的唐咀水下遗址就在巢湖里面,这里大量的先秦至汉代遗物可以说明一些问题。汉晋时期这一带发生多次地壳运动,包括地震、地陷导致的地壳升降等,才造成后来面积广大的湖面。详细的讨论在第五章。还有一个宗国,早期可能也在庐江、舒城一带,以后南迁到长江之滨,成为战国时期的"松阳",即后世的枞阳。今天巢湖以东地区,古代存在橐皋、浚遒等夷族小国,春秋时期受到吴的影响较大,东北可能与徐、钟离也有往来,因而与西部的群舒之属不完全一样,所以至今未在这里发现具有典型特征的群舒青铜器。

(一)群舒的名义与分布

"舒"之名初见于《春秋》僖公三年春:"徐人取舒。"杜预注:"舒,今庐江(郡)舒县。"《诗经·鲁颂·閟宫》:"戎狄是膺,荆舒是惩。"旧注以为此诗"颂僖公能复周公之宇也"。郑玄笺云:"僖公与齐桓举义兵,北当戎与狄,南艾荆及群舒,天下无敢御也。"[1]这里说"舒"为群舒,查《左传》鲁僖公时,鲁曾与齐一道南伐楚国至陈、蔡一带,未见鲁君南至于江淮者。《春秋》鲁僖公十七年春:"齐人、徐人伐英氏。"此英氏一般认为即皋陶之后的英、六之英,在今六安与金寨之间。[2] 这

---

[1] 《毛诗正义》,十三经注疏本,中华书局1980年影印本,第614页。
[2] 此英氏地望所在,过去学者间也多不同看法,参杨伯峻:《春秋左传注》,中华书局1990年版,第371页。

可能是春秋中前期中原诸侯军队南进最远的地方。

"舒"字，《说文解字》作"舍阝"，《左传》有"徐人取舒"，《玉篇》引即作"徐人取舍阝"。据研究，初文当作"舍"，春秋时加邑旁写作郐，"舒"是后起的同音假借字。① 是否如此，有待于进一步研究。还有写作荼、佘、徐等。

舒的名义，不少人认为舒为徐的讹字，徐与舒不仅同音，群舒就是群徐。这种看法过去很普遍。② 何光岳也认为舒是徐的分支，徐象征一个人在建筑高脚楼，"舒字的金文正象征人肩着一根树木在土台上建庐舍"。又说舒即鹅，舒原来是一种鸟类，即鹅，一名舒雁，舒是鹅的别名，"应是最古老而原始的音符"③。说舒是徐，从国别上讲不可取，春秋时徐与舒各自为国，"徐人取舒"充分说明这一点。至于从渊源上讲，徐与舒早期可能同源于夷族，是有道理的，但分别可能很早，这从徐是嬴姓少昊之后，而舒是偃姓皋陶之后，可以说明。皋陶虽然也是东方夷族，但古代氏族分化很多，又不断繁衍，到了春秋时期可以说分化已久，各自为族了。舒与雁确实有关系，《本草纲目》禽部："鹅，江淮以南多蓄之，有苍白二色，及大而垂胡者，并绿眼黄喙红掌，善斗。"《尔雅·释鸟》："舒鴈，鹅。"注：《仪礼·聘礼》曰："出如舒鴈。"《尔雅·释言》："舒，缓也，"《说文》："舒，伸也，""舒"的本意应该就是伸展、舒缓、展开，鹅的行动正是舒缓摇摆的。

史密簋有铭文："庐、虎会杞夷、舟夷雚不坠，广伐东国。"其中"雚"即鹳的本字，在古代用为军阵名。如《左传》定公二十一年"郑翩愿为鹳，其御愿为鹅"，杜预注："鹳、鹅皆阵名。"史密簋的发现，说明西周晚期南淮夷已经能够熟练使用鹳阵了。宋代陆佃《埤雅·释鸟》："旧说言江淮谓群鹳旋飞为鹳井，则鹳善旋飞，盘薄霄汉，与鹅之成列正异。故古之阵法，或愿为鹅，或愿为鹳也。"所以学者认为，出

---

① 董楚平：《吴越徐舒青铜器铭文集释》，浙江古籍出版社 1992 年版；曹锦言：《甚六编钟铭文释义》，《文物》1989 年第 4 期。
② 徐旭生：《中国古史的传说时代》，科学出版社 1960 年版，第 167 页；徐中舒前引文。
③ 何光岳：《东夷源流史》，江西教育出版社 1990 年版，第 82—84 页。

自江淮的淮夷部族首先发明鹳阵。因为鹅本名舒雁，主要生活在江淮地区，估计鹅阵也是由江淮间部族发明的。①《仪礼·聘礼》曰："出如舒雁。"郑注云："威仪自然而有行列，舒雁，鹅也。"看来，鹳阵、鹅阵的发明与其威仪自然而有行列很有关系，而这正是古人所关注的。舒族应该就是从本地鹳与鹅的飞行阵势中发明鹳阵与鹅阵的，其被称为舒与其发明军阵名可能有关系，古代氏族名多与其特别之处相关。如周之始祖发明农业，"周"字即是农田之象形。

关于舒之所出。《左传》文公十二年"群舒叛楚"，杜预注："群舒，偃姓，舒庸、舒鸠之属。"孔颖达"正义"引《世本》云："偃姓。"《潜夫论·志姓氏》亦云："偃姓舒庸、舒鸠、舒龙、舒共、止龙、郦、淫、参（蓼）、会、六、院（皖）、□、高国。"②《世本》为先秦旧籍，汉晋学者从无异说，看来舒族为偃姓不会有问题。但在具体认识上还有不同意见，《新唐书·宰相世系表》认为：

舒氏出自偃姓。皋陶之后封于蓼，安丰蓼县即其地也。春秋鲁文公五年，为楚所灭，其后更复为楚属国，亦名曰舒，又曰群舒，又曰舒蓼，又曰舒庸，又曰舒鸠，一国而有五名。春秋鲁襄二十五年，楚又灭之，子孙以国为氏，世居庐江。

这里认为舒国出自皋陶之后的蓼，群舒与舒、舒蓼、舒鸠等乃一国而五名。现代学人徐中舒提出："春秋淮南之地有群舒之国，曰舒、曰舒黎、或曰黎，曰舒庸、曰英、曰宗、曰巢，皆徐之别封也。"③说群舒包括淮南所有小国，未免过于宽泛，而认为皆是徐国的别封，更未见有充分资料支持。舒既然是偃姓，与六、蓼等相同，而彼此相居近邻，

---

① 张懋镕：西周南淮夷称名与军事考》，《古文字与青铜器论集》，科学出版社 2002 年版。
② 汪继培笺、彭铎校正之《潜夫论笺校正》本文为："偃姓舒庸、舒鸠、舒龙、舒共、舒鲍、舒蓼、郦、繇、会、六、皖、英、高国。"
③ 徐中舒：《蒲故、徐奄、淮夷、群舒考》，《四川大学学报》1998 年第 3 期。

文化接近,说是从中分化出来显然更在理。不过,江淮地区很早就是一个许多部族不断迁入的地区,中原地区沿着汝颍水道有南下者,山东地区的夷人也有不断南迁者,还有南方、西方的部族也有迁入者,所以江淮地区都是不断融合的部族,舒人只怕也是很多族众不断融合的结果。如群舒中的舒蓼,一些人认为就是舒人与蓼人的结合而成立的氏族。舒庸、舒鸠、舒龙、舒鲍等也是。① 称为偃姓,指的当是主题氏族的来源。

关于群舒的地望,其所在的大体位置是清楚的。在考古学上,北自寿县、六安、肥西县,东自合肥、巢湖、庐江,西至大别山麓,南至长江甚至长江南岸个别地方,出土有大量特征相近的青铜器,一般视为群舒遗物。② 文献记载的情况大体相近。徐旭生的研究也指出:"淮水南,大江北,如今的霍邱、寿县、六安、霍山、合肥、舒城、庐江、桐城、怀宁等县,西不过大别山山脉,东不过巢湖,这一带平坦的地带除了六、蓼、钟离各国以外,全属群舒散出的地域。"③但具体位置,尤其是群舒各支的具体所在,并没有确切的记载,所以学者间争议较大。我们认为群舒随着楚军的南下与攻伐,部分舒人会不断有所迁移,以避楚祸。起初,群舒的中心应该偏北一些,以后还有南迁至江南者,如鸠兹,后来迁于芜湖。长江南岸的铜陵市也有很多群舒的器物出土,应该也是迁徙的结果。在今池州市的秋浦河流域,有一支流曰龙舒河,与在舒城一带的古龙舒水同名,想必也是随江淮一带居民迁入而地随人走的。只是各支迁徙的具体情况,相关记载隐晦不明,需要仔细考查,耐心琢磨。先看舒之宗子平的居地。

舒。《左传》文公十二年(前615)"群舒叛楚。夏,子孔执舒子平

---

① 何光岳:《东夷源流史》,第85—88页。
② 李国梁:《群舒故地出土的青铜器》《文物研究》第6辑,黄山书社1990年版;郑小炉:《试论徐和群舒的青铜器》,《文物春秋》2003年第5期;王峰:《淮河流域周代遗存研究》,(博士论文,2011年4月);张国茂:《安徽铜陵谢垱春秋铜器窖藏清理简报》,《东南文化》1990年第4期;张爱冰:《铜陵谢垱出土青铜器的年代及其相关问题》,《东南文化》2009年第6期。
③ 徐旭生:《中国古史的传说时代》,第181页。

及宗子,遂围巢。"这个名平的舒子,也是我们知道的唯一的一个春秋时代有名字的舒人。杜预注:"偃姓,舒庸、舒鸠之属。今庐江南有舒城,舒城西南有龙舒。"杨伯峻说:"舒,国名。偃姓。……有舒庸、舒蓼、舒鸠、舒龙、舒鲍、舒龚六名,恐皆同宗异国,统称之曰群舒。"所以,我们理解舒子当即群舒之宗子。过了两年,"子孔、潘崇将袭群舒,使公子燮与子仪而守舒蓼"。能守之,当也在楚之边地不甚远。此时楚已占领六(今六安)、蓼(今固始)。《史记·楚世家》记载楚庄王"十三年,灭舒"。楚庄王十三年当鲁宣公八年,公元前601年,本年《春秋》载"楚人灭舒蓼",《左传》记:"楚为群舒叛故,伐舒蓼,灭之。楚子疆之。及滑汭,盟吴越而还。"舒之宗子被执,舒蓼又被灭,《史记》因此而曰"灭舒",或者舒蓼所在当为原来群舒宗子之重地。疆者界也,说明楚国已将舒、舒蓼并入楚国的疆域,自然会设置行政机构管理之。只是我们不知道具体情况而已。后来吴楚争战,吴多次"拔舒"[1],这也是楚在舒地有行政建置的证据。其时,楚每灭一国,常常设置新县加以管理。春秋时期楚在舒地所设之县为何,没有文献记载。战国时有"舒县",《古玺汇编》第0218号著录一枚楚官玺,玺文作"舍列之鉨"。"舍列"或释为"舒间",或者释为"新舒",新的考证读为"舒县"[2]。秦有舒县。西安相家巷出土秦代封泥有"舒丞之印"[3]。项羽西楚政权也有舒县。《史记·项羽本纪》载:"司马周殷叛楚,以舒屠六,举九江兵,随刘贾、彭越皆会垓下,诣项王。"司马是楚国县及以上级别的军事长官称谓,周殷带领舒地的军队屠杀六县,说明舒已设有县一级的管理机构。西汉初,庐江郡全境在江南,武帝元狩二年撤销江南庐江郡,割衡山郡东部、九江郡南部诸县置庐江郡,治舒,[4]说明此前舒县应该在六国及继之者淮南国与九江郡辖内。东汉庐江

---

[1] 参考《史记》之《吴太伯世家》、《伍子胥列传》等,中华书局1982年版。
[2] 鲁鑫:《新发现的几则有关楚县的战国文字数据》,武汉大学简帛网,2013年9月18日。
[3] 后晓荣:《秦代政区地理》,社会科学文献出版社2009年版,第408—409页。
[4] 周振鹤:《汉书地理志汇释》,安徽教育出版社2006年版,第145—146页。

郡治地多有变迁，或在皖，或在六，也曾在舒。三国时舒县因为南北争战，一度荒废。西晋至宋齐时期都有舒县，梁以后舒县不见于记载。春秋战国以后，舒地设有县一级行政单位，中间虽有荒废，前后有数百近千年，也没有异地改建的情况，所以舒县的所在地应该就是舒子平当年的居住地。关于舒县的具体位置，《左传》文公十二年杜预注："今庐江南有舒城，舒城西南有龙舒。"杜预时代的庐江郡治在阳泉县，当今霍邱县临水镇。《史记·楚世家》记楚庄王"十三年，灭舒"。"集解"引杜预曰："庐江六县东有舒城也。"谓其在六县即今六安市东。依照杜预的说法，舒在霍邱南、六安东，当今舒城县与庐江县西部的大体位置皆近之，虽然舒城更近些。《舆地纪胜·庐州府》引《元和郡县图志》遗文："舒城县，本舒国。后汉立郡，徙理皖城。开元二十三年，刺史竹承构奏于故舒城置舒城县。"又《通典》卷一百八十一"庐江郡"条："舒国，今舒城县"，又说"舒城，古舒国也"①。

以上自杜预说到唐代几条地志资料表明，汉代舒县，后因为虚荒，较长一段时间没有设为县治所在，是以曰"故舒城"。开元二十三年，唐政府则在"故舒城"的基础上建立舒城县。这即是舒城县的由来。唐人许嵩《建康实录》卷一："周瑜字公瑾，庐江舒城人。"对照《三国志》周瑜本传说瑜为"舒人"，则舒县即舒城县在唐代已有明确记载。

但是，唐代文献记载还有一些模糊的情况。《史记·项羽本纪》"以舒屠六"，"正义"引《括地志》曰："舒，今庐江之故舒城是也。"

唐代有庐江郡，《旧唐书·地理志》庐州："天宝元年，改为庐江郡。乾元元年，复为庐州。"天宝时庐江郡领县五：合肥、慎、巢、庐江、舒城。所以，《括地志》所言庐江如果是郡，则其意与《元和郡县图志》相一致；如指庐江县，则"故舒城"就在庐江县境内，与之不同了。又《后汉书·光武帝纪》建武四年"九月，围宪于舒"，唐李贤注："舒，县

---

① 《通典》在同卷"庐江县"注中又说："故汉庐江郡亦在此"，顾祖禹《读史方舆纪要》卷二十六南直八庐州府"庐江县"条（中华书局2005年版，第1280页），特别辨析其错误。

名,故城在今庐州庐江县西。"李贤时,舒城县尚未设置,庐江县地是否包括后来的舒城县一带,不清楚。所以李贤所言"庐江县西"指哪里,不能定。到清代编《清一统志》时,编者总结以往的情况指出:"旧说及府县志皆以舒城为古舒县。"但作者认为过去的说法有问题,重新提出古舒国即汉舒县位置在庐江县西南大城畈,而舒城县是汉代的龙舒县。我们知道,汉代龙舒县当今舒县西南,前述杜预已指出,学者们的考察也已经证明。① 所以《清一统志》作者的辨析是有问题的。从唐宋文献记载的情况看,似乎较有利于说舒县在舒城县。② 但正如上文所指出的,也存在不确定性,东汉末至三国时期,舒县一度荒废,后来建立的舒县是否在原址不能确知。目前考古方面,都还缺少关于汉代舒县具体位置的证据。舒城县城一带发现一些春秋至汉代的墓葬、遗址等,而庐江大城畈方面,还没有做考古方面的工作。总之,群舒宗子所在的汉舒县城具体地点,有待于进一步研究。

还有一些学者认为杜预说舒在六县东,而六县城在今六安市北,因此认为舒当在今六安市东北、淮水南岸不远。后为楚人所迫才迁往舒城县等地。③ 此说不可取,理由有五:一是造成杜预的两个说法相矛盾。汉六县在六安县城北5里,今已属市区,古人所谓方位多为大致方向,不可过于拘泥。前引杜预《左传》文公十二年注说舒县在庐江郡之南即是典型例子,不管舒城还是庐江,皆在其南偏东一些。而六安东北、淮水之南的地方,与杜预另一注说舒县在庐江郡治之南,即今霍邱县地的南方,方位偏差太大,其地已在霍邱东北方了,杜预两说自不会矛盾如此。二是六安东北、寿县淮水以南的地区,古代是大面积的湖沼之地,所谓芍陂就在这一带,战国到秦汉时期面积还十分广大,包括六安以北、淮水以南、阴陵县以西、固始县以东的地

---

① 周振鹤:《西汉政区地理》,人民出版社1987年版。
② 《周瑜文化学术研讨会文集》,人民出版社2014年版,有关论文。
③ 陈伟:《楚"东国"地理研究》,武汉大学出版社1992年版,第70—78页;徐少华:《荆楚历史地理与考古探研》,商务印书馆2010年版,第129页。

区。① 大面积的水泽之中也不能立国。三是从出土的群舒器物时代先后也能看出一些问题。出土的具有群舒遗物特征的铜器，李国梁认为肥西小八里的最早，舒城五里、舒城凤凰嘴、六安毛毯厂等的次之，寿县肖严湖等地出土的较晚；②郑小炉也认为小八里的最早，其余的与李国梁看法有同有异，但认为寿县肖严湖的较晚则一致；③王峰认为肥西金牛出土的器物年代最早，舒城凤凰嘴、肥西小八里、寿县肖严湖出土的次之，其他的则较晚。④ 总之，大家比较一致的意见是与舒城相连的肥西南部一带出土的群舒青铜器时代最早，寿县的要晚些。寿县肖严湖出土的具有群舒特点的器物是否墓葬出土以及时代问题，都还存在争议，这一带虽在六安东北、淮水之南，但出土的器物难以作为舒子最初居此的根据。四是舒城县一带汉初为羹颉侯刘信的封地。刘信修建的七门堰在今舒城县西南不远，谓其"六县东""庐江（郡）南"都可以。五是吴楚之间征战路线也能说明春秋巢国离淮水更近，而舒则稍南，何浩先生这方面已有很好的讨论，⑤不赘述。六安去舒城不远，路线也顺，楚人占据六安，接着进军舒城一带，顺理成章。

舒蓼。群舒中舒蓼最先亡于楚。《左传》中关于舒蓼的记载有：

《左传》文公十四年："秋，楚庄王立，子孔、潘崇将袭群舒，使公子燮与子仪守而伐舒蓼。杜注舒蓼：群舒。

《春秋》宣公八年（前602）："夏六月，戊子，楚人灭舒蓼。"《左传》同年："夏，楚为众舒叛，故伐舒蓼，灭之。楚子疆之，及滑汭。盟吴、

---

① 陈立柱：《结合楚简重论芍陂的起始于地理问题》，《安徽师范大学学报》2012年第4期。
② 李国梁：《群舒故地出土的青铜器》，《文物研究》第6辑。
③ 郑小炉：《试论徐和群舒的青铜器》，《文物春秋》2003年第5期。
④ 王峰：《淮河流域周代遗存研究》，（博士论文，2011年4月）。
⑤ 何浩：《巢国史迹钩沉》，《楚灭国研究》，武汉出版社1989年版。

越而还。"

由以上记载，楚庄王初立之始，大臣子孔与潘崇曾经准备偷袭群舒，想必是群舒背叛楚人，或者彼此存在争议。具体做法是派使两公子带兵出守东方，讨伐舒蓼。由文公十二年记载"群舒叛楚。夏，子孔执舒子平及宗子，遂围巢"来看，之前群舒已经以附庸的身份臣服于楚，只是还没有完全并入楚国的疆土。现在背叛楚国，所以楚国将其宗子抓起来。似乎群舒并没有因此而再次屈服，或者楚国想乘机灭掉群舒，并而有之。所以再派军队讨伐。后因为内乱未能一举成功。到了鲁宣公八年，也就是楚庄王十三年，楚国终于灭掉舒蓼。原因也是群舒叛楚。但似乎灭掉的只是舒蓼一支，其余各支此年未见被并灭。《史记·楚世家》记载楚庄王"十三年，灭舒"，没有讲灭舒蓼，想必两者应该是一件事，因而司马迁谓之"灭舒"。一般而言，舒子平作为群舒的宗子可以代表群舒。而《左传》这里说是灭舒蓼，舒蓼作为群舒一支，自然不能代表群舒。或者舒子平被抓，舒蓼被群舒认可为宗子，因而可以代表群舒？杜预注舒蓼曰"群舒"，看来也是将舒蓼当成群舒的代表。史缺有间，难以具知。比较可能的情况是，舒蓼与前两年被抓的舒子平居地相近，而且可能是群舒中有势力的一支，是以成为群舒的新代表，灭舒蓼同时意味着灭舒子，所以《史记》说"灭舒"。舒子平以后不见于记载，也可以说明这一点。所以《左传》与《史记》的记载是可以相互补充的。

关于舒蓼的居地，杜预无注，《太平寰宇记》卷一二六"舒城县"条讲到舒庸、舒龙、舒鸠、舒鲍，但没有提到舒蓼。罗泌《路史》曾做过考察："国名纪乙"云："舒蓼，鄝也，楚灭之。武德四为蓼州，盟会图云：在光州。杜以为二国，既非，而通典更以为湖阳，湖阳乃廖，因预之缪。"这里把舒蓼当作楚灭之蓼国了，不可取。顾栋高《春秋大事表》卷六以为："羣舒及宗国，俱在今庐江、舒城二县境。"也是大略言之。今人杨伯峻认为："今安徽舒城县为古舒城，庐江县东百二十里，有古龙舒城,舒蓼约略在此两城间。"①可是庐江东一百二十里地,已远离群舒中心到了巢湖市甚至含山、和县地界了,"东"字当是"西"字之误。新近一些学者认为当在六安市北境与霍邱县南部一带,②我们认为舒蓼近于舒子所居,甚至可能同处一地,《太平寰宇记》讲舒国在舒城而不言舒蓼,或者也是两者为一的缘故,所以说在舒城一带最可信。

舒蓼的名义,何光岳以为"系舒人与一部分蓼人结合而建立的小国"③。或当然。蓼国灭亡,一部分人南迁与舒人融合,成为其中一部分,因而名曰舒蓼。

舒庸:《春秋经》成公十七年(前574):十有二月,楚人灭舒庸。"《左传》:

舒庸人以楚师之败也,道吴人围巢,伐驾,围厘、虺,遂恃吴而不设备。楚公子橐师袭舒庸,灭之。

这是《左传》关于舒庸的唯一记载。舒庸所居地,杜预无注,只说"巢、驾、厘、虺,楚四邑"。《太平寰宇记》卷一二六"舒城县"条谓"舒庸城与舒鸠城相似,谓之舒庸城",又说"舒鸠城,在县城内",则舒庸似也在县城之内。然一地有舒子、舒鸠、舒庸三氏族聚居,似不可信。《路史》谓之"在舒城,与庸别"。顾栋高说驾、厘在今无为县境,虺在今庐江县境,杨伯峻据之。④但未详所据。今人徐中舒据《左传》记载中舒庸与巢、驾等位置关系,推测舒庸不在巢、驾、厘、虺之东,即在其南。⑤这当然是不错的,但也是什么都没说。楚在宣公八年灭舒蓼以后,未见其对江淮南部再有新的占据行动,而舒蓼在舒城县一带,则

---

① 杨伯峻:《春秋左传注》,第588页。
② 参考徐少华:《论春秋时期楚人在淮河流域及江淮地区的发展》,收氏著《荆楚历史地理与考古探研》,商务印书馆,2010年。
③ 何光岳:《东夷源流史》,第87页。
④ 杨伯峻:《春秋左传注》,第904页。
⑤ 徐中舒:《蒲故、徐奄、淮夷、群舒考》,《四川大学学报》1998年第3期。

此四邑不当远在无为县的滨江之地。再说,舒鸠此时在庐江一带,比较可以确定(下文有详论),尚未进入楚的疆域,之南的地方已成为楚的城邑,也不可据。实际上关于驾、厘、虺三地之所在,古来少有深入探讨者,主要是缺少可以讨论的线索。巢的所在,则有桐城南、巢湖市与肥西县境三说。我们认为巢当初在肥西一带(说详下),即在楚新占据的土地之上。驾,据襄公二十六年声子之言:"吴于是伐巢、取驾、克棘、入州来。"则巢、驾、棘都在通往州来的路线上,州来过去认为在凤台,新的研究多认为在寿县。巢在肥西(即使认为在巢湖市也无妨),则驾、棘当在今巢湖水域与合肥往寿县的途中。这一带已经是楚人的地盘,是以需要舒庸人引导进入。如然,则舒庸应该是距舒蓼不远的舒城之南、庐江之西的地方,也就是与楚国新占据的舒城一带不远,故能一袭成功。鲁襄公十三年,"吴侵楚,养由基奔命,子庚以师继之。养叔曰:'吴乘我丧,谓我不能师也,必易我而不戒。子为三覆以待我,我请诱之。'子庚从之。战于庸浦,大败吴师,获公子党。"这个庸浦,过去学者也多认为在无为县滨江之地,现在看来应该是距舒庸不远的水滨。

舒庸的名义,何光岳以为是舒人和一部分由西而东的庸人结合而成。有待于进一步研究。

舒鸠。舒鸠见于《左传》的资料有几条。襄公二十四年(前549):

冬,吴人为楚舟师之役故,召舒鸠人,舒鸠人叛楚。楚子师于荒浦,使沈尹寿与师祁犁让之。舒鸠子敬逆二子,而告无之,且请受盟。二子复命,王欲伐之。蒍子曰:"不可。彼告不叛,且请受盟,而又伐之,伐无罪也。姑归息民,以待其卒。卒而不贰,吾又何求?若犹叛我,无辞有庸。"乃还。

襄公二十五年秋:

舒鸠人卒叛楚。令尹子木伐之,及离城。吴人救之,子木遽以右师先,子强、息桓、子捷、子骈、子孟帅左师以退。吴人居其间七日。子强曰:"久将垫隘,隘乃禽也。不如速战!请以其私卒诱之,简师陈以待我。我克则进,奔则亦视之,乃可以免。不然,必为吴禽。"従之。五人以其私卒先击吴师。吴师奔,登山以望,见楚师不继,复逐之,傅诸其军。简师会之,吴师大败。遂围舒鸠,舒鸠溃。八月,楚灭舒鸠。

这一条也见于《春秋》:"楚屈建帅师灭舒鸠。"

定公二年(前508):

桐叛楚。吴子使舒鸠氏诱楚人,曰:"以师临我,我伐桐,为我使之无忌。"秋,楚囊瓦伐吴,师于豫章。吴人见舟于豫章,而潜师于巢。冬十月,吴军楚师于豫章,败之。遂围巢,克之,获楚公子繁。

这后一条说明舒鸠被灭以后,仅以部族的形态存在于楚境,被吴人引诱来欺骗楚人。所以不再称为"舒鸠子"而曰"舒鸠氏"了,这如同英国被灭后,直称"英氏"一样,不再具有独立性。① 桐的位置大约在今桐城市境,汉代所谓"桐乡"。背叛楚国,说明还没有完全成为楚国疆域的一部分,还是附庸国。桐叛楚可能也是吴国的挑唆。楚国识破吴人的计谋,所以直接伐吴。而舒鸠人能助楚伐桐,当也是距离相近的缘故。

舒鸠是《左传》记载的群舒中最靠东南的也是较晚为楚所灭的舒人。可能是感到楚国必会灭亡之的缘故,在吴人的召使下舒鸠人叛楚投吴,引来楚王亲率大军责让与讨伐。舒鸠的宗子当是看到楚军的强大,不承认背叛之事,并且请求与楚人盟誓。楚王虽然不信舒鸠人的说辞,因为大臣的劝说而没有立即讨伐舒鸠。但是第二年秋天,即半年多后,舒鸠人终于背叛楚国,导致楚国令尹亲率多路大军讨伐。到达离城的时候,吴人来救。这一次吴楚双方都做了充分的准

---

① 《春秋》、《左传》僖公十七年。

备。但是楚军采取了诱敌深入的战术,大军先迫压到离城,引来吴军,当吴军前来时,令尹子木率军继续前进,其他几位将军率领楚军故意后退,让吴军进入其间,实际上形成前后夹击之势。吴军被围其间七日。楚军选精锐士卒进攻吴军,似乎也是迷惑吴军,所以进攻而不追击,吴军看到只是一些小部队,竟然追击过来,楚军又尽出精锐,结果吴军大败。楚军于是包围舒鸠,击溃舒鸠军队,灭亡之。可以看出,楚灭舒鸠,实际上是与吴军战争,楚国出动六支军队,又采取计谋才战胜吴国,灭掉舒鸠。那么,这时候的舒鸠住在什么地方?这里关键是离城、荒浦的所在地。杜预注:"荒浦,舒鸠地。""离城,舒鸠城"即是认为都在舒鸠的地面上。方以智《通雅》卷十四"地舆"条:"舒鸠,今无为州巢县。舒蓼,在安丰,今之六安也。"洪亮吉《春秋左传诂》以为离城即钟离城,并斥杜预注"殊无所据",但没有提供任何证据。今人杨伯峻《春秋左传注》引杜预注后曰:"(离城)则当在今舒城县之西,为楚军至舒鸠所经之邑。洪亮吉《诂》谓即钟离,不知钟离在今安徽凤阳县东北二十里,远在舒城东北,楚伐舒鸠,断不至行军至此。"①也是以理驳之,没有有力证据。杨伯峻注:"舒鸠,楚属国,今安徽舒城县。"又注荒浦:

舒鸠地。《方舆纪要》(按即顾祖禹《读史方舆纪要》)谓黄陂河在舒城县东南十五里,周八里许。黄陂即荒浦之音转。②

方以智说舒鸠在巢县,没有任何根据,杨伯峻说在舒城也不可取,前已言舒城是舒子平与舒蓼的居地。又认为荒浦在舒城县东南十五里,所据是顾祖禹的意见。查顾书舒城县条,没有名黄陂的河,谓河曰"周八里许"也不辞,河流不当以"周"言之。又查顾书同卷"庐江县"条有如下记载:

---

① 杨伯峻:《春秋左传注》,第1104页。
② 杨伯峻:《春秋左传注》,第1092页

黄陂湖，城东南十五里。周八里许。

可以看出，所谓舒城县"黄陂河"，实则为庐江县黄陂湖的误写，这个湖正是大约周八里的样子。但说荒浦为黄陂的音转，则完全正确。

至于离城，以前我们也认为可能是钟离城，但是以舒鸠在舒城县为前提的。① 现在看来究竟在哪里，已难考实。《潜夫论·志氏姓》叙述偃姓中有一支为郦姓，离、郦古音同，不知离城是否原为郦氏族所居地，以后成为舒鸠之城？记在这里，以备来者。

离城虽不可知，但综合来看舒鸠在庐江县地还是大体可定的。一者，上文言荒浦即黄陂的音转，这个地名的一致性是坚实的证据。这个地方正是楚子观兵之地，处在庐江的东南方，军队在这里警戒，实际上断了舒鸠与吴联系的通道，舒鸠人只能否认叛楚并与楚人结盟。二者，舒鸠是楚国自淮河上游过来并灭的最后一支舒人，而庐江县也正是春秋时期楚人东南进军的最后一站，地理上较为符合。三者，在大别山以东地区发现的典型的群舒青铜器中，庐江也是它的东南边界，再往东就不见有了，并且这里发现的青铜器年代多数晚于肥西、舒城一带发现的器物，②这和楚国灭亡舒鸠较晚也是一致的。四者，桐叛楚而舒鸠氏愿为楚国去讨伐，虽是诈言，说明彼此不远，而庐江正是桐乡的东邻。

据《世本》，群舒除了以上几支外，还有舒鲍、舒龙、舒龚等。《太平寰宇记》卷一二六"舒城县"条云："舒鲍城，县西一百里龙舒水南，因置龙舒乡。龙舒城，在县西一百里龙舒水西，城内有池，水六七尺，惟亢阳霖霆，水无盈耗。舒庸城，与舒鸠城相似，谓之舒庸城。"这几个城与合肥地区没有直接关系。

---

① 陈立柱：《楚淮古地三题》，《江汉考古》2010 年第 1 期。
② 参考李国梁：《群舒故地出土的青铜器》，《文物研究》第 6 辑；王峰：《淮河流域周代遗存研究》，(博士论文，2011 年 4 月)；郑小炉：《试论徐和群舒的青铜器》，《文物春秋》2003 年第 5 期。

（二）巢国及其地望

巢国的情况，文献记载稍多一些。文公十二年（前615）《春秋》经云："夏，楚人围巢。"杜预注："巢，吴、楚间小国，庐江六县东有居巢城。"《左传》本年云：

楚令尹大孙伯卒，成嘉为令尹。群舒叛楚。夏，子孔执舒子平及宗子，遂围巢。

杜预注："宗、巢二国，羣舒之属。"这是春秋时期巢国第一次见于记载。以后，巢就成为吴楚争夺的一个焦点，多次被提到。如《左传》成公七年（前584）："吴始伐楚，伐巢、伐徐。子重奔命。马陵之会，吴入州来。子重自郑奔命。子重、子反于是乎一岁七奔命。蛮夷属于楚者，吴尽取之，是以始大，通吴于上国。"杜预注："巢、徐，楚属国。"巢已是楚的附属国，似乎尚未灭亡。《谷梁传》襄公二十五年疏引徐邈曰："巢，偃姓之国。"《水经·沔水注》："巢，群舒国也。"看来，巢是从群舒分化出来的，或者同姓国。巢，或作"鄛"。《路史·国名后记丁》"商氏后"条有："巢，子姓，一作鄛，南阳棘阳有鄛乡，吴人伐巢克棘者。有巢亭，在襄邑南二十，与卫巢异。或云居巢，非也。"这里说巢为子姓商的后代，在南阳棘阳，又说是吴人伐巢所克者，又讲到襄邑的巢亭，很是混乱。《左传》襄公二十六年吴人伐巢所克之棘，在江淮之间，不在南阳。要之，南阳之巢乡是否子姓后代，不清楚；襄邑的巢亭与巢国、巢人的关系也有待于研究；而江淮之间的巢国与之皆有别，应该是偃姓无问题。

《左传》成公十七年（前574）："舒庸人以楚师之败也，道吴人围巢，伐驾，围厘、虺，遂恃吴而不设备。楚公子橐师袭舒庸，灭之。"杜注："巢、驾、厘、虺，楚四邑。"似乎楚已灭巢，巢成了楚的一个城邑。

何浩认为楚灭巢"在公元前583至前575年"[①],就是据此推断的。又,《左传》昭公二十四年(前518)载:"越大夫胥犴劳王于豫章之汭。越公子仓归王乘舟,仓及寿梦帅师从王,王及圉阳而还。吴人踵楚,而边人不备,遂灭巢及钟离而还。"这里说吴人灭巢,照杜预前面的说法,这个巢也当是楚邑,吴所灭是毁灭楚的巢邑。不过,《路史》卷二十七"国名纪丁"提出巢国灭,在此一年,杜预注不可取,因为"邑无书'灭'"。这一意见有不少赞同者。以后关于巢的记载都是吴、楚之间的争斗,巢地似乎也多是楚军把守,成为楚国抵御吴国的前哨。《左传》关于巢的最后记载是定公二年(前508):"桐叛楚。吴子使舒鸠氏诱楚人,曰:'以师临我,我伐桐,为我使之无忌。'秋,楚囊瓦伐吴,师于豫章。吴人见舟于豫章,而潜师于巢。冬十月,吴军楚师于豫章,败之。遂围巢,克之,获楚公子繁。"杜预注:"繁,守巢大夫。"无疑,这个巢只是楚的一个城邑。从《左传》文公十二年至定公二年百年,吴楚对巢的争夺,见于记载有九次之多,可见巢是吴楚双方必争的一个重要据点。这以后,吴强楚弱,吴军甚至一度占据楚都郢,直到吴被越所灭。这一段时间,巢地想必处在吴人的统治之下。

巢的意思,《说文解字》云:"鸟在木上曰巢,在穴曰窠,从木象形。"以后又称"居巢"。居,一般认为是吴越语的发语词,无意义。巢之称谓打上吴越语的烙印,应该是《左传》定公二年以后。之前巢虽也有被吴占据过,但都很短暂,多数时候在楚的控制之下。《左传》巢国之"巢",《史记》都作"居巢"。

关于巢国所在的地理位置,前引《左传》文公十二年杜预注云:"巢,吴楚间小国,庐江六县东有居巢城。"汉代设有居巢县,属庐江郡。西汉后期庐江郡所辖县在大江以北,潜县(今霍山县东北)、舒城以南,东南到今无为襄安镇一带。大约汉末三国成书的《水经》云:"(沘水)又东北出居巢县南。"郦道元注:"古巢国也,汤伐桀,桀奔南

---

① 何浩:《巢国史迹钩沉——兼论徐戎的南迁》,《楚灭国研究》,武汉大学出版社1994年版。

巢,即巢泽也。《尚书》周有巢伯来朝。《春秋》文公十二年夏,楚人围巢。巢,群舒国也。舒叛,故围之。"唐在今巢湖市设有巢县,一般认为这里就是汉居巢县,古巢国,如《旧唐书·地理志》:"巢,汉居巢县,属庐江郡。"《通典》卷一八一"庐州"条:"巢,汉居巢县也,古巢伯之国。汤放桀于南巢即此也。曹公末年,使夏侯惇屯于此。楚范增墓在县东。"不过,也有异说,如《元和郡县志》卷二十九"浔阳县"条"巢湖故城,在县东四十二里。按楚有二巢,在庐江六县。其南巢,桀所奔处,盖在此"。本书"淮南道"部分后来丢失,不知道李吉甫在其中如何表述唐代巢县与汉居巢的关系。宋乐史著《太平寰宇记》,卷一二六"巢县"条认为巢县为古巢伯国,春秋时巢国,秦汉居巢县。但在卷一二五"桐城县"条又云:"古巢城,俗号为古重城,在县南六十五里。按史记成汤放桀于南巢即此城。城三重,故号重城,南北川泽,左右陂湖。"他把桀奔南巢之巢与春秋巢国之巢分开,一个在巢县,一个在桐城之南。明清以来的志书则多从唐志与《通典》,如《明一统志》《清一统志》"巢县"条都有"本古巢伯国,书成汤放桀于南巢。春秋时,楚人围巢,皆此地。秦为居巢县,汉晋因之"等说法。1957年,在寿县发现楚鄂君启做生意用的车节与舟节(即通行证),其中陆路商道经过的城邑中有"居巢"一地,引起学者们讨论的兴起。谭其骧著文提出,先秦不只一个巢,车节上的居巢在淮河以北,《左传》昭公二十四年吴国所灭之巢为群舒之一的巢国,而定公二年吴所围的巢为楚在豫章之地所置的一个邑。巢国之巢在六安东的居巢城,楚邑巢为汉代的居巢县,在《太平寰宇记》所说桐城南六十五里,为成汤放桀于南巢的古巢城。[①] 黄盛璋不能同意谭说,提出先秦的巢只有一个,巢国之巢、桀奔南巢之巢与鄂君启车节上的居巢都在六安东南、巢湖沿岸。[②] 谭先生再著文评议之,并进一步申论己说。[③] 杨宽先生

---

① 谭其骧:《鄂君启节铭文释地》,收氏著《长水集》下,人民出版社1987年版。
② 黄盛璋:《历史地理论集》,人民出版社1982年版,第282页。
③ 谭其骧:《再论鄂君启节地理答黄盛璋同志》,收氏著《长水集》下,人民出版社1987年版。

认为寿县以南的居巢（即六安东之居巢城）是"西周以来巢国的旧都"，"今安徽省桐城以南"的巢"为春秋时期巢国所在"①。陈伟提出春秋前期巢如舒一样，在今安徽六安东北一带。因为楚国所迫，春秋后期迁至淮南丘陵以南，即今桐城市南。② 其他学者讨论这一问题的还有不少，不一一列举。

应该说学者们对于巢国所在的研究做了大量的工作。但是以往的研究主要以文献为主，考古资料未能充分利用，综合研究尤其不够。如果全面地看有几点是清楚的：

第一，在桐城南六十五里的巢，不是《左传》记载中巢的位置。首先，《左传》成公十七年载舒庸导吴军围巢，一般认为舒庸在庐江与舒城之间，而桐国这时尚在，舒庸带领吴人穿过桐，再向之南的方向去围巢，不在理。在桐与舒庸之间有一狭窄的关口，这就是今天的大关，此是桐国扼住北来人流的隘口，不会随意让人进出的。但巢如果在今巢湖一带，正在舒庸人的东邻，导吴围之就方便了。其次，昭公二十四年，吴人跟随楚军的后面，乘着楚国守边之人不注意，灭掉巢与钟离，顺利返回。这个巢是吴军跟在回撤的楚军之后灭掉的，并且顺便灭了钟离，则巢与钟离可在一条路线上。如果巢在桐城之南，灭掉后再远赴东北方去灭钟离，就不是顺道灭之了。而巢如在巢湖一带，吴灭之，东行灭钟离则正是顺道。再说，如果桐城南的巢城是春秋时期的巢国，或楚国在那里的据点，其地距今巢湖甚远，则巢湖之名如何取自巢国之巢，抑或巢邑之巢？还有，古时候的沔（汉）水所经之"北江"这一段河道是否就是今桐城之南的长江水道？过去学者间意见纷纭，说巢在桐城之南者也没有考察。本书下一章考证"北江"乃经大别山南麓，流过桐城市南、庐江县城与巢湖南部一带的古水道，而桐城之南则是《汉书·地理志》所说的"大江"。如此，则《水经》所说"（沔水）又东北出居巢县南"，就可能是在今巢湖之滨而非桐城

---

① 杨宽：《春秋时代楚国县制的性质问题》，《中国史研究》1981年第4期。
② 陈伟：《楚"东国"地理研究》，第78页。

之南了。《文选·江赋》六臣注引《水经注》文"巢湖在居巢",即巢湖属于居巢县,这可以说是对居巢在桐城南的直接否定。

第二,巢国不在桐城之南,其可能的所在地,一个就是杜预说的六安以东。这从《左传》文公十二年,楚军抓住舒子平与宗子,"遂围巢"即可看出。舒子在舒城,楚军抓住舒子,于是围住巢。因此,巢离舒城不会太远。这个巢应该是巢国的中心居地或都邑所在,也是上文说的桀奔南巢之南巢,大体在六安以东、寿县以南的肥西县西部,即杜预说的居巢城之所在地。考古学上,在这一带除了发现有关夏代贵族迁居留下的不少遗物外,还发现了大量的属于群舒系统的青铜器,并且时间最早,达到两周之际,主要有肥西小八里、金牛等地的青铜器,都在肥西县的西部。这一带不仅发现青铜器,还有多个周代的古城遗址,长宽多在两三百米。是以杨宽说这里是"西周以来巢国的旧都",可以说文献记载与考古资料都印证了这一点。早期的这个巢也不能在六安东北、淮水之南,理由上文讲舒的时候已讲到。此不赘述。

第三,六安以东的巢是早期的巢,楚国灭舒、围巢以后,巢国的中心可能有所迁移,迁移后的巢地成为以后吴楚争夺的一个重要军事据点。首先,上面讲舒庸导吴可以围之,舒庸在舒城东南,其时舒城县一带已成为楚的疆域,舒庸是难以导而伐之的,而西南方是桐国。所以舒庸所导以伐之的巢,只能在舒庸以东,即现在的巢湖水域。其次,巢与豫章不是一地,但相距也不太远,豫章的位置决定巢只能在合肥以南的某地。《左传》定公二年(前508)"秋,楚囊瓦伐吴,师于豫章。吴人见舟于豫章,而潜师于巢。冬十月,吴军楚师于豫章,败之。遂围巢,克之,获楚公子繁"。《左传》中多次提到江淮地区的"豫章"或"豫章之汭"。陈怀荃考证后指出:

春秋时代的豫章,乃是北起州来附近的淮水之浦,南迄巢城以西的巢湖之滨,这一长条地带的地片之名。在这一地带内,有肥、施二水沟通江淮,构成江淮间重要的南北通道。实际上,即此沟通江淮的南北通道之名。①

　　谭其骧也认为,"春秋时代的豫章指今寿县到合肥一带"②。他在另一文中还说,昭公二十四年至定公二年吴所伐的巢,"疑为楚置在'豫章'地区的一个邑"③。那么,这个巢邑如果不在合肥以北,就只能在今天的巢湖之中即春秋豫章之南端了。

　　再次,巢湖之中发现的新石器时代一直延续到汉代的重要聚落遗址,也是对这里曾经不完全是水域以及存在聚邑的证明。试举一例:如位于今巢湖东北、接近肥东县地的唐咀水下遗址。目前露出水面的遗址沿湖滨大道护坡底部东西长有600米,南北宽150米左右。在遗址上发现的时代最早的遗物是新石器时代的玉斧,最晚的是王莽时期钱币。从目前已掌握的材料来看,这一遗址沉入水底的时间应该在王莽以后。遗址上发现大量的十分完整的陶器、各种生活生产用具、货币、铜箭镞、建筑用材、印章以及玉器、银器等经济价值比较高的遗物,有些是以废墟为特征的遗址上所没有的。所以调查者认为:"遗址有可能是在某次突然的灾难中沉入湖底的。"④当然,这里是否是居巢还可再讨论。

　　第四,居巢陷为湖的古老传说,也是巢在巢湖之中的一个佐证。详细讨论见下一章。

　　第五,《路史》卷二十七"国名纪丁巢二"条有:"南巢氏,桀之封,秦为居巢……故有夏水。"罗萍注云:"合肥巢湖,云居巢陷者,九域志谓之焦。"这里说巢国或居巢故地原有一水名"夏水",可能陷于湖中。既然有一条名夏水的河流存在,当然不会是在湖中。前言楚与吴越会于滑汭,滑与夏古音近甚,"夏水"很可能即"滑水"之异写。夏水、滑水后世皆不见,当是随着居巢变成巢湖之一部分了。

---

① 陈怀荃:《豫章考》,收氏著《黄牛集》,安徽教育出版社2000年版。
② 谭其骧:《再论鄂君启节地理答黄盛璋同志》。
③ 谭其骧:《鄂君启节铭文释地》。
④ 钱玉春:《巢湖市唐嘴水下遗址调查报告》,《巢湖学院学报》2006年第1期。

李吉甫是汉魏地理研究大家,相关著作甚多,[①]他说"楚有二巢",我们认为是值得重视的。清代学者顾栋高、[②]庄有可[③]等都认为,巢湖在先秦尤其是春秋时期不是现在这个样子的。

春秋时期江淮之间的巢只有这两地,桐城以南的巢城,主要见于唐宋记载。前引《水经》及郦道元的注认为居巢县在沔水之北,因为沔水水道不清楚,居巢县设在何处难以说明白。桐城南之巢城或者是巢人一支迁往其地留下的,因而伴有一些有关的传闻。也可能是东吴占领皖城后,设立庐江郡,将一些流散到桐城以南地方的居巢县人,新置一名居巢的县级单位统管之。这种情况在当时是很多的。湖北有松滋县就是江淮松滋县人流寓其间而设置的。《三国志·吴书·宗室传》记载丹阳太守孙瑜,在江南丹阳郡也置有一居巢县:

迁奋威将军,领郡如故,自溧阳徙屯牛渚。瑜以永安人饶助为襄安长,无锡人颜连为居巢长,使招纳庐江二郡,各得降附。济阴人马普笃学好古,瑜厚礼之,使二府将吏子弟数百人就受业,遂立学官,临飨讲肆。

作为丹阳太守的孙瑜,设立襄安、居巢两县,任命县长,招纳庐江郡内两县的流人,并且教授学业。事在建安十一年至建安二十年之间。其时汉有庐江郡,东吴一度也在皖城设置庐江郡。孙瑜的居巢县,有人认为就是设在丹阳郡内。[④] 治所在皖县的庐江郡内有居巢县也是可能的。

《元和郡县志》卷二十九江州"浔阳县"条:"巢湖故城,在县东四十二里,按楚有二巢,在庐江六县。其南巢,桀所奔处,盖在此。"《隋

---

① 参考贺次君:《〈元和郡县图志〉前言》,《元和郡县图志》,中华书局1983年版。
② 顾栋高《春秋大事表》卷八下云:"巢湖,为古居巢,吴楚战争时未有也。"
③ 庄有可《巢湖考》:"巢为吴所伐入,以至灭亡,见春秋经传,而未闻有湖,则是陷而为湖盖战国以后事。"收氏著《幕良杂著》卷一。
④ 参考吴之称整理的《三国郡县表补正》有关部分。

书·地理志》溢县有巢湖,隋溢县、唐浔阳当今江西九江市,其地有巢故城,应该如桐城之南的巢城一样,是有关人群流寓之地,建城居住,因此也有一些关于巢国、南巢的传闻。这些是春秋巢国人南迁,还是汉代居巢县人留下的,已不可考。

巢很早就有城池,《左传》襄公二十五年"吴子遏伐楚,门于巢,卒"。门于巢即在巢的城门一带战斗,有城门则必有城墙建筑。昭公四年又有楚"薳启强城巢"的记载。这个筑城活动或者是加固,或者为重建。后因水太大了,筑城不成功。昭公二十五年楚人又"郭巢"。郭是外城,一般很大,为了防御敌人与保护百姓而设立,同时也说明巢必有内城。可以看出,巢是一个有城有郭的重要据点。《春秋》文公十二年,没有记载楚人执舒子与宗子这样在《左传》作者看来的大事,而是直接书"夏,楚人围巢",说明在《春秋》作者那里,围巢更重要,当也是因为巢国本身重要性的缘故。战国时期,巢成为江淮中部地区最重要的水陆交通与商业贸易中心,除了地理位置的因素外,与楚人春秋时期长期经营应该也是密切相关的。

(三)其他一些国族

夷虎。《左传》哀公四年:"夏,楚人既克夷虎,乃谋北方。"这是《左传》关于夷虎的唯一资料。是讲楚国安定南方后院后,乃向北方进军。杜预注:"夷虎,蛮夷叛楚者。"上章已指出它在今长丰与淮南一带。

宗国。《左传》文公十二年记载:"群舒叛楚。夏,子孔执舒子平及宗子,遂围巢。"这里将宗国也算作群舒之属,其宗子与舒子平一起叛楚,所以被楚国抓起来。杜预注云:"宗巢二国,群舒之属。"也是一个意思。其国以后不见于记载,或不久遭灭。其地理位置,一般以《春秋大事表》卷六中意见为准:"群舒及宗国,俱在今庐江舒城二县境。"①个别学者以为在巢湖市柘皋镇,②是以巢在巢湖市再推测的。还有说在六安市附近的,③皆不可取。《汉书·地理志》庐江郡有枞阳县,学者多考此枞阳即战国鄂君启节铭文中之"松阳"。宗、松、枞古音甚近,当为一名之异写,枞阳即松阳,当今枞阳县,也即古宗国。光绪《安徽通志》卷四十四亦云:"宗,国名,群舒之属也,即枞阳也。"但宗国既然与舒子一起被执,不至于远在滨江之地的枞阳。目前还是采取顾栋高的意见即在舒城与庐江一带较妥当。以后可能如巢人一样,部分南迁于大江之畔。

橐皋。《左传》哀公十二年(前483)夏:

公会吴于橐皋。吴子使大宰嚭请寻盟。公不欲,使子贡对曰:"盟所以周信也,故心以制之,玉帛以奉之,言以结之,明神以要之。寡君以为苟有盟焉,弗可改也已。若犹可改,日盟何益?今吾子曰:必寻盟。若可寻也,亦可寒也。"乃不寻盟。

此记吴国与鲁哀公相会于橐皋,吴使太宰向鲁"寻盟",即按照上次在鄫会盟时吴向鲁索取的"百牢"之礼。鲁国不能同意,乃使子贡回复,提出一番说辞。《史记·吴太伯世家》也记此事:"十三年,吴召鲁、卫之君会于橐皋。""集解"引服虔曰:"橐皋,地名也。"又引杜预曰:"在淮南逡遒县东南。"《伍子胥列传》也载:"吴王既诛伍子胥……其后二年,吴王召鲁卫之君会之橐皋。"橐皋即柘皋,为今巢湖市柘皋镇。此地战国时楚国在此有一封君,称为"弆旮君",弆旮也即柘皋,④见于《包山楚简》:

简38:……之司败……弆旮君之司马驾与弆旮君之人……

---

① 参考杨伯峻:《春秋左传注》,第588页。
② 何光岳:《巢国的来源与迁徙》,《安徽史学》1992年第4期。
③ 徐少华:《论春秋时期楚人在淮河流域及江淮地区的发展》,收氏著《荆楚历史地理与考古探研》,商务印书馆2010年版。
④ 刘信芳:《包山楚简解诂》,台湾艺文印书馆2003年版,第49—50页。

简60：……弑䈞君之司败……弑䈞君之司马周驾……①

楚国一般是灭一国设一县，县官称县尹，有时也称君，如伍子胥的哥哥伍尚曾为棠县尹，《左传》昭公二十年作"棠君尚"。封君也多是以一县为封地。所以我们怀疑柘皋本是一小国，为吴所灭，后为楚所得，封与某一贵族为封地，称为柘皋君。弑䈞、橐皋的本意如何，不知，"皋"字为夷族地名的常用语，故可能是夷族语辞，这也是我们怀疑它是一个独立小国的所在。柘皋地处吴国通往江淮北部州来的要道上，吴在此会晤北方诸侯，既有霸主示威之意，也因这里成为吴国之要地。

浚遒。汉九江郡有浚遒县，地当今肥东龙城村，其地有汉城遗址。浚遒的名字与橐皋接近，字面的意思不能直接懂得，应该也是夷语。龙城遗址发现从新石器时代到汉魏甚至以后时期的很多遗存，近年还发现一处春秋时期的贵族墓葬，为一夫多妻葬，出土有不少青铜器，多成对出现，与蚌埠双墩钟离国墓葬出土的接近。我们怀疑它是春秋时期一个叫浚遒的小国留下的。只是未见于记载。他的西面是巢与夷虎，东面连接徐与钟离等，都是淮夷国家，这里的文化遗存不少与蚌埠、定远一带的接近，也显示这一点。

阴。《左传》昭公十九年："春，楚工尹赤迁阴于下阴，令尹子瑕城郏。叔孙昭子曰：'楚不在诸侯矣！其仅自完也，以持其世而已。'"杜预注："阴，即陆浑之戎。"杨伯峻说："阴即阴地之戎。阴本周邑。"②我们认为此说可商。一者阴戎，很少直称"阴"者，凡称戎皆有名，此处只称"阴"，未必是"阴戎"。二者古代本有一阴国，《路史·国名纪乙》："阴，唐虞时国，商世阴君长生之祖……周有阴忌，今濠之定远有阴陵城，项羽失道处也。"阴国历史悠久，战国时楚有"（阴）陵君""阴侯"之封，见于《包山楚简》③：其地在定远西部靠近长丰处。三者楚迁

---

① 刘彬徽等：《包山二號楚墓简释文与考释》，载湖北省荆沙铁路考古队：《包山楚简》，文物出版社1991年版，第19—20页。

② 杨伯峻：《春秋左传注》，第1401页。

③ 湖北鲸鲨铁路考古队：《包山楚简》，文物出版社1991年版。

东方夷族于汉水之滨者很常见。如《左传》昭公十三年:"楚之灭蔡也,灵王迁许、胡、沈、道、房、申于荆焉。"迁淮南之阴于汉水一带,也属正常。所以,我们认为《左传》之阴,也可能在今安徽定远县西与长丰一带。可惜的是,我们对于这个阴国的情况一无所知。

以上介绍的在合肥及周边地区存在的这些夷族国家,以后逐渐为楚、吴等所兼并,没有一个发展成为齐、晋、秦、楚那样的大国,甚至西周时期一度强盛的淮夷宗主徐国,经过楚的几次打击也很快衰落下来,原因有以下几点。

首先,从地理环境与社会组织上看,这些国家所处大多是水乡泽国,国族所立之地尤如汪洋中的岛国、沙漠中的绿州,不利于国家的整片开拓与凝聚。当时交通工具主要为舟船。传言徐偃王为通上国,在宋、蔡之间"阙为深沟"。吴王夫差北上,要在宋、鲁之间开运河前进,[①]都说明淮河流域西周春秋时期还是水乡河网之地。楚国为防备吴的侵入,在钟离、州来、厉等地筑城,因为这里的水太大,城筑不起来,被迫罢除,说明春秋中后期,沿淮、淮北还因为水势浩淼而筑城不易。城市是文明的储藏器,没有城市的民族很少有较高文明的发展。两淮地区因为地理条件的局限,发展受到很大的限制。这在考古研究中也能看得出来。两淮夷人的聚落,一般规模很小,城也很少,西周至春秋前期尤其少见,大概只有大别山东麓的六国筑有城池,肥西西部也有一些小城。其使用的器物,造型简单,原始古朴,注重实用,文化区域分布都是一个个小聚落。[②] 正因为如此,其社会组织结构也较简单原始,许多国族虽然名为国家,实际上不过是一个稍大一些的部落而已,氏族组织还是其基本的社会单位。像群舒之属,大体上只是舒之各个分支,故奉舒为宗子。而舒鸠遭楚灭亡后,史书名之曰"舒鸠氏"[③],也表明其失去独立性之后,成为楚国境内的一个部族或部落,附属于楚。有的学者从群舒器物造型与用途的角度指

---

① 《国语·吴语》。
② 王迅:《东夷文化与淮夷文化研究》,北京大学出版社 1994 年版。
③ 《左传·定公二年》。

出:"仍是原始祭祀的流风。它与饕餮纹含义完全不同,没有丝毫狰狞恐怖之态,应是氏族社会氛围的反映。""仍然保持着氏族社会拙朴之美的余风,弥漫着浓郁的原始气息。"①淮夷各部"可能始终未形成完备的社会政治制度,建立真正意义的邦国"②。以其社会形态看,两淮古国族大多可能还处在早期部族奴隶制阶段,社会发展水平较低,其与制度完备、城高沟深、社会文明、积极开拓的国家相处,命运便可想而知了。

其次,这些夷族小国防备意识很差。正因为其社会组织尚停留在较原始的阶段,社会发展水平相对落后,其对于文明社会的杀伐强武、机心设备等也不十分在意。史家已一再指出这一点,不少国族都是因为不设防备而被人灭掉的。"舒庸人以楚师之败也,道吴人围巢、伐驾、围厘、虺,遂恃吴而不设备,楚公子橐袭舒庸,灭之。"③不设防备而使国家遭亡在夷族国史中是很普遍的。不光小国如此,东夷大国莒,也有这样的情况。《左传·成公九年》载楚国伐莒,"庚申,莒溃。楚遂入郓。莒无备故也"。《左传》"君子"评之曰:"恃陋而不备,罪之大也。备豫不虞,善之大者也。莒恃其陋而不修城郭,浃辰之间而楚克其三都,无备也夫!"与夷人国家相反,中原国家则特别注意国家的守备。《左传·昭公十八年》载郑国大火,执政子产"授兵以观"。子产说:"我闻之,小国忘守则危,况有灾乎!国之不可小,有备故也。"子产因为失火而授兵以观,防止别国乘机来袭,防备之心强也,与夫夷人莒国因为自己简陋,便认为别人不会有所企图,不设防备,相去可为远也。其他夷族小国,如弦、黄、六等也是因为不设防而为楚国所乘所灭的。缺少防人之心,这在不为刀俎即为鱼肉的春秋战国时代,其被人所灭只怕是必然的,发展壮大更是无从谈起。楚国的谋臣申公巫臣曾对不设守备的莒君渠丘公说:"夫狡焉思启封疆以利

---

① 刘和惠:《楚文化的东渐》,湖北教育出版社 1995 年版,第 60、61 页。
② 黄德宽:《淮夷文化研究的重要发现——驹父盨盖铭文及其史实》,《东南文化》1991 年第 2 期。
③ 《左传·成公十七年》。

社稷者,何国蔑有,唯然,多大国矣。唯是或思或纵也。勇夫重闭,况国乎?"①他不仅批评莒君不设守备,而且指出大国之所以大,都是利用智谋,时刻思虑开拓疆土,所有的大国,正是开拓兼并的结果。不设守备,不去力图谋取它国的土地,只想着自由自在地生活,这样的时候进入文明时代以后已越来越少了。像老子批评"强梁",提倡"小国寡民",率性而为,庄子不屑于"机心""机事",等等,都是夷族小国思想心态的具体表现,不要说成为强国,就是自保也不可能。《战国策·西周策》指出:"邾、莒亡于齐,陈、蔡亡于楚,此皆恃援国而轻近敌也。"莒国到了战国初年亡于齐,又是恃越援而不设备的结果。"仁义者自完之道也,非进取之术也!"②可以看出古人早已认识到夷人国家思想文化方面的一些特点。③ 从部族奴隶制时代到统一国家的发展,实际上就是不断兼并、弱肉强食的时期。时刻谨守尚不免最后灭亡的命运,而不设守备、率性而为、讲信仁义的夷族小国,只能早早成为大国兼并的对象了。在发展中求生存,古今的道理是一致的。

唯是,仁义精神虽然不足以使人进取,发展国家,壮大军队,但对中国文化精神的塑造,其功居伟,将来或者会成为中国文化对于世界的真正有价值的贡献。因为以仁人之心与人交往正是其他文化,尤其是西方文化所忽视的。

二、春秋时期合肥地区的政治军事形势

春秋时期,合肥及周边地区的政治军事斗争,大体上可概括为大国争夺与兼并小国的历史。先是徐人在楚国东进的形势下,率先把缺少军事准备的舒人征服,借助控制江淮地区的形势与楚争斗,几番

---

① 《左传·成公八年》。
② 《战国策·燕策一》。
③ 陈立柱、洪永平:《淮河文化概念之界说》,《安徽史学》2008年第3期。

较量后让出江淮西部地区。楚国深入进来,先是灭掉六、蓼、英等,站住脚跟,迫使群舒接受楚为宗主的地位。接着借口舒人的背叛,灭掉舒之大宗与舒蓼,建立楚人的直接统治。在深入江淮拓展疆土的过程中,楚与吴接触,鲁宣公八年(前584)与吴、越在滑汭初结盟。不长时间,吴国发展起来,开始与楚争夺江淮地区,两次借助舒庸、舒鸠、巢等展开争斗,发生过几次较大的战争,如鹊岸之战、离城之战、豫章之战、巢之战、长岸之战等。开始楚处在强势之下,不断向江淮南部推进,灭掉巢、舒庸、舒鸠等。楚平王以后,吴国王僚、阖闾、夫差先后当政,积极进取,逐渐加强攻势,经常采取骚扰楚的城邑、疲乏其军队的做法,并且取得良好效果,以致公元前506年,吴军能深入楚境,攻克郢都,江淮地区尽归于吴。吴国在黄池大会后与越之间矛盾不断,"吴由此怨越而不伐楚",楚国逐渐恢复力量,甚至一度伐吴及桐汭(江南),但最终吴国为越所灭,合肥地区都在吴国的统治之下,而后进入越人的势力范围之内,直到楚国灭掉迁于州来的蔡,重新统治江淮地区为止。这已进入战国时代。可以说春秋时期的合肥地区多数时候是徐、楚、吴争夺的中心地区。

(一)徐人取舒与楚国东扩至合肥地区

《左传》鲁僖公三年(前657),"徐人取舒"。《公羊传》本年云:"其言'取'之何?易也。"《盐铁论·险固》篇记载汉大夫与文学贤良的对话也讲到徐人取舒:

大夫:"徐人灭舒,春秋谓之'取',恶其无备,得物之易也。……"
文学:"阻险不如阻义,昔汤以七十里,为政于天下,舒以百里,亡于敌国。此其所以见恶也。"

杜预《春秋释例》云:"取者,称其衰乱,或受其溃叛,或用小师而不顿兵劳力,则直言'取'。"

可以看出,徐人能够很容易取得征服群舒的成功,原因主要是舒人没有设备,也可能是未施仁政,不得民心,故遭到突袭,民众不支持,轻易被敌国打败。

徐与舒,西周时期是徐偃王淮夷联盟的主要成员,以后徐国失败,联盟解散,各自为政。徐国突然间征服群舒,为什么呢?这是楚国的迅速北进东扩,严重威胁淮河流域夷族国家的安全,作为淮夷各支的曾经领袖也是大国的徐,需要组织夷族国家联盟,共同对付新的强大敌人。不听从者,就并而取之。

楚国在楚文王的时候开始进入淮河流域,《左传》鲁庄公十年(前684),楚国利用息(今河南息县,在淮河北岸)、蔡(今上蔡)之间的矛盾,打败蔡国,把蔡侯献都抓走了。可能不久又乘机灭掉息国,设立为县。接着向北方中原扩张,侵略郑国的领土,威逼中原。又向东北越过汝水,逼近颍水,向东将今河南信阳一带的樊、番等或歼或并。接着楚武王继续向北扩张,并经常威逼陈、蔡,使其屈服,引起齐桓公的警惕,桓公率领中原诸侯南下讨伐楚国,并且与淮河上游的江、黄、道、柏联系,阻止楚国的东扩。可惜淮上诸小国势力单薄,虽然"方睦于齐"[①],齐国远在东方,不能及时保护他们。所以一些小国有时又不得不从属于楚。在这种形势下,淮夷大国徐国开始考虑联系淮上诸小国,一起阻止楚国东扩。在淮北,徐国兼并了寘,《路史·后纪七》:"寘……嬴(姓)国也,则徐灭之。"寘即慎,《左传·哀公十六年》:"吴人伐慎,楚白公败之。"杜预注,寘在"汝阴慎县",当今安徽颍上县西北。淮北的慎与淮南的舒最近于徐,所以以师临之,使其屈服,或者灭国,直接统治,以应对向东扩张的楚国。所以,徐国的势力此时已经达到今安徽西部与河南交界一带,江淮地区全部在徐的统治之下。

江淮地区的国家大多组织松散,缺少战备意识,多数还不是完全意义的国家,像群舒各支仍以氏族的形态存在,生产力也落后,所以,很容易为徐国所打败。当他们面对楚国这样军队训练有素、国家组织严密、战略意识强的国家时更是缺少还手之力。所以江、黄、蒋等

---

① 《左传·僖公五年》。

小国相继灭于楚。到了鲁僖公十四年,楚国又灭掉英,①英在今六安西南与河南交界处。这样楚国的势力就达到今天安徽西境了。第二年(前645),《春秋经》:"春王正月,公如齐。楚人伐徐。冬,楚人败徐于娄林。"《左传》记此事:

十五年春,楚人伐徐,徐即诸夏故也。……穆伯帅师及诸侯之师救徐,诸侯次于匡以待之。……秋,伐厉,以救徐也。……冬,楚败徐于娄林,徐恃救也。

这是楚国与徐的第一次战争。徐国为对付楚国,与中原国家尤其是齐国结好,楚国因此伐徐,楚国从春天开始准备,可能还有宣战之类的程序。中原国家用围魏救赵的办法伐厉以救之。厉可能是楚的属国,伐厉楚必救之。到了冬天,徐、楚双方在一个叫娄林的地方展开了一场战斗。具体情况不知。徐人等待齐的救援,自己可能准备不足,结果战败。娄林,杜预注"徐地,下邳僮县东南有娄亭"即在今安徽泗县境内。其说不可从。徐国初次与楚交战,西部如六、蓼等国都还在,楚国不可能一下子打到徐国的都城(今泗县与泗洪交界一带)附近。所以徐旭生认为,娄林的地望可能在今溮河的左右岸,②何浩也认为在群舒西境某地,③大略近是。鲁僖公十七年春天,齐人与徐人又一起伐英氏,以报娄林之役之仇。英已为楚所并灭,乃以部族形态存属于楚,英人可能在楚人伐徐的时候帮助过楚,所以齐、徐军队报复英人。以后便不见徐有在江淮地区主动进攻的记载,这就为楚进入淮河中游地区扫清最大障碍。鲁僖公二十三年秋,楚又派使"成得臣帅师伐陈,讨其贰于宋也。遂取焦、夷,城顿而还"④。焦就是今天的亳州市,夷就是今天亳州东南的城父镇,建立进军淮北地区的

---

① 参考《史记》之《楚世家》《十二诸侯年表》。
② 徐旭生:《中国古史的传说时代》,第184页。
③ 何浩:《巢国史迹钩沉——兼论徐戎的南迁》,《楚灭国研究》。
④ 《左传·僖公二十三年》。

两个桥头堡。

徐国失败，江淮地区诸小国，诸如蒋、六、蓼等都成为楚的附属国。群舒、巢等可能也不得不从属于楚。所以江淮西部笼罩在楚的压迫之下。

不过，楚国的目标并不只是要这些国家附属自己而已，更大的目的是要消灭这些国家，扩大疆土，建立楚人的直接统治。其做法是：先招抚，再利用机会兼而并之，稳扎稳打，一步步深入。在江淮地区，楚人可以说是完全按照这个策略推进的。鲁文公五年（前622年），楚国便利用六国与同族的东夷结好，出兵灭了六。蓼也遭到同样的命运：《左传》文公五年载：

六人叛楚即东夷。秋，楚成大心、仲归帅师灭六。冬，楚公子燮灭蓼，臧文仲闻六与蓼灭，曰："皋陶庭坚不祀忽诸？德之不建，民之无援，哀哉！"

六在今天的六安市。蓼的位置，一说在固始县北，一说在固始县与霍邱县交界的地方，大致就在淮河岸边安徽与河南相邻的地带。他们本已从属于楚，可能是楚国课税太重，也可能是六人念同族之谊，不甘心屈服于楚，又与东夷主要是徐加强关系。楚国不能容忍，立即出师灭了六。这一年的冬天蓼国也被灭了。他们都是皋陶的后裔，所以臧文仲说，皋陶、庭坚再也不会有人祭祀了。臧文仲的话似乎还透露出六国君主不得民心的信息，老百姓不愿意替他们抵抗敌人。

仅仅过了七年，楚国又以同样的理由，出兵将舒、宗两国的宗主抓了起来，并围堵巢。《左传》文公十二年（前615）载：

楚令尹大孙伯卒，成嘉为令尹。群舒叛楚。夏，子孔执舒子平及宗子，遂围巢。

群舒也如六国一样背叛楚国，想非无因。春秋书蛮夷之君多称

"子",实际上也是宗族的族长。楚国把舒、宗两族的宗子抓了起来,无疑是要挟群舒各支,要他们不得有二心。《春秋》在本年只记"夏,楚人围巢",说明"围巢"似乎更重要。巢在六安以东肥西县的西部,西周时已是重要国家,又处在中原通往江淮的要道上。

两年后,楚国准备再次讨伐舒,《左传》文公十四年:"楚庄王立,子孔、潘崇将袭群舒,使公子燮与子仪守而伐舒蓼。"因为内部动乱,未能成事。过了十三年,即楚庄王十三年,"楚为众舒叛,故伐舒蓼,灭之。楚子疆之。及滑汭,盟吴、越而还"。《史记·楚世家》说楚庄王先"击灭若敖氏之族",过了四年即十三年"灭舒"。上文已指出,舒与舒蓼居地相近甚至同地,代表舒族,所以《史记》说灭舒。也是这一年,文献记载楚国与吴越在一个叫滑汭的地方结盟,然后返回。这是吴楚之间的第一次接触。滑汭何在,杜预注:"滑,水名。"没有指出具体位置。《钦定春秋传说汇纂》以为"当在今江南庐州府东境",杨伯峻引述之,并理解为"则在今合肥市、庐江县之东,而在巢县、无为之间"①。这个说法的根据是什么,未见。上面说舒蓼所在的位置在舒城,巢在六安以东,肥西县西部,而舒庸、宗国在舒城与庐江一带,尚未被楚国兼并,则滑水作为与吴国盟而分野之水,在舒城东南靠近巢湖一带的地方显然更在理,吴军自东南来,楚军自西北来,双方相会于此。汭者水之曲隈处,或二水相交处,大多位于河水下游,而巢湖一带为整个江淮地区低洼地,河水大多流向这里,说滑汭在这一带也比较在理。而说在巢县与无为一带,其离楚国占领的舒城一带未免过远。至于有的学者认为在江南丹阳湖一带,则远之过甚,毫无可能也。过江需要舟船,而楚国要到楚康王十一年(前549)才有舟师进伐吴国,②也是只到江淮一带,此时在江淮地区使用的都是战车与徒兵,战车过江很不方便,何况滨江之地还有很多不一定属于楚国的国族(如桐、舒鸠等)存在呢。

---

① 杨伯峻《春秋左传注》,中华书局1990年版,第696页。
② 《左传·襄公二十四年》。

(二)楚吴争夺合肥一带

楚国的积极进取。楚国兼并舒的时间是楚庄王十三年。庄王主要的功业是北上争霸,多次出兵威震郑国,也与晋国两次大战,即著名的邲之战、城濮之战,这些都是他问鼎中原、积极作为的表现。同时也东向用兵,迫使陈、宋、蔡等唯楚命是从。如宣公十二年,"楚子灭萧"。萧是宋国的一个重邑,即今安徽萧县。公元前595年,楚庄王为使臣申舟被宋国所杀,起兵包围宋都。这是一场空前持久的恶战,从九月一直坚持到第二年五月的麦收时节。据记载,当时宋城中缺粮,民众已在易子而食,析骨以灶,再也不能守下去了,最后不得不乞和。楚庄王后期没有对于江淮地区的进一步行动,可能是新得舒地,需要巩固,而主要精力又用于北方争霸。这时处在江淮东南的吴国开始兴起,意味着在南方地区,吴、楚的争夺即将展开。所以楚国与吴国的第一次接触虽然没有战争,而是结盟,但是并不意味着彼此就会友好。处在早期发展阶段的国家,一旦有机会大多会向外扩张,以谋取更大的发展。所以晋国看到南方的吴国开始扩张的时候,便开始了连吴以制楚的策略。

吴和越都是简称,吴的自称为"攻敔",越的自称为"于越"。吴人与越人族类相近,语言相通,居处相连,春秋中期吴国的中心在太湖流域,越国的腹地在宁绍平原,吴国的公族是周人与土著吴人的结合,越国的公族传说是夏的后裔与越人的结合,也有说是土著的。西周时期吴国已经有了较好的发展,能够铸造精美的青铜器,吴、越都有铜矿。吴进入江淮的道路主要是通过太湖向西北方向,就是过去所说的"中江",到达芜湖,再过江经裕溪河进入巢湖一带,也可从宁镇一带过来。越国可能主要是从新安江溯流而上,到达黄山,再翻山进入秋浦河,进入长江,过江。① 还有一种可能就是通过浙赣走廊进入鄱阳湖,经过北面的古九江进入江淮地区。如越人送给楚王的大

---

① 陈怀荃:《〈汉志〉分江水考释》,收氏著《黄牛集》。

舟可能就是通过这条路线，或者在鄱阳湖一带建造的。

吴国最初是向北发展，进攻北面的郯国。鲁成公七年，也就是公元前584年，楚共王七年，吴寿梦二年的春天，吴伐郯，郯国被迫与吴和好。接着吴国展开了讨伐徐国、楚国与巢国的行动。事情需要从楚国申公巫臣说起。楚国讨伐陈国的夏氏，获得美女夏姬，楚王要纳她为妾，巫臣认为不可，为王不能贪色。公子测即子反要娶她，巫臣说她是不祥之人，不可取。几番周折后巫臣自己带着美女夏姬，投奔晋国去了。① 楚国的令尹子重、司马子反杀其族、分其室以报私怨，巫臣为晋策划，连吴以制楚，并亲自出使吴国，帮助吴国改革军制，教其使用战车，使吴国的军力大增。《左传》成公七年载：

巫臣请使于吴，晋侯许之。吴子寿梦说之。乃通吴于晋。以两之一卒适吴，舍偏两之一焉。与其射御，教吴乘车，教之战陈（阵），教之叛楚。置其子狐庸焉，使为行人于吴。吴始伐楚，伐巢、伐徐。子重奔命。马陵之会，吴入州来。子重自郑奔命。子重、子反于是乎一岁七奔命。蛮夷属于楚者，吴尽取之，是以始大，通吴于上国。

巫臣到达吴国，不仅带去战车车阵，还将自己的儿子狐庸也带去，作为吴国掌管礼仪外交之官的"行人"，教导吴人与中原国家联系。于是，吴国开始讨伐楚国、徐国与巢国。吴侵略巢与侵楚、徐并言，说明这个时候巢还是个单独的国家，虽然可能是楚的附庸。徐国的国都在泗县与泗洪一带，也有说在徐州下邳境内的。吴国北上发展，必然要与徐国冲突，所以伐徐是必然之举。伐楚的具体地点是哪里，没有讲，可能是已经附属于楚的州来，或者是指原舒国的地方。因为下面一句"蛮夷属于楚者，吴尽取之"，即此时江淮地区原来楚国征服的淮夷国家，这时都被吴国夺取了。州来的所在，过去一般都认为在今凤台县，新的研究表明当在寿县，这在安徽考古与历史学界已

---

① 《左传》成公二年。

形成共识。这样,吴人一举占有江淮大部分地区,合肥地区自然都成了吴的地盘。

《左传》成公十七年(前574):

> 舒庸人以楚师之败也,道吴人围巢,伐驾,围厘、虺,遂恃吴而不设备。楚公子囊师袭舒庸,灭之。

所谓楚师之败,指的是前一年楚晋之间的鄢陵之战,楚师大败,楚共王受伤,主帅司马子反自杀,楚国在中原的霸业遂告结束。舒庸人感到楚国失败可以利用,引导吴国再次包围巢,讨伐驾、厘、虺等。舒庸以为有了吴国做后盾,于是对于敌人不再有戒备之心,结果被楚军灭掉。鲁成公七年,吴国取得了江淮地区的大部,伐过巢国,现在又围之,说明之后的十年里,楚国可能夺回了这些地方,或者吴军撤离后,并没有在这里建立自己的统治。杜预注:"巢、驾、厘、虺,楚四邑。"巢变成楚之一邑,则在杜预看来,巢国已灭于楚。实际的情况可能是,楚人将巢人迁到楚国新建的据点,故也谓之巢。这里的驾,后来还出现过一次,《左传》襄公三年有"吴人伐楚,取驾。驾,良邑也"。驾的所在,杜预无注,杨伯峻引顾栋高《春秋大事表》认为:"驾、厘二邑在今无为县境,虺则在今庐江县境。"[①]学者以为"恐过于偏南",提出驾、厘、虺三地当不出今六安与舒城之间。[②] 说在无为确实有些偏南,但说在六安与舒城之间,则又偏北。舒庸在舒城与庐江一带,其能导以伐之,则四地与之当不甚远。巢,上文说在巢湖一带,驾、厘、虺三地,也当距巢地不远。可以看出,此时吴楚之争主要在争取控制江淮中心地区,吴国的政策主要是围而伐之,并不一定要占据它,目的就是要疲劳楚师。所以才要造成"子重、子反于是乎一岁七奔命"。

过了几年,楚国伐吴。《左传》襄公三年(前570)春,

---

① 杨伯峻:《春秋左传注》,第904页。
② 徐少华:《论春秋时期楚人在淮河流域及江淮地区的发展》。

楚子重伐吴，为简之师，克鸠兹，至于衡山。使邓廖帅组甲三百、被练三千以侵吴。吴人要而击之，获邓廖。其能免者，组甲八十、被练三百而已。子重归，既饮至，三日，吴人伐楚，取驾。驾，良邑也。

子重的伐吴，可能是对成公十七年吴人围巢等的回击，说明吴楚之间的争夺趋于激烈。这里的鸠兹、衡山，杜预注在丹阳无湖县（今安徽芜湖市）东和吴兴乌程县（今浙江湖州市南）。清代学者对鸠兹无异说，但认为衡山定在乌程太远，其在吴都东南三百里，所以改定在安徽当涂县东的横山。① 张胜琳以春秋时期吴楚之战多在淮河流域，不以为信，改鸠兹在霍邱，衡山在凤阳县境内。或者以为张说更接近实际。② 其实这些说法都有可商之处。首先，当涂"横山"并没有"衡山"之名，只是音近而已，此说太牵强。顾栋高以为："子重之克鸠兹也，为今太平之芜湖，此用水也。"③似乎是说子重的军队是水军，可是没有指出根据的是什么。楚国使用水军作战都有明确记载，如《左传》襄公二十四年："楚子为舟师以伐吴……冬，吴人为楚舟师之役故……"昭公十九年："楚子为舟师以伐濮。"然而，这里说是楚军精选军队，"组甲三百，被练三千"。其中之"组甲"，照贾逵、服虔的说法是以组缀甲，车士服之，"被练"是徒兵用之，④即是用战车、甲兵与徒兵，不是舟船水师。所以顾说不可取。再说，楚军此时尚未征服舒鸠、桐等国，突然深入江南吴的内地，难以理解。或者说鸠兹在霍邱，较可取，而认为衡山在凤阳境内，则没有根据。实际上衡山就是秦始皇、汉武帝渡过淮河，经衡山过九江，西南赴南郡之衡山，也是秦汉所设衡山郡之衡山，当今霍山县南岳山。楚军攻克霍邱的鸠兹，向南就到

---

① 参考顾栋高：《春秋大事表》卷六中；高士奇：《春秋地名考略》卷十一；江永：《春秋地理考实》卷二。
② 徐少华：《论春秋时期楚人在淮河流域及江淮地区的发展》。
③ 顾栋高：《春秋大事表》卷四。
④ 参考杨伯峻：《春秋左传注》第925页有关注释。文甚长，不备引。

了衡山。这个衡山也是《禹贡》"至于衡山"与"衡山之阳"的衡山。①

楚国伐吴走的是大别山东麓向南的路线,也是早期中原与江南相通的重要通道。似乎这里已为吴国占有。楚国虽然占据这里,也有损失,邓廖将军因为吴军将楚军中间切断而被俘。作为报复,吴国很快便进伐驾邑。似乎驾是楚的一个重要的城邑,所以称为"良邑"也。上面已指出它最大的可能是在巢湖及周围地区,这里是水网密布之地,符合吴人水军为主的作战方式。

《左传》襄公十三年(楚共王三十一年,吴诸樊元年):

吴侵楚,养由基奔命,子庚以师继之。养叔曰:"吴乘我丧,谓我不能师也,必易我而不戒。子为三覆以待我,我请诱之。"子庚从之。战于庸浦,大败吴师,获公子党。君子以吴为不吊。《诗》曰:"不吊昊天,乱靡有定。"

这一年的秋天,楚共王过世,吴国乘楚丧而出师伐楚,楚军三次伏击吴军,结果吴师大败,连公子党也被俘获。交战的地点在庸浦。杜预注:"庸浦,楚地。"清人或说在无为州,或说在无为州南滨江之地。② 无为即今无为县,其地古多为水域,与长江水道连在一起。楚军进入这里要经过诸如东关等重要关隘。此时在庐江地区的舒鸠尚未被楚军彻底征服,楚军不可能冒进到东南方的长江之滨,这里还不是楚的地方。吴人入侵的庸浦,我们认为其在舒庸附近较可取。浦者水之所出,如淮浦、江浦等,庸浦可能是庸水入陂、入湖之地或水中之洲,当在今巢湖一带。吴楚两国在这一带所占地方原来都不是自己的疆土,所以侵而占之常常不讲什么道义,不过靠实力与机遇争夺而已。所以吴国来告败的时候,晋国的范宣子要斥责吴国"不德"。

---

① 陈立柱、纪丹阳:《古代衡山地望与〈禹贡〉荆州范围综说》,《中国历史地理论丛》2011年第3期。

② 顾栋高:《春秋大事表》卷六中;高士奇:《春秋地名考略》卷十一;江永:《春秋地理考实》卷二。

第二年,楚国为吴的这次侵略而报复:

> 春,吴告败于晋。(十三诸侯国)会(吴)于向,谋楚故也。……秋,楚子为庸浦之役故,子囊师于棠以伐吴,吴不出而还。子囊殿,以吴为不能而弗儆。吴人自皋舟之隘要而击之,楚人不能相救。吴人败之,获楚公子宜谷。

这时的中原霸主晋国召开诸侯大会,为吴国对付楚军出谋划策。会议的地点在向,杜预以为向为郑地,实际上这个向是吴地,在今安徽怀远县西南四十里。① 楚军会师的棠地,杜预无注,唐宋志书一般认为在扬州广陵郡六合县,②当今江苏六合县,南去长江不远。这里无疑是吴国的内地,楚军能在这里会师,不可思议。石泉认为棠即伍尚所管理的棠邑,在今六安,此地《太平寰宇记》卷一二九寿州"六安县"条已指出"县北二古城,一称六合城",子囊所师即整编、誓师之棠在此。"皋舟之隘"也当在此左近,因为六为皋陶之后,其地以皋为名者应该不少。③ 郑威对此有进一步的补充研究。④ 我们觉得说棠在六安附近较近情理,也有古文献资料支持。六安一带楚国早已占有,子囊在这里整编军队,然后出发伐吴,所伐吴的地点当至少达于今合肥地区,这里是吴楚这一时期争夺的前沿,在这一带的驾邑前些年曾为吴所夺取。至于皋舟之隘是否在六附近,不好讲,"皋""昊"(两者可能为一语之异写)为东方夷族常用语,夷族区域以皋名地的很多。吴人不应战,应该是故意示弱,这导致子囊轻敌,在皋舟之隘为吴军所乘,拦腰切断,楚公子宜谷被俘。这一年的秋天,"楚子囊还自伐吴,卒。将死,遗言谓子庚:'必城郢。'"

---

① 江永:《春秋地理考实》卷一。
② 参考《通典》卷一八一广陵郡"六合县"条;《太平寰宇记》卷一二三扬州"六合县"条。
③ 石泉:《从春秋吴楚边境战争看吴楚之间疆界所在》,收入《古代荆楚地理新探·续集》,武汉大学出版社 2004 年版。
④ 郑威:《楚"棠君"考》,《楚文化研究论集》,大象出版社 2009 年版。

《吕氏春秋·高义篇》还载有一段子囊与吴战的故事，与此可以互为补充：

荆人与吴人将战，荆师寡，吴师众，荆将军子囊曰："我与吴人战必败。败王师，辱王名，亏壤土，忠臣不忍为也"不复于王而遁。至于郊，使人复于王曰："臣请死。"王曰："将军之遁也，以其为利也。今诚利，将军何死？"子囊曰："遁者无罪，则后世之为王者将，皆依不利之名而效臣遁，若是则荆国终为天下挠。"遂伏劎而死。王曰："请成将军义。"乃为之桐棺三寸，加斧锧其上。

这其中记述的可能是在皋舟之隘作战中，楚军被吴军拦腰截住的一部分，所以说楚军少而吴军众。子囊逃走，直到冬天才敢回到楚都之郊野。这就是《左传》记载冬天子囊还自吴而卒的事。

这一时期，楚人与吴争战，互有胜负，但整体说来还是楚国向前推进的多，虽然有时因此而为吴军所败。接着对于舒鸠的征服就是例子。《左传》襄公二十四年（前549，楚康王十一年，吴诸樊十二年）载：

楚子为舟师以伐吴，不为军政，无功而还。……冬，吴人为楚舟师之役故，召舒鸠人，舒鸠人叛楚。楚子师于荒浦，使沈尹寿与师祁犁让之。

第二年：

七月，舒鸠人卒叛楚。令尹子木伐之，及离城。……吴师大败。八月，楚灭舒鸠。……十二月，吴子诸樊伐楚，以报舟师之役。门于巢。巢牛臣曰："吴王勇而轻，若启之，将亲门。我获射之，必殪。是君也死，彊其少安！"从之。吴子门焉，牛臣隐于短墙以射之，卒。

舒鸠、离城，上文已指出在庐江。楚国通过离城之战，大败吴军。

接着灭掉舒鸠,说明楚的直接统治扩展到庐江一带。十二月,吴王亲自讨伐巢邑,门于巢,杜预注:"攻巢门。"结果被守卫在巢的牛臣从矮墙边所射杀,造成吴国的巨大损失。下一年,"楚子、秦人侵吴,及雩楼,闻吴有备而还。遂侵郑"。雩楼在今河南商城与安徽金寨之间。楚王、秦国的军队听说吴军有了准备,于是转而进军郑国。吴王刚刚被杀,吴国注意边地安全,时刻保持警惕,所以楚军无机可乘。

整体来说,楚军进入庐江一带,向东南方向的扩张至此告一段落。此后便是以大别山东麓及中部的州来、巢等为据点,与吴国展开争夺战。虽然也有对于如东部朱方即钟离的进伐,但很少,随着吴国的逐渐强大,楚国渐处守势,而吴国的进攻逐渐增多,以致定公四年吴军攻入楚都,彻底取代楚国在合肥地区的统治。

从吴楚相争到吴国占据江淮。鲁襄公二十七年,晋楚举行"弭兵"大会,两国关系有一定缓和。楚在康王死后内部动乱,无暇外顾。在吴国,吴君诸樊死后四年,余祭又被越俘所杀。这样,江淮地区之争暂时停歇了几年。楚康王之后是灵王(前540—529年),他篡位后为转移内部矛盾,不久即展开对吴国的进伐。《左传》昭公四年(前538年,楚灵王三年,吴王馀祭十年):

秋七月,楚子以诸侯伐吴。……使屈申围朱方,八月甲申,克之。执齐庆封而尽灭其族。将戮庆封。……遂以诸侯灭赖。……

冬,吴伐楚,入棘、栎、麻,以报朱方之役。楚沈尹射奔命于夏汭,咸尹宜咎城钟离,薳启强城巢,然丹城州来。东国水,不可以城。彭生罢赖之师。

朱方,杜预注:"吴邑,齐庆封所封也。"未言所在。《史记·吴太白世家》裴骃"集解"引《吴地记》曰"朱方,秦改曰丹徒",即今江苏镇江市东南。长江以南无疑是吴国的中心区域,楚军至此而克朱方,未免太过靠近吴都。再考虑庆封为吴封人,即边地情报员,当在吴楚前沿不远,故《谷梁传》说"庆封封乎吴钟离"①,显然更可取,一些学者研究认为朱方与钟离相近,钟离即今凤阳钟离故城②,也是有道理的。为报复楚军之伐,吴国讨伐楚的棘、栎、麻,三地都在河南境内,说明吴军是深入楚境。楚国的应对措施是在钟离、巢、州来三地筑城以防守,可以看出,吴楚的前沿还是在江淮地区,而巢邑是其重要的防守据点之一。第二年:

> 冬十月,楚子以诸侯及东夷伐吴,以报棘、栎、麻之役。薳射以繁扬之师,会于夏汭。越大夫常寿过帅师会楚子于琐。闻吴师出,薳启强帅师从之,遽不设备,吴人败诸鹊岸。楚子以驲至于罗汭。……
>
> 楚师济于罗汭,沈尹赤会楚子,次于莱山。薳射帅繁扬之师,先入南怀,楚师从之。及汝清,吴不可入。楚子遂观兵于坻箕之山。是行也,吴早设备,楚无功而还,以蹶由归。楚子惧吴。使沈尹射待命于巢,薳启强待命于雩娄。礼也。

楚军这次伐吴有一个新情况就是与越的联合,越国大夫率师与楚王会合于琐。很可惜,因为薳启强一路匆忙出击,遽不设备,结果为吴军打败于鹊岸。这里的几个地名:琐,杜预注"楚地",当今霍山县东。其他地方,高士奇认为罗汭、莱山等在今河南罗山县与光山县境;夏汭,即西夏(肥)水入淮一带,在今凤台县西;南怀、汝清,在江淮之间,具体位置不可考;坻箕之山,在巢县南30里。杨伯峻《春秋左传注》皆从其说。③ 需要讨论的是鹊岸之所在。

杜预注:"鹊岸,庐江舒县有鹊尾渚。"即在舒县境内。唐代有人说在宣州南陵之鹊头镇,清代学者多定其在今无为县南到铜陵市北

---

① 《公羊传》记载又不同:"庆封走之吴,吴封之于防。"
② 张胜琳:《吴楚淮域之战若干相关地名地望略考》,载张正明主编《楚史论丛》初集,湖北人民出版社1984年版;王祺:《春秋吴国"朱方"地望辩证》,《史林》1991年第1期;石奕龙:《"朱方"辨》,《东南文化》1993年第1期。
③ 参考杨伯峻:《春秋左传注》,第1270—1272页。

的长江沿岸。① 今世学者意见纷纭，或对旧说加以发挥，如杜预注鹊尾渚具体位置所在何处；或提出新说，如认为当在定远西北古鹊浦溪一带；②还有的学者总结以往，将古今学者的意见细分为五类。③ 其实，讨论这一问题有两个关键：一者，楚军进攻的大方向要把握好。这里的锁在霍山，夏汭近于淮水、南接豫章，而豫章指从寿县到合肥一带，明显表示楚军从西北向东南方向进军。鹊岸一地定在南陵之鹊头镇，过于偏南，楚军无法达到那里，说在定远也与楚军进攻的大方向不合。至于说在长江沿岸，虽然大方向一致，但也不可取。如果鹊岸在长江之滨，即使巢在今巢湖市，长江之滨有楚的封人哨所，吴军出击的消息被封人传到巢湖，住在巢湖的军队出发再赶往江边，吴军怕早已进入巢湖一带了。何况从无听说楚在江边设有报信的封人。无为南至铜陵一带，古代都是水域，楚军作战以车战、徒兵为主，这里的地形也不合适。二者，讨论鹊岸的位置关键是薳启强的军队住在那里。《左传》没有明说，但已明确记载去年冬天他城巢，说明他的军队应驻扎在巢邑，或者附近。而吴军进犯，一般是从水路过来，多次是从长江进入巢湖一带。我们已指出巢邑在今巢湖一带、合肥之南，吴军在舒县至巢湖一带与薳启强的军队相遇，时间、路线都较吻合。所以比较而言杜预说还是可取的。学者们讨论鹊岸的位置，较少注意薳启强的军队所在。至于鹊岸的具体地点，持杜预说者有的说在肥西三河镇，有的说在舒城西北方向。我们觉得在舒城至巢湖一带的河边或湖岸，可能性更大一些。

鹊岸之战，薳启强的军队虽然败北，但楚国其他诸路大军未受此战，纷纷进入江淮，薳启强的损失可能也不大，所以楚王甚至到达

---

① 参考杨伯峻：《春秋左传注》，第1271页。
② 参考张胜琳：《吴楚淮域之战若干相关地名地望略考》。
③ 崔恒升、顾天豪：《鹊岸考略》，《安徽大学学报》1988年第2期。

巢湖市南的坻箕之山，即后来的跖躅山。① 能到这里，也说明楚在巢城一带已经有所经营。不过，之后蒍启强被派到雩娄驻防，应该是他出师不利，才让他退守，而让沈尹射代替他守巢，《左传》谓之"礼也"，只可惜我们不知这个"礼"的具体内容为何。

鹊岸之战表明，巢湖一带正是吴楚争夺的重点与前沿。

之后的十几年，楚吴之间主要是沿着淮水争战，如《左传》记载：

昭公六年（前536年）："徐仪楚聘于楚。楚子执之，逃归。惧其叛也，使薳泄伐徐。吴人救之。令尹子荡帅师伐吴，师于豫章，而次于干溪。吴人败其师于房钟，获宫厩尹弃疾。"

昭公十二年（前530年）："楚子狩于州来，次于颍尾，使荡侯、潘子、司马督、嚣尹午、陵尹喜帅师围徐以惧吴。"

昭公十三年（前529年）："吴灭州来。令尹子期请伐吴，王弗许，曰："吾未抚民人，未事鬼神，未修守备，未定国家，而用民力，败不可悔。州来在吴，犹在楚也。子姑待之。""

昭公十九年（前523年）：楚人城州来。

昭公二十三年（前519年）：吴人伐州来，楚薳越帅师及诸侯之师奔命救州来。吴人御诸钟离。……戊辰晦，战于鸡父。……三国奔，楚师大奔。

州来在今寿县；颍尾即颍水入淮处，又称颍口；乾溪即今乾溪沟，是自城父镇通往西肥水的一条人工河；房钟，在今蒙城县境内；徐在今泗洪境内；鸡父，杜预以为安丰县南有鸡备亭。可以看出吴楚在沿淮一带反复争夺，而寿县至亳州成为楚吴的分界线。这一阶段，楚国灵王赋役无度，肆意专杀，加上为了和吴争战，大规模地将淮北诸小

---

① 《太平寰宇记》卷一二六庐州府"巢县"条："跖躅山：在县南三十七里，山北临濡须港。按野王地志云：東關口有跖躅山，昔坻箕也。《春秋传》曰："楚子观兵于坻箕上，此是也。""

第三章 春秋战国时期的合肥

国的百姓征派到江汉地区,国力疲惫,人心思变,最后灵王在众叛亲离中自杀而亡。上台的楚平王为稳定民心和得到诸侯的支持,息兵安民,复国迁民,不愿动兵。所以导致吴国反复进军争夺,鸡父之战大败楚军。而江淮中部稍微安稳,也赖于楚国多年的反复经营。但是,州来遭伐,意味着楚国在淮水沿岸的重要据点已不稳固。鲁昭公十七年(前525),吴楚之间在长江之滨也有一场战斗:

吴伐楚。阳匄为令尹卜战,不吉。司马子鱼曰:"我得上流,何故不吉。且楚故,司马令龟,我请改卜。"令曰:"鲂也,以其属死之,楚师继之,尚大克之"。吉。战于长岸,子鱼先死,楚师继之,大败吴师,获其乘舟余皇。……吴公子光请于其众,曰:"丧先王之乘舟,岂唯光之罪,众亦有焉。请藉取之,以救死。"众许之。使长鬣者三人,潜伏于舟侧,曰:"我呼皇,则对,师夜从之。"三呼,皆迭对。楚人従而杀之,楚师乱,吴人大败之,取余皇以归。

这一次吴楚互有损伤。《春秋》载曰:"楚人及吴战于长岸",杜预注:"吴楚两败,莫肯告负,故但书战而不书败也。"长岸所在地,杜预只说是楚地,清代学者认为在今安徽当涂西南30里的西梁山一带的长江两岸。①《太平寰宇记》卷一〇五太平州"当涂县"条有:"天门山:在县西南三十里,有二山夹大江,东曰博望,西曰天门。按郡国志云:天门山亦曰峨眉山,楚获吴艅艎即此处。"此在江西北,说明楚国令尹率大军伐吴,走的可能是江淮一带的水路。从之前楚国在巢邑的经营看,应该是从此出发,向南进军。但从卜战的情况看,司马说楚占上流,又似乎是水军自长江一路过来。《左传》哀公四年(前491)楚人有言:"吴将泝江入郢……"逆水行舟自比顺水为难,想必楚人此时已能顺江而下进攻吴军。究竟如何,有待于进一步研究。吴楚在沿淮、

---

① 顾栋高:《春秋大事表》卷七;高士奇:《春秋地名考略》卷九;江永:《春秋地理考实》卷三。

沿江之地争战,结果没有给江淮之间带来永远太平,吴国力量的加强意味着对于楚地的进攻不会停止。《左传》记载:

昭公二十三年(前519年):"楚大子建之母在郹,召吴人而启之。冬十月甲申,吴大子诸樊入郹,取楚夫人与其宝器以归。

昭公二十四年(前518年):楚子为舟师以略吴疆。……越大夫胥犴劳王于豫章之汭。越公子仓归王乘舟,仓及寿梦帅师従王,王及圉阳而还。吴人踵楚,而边人不备,遂灭巢及钟离而还。沈尹戌曰:"亡郢之始,于此在矣。王一动而亡二姓之帅,几如是而不及郢?

昭公二十五年(前517年):"子使薳射城州屈,复茄人焉。城丘皇,迁訾人焉。使熊相禖郭巢,季然郭卷。

昭公二十七年(前515年):"吴子欲因楚丧而伐之,使公子掩余、公子烛庸帅师围潜。使延州来季子聘于上国,遂聘于晋,以观诸侯。楚莠尹然,工尹麇帅师救潜。

按:郹,杜注:"郹阳也,平王娶秦女,废大子建故母,归其家。"太子建的母舅为蔡郹封人,郹阳当在蔡国边境,《史记·楚世家》"郹"皆作"居巢"。圉阳,杜预注楚地,清代学者说在巢县南境,①或当然。楚王为舟师以略吴疆,越人为求得楚的支持也制作大舟送给楚王,并且随楚王巡行至圉阳。不幸的是,吴军跟随楚人,乘其不备灭了巢与钟离这两个重要的据点,损失可谓大也。楚人慌忙加强防守,加固城墙。鲁昭公二十七年,楚平王死后年幼的楚昭王继位,令尹子常主持国政,子常"贿而信谗",专杀贤良无辜,国家因而衰弱,国人深恶痛绝。《左传》定公四年载:"楚自昭王即位,无岁不有吴师",即是楚衰吴强的说明。楚昭王继位第二年,吴公子光弑王自立,是为吴王阖闾,他在伍子胥、孙武等人帮助下,开始大规模地对楚攻伐,从此楚国在吴楚江淮争夺之中就明显处于下风了。《左传》昭公三十年载吴国

---

① 高士奇:《春秋地名考略》卷九。

首先伐徐，"防山以水之。己卯，灭徐"。即利用堤防水灌徐城。吴国终于除掉徐这个心腹大患，可以全力以赴地对付楚国了。《左传》载：

昭公三十年（前512）："吴子（吴王阖闾）使徐人执掩余，使钟吾人执烛庸。二公子奔楚，楚子大封，而定其徙。使监马尹大心逆吴公子，使居养。……吴子问于伍员曰：'初而言伐楚，余知其可也，而恐其使余往也，又恶人之有余之功也。今余将自有之矣，伐楚何如？'对曰：'楚执政众而乖，莫适任患。若为三师以肄焉，一师至，彼必皆出。彼出则归，彼归则出，楚必道敝。亟肄以罢之，多方以误之。既罢而后以三军继之，必大克之。'阖庐从之，楚于是乎始病。"

昭公三十一年（前511）："秋，吴人侵楚，伐夷，侵潜、六。楚沈尹戌帅师救潜，吴师还。楚师迁潜于南冈而还。吴师围弦。左司马戌、右司马稽帅师救弦，及豫章。吴师还。始用子胥之谋也。"

定二年（前508）："桐叛楚。吴子使舒鸠氏诱楚人，曰：'以师临我，我伐桐，为我使之无忌。'秋，楚囊瓦伐吴，师于豫章。吴人见舟于豫章，而潜师于巢。冬十月，吴军楚师于豫章，败之。遂围巢，克之，获楚公子繁。"

《左传》记载楚安排吴国的两位逃亡公子"居养"，《史记》谓"拔舒"杀两公子，似乎二人后来逃到舒地才被吴人捉住。鲁定公二年楚伐吴，是吴人利用舒鸠人引诱楚军到江淮之地，以便歼灭。楚军伐吴到豫章，结果豫章一战楚军失败，巢邑也被攻克，公子繁被俘，楚国彻底失去了对江淮地区的统治。这也是楚人在江淮中心地区最后一次伐吴。杨伯峻指出："楚伐吴七次，止于此矣。"[1]可以说，吴国利用伍子胥的计谋，使楚军处于疲于应付的局面，然后再以大军攻克之，取得了明显效果。

关于吴王阖闾向外开拓、讨伐楚国尤其是江淮地区的情况，《史

---

[1] 杨伯峻：《春秋左传注》，第1528页。

记·吴太伯世家》有简明扼要的概括:

> 吴王阖闾三年,与伍子胥等伐楚,拔舒,杀吴亡将二公子。光谋欲入郢,将军孙武以为民劳,待之。四年,伐楚,取六与潜。五年伐越,败之。六年,楚使子常囊瓦伐吴。迎而击之,败楚军于豫章,取楚之居巢而还。

《左传》鲁定公四年(前506),楚昭王十年,吴王阖闾九年,吴国利用江淮地区为基地、跳板,深入楚境,经过五场战争,攻克楚都,迫使楚王逃亡,可以说彻底摧毁了楚国在淮河流域的统治。从此以后,江淮地区由从楚改为从属于吴,成为吴国一部分。

《左传》鲁定公十五年(前495),夫差继位为吴王,开始大规模向北方进军,争做中原霸主。两年后吴迁蔡于州来,以保护蔡不受楚的侵犯。鲁哀公十二年,吴王夫差十三年(前483),吴邀请中原诸侯鲁卫之君到橐皋相会,"吴子使大宰嚭请寻盟",可以认为这是吴国霸主示威于中原诸侯的表示,而在橐皋会盟,显示吴国统治江淮地区的能力与巩固。这一时期的吴楚之争,主要在淮河以北的陈、蔡一带。这时,越国崛起,利用吴国在北方争夺,越攻其后院,鲁哀公二十二年(前473)十一月丁卯,越灭吴,吴王夫差自杀而死,江淮地区进入越人统治的时代,直到公元前445年楚灭蔡,楚人再次回到江淮地区。

三、春秋时期合肥地区的考古文化遗存

春秋时期合肥地区考古遗存与群舒文化密切相关。考古调查发现现存这一时期遗址与春秋之前的聚落特征一致,相当一部分是在前一阶段基础上沿用下来的,分布也较为密集。其年代主要集中在西周中晚期至春秋早中期,个别遗址可能晚至战国早期。这些遗址大多位于河流或湖泊旁的埂堆或台地上,面积有几千平方米的,也有数万平方米的;文化堆积较厚,长2至4米,个别厚5至10米。出土

陶器均以夹砂红陶为主，纹饰多绳纹和附加堆纹，鬲已经成为最为普遍的器物。春秋时期铜器普遍有所发现，器物与中原比较接近，反映出中原周文化对这一地区的影响，但文化面貌也表现出较多的地方特点。以瓿形盉为代表的一批独特器物群反映出群舒文化在这一地区的影响，而以印纹硬陶等为代表的器物则充分显示吴越地方文化特点。从春秋晚期开始，这一地区又成为吴楚争霸的要地，各遗址、墓葬和遗物特征都逐渐表现出了较多的楚文化色彩。总之，合肥地区春秋时期文化延续了本地商周时期文化，而在其演变过程中又同时受到以鬲和印纹硬陶为特征的中原和东南两大文化系统的影响，这种影响随着时间的推移而渐趋强烈，最后经过楚文化的整合而终于融入以中原文化为代表的汉文化大一统潮流之中。

（一）村落与城邑

　　合肥地区商周时期古遗址分布的密度较大，主要分布在肥西、庐江等地，尤其集中分布的在环巢湖一带的柘皋河流域、丰乐河流域中下游、派河流域、裕溪河沿岸区域。史载这一时期该地区重要的方国有居巢、六、舒等国，青铜器班簋、鄂君启节的铭文也都记载有"巢"国等。江淮中西部地区部分遗址自西周沿用至春秋早中期，如霍邱堰台遗址文化的第四期可以到春秋早中期，文化特征与属于两周之际的第三期文化相似，主要器类有罐、鬲、豆、簋、盆、瓿、钵、器盖等。罐的数量最多，而鬲所占比例逐渐减少。器型总体有向低矮方向发展，如陶鬲中，大型器渐少，多见小型陶鬲，造型矮胖，器腹变浅，柱足更高，束颈明显。簋腹部更浅。细柄陶豆多见，未见粗柄豆。双耳罐流行，印纹陶和原始瓷较上期增多。陶质方面以夹砂黑陶数量最大，夹砂红褐陶次之。纹饰仍以绳纹为主，附加堆纹增加。尽管出现变化，但文化面貌上所显示出的土著因素始终稳定存在。含山大城墩遗址第六期遗存文化面貌可能到春秋早期或两周之际，所见遗物有陶器、石器、铜器等。陶器以夹砂红陶为主，灰陶次之，印纹陶和原始青瓷增多，纹饰主要是绳纹，其次是附加堆纹和弦纹，主要器类有鬲、豆、钵、盆等。

　　本区相应时段遗存以庐江大神墩遗址[①]和肥东吴大墩第六期遗存为代表。大神墩遗址是一处较为单纯的西周晚期至春秋早期遗址，位于安徽省庐江县金牛镇徐河村南，遗址基本呈南北向分布，平面因中间略向西边弯出而似弦月，北宽南窄，高出地面4至5米，大神墩遗址的地层堆积由地表至生土深3.5米左右，但是堆积结构比较简单，文化遗存也不十分丰富，遗物、遗迹多集中在一小片地方，而且在近生土约2米厚的地层中基本不见有遗物。遗物中生活用具皆为陶器，陶质以夹砂红褐、灰褐、灰陶为主，泥质陶较少，器表饰绳纹最多，其次为素面，其他尚有少许附加堆纹、指窝纹、弦纹、回纹等，陶器的制法多以轮模合制为主，可辨器型有鬲、罐、盉、豆、盘、杯、三足盘、瓮等，鬲为大宗。其中的甗形盉，在江淮一带的遗址中发现较多，经研究被认为是群舒的文化遗存。在大神墩遗址出土的甗形盉的整体形态与群舒墓葬中同类青铜器形态尤为近似，属于同一时代产物。

　　肥东吴大墩第六期遗存所见遗物特征与含山大城墩第六期类似，也是以夹砂红绳纹陶为主，印纹陶数量增加，器类有鬲、罐、盆、豆等，鬲口沿斜折渐平，实足较高，足底根较平，豆柄变高细。

　　城邑与普通聚落分布。春秋早中期合肥地区聚落分布特点与西周时期相似，分布在河流的中下游沿岸的谷地，聚落密度较大，分布间距较小。聚落间存在等级分化，若干群体间存在大型和次级聚落。如在临近肥西的杭埠河中游一带曾做过区域调查，发现了十余处能沿用至春秋早中期的遗址，较之夏商时期，数量有了明显增加，一定程度上说明了群舒文化的强盛。这些遗址中发现有甗形盉、柱足鬲等具有春秋早期特征的遗物，均具有典型群舒文化风格，其分布和遗物特征基本可以代表合肥的面貌。这些聚落使用时间多数在西周中期兴起，并持续繁荣了二三百年，至春秋中期后废弃，这种现象与楚

---

① 安徽省文物考古研究所、庐江县文物管理所：《庐江大神墩遗址发掘简报》，《江汉考古》2006年第2期。

文化东渐江淮导致群舒文化的衰亡有密切关系。

(二) 墓葬与葬俗

合肥地区已发掘较为重要的墓葬有以下两座：

合肥乌龟岗春秋墓，[①]于1970年发现于合肥市西北郊乌龟岗，为一土坑墓，出土铜鼎1件，另有陶罐2件、陶盉1件。

1981年发掘的肥西金牛春秋墓，[②]位于肥西县丰乐河以北的金牛公社，处于肥西、六安、舒城三县的中间。金牛春秋墓是一座土坑竖穴墓，墓上已无封土。墓口长3.6米、宽2.9米，墓底长2米、宽0.75米，墓底距地表深1.35米。从墓口至墓底四边留有两层台阶。墓底有板灰痕迹，葬具为一棺，人骨全朽，葬式不明，依痕迹头向西，头部北侧出土铜戈1件，南侧腰部出土铜剑1件。另外出土铜鼎1件，位置在墓的两层台上。

从墓葬形制看，两墓皆为土坑竖穴墓，其上应该存在封土，墓坑中有棺椁，随葬品以铜器、陶器为主，墓葬年代应该在春秋中期，具有群舒文化风格。

江淮中西部发现春秋时期的墓葬10余座，均为长方形竖穴土坑墓，有的墓壁向墓底斜收，填土夯筑，有封土、封丘，较大的墓葬如舒城河口墓，近28平方米，较小的如肥西金牛墓仅有1.5平方米。六安燕山村春秋墓长460厘米、宽约250厘米，墓底可见两道枕木痕迹，该墓出土了一批典型的群舒青铜器。可见在群舒地区的青铜器墓葬中均有木质葬具，头向东，有两层台放置随葬品，随葬品包括青铜器、玉器、石器、陶器等，有在青铜器上覆盖丝织物或芦席的现象。器类有鼎、鬲、盉、簠、罍、匜等，另有少量印纹陶、原始瓷、漆器、玉石饰品等。

墓葬的埋葬也有一定规律和特点。通过在舒城境内的丰乐河沿

---

① 安徽省博物馆：《遵循毛主席的指示，做好文物博物馆工作》，《文物》1978年第8期。

② 安徽省文物工作队：《安徽肥西县金牛春秋墓》，《考古》1984年第9期。

线系统调查，[①]共发现墓葬33处，且多呈片状分布，单体墓葬超过百座。这些墓葬基本坐落在低矮的丘岗地带，临近开阔平坦的平原，距离居住点不远。多数墓葬选择在岗地的顶部，地表有明显凸起的封土，外形多呈馒头状，封土底部面积集中在20－300平方米，相对高度1.5－3.5米。墓葬成群分布，较为密集，如舒城县春秋塘茶场墓群，两两相对，最大封土底径超过50米。分布也较有规律，事先经过精心选址和规划，封土较大的墓葬往往沿岗或岗顶相对而立，或成串分布，这些墓葬中不排除有群舒贵族及家族墓的可能。还有极少数散布在岗坡、山脚和平地上。这群墓葬年代多处于春秋至汉代这一阶段的。墓葬有圆形封土，在西周时期的江淮地区尚未发现，可能是受到了吴越地区土墩墓的影响，而在墓穴之上加装封土。

（三）青铜器与文化艺术

青铜器是本期文化遗存的重点，时间多在春秋早中期，也有少量晚期的器物。按文化类型主要分为群舒、楚、吴三种文化类。群舒文化青铜器数量最多，在肥西小八里[②]、庐江岳庙[③]、肥西磨墩子[④]、肥西金牛、合肥乌龟岗、庐江三塘[⑤]等地点均有发现，此外，合肥市还零星征集过几件。庐江汤池还出土过一把吴王光铜剑[⑥]。

主要发现。金牛墓出土的青铜器，数量和器类较少。铜鼎，半球形腹，耳外撇，立于口沿上，蹄形足；腹上有云纹一周，下有凸弦纹一周；残缺一鼎耳，为群众发现后所毁；通高31.8厘米、口沿直径33.6

[①] 安徽省文物局、安徽省文物考古研究所：《杭埠河中游区域系统调查报告》，文物出版社2012年版。

[②] 安徽省博物馆：《遵循毛主席的指示，做好文物博物馆工作》，《文物》1978年第8期。安徽省博物馆编《安徽省博物馆藏青铜器》图13—16，上海人民美术出版社1985年版。

[③] 马道阔：《安徽省庐江县出土春秋青铜器——兼谈南淮夷文化》，《东南文化》1990年第1、2合期。

[④] 安徽省博物馆：《安徽省博物馆藏青铜器》，上海人民美术出版社1987年版。

[⑤] 安徽省博物院：《江淮群舒青铜器》，安徽美术出版社2013年版。

[⑥] 马道阔：《安徽庐江发现吴王光剑》，《文物》1986年第2期。

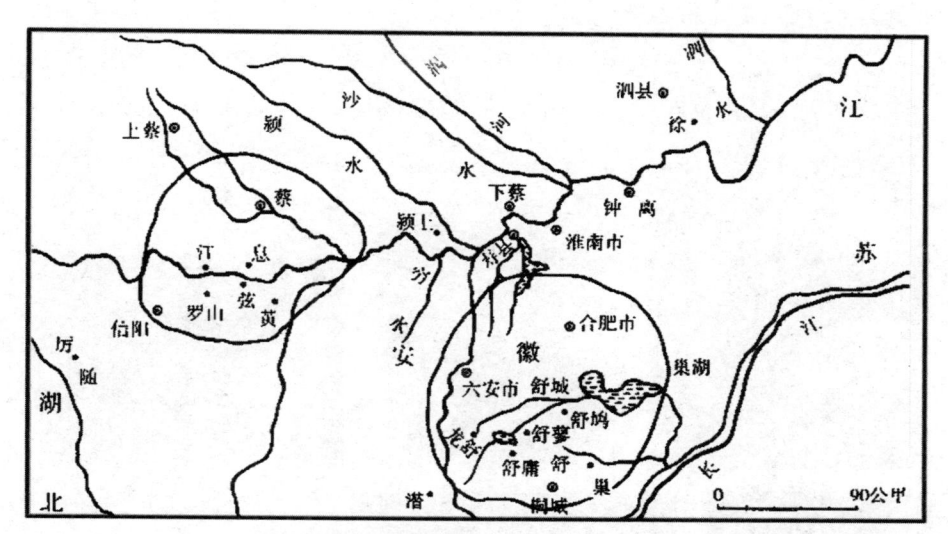

淮河中下游地区春秋早中期铜器分布图

厘米，重4.8公斤。从鼎的形制和纹饰看，具有春秋时期的风格，其墓葬时代可能属于春秋时期。铜剑，剑身柳叶形，中起柱状脊，两边为薄片状剑叶，无格，茎实心无剑首，通长28厘米。铜戈，援平直，阑侧四穿，内上一穿，通长18厘米。

合肥乌龟岗春秋墓出土分档铜鼎，1件。圆腹，直式双耳，置于腹肩处，直边平形顶盖。腹上周饰窃曲纹，下周一道凸弦纹。沿盖顶外缘一周逆时针方向铸"乔夫人铸其䵼鼎"7字铭文。从其形制和纹饰特征看当为春秋早期器物。

1971年肥西柿树岗小八里村发现铜鼎、铜盘、铜匜、小铜方簋、铜盉等。盘、匜内底有铭文，可能被打磨，文字多模糊不清。小铜方簋器形特殊，较为少见。器物年代根据器形特征推测为西周晚期至春秋早期。匜，宽流曲口，龙首鋬，龙口衔沿。环腹一周上部饰斜角云纹，下部饰变形窃曲纹，四足扁平，上饰兽面，下作兽蹄。小铜方簋，器方形，簋盖四角翘起，可倒置，子母口，鼓腹，器四面置四环，下附矮方圈足，满身饰交龙纹和龙纹，形制新颖小巧。

1977年肥西磨墩子出土1件平盖鼎，高31.1厘米，口径26.1厘米，腹深15厘米，腹围93厘米，重8.6公斤。盖面窃曲纹，盖的折边饰重环纹,腹饰窃曲纹。

合肥地区出土群舒青铜器

1978年在庐江泥河镇盔头出土有盉、鼎各1件。其中盘口盉上部作盘口束颈,下部作空足鬲状,鼓腹,正面有一短流,侧置一圆形长柄,上曲高于盘口,顶端作龙首状,吻部突出,探视鋬中,鋬中空,与器分铸,再实以圆木与器相连。器身素无纹,仅在龙首角、眼、吻部饰两道圈点,并以三道弦纹作分隔界栏。通高18.8厘米,口径14.4厘米,腹径15厘米,重2公斤。蝉纹鼎,有平盖,腹微鼓,圜底,平口沿外折,口置立耳外侈。腹饰蝉纹和蟠虺纹。

1988年庐江岳庙乡出土4件青铜器,有牺首鼎、盘口鬲形盉、匜形勺、龙兽錾各1件。牺首鼎1件,通耳高27.8厘米,口径20.6厘米,足高8.6厘米,鼎口折沿,鼓腹,下腹部垂大,圜底三兽足。两耳附于口沿外侧。鼎有盖,盖上面置环纽,饰窃曲纹一周。犄角饰重环纹和雷纹,耳饰窃曲纹,腹上部饰蟠虺纹一周。盘口鬲形盉1件。通盖高19.8厘米,口径13.8厘米。盉上部作盘口,束颈,下部为三空足鬲状,分裆处有火烧烟炱。器身朴素无纹。卷曲角状錾失去上截,下截长4.4厘米,錾口有对称穿孔。通盖高19.8厘米,口径13.8厘米。匜形勺1件。勺作匜形,敛口有流,腹较深。在勺一侧的口沿下1.3厘米处置一长柄。柄自前端向后端逐渐加宽成梯形,正面布满变形夔纹。通柄长33厘米,柄长26.7厘米,勺深4.7厘米。龙首錾长13厘米,錾为弯曲圆筒状,下端平口,近端处有一堆圆穿孔以连接它物之用,圆筒面饰夔龙纹。

1991年庐江郭河镇三塘村出土4件青铜器,有牺首鼎、匜、缶、簋各1件。其中牺首鼎通高27.5厘米,口径20.2厘米,重5.7公斤,造型、纹饰与上述几件相似。匜通高18.5厘米,通长36厘米,重3.4公斤,口沿下饰一周变形夔纹,錾手呈蜷曲的龙形,龙首衔于器口沿,目向器口,龙尾上卷。缶通高23.1厘米,口径18.8厘米,底径14.5厘米,重7.6公斤,造型类似于小口鼓腹平底罐,相似的器型在舒城、寿县发现过多件。小方簋,通高17.1厘米,口径13.7厘米,椭圆形器身,上承平顶盖,盖四角隆起,两侧有环钮,腹身满饰弦纹,下承四短圆柱足。

年代与文化风格。这批青铜器除吴王光剑之外,基本集中在春秋早中期,而肥西小八里青铜器组可能早至西周晚期,[①]或为整个群舒青铜器群中最早的一批器物。其器物风格可分为三类:一类为中原地区常见器类,如盘、匜,造型也基本相同,包括盘内底还铸有4行

---

① 程露:《肥西小八里出土青铜器研究》,《江淮群舒青铜器》,安徽美术出版社2013年版,第140－144页。

近20字的铭文，从依稀可辨的"子孙"字样来看，与中原铭文格式雷同。小八里青铜器组合也与中原地区西周晚期青铜器基本组合相近，除甗形盉之外，其余皆相同。同时小八里铜器组合也有自身特色，如鼎成对出土，簋仅有1件，且非中原同期常见类型，而中原基本有奇数鼎与偶数簋配对使用的风俗。小八里所见的鼎为偶数的特点，也为此后群舒青铜器群的惯例。第二类青铜器受中原和其他地区影响。如浅腹蹄足平盖鼎的平盖、蹄足内侧平齐都有自身特点，所修饰的交龙纹、窃曲纹也都在中原常见样式的基础上发生了一定变形。这类鼎在山东地区有一些发现，文献中也指出，淮夷发源于山东，铜器上也可说明两地之间的渊源关系。而小圆簋在早期楚文化器物中存在，说明两地文化交流或在春秋早期就存在。第三类为本地特有器物，包括铜盉、曲柄盉。小铜盉目前仅在寿县有类似器物发现，但造型上有一定变化，全身无纹饰，四面无衔环，年代明显晚于此件。合肥地区发现的其余各组器物，特征符合春秋早中期风格，时间上差距不大。

结合各地出土的群舒青铜器可见其常见器物组合一般为鼎、鬲、盉、簋、缶等，其中最典型的是兽首鼎、平盖鼎、甗（鬲）形盉、小方簋、折肩鬲、平盖缶等。各地均未发现青铜乐器，兵器也极少出土，这也是群舒铜器群有别于周边文化的一个特点。

典型器物中，兽首鼎造型别致，形制相同，纹饰略有差异，是群舒特有的器型。平盖鼎常成对出土，或为文献中的铉鼎，长方形附耳，子母口，平盖有直裙，深腹微垂，三蹄足。一般盖中置环纽，盖周置三个矩形捉手。使用时鼎盖上可以铜棍为铉，横贯鼎耳，覆于鼎盖上的疏布巾为幂。簋是一种小型方簋和圆簋，与中原簋造型差异很大。

甗（鬲）形盉的造型风格也十分相似，特点是形似甗形或上为盘口、腹部设短流，下为三袋足鬲形器。柄为卷曲角状两截组成，上半截做卷曲角状，也有顶端作兽首的，两截连接处的銎口各有一对穿孔，以与它物连成整体。在诸多本地西周至春秋遗址中，类似的陶盉也有大量出土，说明是本地居民日常生活用器。此器用途可能是在上部的甑内放置食物，底部加热，将食物蒸馏出液体，器物下部用于承纳，而一侧的短流也便于倾倒出液体。流的开口位置偏下，说明此物一次容纳的液体也有限，而非一般盛酒、水的容器。

小方簋出土2件，寿县也出土过1件，数量虽少，但该器型相当特殊，与中原地区青铜簋截然不同。庐江所出的这件簋，形制有一点特殊，造型和纹饰均有变异，其器形略大，较一般小簋体积大一倍，底有四柱足，而非圈足；其所饰弦纹，应该是模仿西周中晚期中原青铜器簋、盨上流行的瓦纹，但加以改造，形成了自己的风格。此类对象的报道，未见其内有所盛之物，但可能是放置香料的容器。

折肩鬲基本造型为束颈、折肩、高弧裆、尖锥足，与其造型相似的陶鬲广泛分布在以淮河以南、大别山以东、巢湖以西以及沿江一带为核心的地带，且最早年代可至西周中期，西周晚期至春秋早期最繁盛，春秋早期后段之春秋中期后逐渐衰落。而青铜折肩鬲出现时间略晚，其渊源应是群舒之地的陶质折肩鬲。

群舒青铜器纹饰图案较丰富，但纹饰并不繁缛，主纹饰常以带状布局在器腹一周，较为简洁明了。同时出现了不少素面铜器，而器表通常被打磨光洁。常见的主体纹饰主要有几何纹、动物纹、变形动物纹等几大类，动物类纹饰借鉴于中原西周铜器纹样，有夔龙纹、蝉纹等；变形动物纹以窃曲纹为主；几何纹有弦纹、重环纹、云纹、圆涡纹、折线纹等。但与中原地区相应纹样相比，群舒纹饰总体上并不十分精细，同时也有所变异。以蝉纹为例，该纹饰频繁出现在春秋中期一类平盖撇立耳圆鼎上，器腹设有扉棱，而其在中原主要流行于商晚期至西周早中期，且很少作主纹饰对待。而在群舒器物中，蝉纹却一反常态成为器腹据主体的纹样。类似装饰的鼎在中原极少发现。

与纹饰相对粗糙特点不一样的是，群舒青铜器特别重视外观的设计，如其形体一般较硕大，做工精良，铜质上佳，厚重感强烈，器物外表、器底在铸造后多被打磨光亮，现在已很难观察到铸造后留下的痕迹，这似乎是群舒青铜器忽视纹饰制作的原因之一。从鼎底残留痕迹看，底部沿用了西周时期常见的三角形底范。

没有铭文也是群舒青铜器的一个特征。目前发现的群舒青铜器物中,铭文仅见于肥西小八里铜盘以及合肥乔夫人鼎上。长篇铭文格式与中原地区相当,排列方式为由上及下、由右至左的方式,与商周时期青铜器铭文排列位置一致。据报道,小八里青铜盘可见"子孙"字样,依照图片在其右侧行可见"万"字,大致推测铭文的后两行为"其万寿无疆,子孙永保用",此类文辞在西周中期后方流行开来。该盘文字笔画较纤细,排列略显松散,文字规格不统一,这点与春秋早期齐鲁一带金文相似,如齐侯匜铭文[①]。和淮河流域一带春秋早期金文也有一定可比性。乔夫人鼎铭较简单,主要表明了该器使用者的身份,类似的格式在商周金文中较为常见。其所曰"䉾"鼎,有蒸饭之意,说明该鼎为一件实用器。该鼎铭位置也较为特殊,被设计在器盖外侧的边缘,字体也较大。但如此的处理方法在西周时期颇为罕见,当时包括带有平盖的鼎,铭文均较隐蔽,基本铸造在器内壁或盖内侧。而在春秋早期的中原边缘区域开始出现例外,如淮河上游的春秋早期的黄君孟夫妇墓青铜器,该墓出土的鼎、壶、鬲、豆等青铜器铭文均铸造在器表比较显著的位置。乔夫人鼎的时代可断在春秋早期,铭文如此处理似乎也符合江淮一带的风格。桐城范岗出土的一件鼎和潜山梅城出土的甗上,均发现有单个符号[②],似与族徽有关。类似发现在春秋早中期青铜器中罕见,而频繁出现在商代青铜器上,形态上多动物、植物、人体等,是以表明作器者的族属。这一点上这两件群舒青铜器族徽的构造倒是与其基本相似,可能说明群舒族的复古倾向。

---

① 共4行20字,"齐侯乍(作)虢孟/姬良女宝匜/其万年无疆/子孙永宝用"。
② 安徽省博物院:《江淮群舒青铜器》,安徽美术出版社2013年版。范岗鼎内底族徽为虫形,潜山甗族徽铸造于器腹表面,呈举手状人形。

第三章 春秋战国时期的合肥

合肥地区出土青铜器

在所发现的群舒青铜器中有的尚保留当时盛装的食物,如舒城凤凰嘴墓中出土的两件平盖鼎,分别置有鱼、羊,舒城河口墓一件同型鼎内也有鱼的痕迹,一件小口鼎内可能有羊骨,肥西王井出土的一件平盖鼎同样有鱼骨。中原地区西周鼎实用牲有明确规定,《仪礼·少牢馈食礼》明确说到用五鼎,少牢馈食礼是大夫之礼,其中卿大夫用五鼎,称少牢,鼎实是羊、豕、鱼、腊、肤;士用三鼎,鼎实是豕、鱼、腊。由于群舒墓葬中大型鼎多为成对出土,鼎实范围也在上述之内,但又不囿于其内,有着本族群自己的风格。

群舒的这一套青铜器组合、器形、纹饰、铸造、鼎实等特征明显区别于中原、楚、吴等周边地区,而别具特色。以器物组合而言,中原地区春秋早期尚流行西周的一套礼乐器物，容器中有鼎、簋、盘、匜、壶，乐器中编钟必备，尤其以鼎、簋数量反映身份。纹饰常见窃曲纹、凤鸟纹及一些几何纹饰，一般容器偏小型化，可见明显铸痕。而群舒青铜器自身特点相对明显，春秋早中期的传承也相对固定，只是在春秋中期受中原地区影响出现了立耳鼎、匜、盘等器物，而簋、缶等器则受到楚文化的影响。部分器物还受到山东等地文化的影响。

较之与繁盛时期群舒青铜文化相比，春秋早中期的楚国青铜器却与中原类似，铭文也很少铸造在器表，还未形成春秋晚期的典型楚式青铜器风格。吴国春秋早中期青铜器已经具备一些地方特征，典型器有小方鼎、筒式尊、扁体簋、提梁卣等，如保留一些中原西周中晚期器型，也有一些地方新式器物。组合形式有鼎、鬲、簋、尊、匜，有着一套区别于中原的规律。以甬钟为代表的成组乐器在吴地同样没有中原普及，但零星出土的单件甬钟或墓葬中的成套编钟也能见到。纹饰上大量使用几何纹饰，如棘刺纹、梯格纹、折线纹，这些纹饰有的被大量使用在当地流行的原始瓷和印纹陶上。

合肥地区出土楚式铜器以乐器为主，属春秋晚期器物。如巢县联合村1945年发现铜鼎1件，深腹锅形体积较大有较多铭文。编钟11件，现存钟4件。1号钟通高14.5厘米，口宽8.2厘米，舞、篆饰蟠螭纹，悬钮曲圆柱形，斜线阴纹。3号通高13厘米，口径6.1厘米。4号通高12.4厘米，口径6厘米，纹饰相同。4件属11件钟大型者。

1986年小庙镇偶岗村刺墩遗址发现1件镈钟。器通高27.5厘米，口径长18.7厘米，宽14.2厘米，壁厚1.15厘米，重4.9公斤。钟体正反面纹饰一致，每面螺旋状枚共18个。正面钲中部有铭文15字：

韩告公之子
旨（稽）扬择
其吉金
以铸祭钟

铭文分布于钲中双行各3字,钲左侧直行5字,右侧直行4字。文字风格与楚式文字相近。

长丰县杜集乡藕荷村出土钮钟

1991年长丰县杜集乡藕荷村发现春秋晚期钮钟9件。这组编钟埋于塘底约1.5米深处,分3只一组大小套置,并列3行埋在土中,似一窖藏,出土时基本完好,形体较小。通体饰变形蟠虺纹,每面均饰6组18枚乳钉纹,每3枚为一组横排,在钲的两侧各列成3排,枚上饰3只变形蟠虺纹,钲部无铭文,素面。共鸣箱为扁突体上下覆瓦形。其式样可定在春秋晚期。

吴文化因素青铜器仅见于1974年庐江县汤池出土的吴王光剑,剑长54厘米,无锈,有光泽。柄作椭圆柱形,上置两道箍棱。剑首出土时被损毁,剑格较宽厚,上有镶嵌绿松石花纹,绿松石已脱落。茎部较宽,中有脊,近剑格处有大篆铭文2行16字。初释为:"攻吴王光自作用剑,□余以至克肇多攻。"其大意为"我吴王光诚信而亲善,因而国家取得强大坚固"。吴王光即吴王阖闾,此剑当铸于阖闾为王时期(前514—前496)。皖南沿江的南陵也曾出土过一件吴王光剑,其铭文为"吴王光自作用剑,以赏勇人"。吴王光剑的发现当与春秋晚期吴国在江淮及皖南的活动有关。

另外,体现文化艺术风格的还有玉器。在肥西小八里出土青铜器腹中放有随葬玉器数件,但未及详细报道。舒城河口春秋墓中,除典型群舒青铜器出土之外,墓中还随葬玉玦26块,其中24块置于漆盒内,与铜器一起放置在墓中两层台上,另两件则随葬在棺内。玉玦造型一致,直径3.2厘米,厚0.3厘米,玉质青色,正面以双勾阴线琢成二组对称的四个龙首。玦孔处可见单面钻痕,表面抛光,背面素平。用玉的种类和数量比中原西周晚期贵族墓少很多,同时期的舒城凤凰嘴墓葬则无玉器出土,其他铜器墓中也未曾见玉器的报道。相比而言,同时期淮河上游一带的墓葬用玉量较大,种类丰富,如潢川的黄君孟夫妇墓,两座墓葬中出土近200件小型玉器,尤以黄君孟夫人墓为多,有礼玉和佩玉两大类。

第二节　战国时期的合肥

一、蔡、楚在合肥地区的统治

吴国灭亡后,越国占据了原来吴国的地方,因为江淮北部地区一时间不能服从,越人便给了楚,使得楚国迅速扩张到淮河下游地区。楚惠王四十二年(前447),楚又灭掉迁在州来的蔡国,恢复了原在江淮地区的势力范围,建立起郡县统治。战国时期合肥地区现已知设立的县有舒、龙城(浚遒)、居巢等,可能还有历阳县,以及橐皋君、(阴)陵君两个封君国。肥西的西部可能属于六君。到战国后期,楚国都城先后由陈(今河南淮阳),迁到巨阳(今阜阳市北),最后迁至寿春(今寿县),合肥地区成为楚的后院。江淮地区尤其是北部的芍陂一带,一直都是楚国的粮仓,而居巢则是南北商贸重要的水陆中转站。汉代以后合肥才取代了居巢的地位。总的来看,战国时期合肥地区的历史因为资料缺乏,模糊的地方很多。

（一）前期蔡在江淮地区扩张至合肥一带

公元前473年，楚惠王十六年，吴王夫差二十五年，越人攻陷吴都，夫差自缢身亡，吴国灭，越王勾践北上争雄。淮河流域一片混乱。勾践"不能正江淮北，楚东侵广地至泗上"，"以淮上地与楚"①。吴国的灭亡从心理上与事实上确实减轻了楚的压力，所以淮上的众多国家很快再次并入楚的版图。这就使得楚国有时间进入江淮，进伐当年与吴交好的蔡国。

蔡国都城原本在今天河南省的上蔡县，春秋以后蔡不断受到楚国打压逼迫。公元前531年楚国灭蔡，三年后复其国，迁都于今新蔡县。公元前506年，蔡随吴国伐楚，进入楚都，使得楚国蒙受耻辱。吴军撤回后，楚国开始伐蔡、伐陈等，报复他们先前跟随吴国祸楚。蔡至昭侯时无法容忍楚的羞辱，在吴国的帮助下，于公元前493年迁到淮河中游的州来。蔡所迁的州来，过去一般认为在凤台县城一带。近些年的研究表明，实际上可能是今寿县，即州来的都城所在地。这方面的研究已很多，②不赘述。

蔡在州来共经历五世，分别为蔡昭侯申、成侯朔、声侯产、元侯及末代君主蔡侯齐，延续了约48年。蔡昭侯的墓1955年已在寿县西门内发现，仅出土铜器就有500余件，大多铸有铭文。蔡声侯的墓1958—1959年也在淮南八公山蔡家岗发现。淮南蔡家岗赵家孤堆战国墓出土有蔡侯产剑三件，其中两剑的铭文，黄德宽释为"蔡侯产作威教"，体现其希望有所作为，以雪旧耻的心愿，③这也是蔡国一度有所作为的表现。不过，蔡国墓葬所反映的文化方面的情况说明，蔡国不断接受楚文化的影响，迁于下蔡后已逐渐楚化了。吴亡后，迁都州来的蔡国与越保持联系，所统治的地域可能达于舒城一带。所以不

---

① 《史记》之《楚世家》《越王勾践世家》。
② 初次提出者为陈梦家，以后殷涤非、刘和惠、丁邦均、张钟云等都有论述。笔者也有讨论。
③ 黄德宽：《蔡侯产剑铭文补释及其他》，《文物研究》第2辑（1986年）。

少合肥地区也在蔡的势力范围之内。

蔡受到越的影响,一个明显的表现是蔡侯产剑铭文的书体,虽然仍有工整的余风,但装饰意味更浓,接近于越式鸟篆。蔡侯产继位前两年越灭吴,所以他任蔡侯的时间内,主要是越人统治江淮地区,蔡在这种情况下只能够接受越的保护,其文化受到越的影响是很正常的。在他的墓内出土有铭文的越戈两件也是彼此有往来的见证。

1991年在长丰杜集乡出土一套9件铜编钮钟,通体饰蟠虺纹,形制与寿县城西门蔡昭侯墓出土钮钟基本相同,只是钟体略小,蔡昭侯墓出土的钮钟也是一套九件,所以学者们一般认为,杜集乡出土的钮钟也是蔡器。这里距离寿县很近,无疑是蔡国的一部分,应该是蔡国贵族或地方长官居住与生活的地方。

1980年在舒城九里墩发现春秋晚期墓葬,其中出土铜器铭文有"蔡侯逆之用戟"。经研究蔡侯逆即昭侯之子成侯朔。从墓葬的形制、墓内器物组合等方面来看,该墓和寿县蔡昭侯墓一样属蔡墓,出土"蔡侯逆(朔)之用戟",说明当为蔡成侯朔之墓。① 该墓的形制规模小于蔡昭侯墓,或者更可能是蔡大夫或贵族,守于蔡之南土,死后下葬的墓。吴亡后,江淮地区一时混乱,蔡国因此有所扩大也是很正常的。若然,则蔡国迁于下蔡后也有一些发展,势力曾达到今舒城一带。九里墩墓出土的铜鼓座,上有铭文150字,其中有"童鹿",学者们研究应释为"钟离"。钟离本建国于凤阳钟离城,今存故城。② 钟离铭文鼓座的发现,说明舒城一带与其东北的钟离也有关系,而合肥地区无疑是连接两地的重要通道。

蔡国所在的州来即寿县,水路经过淝河可以直达合肥。楚国统治江淮时,从寿县到合肥一带称为"豫章",是楚军南下的重要通道,蔡国统治州来,利用这条通道有所发展,是很正常的。但是,关于蔡国对于合肥地区影响的具体情况,我们所知有限。

---

① 杨德标:《舒城九里墩墓主考》,楚文化研究论集》第二集,湖北人民出版社1991年版。该墓墓主身份,进来研究的很多,或说是吴贵族墓,或说是楚墓。不赘述。

② 《钟离君柏墓》,文物出版社2013年版。

楚国在楚昭王时期经受吴国进攻的磨难,但昭王其人在苦难中励志有加,所以在位后期,楚国国力已有一些恢复。继位的楚惠王,身边有子西、子期、子吕、公孙宁、叶公沈诸梁等能干的大臣辅助,楚国逐渐恢复了元气。越王勾践死后,越国霸主地位衰落,而楚国则不断向南开拓,不仅恢复了昔日的盛况,而且有所发展。楚惠王四十二年(前447),楚国出师灭了蔡国。《史记·管蔡世家》:"侯齐四年,楚惠王灭蔡,蔡侯齐亡,蔡遂绝祀。后陈灭三十三年。""索隐":"鲁哀十七年楚灭陈,其楚灭蔡绝其祀,又在灭陈之后三十三年,即在春秋后二十三年。"《楚世家》也说惠王四十二年,"楚灭蔡"。

　　不过,关于战国时期的一些文献中还讲到有蔡国的问题。《战国策·秦策》:"吴起为楚悼罢无能,废无用,损不急之官,塞私门之请,壹楚国之俗,南攻杨越,北并陈蔡……"《史记·吴起列传》等也说吴起"北并陈蔡",似乎蔡国并未灭国,或者中间又复国了。《战国策·楚策四》:"蔡圣侯之事因是以。南游乎高陂,北游乎巫山,饮茹溪之流,食湘波之鱼。左抱幼妾,右拥嬖女,与之驰骋乎高蔡之中,而不以国家为事。不知夫子发方受命乎宣王,系已以朱丝而见之也。"似乎蔡国又迁到汉水流域,楚国的中心地带。《齐策五》还讲到四上十二诸侯朝魏,其中有蔡。一些学者即认为蔡的灭国时间可推迟到公元前340年前后。① 我们认为,楚惠王时期的灭蔡是灭其国家,但蔡族人则依然存在,包括上蔡、下蔡等地。楚国早前曾灭蔡,迁蔡人进入荆山之南,那里也有一批蔡人。蔡国家灭亡后,蔡人以氏族的形态存在着,内部也有族长甚至尊为公侯(后世这种情况很多)。因为蔡人对楚灭其国的愤恨,曾与魏国联合对付楚国,也属常理。

　　之后,楚国很快在江淮地区建立新的统治。

(二)楚在合肥地区的置县与封国

　　楚在合肥地区建立行政统治的情况,目前所知很少。县一级的

---

① 何浩:《楚灭国研究》,第284—287页。

单位考述如下。

巢县。又称居巢,见于鄂君启节车节铭文,为鄂君启商队在江淮之间做生意免税的终点城市。还见于包山楚简第 184 号"巢人殷可",第 63 号有"巢市之市里人殷可受其兄殷朔"。多数学者已指出,简文巢乃江淮之间的居巢。① 春秋时期,巢是楚国一个重要的军事据点,《左传》多次记载吴楚所争夺巢邑,楚人还在此筑城与建郭。《史记·楚世家》:"惠王二年,子西召故平王太子建之子胜于吴,以为巢大夫,号曰白公。"他做巢大夫,是因为他在吴国甚得吴王上下的宠信,楚任其为白公,同时是巢邑的大夫,或者遥领楚巢邑的大夫。这个白公胜回到楚国后曾在慎(今颍上县北)地打败过吴军。这个巢城内有市,或称"市里",说明有专门的市坊设置,当有一定规模,而鄂君启的商队千里之外到这里做生意,也说明这里商业发达,有"市"存在是可以理解的。一般征收关税的地方都设有关吏,如《吴越春秋》记载伍子胥到昭关,"关吏欲执之……"巢作为商业都会,自然也有关吏、市令之类。

舒县。楚在舒地设有行政机构,《左传》已有一些提示,文公十二年:"楚为群舒叛故,伐舒蓼,灭之。楚子疆之。""疆之"即是纳入楚国的疆域范围之内,自然有行政机构管辖之,但具体情况不知。《常德夕阳陂二号墓竹简》有"以王命赐舒方御岁课",说的是战国时期楚王将王在舒这个地方的每年课税赐予某人,②则其时楚在舒地设有管理机构当无问题。近日,有学者考证《古玺汇编》第 0218 号著录一枚楚官玺,玺文作"舍列之鈢",认为即"舒县之鈢"。已见上节。

浚遒。汉代设立的县级行政单位,见于《汉书·地理志》,地当今肥东县龙城乡,有龙城故城遗址。包山楚简有"龙城",简第 174 号有"陇城莫傲之人利卩戍"。

陇,可简写为龙。莫傲是楚国官职,地方县一级也有,名前一般

---

① 吴良宝:《战国楚简地名辑证》,武汉大学出版社 2010 年版,第 230—232 页。
② 何琳仪:《"舒方"新证》,《安徽史学》1999 年第 4 期。

惯有某县名称。所以"龙城莫傲"即龙城县之莫傲。《殷周金文集成》17·10977有"龙公戈",《古玺汇纂》0278"龙城口鈢",说明战国楚国有龙城县。此龙城县,过去学者或以为在萧县一带,此地曾称龙城,也有认为是"庞"地的,在湖南省衡阳市。①庞地出现于《史记·越王勾践世家》,被认为是楚国的粮仓之一。简文龙城县,我们认为也可能是汉浚遒县,一则这里有"龙城"之称,遗址今称"龙城遗址";二者这里浚遒城遗址,从试掘的情况来看,自新石器时代以来,尤其是春秋战国时期的遗存非常丰厚,龙城建城不自汉代始,应该是春秋战国时期已经有了长期的经营。周围还发现春秋战国时期贵族级别的墓葬,出土有丰富的青铜器。不久前发现的"浚遒虎符",与王国维考证的秦"新郪虎符"接近,②说明浚遒县之设,不晚于汉初,再向前推也是有道理的。

历阳。汉初已设历阳县,见于《淮南子·淑真训》"历阳之都,一夕反为湖",也可能始于战国,但是无法确证。

楚国县的长官称为"县尹"或"县公",本是楚王派到边地管理地方军政事务的长官,楚国基本上是灭一国设一县。县尹不能世袭,俸禄丰厚,据说"禄万担"③。战国以后也有称为"县令"者,《淮南子·人间训》载楚威王时"子发为上蔡令"。县尹下有司马(或称少司马)、莫傲等,多是管理武备、治安之类。县尹的地位很高,楚公胜为白公、巢大夫,因为令尹子西不给他为父报仇的机会,他磨刀霍霍,准备刺杀子西、子期等,《左传》哀公十六年记载此事:

胜自厉剑,子期之子平见之,曰:"王孙何自厉也?"曰:"胜以直闻,不告女,庸为直乎?将以杀尔父。"平以告子西。子西曰:"胜如卵,余翼而长之。楚国第,我死,令尹、司马,非胜而谁?"

---

① 吴良宝:《战国楚简地名辑证》,242—243页。
② 韩自强:《记新见淮南王刘安浚遒虎符》,《志鉴》2008年;彭余江:《浅谈汉浚遒县城故址——龙城遗址》,"秦汉魏晋时期江淮地域背景中的合肥史研究"研讨会会议论文。
③ 《吕氏春秋·异宝》。

子西的话表明作为白县县尹的白公胜,有机会直接升为楚国的司马、令尹,说明县尹地位之高。

县以下的行政单位是乡、里等。《史记·老子韩非列传》:"老子者,楚苦县厉乡曲仁里人也。"包山楚简有"下蔡寻里"(第120号)、"下蔡山阳里、下蔡口里、东干里、夷里"(第121号)等,说明下蔡县有很多里。一般来说,五家为邻,五邻为里,也有认为五十家为一里的,里的管理者为"里公",多见于包山楚简,也有说是"里长"的。淮西楚人作品《鹖冠子·王鈇》记载乡的管理者称"乡师",职责是"循行教会,受闻以告",即了解情况,教诲乡里,组织乡社活动,将乡里的情况及时上告县尹。又说里有司、甸师、伍长等。《国语·楚语》有"合其州乡朋友","州"也是楚国的一个基层组织,经常与里合称,如包山楚简有"州里公""州加公"等。

战国时期楚在合肥地区还有一些封君,现在知道的有橐皋君与陵君。

橐皋君。包山楚简作"弎旮君":

简38:八月乙丑之日,弎旮君之司败臧可受期,癸巳之日不详弎旮君之司马驾与弎旮君之人南车翠,登敢以廷,升门又败。

简60:九月戊午之日,弎旮君之司败臧可受期,十月辛未之日不详弎旮君之司马周驾以廷,升门又败。

这是讲的是柘皋君下一个担任司败职务的法官叫臧可的人,八月乙丑那一天接受司法诉讼,癸巳那一天审理,受审的对象是柘皋君的手下司马周驾,与另一个君的手下叫南车翠的人。升堂受审,审讯的结果不足以定罪。九月又一次审理。可以看出,柘皋君统治域内有司法的官职司败、司马,正常还该有狱(敔)官、大正、莫傲,等等。

陵君。也见于包山楚简:

简154:王所舍新大厩以畜苴之田,南与录阝君执疆,东与陵君执疆，北与鄝阳执疆，西与鄀君执疆。

另外竹简第 153 号也有相近的内容。这里讲的是楚王的新大厩即养马的地方在一个叫"啬苴之田"的地方，这个地方的四至很清楚，南边是录君即六君的土地，西边是番君的地方，北边是蓼城之南的地方，东边是陵君的地方。这个陵君封地在六（今六安市）的东北方，蓼阳（今霍邱县）的东南方，学者已指出即汉代阴陵县，在长丰与定远交界处，战国时可能更偏其西南一些，①接近汉代成德县的地方，即今长丰县与寿县交界一带，它是由早前的陵县改为封君之地的。《左传》昭公十二年："楚子狩于州来，次于颍尾，使荡侯、潘子、司马督、嚣尹午、陵尹喜帅师围徐以惧吴。"这个陵县有尹名喜，他和其他几位一起率师围徐。陵地距离徐国不远，当时应该是徐的西邻，陵尹率师围徐正其职之所在。陵君的地方是"啬苴之田"的东界，啬苴，据笔者研究即战国时期的芍陂，"啬苴"音近"芍陂"（读 que bei），②说明这里也是重要的产粮区。包山楚简第 181 号还有"陵人番乙"，这或者是我们知道的本地第一位有姓名的人。

战国时期楚国的封君都是楚王分封的，封邑一般是与县平行的单位，封君主要是食邑，即衣食租税等，不治其政。《韩非子·喻老》"楚邦之法，禄臣再世而收地"，《淮南子·人间训》"楚邦之俗，功臣再世而（夺）爵禄"，即封君两代即行废除。这可能是吴起变法之后的情况。

楚国迁都寿春，合肥成为后院。公元前 278 年，秦国军队攻占楚都郢，楚襄王背着祖先的牌位跑到淮河流域的城阳城，以后又到陈城。这里原来是陈国的都城，楚灭陈，设陈县于此。在这里，楚国又维持了 20 多年。公元前 253 年，楚国因为在陈城周围接连三次被魏国军队打败，再迁都到巨阳。巨阳在今阜阳市一带，距离陈城 200 多

---

① 《包山楚墓》（下），文物出版社 1991 年版，第 574 页。
② 陈立柱：《结合楚简重论芍陂的起始与地理问题》，《安徽师范大学学报》2012 年第 4 期。

里,可以随时退往淮南。也正是在这里,楚国决定兴建寿春城作为都城,并且开始筹建。寿春,最初为州来国所在地,后吴迁蔡于州来。楚灭蔡后其地称"下蔡",宋玉作《登徒子好色赋》,曰"惑阳城,迷下蔡"①之"下蔡"就是这里。更前的楚怀王时的鄂君启节铭文上的"庚下蔡",就是鄂君启的经商车队要经过的一个设有关卡的城市。考烈王继位当年(前262)以黄歇为相,封他为春申君,赐淮北地十二县,他的封邑就在下蔡,但改名为"寿春"了。楚王在巨阳十二年,之后正式迁都寿春,命曰"郢"②。所以春申君要改封到吴地了。③

寿春城很大,据研究面积有26.35平方公里,在战国时期的都城中仅次于燕下都,就是因为在巨阳期间,花费了很多精力与时间建设它。其间,作为连接江南与寿春的通道,或者说作为寿春通向南方的必经之地合肥地区,当为寿春的建设出了大力,除了贡献各种物资外,南方过来的建筑材料无疑要通过居巢、合肥转运到寿春。可惜的是具体情况一无所知。

公元前241年,楚考烈王迁都寿春,改曰郢,三年后病逝。接着便是内部争斗、秦国的不断侵袭与组织抗秦。公元前223年,秦军攻陷寿春,俘虏了楚王负刍,曾经带甲百万、地方五千里,天下第一大邦的楚王国,终于寿终正寝。寿春作为楚都的时间只有18年,这18年可谓风雨飘摇、多灾多难的18年。

秦军攻陷楚都,郢都的楚人四散奔逃,一部分去了蚌埠一带,大部分人向南方逃去,一些人逃到合肥地区,分布于今肥西、合肥与肥东、巢湖等地。还有人继续逃向江西甚至湖南,如著名的辞赋家宋玉,就从江淮之地逃亡到了湖南一带。郢都逃出的人留居各地,后来便以"某某郢"命名所居之地,合肥地区以"郢"命名的地名最多,据调查现存5816处,占全国有郢地名三分之一强,就是这个缘故。楚都的亡民以"郢"为名的方式显示着楚国的曾经存在。

---

① 宋玉:《登徒子好色赋》,见《昭明文选》卷十九,京华出版社2000年版。
② 楚之都邑曰郢:江陵纪南城曰郢,后寿春曰郢,陈也曾曰郢陈,可以为证。
③ 陈立柱:《楚考烈王"徙于巨阳"有充分事实根据》,《学术界》2012年第11期。

二、社会经济的发展

（一）农业的发展

农业生产工具的进步。《管子·轻重乙》曰"一农之事，必有一耜、一铫、一镰、一耨"。合肥地区自春秋中晚期以来，尤其是战国时期长期处于楚国的统治范围，受楚文化影响深厚。目前已发现确属春秋中晚期的铁器，均出土于楚境，器型有铁凹口锄、钢剑、铁鼎等。到了战国时代，楚国的冶铁业更趋发达，以长沙楚墓为例，墓葬出土铁器的比例占到10%，而器类中，铁质工具数量又占到半数以上，主要有锄、铲、斧、镬等，基本涵盖了农业生产的所有程序。这些工具又多非陪葬品，而是弃于墓坑或填土之中，是用于挖土的工具，在使用中损坏后被废弃，说明当时它们已不是很珍贵的东西。相比而言，两周时期墓葬、遗址中较少见到青铜农具。这种数量上鲜明的对比，无不说明冶铁业在战国时期得到了长足发展，南方地区铁质农具的使用是十分普遍的现象。

合肥地区及周边地区也有关铁农具的出土，主要是战国晚期，如淮南出土的四件铁锸、镰、锄，其形制依旧保留了诸多战国中晚期同类器的特点。① 在六安的一些西汉前期墓葬中，也屡有铁制兵器的出土，甚至在六安双墩汉墓的墓壁上还发现铁锸挖掘留下的痕迹。战国时期石制农具基本没有发现，随着铁制品工艺的提高，青铜农具也逐渐退居次位，这些铁制农具的大量运用，极大地提高了当时的生产效率。

水利工程的兴修。处于社会大变革的东周时期，由于铁质工具的逐渐普及，加上军事、水利、农业的需要，黄河、淮河流域诸国筑堤、

---

① 徐孝忠：《安徽省淮南市出土汉代铁农具》，《农业考古》1990年第2期。

开渠,掀起了水利兴修的浪潮。楚庄王时楚相孙叔敖"决期思之水,而灌雩娄之野",并继而在寿春城附近修建芍陂。这是临近合肥北部最近的一处大型水利工程,自春秋中期开挖以来,"积而成湖""陂周百二十里",不仅极大地缓解了淮河中游沿岸的洪涝,也使得该区域成为当时楚地有名的鱼米之乡,为楚寿春城的改扩建提供了坚实的物质基础。同时临近区域,由于水路畅通,也受其裨益,经济上得以开发。春秋末年吴国更是开凿了邗沟等,相继打通了连接长江、淮河和黄河水系,客观上便利了江淮东部的水路交通与农业灌溉。而在江淮中部,或也存在一条连接长江和淮河水系的水道,其始建年代可能可以追溯至战国时期的楚国。《史记·河渠书》记载:"于楚,西方则通渠汉水、云梦之野,东方则通沟江淮之间。於吴,则通渠三江、五湖。"说明楚国曾经在淮河中游一带挖沟通水,连通江、淮两大水系。

  为了生活和生产用水的需要,楚国城址内外往往挖掘较多水井。水井口往往套有陶质井圈。经调查现在寿县城外先秦时期水井密集,[①]建筑方法为先挖土,井底呈锥形,再用陶井圈垒砌,每个井圈直径约80厘米,高40—52厘米,壁厚2—3厘米,井圈壁中有2—4个直径3厘米的渗水孔,这种特点的井圈在湖北纪南城附近没有发现过。井内并出土大量战国时期的建筑瓦片及生活陶器。肥东龙城、六安西古城遗址内也有类似陶井圈出土。

  农作物与耕作技术。考古发现的楚地粮食作物以水稻为主,也种植黍等旱地作物,根据《史记·货殖列传》所述,南方楚越之地"饭稻羹鱼",耕作方式上采用"火耕而水耨"。在犁耕农业尚未发展之前,看似粗放的耕作方式在楚地颇为流行,是一种适应本地地貌的作业方式。火耕原本是种粟的方法,也就是后世的"畲田",是南方山地一种特殊的耕作方式,用于种植一些旱地作物。而水耨则是百越地区种植水稻的方法,成为南方习见的种植方法,沿用了很长时间。合肥地区现在还有较多含"陂"的地名,就是受到楚文化影响的缘故。

---

① 丁邦均:《寿春城考古的主要收获》,《东南文化》1991年第2期。

在战国时期合肥一带应有数量不等的小型堤坝,防洪和灌溉功能兼而有之,与当时"水耨"型的种植模式密切相关。

楚地农副产品种类也较丰富,一般包括甜瓜、枣、板栗、南瓜、菱角、莲藕、小茴香等。就本地而言,另外还存有不少粟粒,墓中同时出土有板栗、枣、西瓜籽等作物果实,可以从一个侧面说明合肥地区战国时期农作物的一些基本情况。

畜牧养殖业。早在西周时期淮夷地区就是重要的畜牧业产区,从西周晚期的《师寰簋》记载可以看出,当时周宣王令师寰讨伐淮夷,"殴俘士女牛羊,俘吉金",将当地盛产的畜牧业资源也作为掠夺的主要目标。春秋中后期随着芍陂营建,江淮中北部一带水草丰足,农业丰产,同时也有利于畜牧业的继续发展。据包山楚简记载,楚怀王时"舍新大厩",也就是建立养马厂,其范围相当于现在的六安以东、定远以西、霍邱以南的广大区域,合肥北部自当包括在内。利用鱼塘养鱼,战国时期的合肥也应该较为普遍,春秋时期的江淮地区养渔业就已发展起来。在河南信阳的孙砦遗址发现一处面积670平方米的长方形鱼苗养殖池,其内又被分割为2个单元,共10个小池,发现大量鱼苗遗骸,说明养渔业至少在春秋时期已达到一定规模,可以进行人工干预下的鱼苗的繁育,从而扩大养鱼规模,提高了单位产量,也丰富了当时居民的饮食。

(二)手工业的发展

青铜铸造业。合肥地区也有一批较为精致的战国时期青铜器出土,它们除了保留春秋以来的传统工艺外,也反映出这一时期青铜铸造业的新成就,尤其是战国晚期,随着楚国迁都寿春后,大批能工巧匠也随之迁入,其带入的先进技术和上流的艺术设计理念更是进一步促进了合肥地区金属冶铸业的发展。合肥地区出土的战国青铜器种类可分为容器、兵器、车马器、杂器等,器类较齐全,以兵器类为主,容器次之,青铜乐器发现较少。这些器物主要有鼎、簠、敦、缶、盉、盘、舟、壶、戈、矛、曹、砝码、铜镜等。这些器物应该为当地或江淮地区铸造的,实际上早至商代合肥地区的先民就已掌握青铜铸造技术,遗址中有关冶炼、铸造的痕迹比比皆是。直至春秋战国时期,制作青铜的技术更广为传播,尤其是随着楚国势力的南下和东渐,一些楚式器物在江淮地区也十分普遍,不仅样式较为统一,且铸造技术上也无太大差异。

战国早期铜器群以肥东龙城7号墓出土青铜器为代表。因该墓未遭盗掘,有鼎、簠、敦、缶、盉等,器型与六安、安庆等地的同期墓葬出土铜器情况类似,属于较为典型的楚式青铜器,组合形式也与中型楚墓铜器组合较一致。战国晚期青铜器以长丰杨公墓群出土器物和巢湖战国墓为代表。杨公墓多青铜兵器出土,有戈、矛、镞等,另有车軎、带钩、错银盾饰等。2003年巢湖市半汤镇发现一座战国晚期墓[1],并出土3件铜器,有2件鼎和1件错银方壶。1984年巢湖市还征集到1件铜舟,高7厘米,圆形杯体,两侧有环钮,下承圈足,此类铜器在江淮地区还很少发现。合肥市桃花店墓群还出土过战国四山纹铜镜和蟠螭纹铜镜。[2] 肥西县严店乡莫岗村墓葬出土1件王字铜矛。

这些铜器造型规整,反映出铸造技术的进步。楚国春秋中晚期发展而来的新技术,如新的分范技术、失蜡法、嵌铸技术等较多应用在当时的铸造中。这些铜器多数较为轻薄,器壁厚度控制得极为合理,使用起来更加灵巧,同时也节约了铜料。这种楚式铜器的分量与春秋晚期之前铜器多厚重明显不同,反映出战国时期高超的范铸技术。范型设计也更为简洁,以鼎为例,春秋晚期出现的腹部两块范,器底一块圆范的铸造方法大量运用,而且出现了仅用两块范拼合铸造铜器的新技术。焊接技术和失蜡技术也大量应用,如器耳、足等部位可见明显的焊接痕迹,盉的提梁有用失蜡法制作的镂空纹饰来装饰。这些新技术的使用不仅简化了工作程序,提高了劳动效率,也给

---

[1] 巢湖市文物管理所:《巢湖市战国墓清理简报》,《文物研究》第14辑,黄山书社2005年版。

[2] 程红:《合肥出土的部分文物》,《文物》1998年第10期。

这一时期的青铜制作业打上了深深的时代烙印。铜器中常见的错金银、嵌铸工艺也大量运用在铜器的装饰中。现存的战国秦汉金银错铜器中，多数是用这种"金银涂"方法制成的，纹饰脱落后在铜器表面几乎找不到凹槽，或可称之为"错彩"，即不完全将铜器鎏金，而是在局部涂上以金、银装饰的纹样。在合肥地区战国中晚期铜器中常见"错银"装饰，此类铜器造型往往更为考究。镶嵌工艺也是这一时期青铜器装饰工艺。合肥桃花店汉墓群彭岗墓区出土的一件战国铜镜直径22厘米，背面还镶嵌一枚楚贝币，此工艺也是战国时期常见的装饰铜镜技法，如六安白鹭洲战国墓出土的一面六山镜就残留有18处圆形凹槽，说明原来有其他装饰物镶嵌其内。

与之同时一些传统技术仍继续应用，如铜铁合铸技术。巢湖市1984年曾征集到一件战国时期的铁足铜鼎，通高16.3厘米，铁足高11厘米，纹饰简单，仅在器腹用一道弦纹装饰。尽管铁足锈蚀严重，但仍与青铜鼎腹紧密连接，与河北平山县中山王墓出土的一件大铁足铜鼎相似，属于战国中期器物。铁足铜鼎在湖北、湖南等楚文化区域也有过发现。铜铁合铸往往通过嵌铸、焊接等方法将两种金属牢固连接，技术始于商代，当时以陨铁嵌铸于兵器刃部，至西周时期往往也与铜兵器合铸。战国早中时期开始出现铜铁合铸的铜鼎，造型与青铜制品相同，唯器足为铁制，至战国晚期类似冶铸工艺在楚地已不再流行。巢湖出土的这件小鼎正是这个时代的产物。

冶铁业。楚国是我国早期制作和使用铁器较早的国家。[①] 在春秋中晚期的墓葬和矿业遗址中就屡有铁制工具和铜铁复合兵器的出土，如长沙楚墓出土的20余件铁器，是中国早期铁器中年代较早的一批。在春秋晚期就有了白口生铁和块炼铁，并逐步出现工艺水平更高的铸铁柔化技术，可以有效克服生铁的延展性差的缺点，从而有效提高了铁制品的使用寿命，使得铁制工具大量应用成为可能。楚人同时还发明了炼钢技术，如湖南杨家山65号墓所出的钢剑，系"退

---

① 刘玉堂：《楚国经济史》，湖北人民出版社1996年版，第223页。

火中碳钢"制品,把中国出现钢的时间从战国中期提早到春秋晚期。同出的一件铁鼎及年代稍晚的窑岭15号墓所出的铁鼎、左家塘44号墓和砂子塘5号墓出土的铁口锄,分别用"白口铸铁""亚共晶铸铁"和"展性铸铁"制成,证明铸铁和锻铁在中国基本上是同时出现的。合肥地区冶铁业至少在战国晚期具有一定规模,如1933年盗掘的寿县朱家集李三孤堆楚幽王墓,其墓口就以生铁浇盖。大型墓葬中棺椁的制作也是利用锋利的铁制工具制作完成,其精致程度远超东周前期水准。这些现象无不说明当时的铁制品已渐成寻常之物,除少量工艺品之外,基本上投入农具、工具及兵器的制作中,而这些器物往往也是容易消耗的产品,需要充足的铁矿石供给,冶铁作坊的产量也不断跟进。

合肥西南的庐江境内铁矿资源丰富,在历史上就是重要的铁矿产区,汉武帝曾在全国设置铁官40余处,主持铸造铁器,其中庐江郡所辖的皖县(今潜山县)就是设置铁官的地区之一。《大清一统志》也记载,庐江"擂山白茅山有铜,治东南十五里铜坑山,城北五十里铁脚山,城东南七十里有铅、铜、铁"。清顺治《庐江县志》记载冶父山春秋曾为冶铁铸剑之所,风台山傍子山出铜,铜坑山出铁,治北五十里铁脚山出铁。"冶父山"距庐江城东北二十里,相传为春秋晚期越国欧冶子铸剑之所,山巅至今尚存有剑池。据《越绝书》记载,欧冶子曾应楚王之邀与干将一起"凿茨山,泄其溪,取铁英,作为铁剑三枚:一曰龙渊、二曰泰阿、三曰工布(一作工市)"。尽管本地暂未发现战国时期与冶铁相关的遗迹,但有理由相信当时的合肥地区应该具有一定的采、冶铁的规模。

战国时期铜、银器多官营作坊制造,或雇佣个体作坊。冶铁业的控制略微松散,包括战国兵器多刻有督造者、工匠等人物姓名,但工具内铁制品多由私人作坊生产。相比于官营,管子认为铁器私铸更适合于当时社会的发展,"今发徒隶而作之,则逃亡而不守;发民,则下疾怨上。边竟有兵,则怀宿怨而不战,未见山铁之利,而内败矣,故善者不如与民量其重,计其赢,民得其七,君得其三,有杂之以轻重,守之以高下,若此,则民疾作而为上虏矣"①。也就是由当地豪民组织冶铁生产,政府从中来抽取赋税。

合肥地区战国时期开始繁盛的冶铁业除受到楚文化核心地区影响外,应该与本地悠久的青铜采冶铸技术有关。安徽沿江一带采冶铸造铜器有着悠久的历史,可以上溯至商代。实际上在铜陵出土的商代酒器爵、斝上有明显铁制品锈蚀的色泽,与中原同类器颜色上有显著区别,多认为是利用本地铜矿铸造而成,而沿江一带多铜铁共生矿,器物上呈深褐色的锈蚀正是混杂在铜料中的铁元素所造成的,而这样的铜器恰恰也是沿江一带出产铜器的特征之一。尽管目前暂未发现东周时期铁矿开采和冶炼遗址,但可以相信的是早期成熟的铜矿采冶炼技术,为本地冶铁手工业的形成和发展奠定了基础。

纺织业。《尚书·禹贡》在记载淮夷之地的物产时就说"淮夷蚌珠暨鱼。厥篚玄纤、缟"。意思是说淮河流域盛产蚌珠和鱼,还有拿筐子装着的黑色的绸和白色的绢。在一些春秋战国墓中也存有少量纺织物残片,如舒城秦家桥战国楚墓,出土有棕色平纹绢残片,每平方厘米有纬线30根。②舒城龙舒公社春秋早期墓葬出土绢布,每平方厘米经线25根、纬线17根。相比较而言,战国时期的纺织在技术上有了明显提升。据周边楚地的发现看,战国时期纺织物品种繁多,有纱、罗、绢、绨、组、绮、锦、绦、缟等十余种,几乎囊括了先秦时期的所有丝织品种类,可见战国时期楚地丝织业的发达程度。

制玉业。安徽是战国玉器出土的重要地区之一,出土地点主要集中于寿县及其周边地区。这一带楚国贵族墓分布密集,随葬玉器的风俗尤甚。其风格、类型、工艺与湖北、湖南地区出土楚玉大致一致。如长丰杨公战国墓出土玉器包括璧、璜、佩、管、环、圭、觿等80余件,其中玉璧就有42件,最大一件直径16.1厘米。巢湖半汤战

---

① 《管子·轻重乙篇》。
② 《舒城县秦家桥战国楚墓清理简报》,《文物研究》第6辑,黄山书社1990年版。

国墓出土璧、剑首等3件。其中的2件玉璧,玉色青褐,为新疆和田玉料制成,内外缘各饰一周阴线,中间为凸起的谷纹,大者直径19.6厘米,是合肥地区发现最大的玉璧。第二件略小,直径也达到17厘米。

这些战国玉器在类型上可分为礼玉和装饰品两类,礼玉主要包括璧、璜、环、圭四种,其中璧、璜、圭属于"六瑞"之列,环则为信器。以璧为代表的玉礼器数量最多,种类最丰富,有素纹璧、涡纹璧、谷纹璧等。装饰用玉有佩、觿、剑饰等[①]。楚国用玉多取材于和田玉,雕工精致,光洁润泽,其工艺水准乃先秦时期之翘楚。同时铁器的使用,使玉矿的大量开采,大块玉坯的切割,浮雕、透雕和线刻等综合雕琢艺术的灵活运用成为可能。也有研究表明,楚国产玉的地点在当时的豫西、豫南、皖西和江淮一带,在玉料来源上可选择的余地较大。这一时期的玉器多为平片状结构,器形较薄,立面平直,流行在边缘处勾勒出极细窄的凸线,器物外廓不求平齐,往往有不规则出廓的龙、螭纹造型。琢玉过程中以阴线条为主,也兼用粗细有间的并列的形式,形成特殊的装饰效果。其刀法细腻,常在凸起的小乳丁纹(谷纹)上逐一雕刻极细的云纹,此时的镂空技法也较为娴熟,并发明了镂空法,即先将镂空部位钻出若干小孔,再用工具将小孔连缀成线。

滑石器的制作也与玉器制作类似,其造型、纹饰均仿玉器制成。用滑石雕刻器物,主要盛行于战国至南北朝时期,大多制成璧形器、剑饰器及握猪等品类。滑石是一种单斜晶系石质,一般多呈淡绿色、白色、米黄色。有玉的外观,但质地干涩,硬度较低,表面缺乏光泽。在肥东龙塘战国墓中出土有滑石制成的璧和七窍塞。

漆木器制作。漆器是战国时期楚国最具代表性的器物,包括家具、饮食用具、妆奁器具等,还有乐器、兵器、丧葬用具等类型。器形种类繁多,有杯、盘、奁、盒、笾、樽、弓、耳杯、剑鞘、棺等。漆器又多以

---

① 方成军:《简论安徽出土的战国楚玉》,《文物研究》第14辑,黄山书社2005年版。

木胎为基础髹漆制成，木胎主要以斫制、挖制、卷制和雕刻四种方法制成，其工艺复杂，难度更大。容器类漆器，如耳杯、豆、原盒等需要旋凿技术来掏空木料。战国早期漆器的木胎还较厚，往往在精雕的木器上髹以彩漆。战国中期木胎趋于精巧，往往用薄木卷曲成胎，或者外贴麻布。漆器与金工相结合，即多在木胎制成后安上铜环、铜蹄足、铜铺首衔环等青铜构件，然后髹上漆，再描绘各种花纹图案。战国晚期，又出现了铜扣器的新工艺，即在樽、卮等漆器外，用青铜制作的箍加固。长丰战国墓中也发现了铜足漆器，可惜木胎已腐烂殆尽。在丰乐河西侧的舒城秦家桥战国墓发现漆器16件，有金扣圆盒、圆奁、盘、耳杯等，胎体有木胎和夹贮胎两类，做工极其细致。被断代在西汉文景帝时期的巢湖北山头一号墓，更有35件木胎漆木器出土，有耳杯、盒。盘、漆案等这批漆器木胎根据种类采用旋、斫、卷技术制成，旋胎主要制作成盒、灌、盘等厚重器，斫胎器有案、耳杯类，斫、卷结合胎有镜盒，其底斫制，器壁卷制。这批漆器规格高，造型精致，工艺复杂，其中一件镜盒口径达42厘米。由于该墓年代和战国相距仅数十年，其工艺应有一脉相承之处。

　　合肥附近林木资源较丰富，同时也是南方木材北输的集散地，使得本地漆木器制作有着得天独厚的基础。现已发现的战国漆木器主要涉及丧葬器具、生活用具和兵器等。楚墓中木质棺椁体量宏大，所有木料多，处理难度较大，可以反映出当时一定的木器制作业水平。如长丰杨公8号墓棺椁完整，整个椁室以实木构筑，木材宽大厚重，但修整得异常规整，其中外棺盖、墙板、挡板均用整木，厚达24厘米。各板材结合部位多以子母口或榫卯结构结合，结合部位甚至做到了严丝合缝。棺内底所垫的雕花苓床，长宽与内棺相同，采用透雕和半浮雕方法刻成四组涡旋纹。整个内棺还以红、黑二色分别髹漆内外，出土时仍光洁如新。《管子·轻重乙》有曰"一车必有一斤、一锯、一釭、一钻、一凿、一銶、一轲，然后成为车"，说明当时应有一套实用的铁制木工工具。像整套棺椁的制作涉及解木、平木、雕凿等多道工序。

酿酒业。合肥地区史前时期常有陶制酒具发现,商周时期也有大量青铜酒器,说明本地酿酒业有悠久的历史和技术传统,战国时期酿酒技术已有进一步发展。据《礼记·月令》于仲冬之月记载"乃命大酋,秫稻必齐,曲糵必时,湛炽必絜,水泉必香,陶器必良,火齐比得,兼用六物,大酋监之,毋有差贷",就是对战国时期酿酒技术的总结,其中就涉及对原料、酵母、水源、盛酒器、发酵过程控制等技术要件。酒类器物由于本身保存上的局限,考古中发现较少,但合肥及周边地区战国及西汉贵族墓中仍有相关文物发现,如临近肥西的六安白鹭洲 M585[①] 中出土一件漆木制酒具盒及 5 件耳杯,酒具盒呈椭圆形,上下扣合,底有四足,长 70 厘米、宽 20 厘米。六安双墩一号墓出土青铜壶中有大量稻谷粒,并经过发酵,有酒的气味,这些酒应该是专门的作坊酿造而成,该墓属于西汉早期。在公元前 106 年,汉武帝南巡衡山国,即六安东淠河南岸地区,衡山王就选用当地好酒敬献,由于酒味尤佳,而备受汉武帝赞许。这些材料莫不反映出安徽江淮一带饮酒风俗的兴盛。

(三)城市、商业与交通

城市的兴起。随着人口的增加,社会分工和商品经济的发展,在各诸侯国存在不同类型、不同程度的地方基层行政制度。邑是先秦文献中最常用的一个社会政治经济组织体概念,《礼记·王制》篇云:"凡居民,量地以制邑,度地以居民,地邑民居,必参相得也。"包山楚简的邑名凡五十余处,邑有人口、地域、田地、城垒、治理者。还出现过十余个里名。这些"里"皆为城邑中的民居里组织,有严整规范化的特点,不是田野散户聚里。根据这些材料可以得知楚国存在两种地方行政编制系统,一个是某地——某里的系统,另一个是县——域——敔——邑的系统。前者是对都邑即城圈内的编制,后者是对

[①] 安徽省文物考古研究所、六安市文物局:《安徽六安市白鹭洲战国墓 M585 的发掘》,《考古》2012 年第 11 期。

鄙野的编制。

江淮地区早在春秋时期已经出现一些城邑,像潜山的皖、凤阳的钟离、六安东北的六城、寿县的州来、天长的卑梁、六安的雩娄、全椒的椒邑、巢湖的柘皋、舒城的舒等。战国时期这些城市进一步发展,同时又出现了一批新的城邑。如环巢湖地区一些小城镇逐渐发展起来,成了远近闻名的贸易中心。像居巢、柘皋这样的小城邑,由于水陆交通的便利,可能已成为皮革、鲍、木等物资的集散之地,是物资经转巢湖向寿春流动的重要节点。

柘皋,古称橐皋,《春秋》哀公十二年:"公会吴于橐皋,"杜预注:"橐皋在淮南逡遒县东南。"《汉书·地理志》:"九江郡'橐皋'。"包山竹简中有"弶兊"地名:

简38:……弶兊君之司败……弶兊君之司马驾与弶兊君之人……

简60:……弶兊君之司败……弶兊君之司马周驾……①

一般认为,包山竹简的年代为战国中期偏晚的楚怀王时期,简文中的"弶兊君"至少也应是存续于怀王时期封君,"弶兊"为封地名,可隶定为柘皋。②

肥东县龙城是另一座重要的战国古城,古称逡遒。《汉书·地理志》也明确记述:"九江郡属县逡遒、成德、柘皋、合肥。"由此可见逡遒县至少始建于汉初。该遗址内东、西、北三面还残存部分土垄,是古城垣倒塌后形成的,城池东西400多米,南北600多米,旧城址内遍地断砖、碎瓦、残陶片。地表采集到的遗物多属于汉代至南北朝时期,但也有一些商周时期遗物,像城西区域内多商代遗存,发现有石斧、石镞、陶鬲等,在其周边还有几处商周遗址分布,说明这里至少在

---

① 刘彬徽等:《包山二號楚墓简释文与考释》,载湖北省荆沙铁路考古队:《包山楚简》,文物出版社1991年版,第19—20页。

② 刘信芳:《包山楚简解诂》,艺文印书馆2003年版,第49—50页。

商代就有人群居住,并种植水稻等农作物。① 城址周边还分布着大量墓群,以汉墓居多,也有一些春秋战国墓,其中就包括一座战国早期贵族墓葬,墓主人应为大夫级别。近年来对一些汉代城址的重新调查发掘对其年代有了新的认识,城的始筑年代有了较大提前,如怀宁孙家城、固镇垓下古城等均在新石器晚期就已开始筑造。龙城遗址未经发掘,但从相应遗迹分布,可推测该城早在西汉之前应该就具有一定规模。

普通村落的变迁。银雀山竹简《田法》曰:"五十家而为里,十里而为州,十乡(州)而为州(乡)。"《荀子·王制》指出乡师之事为"顺州里,定廛宅,养六畜,闲树艺,劝教化,趋孝弟,以时顺修,使百姓顺命,安乐处乡","顺州里"就是调解、理顺州之各类民事、政事;"定廛宅"即决定分配宅地和房屋;"养六畜"为主管乡内六畜饲养;"劝教化,趋孝悌"即管教化。这反映的是战国时期东方地区国家有着一套完备的基层社会系统,并以乡—州—里三级为核心,此处的"里"可理解为村一级组织。

合肥地区目前考古调查和发掘的战国聚落多为城址,普通聚落面积较小,又过于分散,地面遗存不明显,因此很少发现。就合肥地区而言,现存墩台型遗址数量最多,年代基本属于商至西周时期,而居住人口以西周早晚期最为繁盛。部分聚落沿用至春秋早中期,但已处于衰退状态,而沿用至战国时期的该类型遗址暂未见过报道。此类聚落面积有限,一般在1万平方米以下,小者仅数千平方米,聚落内房屋面积狭小,聚落范围内也未发现与农业耕作相关的遗迹,此外各聚落也可能存在一定的功能区分。春秋战国时期由于生产力的持续发展,人口呈逐步增长的态势,但江淮地区现存的普通村落型聚落难以发现,与西周时期形成了极大反差。这种现象的出现,可能与环境及政治势力的变迁有关。大量的新建村落被集中分布在城邑周

---

① 龙城附近的大城墩遗址内曾发现较厚的红烧土堆积,内包含有水稻结块,年代至少在夏商时期。

围,村落多选址在平地或选择地势略高地方,和现代的农村聚落选址相似,居住形态发生了较大变动。由于位置特征不鲜明,又多被湮灭于地下,这或许是现在发现的战国以后该类型聚落较少的原因之一。西汉时期的古村落布局或许有一定参考价值,像河南黄县三杨庄西汉古村落遗址仅有七户人家,每户宅院占地面积 260—660 平方米,宅院门向南,独立门户,院与院距离 15—30 米,宅院都有房屋、炉灶、土窑、砖窑、水井、厕所、畜圈、石路、垃圾堆,宅院周围栽有成排树木,并在屋后开垦农田。此类居住形态可归纳为院落式小聚居模式,与春秋之前的聚落布局有着明显区别,如追溯其源头,应该可以在战国时期找到。

度量衡器与货币。砝码又称"环权",为楚国地区流行的一种衡具测重设备,其作用类似今天使用天平的砝码,但外形与后者有较大差距。楚国是我国历史上最早使用砝码的地区,其历史可追溯至春秋晚期,各地发现的成套砝码数量也不一,其中最完整的一套有十枚,总重 498.89 克。有的砝码上还刻画有记重单位。安徽阜阳、寿县也曾有砝码出土,凤台战国墓还出土有铸造砝码的铜范(具体数据见下表)。湖北江陵楚墓中还发现过战国时期的天平,中间有一提钮,两侧木杆等距,两端各挂一小铜盘,直径仅有数个厘米,重量仅有 6.9 克,整套衡器小巧而轻便,便于外出携带。[①]

1982 年巢湖市银屏区一座战国晚期墓出土一套铜制砝码,共 6 件,呈圆环形,大小有序,中间有一圆孔。[②] 巢湖出土砝码以秦制换算分别为八两、四两、二两、一两、半两。最大一件成色和做工更精良,与其他五件明显不同,属于后配件。各地出土砝码形状、成色、重量均有差异,可能是年代或者地域差异所致。巢湖出土砝码总体上与江苏江陵砝码规格较为接近,反映出局部地域内衡制的趋同。

---

① 高至喜:《湖南楚墓中出土的天平和砝码》,《考古》1972 年第 4 期。
② 张宏明:《谈谈巢湖市出土的楚国砝码》第 7 辑,黄山书社 1991 年版,255-258 页。

各国出土楚国砝码一览表

出土地点	序号	1	2	3	4	5	6	7	8	9	10
巢湖战国墓	重量（克）					7.1	14	30	59	122、119	
	外径（厘米）					1.5	1.9	2.4	2.9	4、3.8	
寿县朱家集	重量				3.7	7.6	15.6	31.4	62	125.5	
	外径				1.4	2.0	2.5	3.1	3.9	4.9	
江陵雨台山419号墓	重量			1.98	3.80	7.75	15.77	30.9	62	125	
	外径			1.2	1.64	2.02	2.36	3.11	3.74	4.91	
长沙近郊	重量	0.69	1.3	1.9	3.9	8	15.5	30.3	61.6	124.4	251.3
	外径	0.75	0.9	1.10	1.38	1.75	2.3	3.0	3.51	4.91	6.06
江苏江宁	重量				3.8	5.9	12.6	24.7		115.7	223.3
	外径				1.2	1.9	1.9	2.2		3.8	6.1

注：具体数据来源于丘光明：《试论战国衡制》，《考古》1982年第5期以及张正明：《楚文化志》，湖北人民出版社1988年版。

楚国货币种类丰富，以材料分有金、银、铜三类，其中金、铜币为大宗；以形状分有龟板状、饼状、铲形等。楚国是战国时期所有诸侯国中币制最为丰富的国度，与东周时期楚国发达的商业有密切关系。现在发现楚金币以郢爰为主，也有一定的金饼，银质货币有银饼。蚁鼻钱与铲币是楚地经常使用的青铜货币。贵重物品的贸易需要大量货币，而青铜货币重量太大，往往不具备这种功能，而黄金货币在楚地大量发现，所需量小，以目前发现成套砝码的总重看，其最大称量单位也仅有现在的1市斤。这类使用砝码的天平就是当时称量楚金币的精密仪器，在当时贸易中被广泛使用。值得注意的是，巢湖市发现的这套砝码刻意配置了一枚大额砝码，与其他成套砝码完全有别，极有可能说明由于当时频繁大额交易，出于交易时的便利，刻意在相当于秦制四两的重量上额外增加了一枚。

安徽是楚金币分布最集中、类型最丰富的的省份，以寿县及其周围发现数量最大。这类金板外形呈龟甲状，厚 0.3—0.4 厘米，其上被分割成若干方形小块，系铸造时用印章戳印而成，多数有文字，名曰"郢爰""陈爰""卢金"等，完整一块金板重 250 克左右，相当于当时楚制 1 斤，使用时从金板上切割所需重量，再进行称量，用以获得精确重量。合肥地区也频有发现[1]（见下表）。

出土地点	时间	重量（克）	备注
合肥市西门	1954	19.8	20 个方格，有铭文"郢爰"
合肥市	1955	136.9	两块
长丰县	1955	8.7	
庐江县	50 年代	14.6	有铭文"郢爰"
合肥市	1972	50	4 个方格
长丰县	1975	4	

注：具体数据来源于《楚文化的东渐》，湖北教育出版社 1995 年版。

　　附近的六安市三十铺 1979 年也出土过一批金币[2]，其中两块较完整，分别重 268.3 克、269.8 克，应该在一个模子铸成。上述金板上钤印多为"郢爰"，含有此文字的金板占总数 90% 以上。此名称前者是地名，后者"爰"是重量单位，而郢战国时是楚王都的专称，说明这些金币是楚王室铸造的官方货币。

　　楚贝币也称作蚁鼻钱，其外形仿海贝制成，大小重量相仿，是楚国使用的特色货币，在楚地流布极广，在安徽境内曾有大量出土，一次性出土数量多，并发现过制造贝币的钱范。1982 年在巢湖市出土一罐贝币，约一千枚。1985 年肥西县新仓乡出土一罐，重 24.25 公斤，共 9240 枚，大小、厚薄、轻重不一，重者 3.71 克，轻者仅 1.86 克。次年在其附近又发现一批贝币，其中有些品种属于楚国早期货币，如带有"十"字纹的贝币，可能是纪值符号，相当于十枚普通贝币，这在

---

[1] 吴兴汉：《楚金币的发现与研究》，《故宫博物院院刊》2005 年第 6 期。
[2] 夏鼐：《无产阶级文化大革命中的考古发现》，《考古》1973 年第 3 期。

国内尚属首次发现,可能属于地方铸造货币。楚贝币重量轻,币值小,在战国楚地当属于辅币来使用。

现在发现的各类楚国货币均非墓葬出土,而出自窖藏或野外的零星发现,可能是战乱时仓促埋葬或贸易途中遗失导致。如将临近肥西县的六安三十铺材料纳入,环巢湖流域楚金币出土总量将十分可观,仅次于寿县出土数量。战国时期合肥较为繁荣商贸局面的存在,从战国楚国货币的发现上也可见一斑。

鄂君启节中车节所记载的路线可能也与合肥有关,该节是楚怀王六年(前323)楚政府颁布给鄂君启的商业运输凭证,车节中规定的行程自鄂君启的封地鄂(今湖北鄂城)出发,北上先通过水路到达伏牛山隘口的方城(今河南叶县西),向东南东北各有一条陆路车道,经畐焚(今河南遂平)、繁阳(今安徽临泉东南)北上可到达高丘(今安徽宿州市北符离附近),东南行经菟禾(今河南泌阳北)到达下蔡(今寿县)、居巢(后沉入巢湖中)。回程终点是楚都郢(今湖北江陵)。这条路线可能是当时即已形成的商道,车队往来频繁,在合肥地区发现的楚货币或许与此有关。

三、合肥地区的文化艺术

(一)方言

战国时期的合肥地区处于楚国势力的统治范围,生活在这里的仍有一定数量的以群舒族为代表的土著民族,其间一批批楚国宗族、国人陆续迁徙至此。从现在出土楚简来看,楚国在战国之前就有自己的文字系统,当必定有其特有的语言。随着楚国的强大,其方言系统也必成为当时统治或影响区域所模仿的"时髦"语言或使用的词汇。加之楚后期中心向江淮一带倾斜,因此可以认为战国中期以后,合肥地区居民的方言应受到楚语的强烈影响,但也有一定的地方特色。① 西汉末年,扬雄根据早期文献记载与自己调查所撰的《方言》一书,记载了全国各地方言区的情况,其中"江淮""淮南"等出现40余次,主要指西汉淮南国中的九江郡和庐江郡,即以寿春、合肥为中心的所在地。兹将《方言》一书所收有关部分词条辑录如下:

亟、憐、憮、俺,爱也。东齐海岱之间曰亟,自关而西秦晋之间凡相敬爱谓之亟,陈楚江淮之间曰憐,宋卫邠陶之间曰憮,或曰俺。(卷第一)

允、訦、恂、展、諒、穆,信也。齐鲁之间曰允,燕代东齐曰訦,宋卫汝颍之间曰恂,荆吴淮汭之间曰展。(卷第一)

娃、嫷、窕、艳,美也。吴楚衡淮之间曰娃,南楚之外曰嫷,宋卫晋郑之间曰艳,陈楚周南之间曰窕。自关而西秦晋之间凡美色或谓之好,或谓之窕。秦晋之间美貌谓之娥,美状为窕,美色为艳,美心为窈。(卷第二)

儴、浑、膰、膿、泡,盛也。自关而西秦晋之间语也。陈宋之间曰儴,江淮之间曰泡,秦晋或曰膿,梁益之间人言盛及其所爱,伟其肥腻谓之膿。(卷第二)

私、策、纤、杪,小也。自关而西秦晋之郊梁益之间凡物小谓之私小,或曰纤缯帛之细者谓纤;东齐言布帛之细者曰绫,秦晋曰靡。凡草生而初达谓之荪,年小也。木细枝谓之杪,江淮陈楚之内谓之篾,青齐兖冀之间谓之菱,燕之北鄙朝鲜洌水之间谓之策。(以上卷第二)

糊、托、庇、寓、艛,寄也。齐卫宋鲁陈晋汝颍荆州江淮之间曰庇,或曰寓。寄食为糊,凡寄为托,寄物为艛。(卷第二)

䀏,睇、睎、略,眄也。陈楚之间南楚之外曰睇,东齐青徐之间曰

---

① 以现代安徽方言的分区来看,可分为官话和非官话两大系统。其中官话区有中原官话和江淮官话两类。江淮官话主要分布在江淮之间和皖南沿江部分县市。而非官话系统在江淮中东部罕有分布。参见《安徽方言志》中的《概述》部分。

睰,吴扬江淮之间或曰䁤,或曰略,自关而西秦晋之间曰盹。(卷第二)

锴,坚也。自关而西秦晋之间曰锴,吴扬江淮之间曰鐕。(以上卷第二)

苏,芥,草也。江淮南楚之间曰苏,自关而西或曰草,或曰芥。南楚江湘之间谓之莽。苏亦茬也。关之东西或谓之苏,或谓之茬。(卷第三)

逞,晓,恔,苦,快也。自关而东或曰晓,或曰逞。江淮陈楚之间曰逞,宋郑周洛韩魏之间曰苦,东齐海岱之间曰恔,自关而西曰快。

㨆,擢,拂,戎,拔也。自关而西或曰拔,或曰擢。自关而東,江淮南楚之间或曰戎。东齐海岱之间曰㨆。

慰,廛,度,凥也。江淮青徐之间曰慰,东齐海岱之间或曰度,或曰廛,或曰践。

掩,丑,掍,綷,同也。江淮南楚之间曰掩。宋卫之间曰綷,或曰掍。东齐曰丑。

庸,恣,比,侙,更,佚,代也。齐曰佚,江淮陈楚之间曰侙,余四方之通语也。

禅衣,江淮南楚之间谓之襓,关之东西谓之禅衣。有裏者,赵魏之间谓之袿衣;无裏者谓之裎衣,古谓之深衣。(卷第四)

襜褕,江淮南楚谓之橦褣,自关而西谓之襜褕,其短者谓之裋褕。以布而无缘,敝而紩之,谓之褴褛。自关而西谓之䘪,其敝者谓之緻。

汗襦,江淮南楚之間谓之襠。自关而西或谓之祇裯。自关而东谓之甲襦。陈魏宋楚之间谓之襜襦,或谓之禅襦。

蔽膝,江淮之间谓之祎,或谓之袚。魏宋南楚之间谓之大巾,自关东西谓之蔽膝,齐鲁之郊谓之袡。

裈,陈楚江淮之间谓之㡓。齐鲁之间谓之㡓,或谓之䘭。

鍑,北燕朝鲜洌水间或谓之錪,或谓之鉼。江淮陈楚之间谓之锜,或謂之镂。吴扬之间谓之鬲。(卷第五)

臿,宋魏之间谓之铧,或谓之鏵。江淮南楚之间谓之臿,沅湘之间谓之畚,赵魏之间谓之喿。

佥，宋魏之间谓之鈠，或谓之庹。自关而西谓之棓，或谓之柫。齐楚江淮之间谓之柍，或谓之桲。

刈钩，江淮陈楚之间谓之鉊，或谓之鐹，自关而西或谓之钩，或谓之镰，或谓之锲。

薄，宋魏陈楚江淮之间谓之苗，或谓之麴。自关而西谓之薄，南楚谓之蓬薄。

樌，宋魏陈楚江淮之间谓之植。自关而西谓之樌，齐谓之样。其横，关西曰橛，宋魏陈楚江淮之间谓之梲。所以县梲，关西谓之㣈，宋魏陈楚江淮之间谓之缳，或谓之环。

聋，聋也。半聋，梁益之间谓之辟。秦晋之间听而不聪，闻而不达，谓之辟。生而聋，陈楚江淮之间谓之聋。荆扬之间及山之东西双

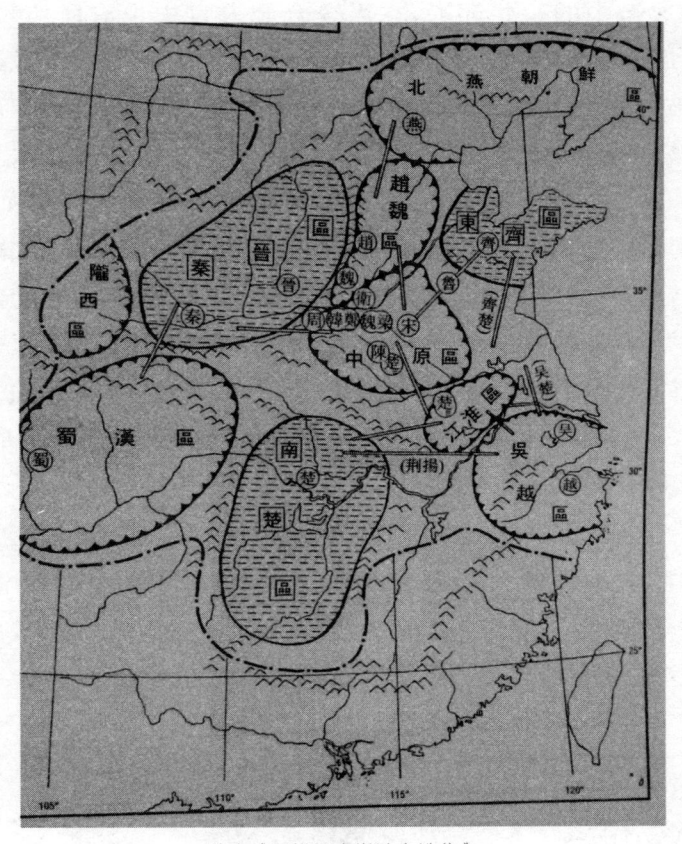

选自《严耕望史学论文选集》

聋者谓之聳。聋之甚者,秦晋之间谓之聆。吴楚之外郊凡无有耳者亦谓之䏆。其言聆者,若秦晋中土谓堕耳者耵也。(卷第六)

虎,陈魏宋楚之间或谓之李父,江淮南楚之间谓之李耳;或谓之於菟。自关东西或谓之伯都。(卷第八)

貙,陈楚江淮之间谓之㺎,北燕朝鲜之间谓之貊,关西谓之狸。(卷第八)

上述江淮地区的方言词汇,按地域多数可分别纳入宋魏陈楚、陈楚、齐楚、南楚、吴扬、青徐等范畴,也出现个别江淮所独有的词汇。但总体而言,先秦时期的江淮方言受楚文化影响深远,也包括不少淮河以北地区方言文化的影响,同时也存在少量吴越语系词汇。

先秦典籍中的一些词汇,在当今合肥方言中也有所体现。如《庄子·逍遥游》中有"覆杯水于坳堂之上,则芥为之舟"一语,其中"坳堂"一般被理解为"堂上低洼处",不过合肥人方言中的"坳宕"[①](或称洼宕)与该词在音、意上有异口同声之趣,其意为很小的水坑。这样的解释修正了之前的解释,更加准确地复原了其本意。又如《孟子·滕文公上》有"兽蹄鸟迹之道交于中国",朱熹《四书章句集注》解为"兽蹄鸟迹交于中国言禽兽多也",可将"交"释为"遍布"之意。而合肥方言中"交"作动量词或副词时,也有多少遍之意,如"跑交了""茶泡了两交",等等。《楚辞·严忌〈哀时命〉》:"惟烦懑而盈匈。"王逸注"懑,愤也",合肥方言中懑也作愤恨解,如"我懑就懑你不讲实话"等表达,[②]而其今意多为烦闷之意。

从现在合肥及周边地区的地名来看,也有一些颇具楚文化风格的名称存在。一曰郢。战国晚期楚国数次迁都,"楚文王熊赀时,始都郢楚",至"考烈王时,恐秦东侵,乃东徙都寿春,命曰郢"《史记·楚世家》。楚都常简称为郢,而现在合肥及周边地区以郢为地名的地点

---

① 王光汉:《释"坳堂"》,《文献》2000年第3期。
② 王光汉:《合肥方言单音动词考释》,《合肥学院学报》2006年第2期。

不在少数,据统计①全国地名中含郢字的共有17237处,安徽占90%以上,其中合肥就有郢字地名5816处,占到1/3以上。这些地点也多处于楚墓或楚文化遗物集中分布范围之内。地名中含郢的现象说明楚文化东向传播给当地文化带来的巨大影响,并一直保留至今。而郢之地名在湖北地区发现较少,主要原因是郢乃都城别称,其他地点不能使用。而合肥及周边地区大量发现,是楚国灭亡后,其遗民为纪念自己的国家以郢来命名自己居住的村庄,这一现象的肇始不晚于战国末期。② 二曰陂。"陂"字也是楚文化地区常见地名,所谓"蓄水为陂",实际上人工挖掘的湖沼,春秋时期楚相孙叔敖在江淮地区修建过著名的期思陂、芍陂。这种惯用的方言随楚文化被保留下来,据查如今的肥东、长丰就有十余处含陂的地名。③ 行至今日江淮分水岭一带还有大量人工开挖的蓄水工程,为附近的农田灌溉提供了较为充足的水源,其做法与楚国时期的陂塘基本一致。

(二)葬俗

合肥地区属于战国时期的墓葬在长丰、肥东、巢湖等县市曾有发现,共发掘十余座,未经发掘的数量更多。按墓葬形制及所出器物特征,可将这批墓葬分为早晚两个时期,前期为战国早期墓葬,后期为战国中晚期墓葬。各期所涉及的墓葬在葬俗上差别较为明显,与周边地区也有一定差异。

前期墓葬以肥东龙城M7为代表,竖穴土坑墓,无墓道,墓中发现4具陪葬人,出土铜器、陶器、滑石器等器物200余件,仅铜器就有鼎、敦、豆、壶、缶、兵器、车马器等数十件,是合肥地区春秋至战国早

---

① 秦让平:《浅谈村名含"郢"现象及楚文化的变迁和传播》,《楚学论丛》,湖北人民出版社2012年版,第185—198页。
② 鲁峰:《村名郢的来历》,《中国地名》1996年第10期。
③ 经过百度地名检索发现,合肥地区有阁陂、练陂塘、金陂塘、黄塘陂、新河陂、陷河陂等,在安徽与六安相当,实有数量最多。总体而言,全国含陂的地名主要集中在淮河上中游、长江中游和珠江流域。广东省最多,这与楚文化南下及当地地貌环境有关,而黄河流域极少有此类地名出现。

期墓葬少有的发现。从出土文物数量和级别来看，墓主应为中等贵族。墓中还用一套用滑石制作七窍塞填塞墓中相应部位，使用以玉、琉璃等材质制作的七窍塞也是战国秦汉贵族墓常用的。该墓出土青铜器中以鼎簠为最基本的组合形式，这被认为是楚式青铜器群最重要的特征，而这些青铜器造型也具有典型楚式风格。但该墓葬俗又极具地方特点，尤以殉人风俗最为突出。以墓室面积而言，该墓仅为中型墓葬，使用人殉，且人殉量之大，在同期江淮地区极为罕见，与典型楚文化有明显区别。在王侯一级的寿县蔡昭侯墓中更是既无殉人也无木俑。六安市发掘过的一批战国早中期墓葬，身份与肥东龙塘墓相当，墓中无人殉，只用木俑作为象征。龙塘战国贵族墓中所反映的风俗，与春秋晚期的钟离国墓葬相似，殉葬用人量多，这种风俗与淮河上游及山东一带诸侯国的丧葬习俗类似，而钟离乃"徐之别封"，其族群就是从山东迁徙至淮河中游一带，故而在贵族间保留了人殉风俗，而在稍晚些的蔡侯墓中却无一丝踪迹可循。以人殉葬的现象在西周中期后逐渐减少，至春秋时期已少见，唯山东齐鲁和西北的秦国还残留这种葬俗，孔子甚至对随葬人俑都极为反感。①

晚期墓葬以长丰杨公墓群及巢湖战国墓为代表。20 世纪 70 年代末，长丰杨公一带曾发掘过 11 座战国晚期墓葬，该墓区与寿县朱家集一带同属一处战国晚期楚国贵族墓葬区。有数座两墓并排而建的情况，可能为夫妻异穴合葬墓。墓葬均有墓道，墓口与封土间铺一层白土，墓口逐级向下设回廊式阶梯，椁室周围填白膏泥，有的并积木炭，填土均经过夯打。墓道两侧放置与回廊阶梯数量相当的整装铜戈和漆盾。其中 M10 葬具为一椁重棺，《礼记》记载周代棺椁制度规定：天子之棺四重，诸侯再重，大夫一重，士不重，这两座墓就相当于卿大夫一级。椁室内用隔板分为头厢、边厢和棺室三部分。其内放置大量漆木器、陶器等，棺内随葬佩玉。这些情况与一般楚国埋葬习俗没有太大差异。但也有一些江淮地区本地埋葬习俗，如墓坑外

---

① 《孟子·梁惠王上》："始作俑者，其无后乎？"

两米处有一不规则圆坑,直径 2—3 米,深 1.5 米,坑底有灼烧的痕迹。在墓道中发现 10 件带木柲的铜戈,斜靠在墓道两壁,戈头指向墓道口。而异穴合葬墓的比例也要高于湖北江陵地区。

聚族而葬是战国时期墓葬的特征之一,墓地应有先期的规划和专人管理。《周礼·春官·冢人》载"冢人,掌公墓之地,辨其兆域而为之图"。合肥市西北的桃花店古墓群就是一处墓葬集中的战国晚期至西汉时期墓地,其内古墓集中分布,现仍清晰可见 40 多处古墓封土堆土墩,有的土墩高达 3—4 米,基本没有墓葬互相扰乱的现象。类似的墓地在六安三十铺附近的白鹭洲墓地表现得也很明显,墓地内大中小型墓葬均有发现,也是一处战国至西汉时期的大型墓地,近年来还在墓地内发现两座战国中期的夫妻异穴合葬墓。

茔界的设立可能也是本区贵族墓的葬俗之一,这在周边地区还鲜有报道。杨公墓区发掘的三座大墓之间发现两条明显的白色土带,与周围的黄土有明显差异,属于人工填埋无疑,白土带宽 30 厘米,深 1.5 米,现知长度有 30 米,实际走向不清楚,被认为是葬区中的茔界。三墓中以被白土带划定的之间一座规格最高,随葬品数量最多,尽管曾遭盗掘,但内棺未见破坏,出土玉器几十件,仅玉璧就有 36 枚。说明茔界也可能起着标明墓主身份的作用。[①]

战国时期的楚墓在长江、淮河流域普遍发现,总体上共性较强,像墓葬多为南北朝向,在土坑中安葬木椁,棺椁数量与墓主身份有密切联系。椁室外再填塞白膏泥、木炭等防潮设施,墓室内随葬较为固定的陶礼器组合,贵族墓中还有铜器组合,器物均有明显楚式风格。由于各自区域文化的差异,葬俗在存在共性的前提下也有一定地域和早晚差别。有学者将寿春郢区的墓葬独立划为一区,该区墓葬的特点也较为鲜明,如出现了阶梯式墓道墓,出现了石椁墓,兵器矛、盾分列墓道两壁。随葬品中陶礼器组合中在原有的鼎、敦、壶基础上,

---

① 程如峰:《长丰杨公战国墓的茔界问题》,《文物研究》第 6 辑,黄山书社 1990 年版。

出现了盒、钫等器物,有一些受秦文化影响明显。①

(三)出土器物的文化艺术风格

以陶器、铜器、玉器等为代表的合肥战国器物群总体风格以楚系为主,除上文提及的器物之外,像肥西严店乡莫岗村出土的一件王字矛,长11.8厘米,通体黑亮。脊两侧有上下两组兽面图案,骹的一面饰"王"字符号。此类含有王字形符号的铜器多出现在两湖、安徽及江浙一带,多装饰在兵器、工具类铜器上。类似的矛在周边的六安、寿县、淮南、铜陵等地也有发现,可以视为楚文化一种典型符号。但其本身含义及使用者的身份如何,目前尚无定论,至少在楚国高等贵族墓中还很少有此类器物出土。1977年合肥郊区桃花店墓葬出土一枚战国时期四山镜,与湖南常德德山楚墓出土的四山镜相似。

用玉观念的深化。西周时期周公"制礼作乐",三礼中有较多关于玉的记载,对管玉的机构、用玉范围、玉的用途、用玉规定等都有明确说明,玉器成为各种力量交织在一起的产物。《周礼·春官·大宗伯》记载:"以玉作六器,以礼天地四方,以黄琮礼地,以青圭礼东方,以赤璋礼南方,以白琥礼西方,以玄璜礼北方,皆有牲币,各放其器之色。"合肥地区及周边地区发现的春秋早期墓中就有以玉器随葬现象,墓葬属于女性墓可能较大,种类较少,以玦、环等佩玉为主。但春秋晚期至战国后发生了较大变化,②除了用于祭祀、朝聘的大型玉璧外,其他礼仪玉器发现不多。像长丰杨公2号墓中玉器满铺于墓主身上,数量达50余件,类型有璧、璜、佩、管、圭等,其中玉璧就有36件。《礼记·聘义》记"昔者君子比德于玉焉",说明战国时期人们对玉器的认识发生了质的变化,大量出现的生活用玉表明,玉礼已经上升到了道德层面。在玉器制作上也突破了旧有模式,而着力于变革

---

① 郭德维:《楚系墓葬研究》。
② 春秋中期之前的合肥属于群舒文化统治范围,也是本地的土著文化,间或受到吴文化的影响。从之前在舒城、六安等地发现的群舒贵族墓看,在用玉制度上与中原地区有一定区别,用玉量少,器形小而且佩玉不多,甚至有用漆盒装玉器的现象。

创新，建立新风尚。统治阶层正是通过玉器的人格化和道德化，来实现对于各个阶层的社会控制，在这过程中用玉观念逐渐升华，并在两汉时期得以继续发展。这些显著的变化通过本地出土玉器中反映也很明显。

工艺美术。长丰战国墓玉器以龙形玉佩、谷纹玉璧、龙凤纹玉佩最为精致。工艺上与湖北江陵、河南信阳一带战国早期楚国贵族墓出土玉器工艺一脉相承，但造型上更为奇巧、瑰丽，在制作技术上体现出新的面貌，是"迄今所见最为精美的战国楚玉器"。龙形玉佩长14.5厘米，宽3.5厘米，厚约0.4厘米。青白色玉质，通体抛光。龙身呈连续S形，龙首作引颈回顾状，角后卷，四爪向不同方向抓握。翻转婀娜，气度不凡。龙身满饰谷纹，两面纹饰相同。从玉佩上穿孔可看出，应为组玉佩中的一件。谷纹玉璧，直径14厘米，厚0.3厘米，制作规整，表面抛光细致，有强烈的玻璃质感。两面满饰浮雕谷纹，内外缘分别饰一道斜刀阴刻廓线。龙凤纹玉璧共2件，长21厘米，最薄处仅厚0.1厘米。玉质光泽温润，通体镂空，作盘曲的龙形，颈部左右及尾部共雕饰件三只凤鸟为辅助纹饰。龙体以镂空、线刻手法塑造，凤鸟形象则以阴线刻画出来，相对而立，长冠卷尾，意态昂扬。"它们那富有新意的器型纹饰以及新的系列化设计，体现了一种追求精巧、繁丽、新颖与多样化的时代风尚，也反映了上层社会对原本主要用作礼仪规范的玉器之艺术欣赏价值的发现。"[1]

青铜工艺中尤以错（镶铸）金银工艺为代表，其线条粗细有别，构图合理，流畅自如，与器形有机融合在一起。如1977年在杨公出土的一套错银龙凤纹车軎辖就极为精致，軎身浮雕兽首，外端平面装饰火焰纹，内侧近端喇叭口装饰两层三角几何纹和卷云纹，辖身为扁长方条形，辖头为圆雕卧伏回首的凤鸟，与軎身兽面相组合，所有花纹均以错银装饰。巢湖出土的战国铜方壶通高40.8厘米，纹饰简约规整，在周边地区也甚少发现，是这一时期的精品之作。青铜器设计也

---

[1] 皮道坚：《楚艺术史》，湖北教育出版社1995年版，第308页。

颇为精致。如长丰出土的错银兽头戈就一改传统式样，在内与援间设置错银兽头，兽头作张口状，面向戈锋，兽背拱起，长尾。兽头以银片镶嵌装饰，错银明亮。

错银龙凤纹车兽　　　　　　战国铜方壶

漆器方面。合肥地区出土漆器以战国晚期为主，与本地西汉早期同类器物造型和工艺上基本一致。其外形打磨光滑，颜色鲜亮，造型优美。同时注意装饰，漆绘精美，线条细致流畅，用笔娴熟。常见纹饰有鸟兽纹、几何纹、云纹和花草纹。颜色主要有黑、赭红、金黄、银灰四色。基本画法有单描、双勾、平涂和堆漆几种。花纹明暗交替，主次分明。如舒城秦家桥出土的金扣圆盒，盖与器身各饰一周镀银铜扣，同样的做法也出现在器盖上和圈足部位，盖及器身各有凹弦纹两道。器表上红彩绘制的凤纹和云气纹纠缠在一起，附衬在黑漆上，异常鲜明。器内用红漆，盖里与器内正中用黑漆涂圆，用红漆绘制纹饰。巢湖北山顶一号墓出土漆罐工艺尤为讲究，该器集金、银、铜、玉、水晶、料器于一身，甚为少见，是西汉早期漆木器工艺的最高代表。漆罐高16.7厘米，口径10.4厘米。器表外髹黑漆，内髹红漆。铜扣口颈与圈足部，表面琢刻八只凤鸟纹，并填金箔，外套水晶环。上肩部和近底部镶嵌银带状饰一周，并点缀八只半球形蓝色料珠，肩部设一对玉质铺首环耳，其下又镶嵌桃形玉片数枚。腹部最大径处嵌金箍一道，上面还填入八只料珠。露胎处的黑漆上用赭色勾绘变形鸟兽纹。

第四章

秦汉时期合肥地区的行政建置与政局

第四章 秦汉时期合肥地区的行政建置与政局

战国后期楚国实行郡国并行制度，为秦汉时期的郡县制、郡国制度奠定了基础。秦朝地方分为郡、县两级，但西汉前期地方上有郡县也有诸侯国，诸侯国君在内实行自主的统治。汉景帝、武帝时期，诸侯的权利逐渐被剥夺，到汉武帝元狩元年（前122）刘安狱案后，特别是第二年全国郡县大调整后，诸侯王不再治国，只是食邑，王、侯国相都由中央政府委派，诸侯王国与郡县无异。合肥地区经历了英布、刘长、刘安与刘赐的诸侯王统治之后，进入郡县时代，分属于庐江郡与九江郡，两郡以巢湖为界，以北以东大致属于九江郡，以西以南属于庐江郡，东汉以后合肥县、居巢县、临湖县等虽为侯国，实同于县。总的情况看，诸侯王统治时期合肥地区处于诸侯王国的后院，得到较快发展。西汉中期以后，合肥地域分属两个郡治，行政建制最高的只是县一级别，没有内在的统一性，再加上两汉之际、东汉之末的地方割据，与经常的自然灾害如旱蝗灾害、地震频发等，人口与社会经济发展都较缓慢，东汉后期甚至出现连绵不断的地方动乱，到了三国时期合肥成为军事重镇。两汉时期中央政府委派很多一流才人、治国能臣担任本地郡守相尉，如张苍、王景、滕抚、宋均、卢植、戴圣、羊续、陆康、刘馥等，皆一时之选，显示中央政府对于本地区治理的重视。但是因为资料缺乏，秦汉时期合肥地区历史的很多细节不甚清楚，包括合肥、居巢等县的地望与设置时间都需要钩稽索引，加以考论才能知其大概。

第一节 秦汉时期合肥地区的行政建置

一、合肥地区行政区划与建置概况

战国后期，楚国和其他国家一样开始建设地方郡县的同时，也有封君遍布各地。安徽作为楚国后期的统治中心，郡县与封君也是并存。秦国实行郡县制，秦王政二十四年（前223）灭楚，设九江郡于寿春，九江郡管辖淮河以南到赣水流域的广大地区，谭其骧指出，"九江江北，东界辨见东海，西界辨见南郡，其在今豫境者，循汉制江夏之界"。[1] 有县数10个，目前所知有约18个。[2] 岳麓秦简有"九江郡"，还有"衡山郡"，[3]衡山郡治在邾，当今湖北黄冈，应是自九江郡分出的。秦代后期有庐江郡，《史记·秦始皇本纪》"荆王献青阳以西，已而畔约，击我南郡，故发兵诛，得其王，遂定其荆地"之青阳，乃指安徽青阳县一带，秦国因此设立衡山、庐江、陵阳三郡。[4] 其中庐江郡位置在长江以南，部分地区也可能到了江北。[5]《史记·黥布列传》载，项羽为西楚霸王，分封天下，英布为九江王，都六，拥有淮河以南直到皖南、江西的大部分地方。汉王五年，封英布为淮南王，遭到项羽部下攻击，逃归刘邦，后英布率部返回淮南，占领淮南大片地方，"九江、庐江、衡山、豫章郡皆属焉"。高祖十一年，英布叛乱失败，高祖封少子刘长为淮南王，都寿春，占有英布故地。淮南王刘长死后，其地一度为汉九江郡，后文帝又封刘长的三个儿子分别为淮南王、庐江王、衡山王。据《汉书·淮南衡山列传》，吴王刘濞乱后，汉政府将庐江王"徙为衡山王，王江北"，治地在舒县。武帝元狩元年淮南、衡山二国除，设立九江郡、衡山郡，第二年又割九江郡南部、衡山郡东部数县新置庐江郡。

秦时合肥地区全都部属于九江郡，有多少个县级地方政权建置，现在还不能尽知，由目前材料的情况看，可以确定完全在今天合肥地面的县只有居巢县，秦末江淮义军的首领范增就是居巢人，居巢的位置大体在巢湖水域一带，下面详述。

---

[1] 谭其骧：《秦郡界址考》，《长水集》，人民出版社1987年版。
[2] 后晓荣：《秦代政区地理》，社会科学文献出版社2009年版。
[3] 陈松长：《岳麓书院藏秦简中的郡名考略》，《湖南大学学报》2009年第2期。
[4] 林少平：《秦郡考辨》，武汉大学简帛网（http://www.bsm.org.cn/show_article.php?id=2123）。
[5] 臧知非：《秦置庐江郡考》，《秦汉魏晋时期的合肥史研究》，黄山书社2014年版。

涉及合肥地区的县还有阴陵、舒县、历阳三县。秦阴陵县的位置如果是延续战国陵县的所在，有可能在今长丰县境内。今长丰杨庙镇枣林一带有大量的秦汉时代古墓群，有可能是阴陵县人遗留下来的。舒县，管辖以舒城县为中心的广大地区，如肥西、桐城、庐江的很多地方当时应在舒县的范围内。

秦有历阳县，秦封泥有"历阳丞印"，一般认为当今和县历阳镇。《淮南子·淑真训》言"夫历阳之都，一夕反而为湖"，就是说，历阳县城，在淮南子成书（汉武帝时）前已在一夜之间沦入湖底。到了东汉还流传这样一个故事，高诱注《淮南子》记述到：

历阳，淮南国县名。昔有老姁，常行仁义，有二诸生过之，谓曰："此国当没为湖。"谓姁视东城门阃有血，便走，上北山，勿顾也。自此姁便往视门阃，阃者问之，姁对曰如是。其暮，门吏故杀鸡血涂门阃。明旦，老姁早往视门，见血，便上北山，国没为湖。与门吏言其事，适一宿耳。一夕，旦而为湖也。

历阳既然已沉入湖底，后来即汉代后期的历阳县应该是异地重建的。那么，它原来在什么地方？

据《汉书》记载，汉代九江郡的都尉治所设在历阳县，都尉原为郡尉，后改称都尉，"掌佐守典武职甲卒，秩比二千石"是佐理郡守的军事长官，一般与郡守所在的治地不在一起，但也不会太远。历阳与寿春，一个在长江之滨，一个在淮河之滨，相距较远。清人庄有可《巢湖考》一文指出，"今之巢湖，本古历阳湖也"，他的重要证据是《淮南子》的记载："汤鏊兵鸣条，困夏南巢，瞧以其过，放之历山。"这个历山在巢国地，历山之阳设县因而曰历阳。合肥地区在郯庐地震带上，秦汉时期经常发生地震、地陷的情况。此历阳县城沦入湖底后，汉政府又在今和县地另立历阳县。① 可备一说。历阳县城沦入湖底的时间不少人以为在汉文帝元年(前179),这一年的四月,"齐、楚地震,二十九山同日崩,大水溃出。"②

西汉时期的浚遒县、橐皋县,为战国时期的楚县,照理秦时也应存在的,这两个地方战国时期地位已经很重要。浚遒古城遗址中,从战国到汉代的文化遗存都很丰富。橐皋战国为橐皋君封地,汉代还是县级建制。处于前后楚、汉之间的秦代,这两个县正常情况下也是应该建置的。

汉文帝前七年(前173),刘长因谋反罪被废,"王无道迁蜀,死雍,为郡。"③淮南四郡归于汉。汉文帝前十二年(前168),"徙城阳王王淮南故地"。因为文帝担心别人说他不念兄弟情义(与刘长同为刘邦的儿子),四年后(前164),"徙淮南王喜复王故城阳",而改立淮南厉王刘长三子为王,三分淮南故地,"阜陵侯安为淮南王,安阳侯勃为衡山王,阳周侯赐为庐江王。"④刘安淮南王国仍都寿春,辖地包括淮河以南长江以北地区。刘长、刘安为淮南王时期,整个合肥地区成为淮南国的后院,淮南国势力的壮大带动合肥地区的迅速发展与合肥地位的上升,合肥县应该就是这时设立的。吴楚七国乱后,刘勃徙为济北王,庐江王刘赐转为衡山王,"王江北",治所移至舒县,原来的庐江国地设为庐江郡。

汉武帝元狩元年(前122),刘安、刘赐因谋反案被废,淮南国除为九江郡,衡山国除为衡山郡。元狩二年全国郡境大调整,淮南地区衡山郡废割,北部数县合为新成立的六安国,江南的庐江郡移至江北,原衡山郡南部数县与九江郡南部数县并合为庐江郡,治舒县。此后合肥地区进入郡县时代,分属九江郡与庐江郡。以后直到东汉末,一

---

① 庄有可:《巢湖考》,谭其骧主编《清人文集地理类汇编》(五),浙江人民出版社1986年版。
② 《汉书·文帝纪》。
③ 《史记·汉兴以来诸侯王年表》。
④ 《汉书·淮南衡山济北王传》。

些县虽然仍为侯国或王国属县，但是王、侯皆不治国，只是食邑，王、侯国相都由中央政府委派，诸侯王国与郡县无异。所谓"员职皆朝廷为署，不得自置。至成帝省内史治民，更令相治民，太傅但曰傅"①。

《汉书·地理志》反映的是西汉后期的郡县建置情况。九江郡，"户150052，口780525。有陂官、湖官。县15"，治寿春。庐江郡"户124383，口457333。有楼船官。县12"，治舒县。其中主要部分或全部属于合肥地区的县，九江郡有合肥、浚遒、橐皋等，庐江郡有居巢等。部分属于合肥地区的县，九江郡有阜陵、成德、阴陵、曲阳等，庐江郡有舒县、临湖等。六县管辖的东部可能涉及肥西的西界。汉代"县大率方百里，其民稠则减，稀则旷"②。

两汉之际，李宪在舒县自立为淮南王、为天子，占领江淮中部九县，持续6年左右，后被光武帝派兵所灭。九江郡东汉时期有较大变化，原来沛郡的下蔡（今凤台县）、平阿、义城三个淮河北岸的县，在建武二十年前后划属九江郡。明帝永平十六年析置阜陵国，辖阜陵、浚遒二县，章帝建初元年，阜陵王贬为侯，食一县，当为阜陵县。建初四年割九江郡东部当涂、钟离、东城、历阳四县入下邳国，章和元年复阜陵侯为阜陵王，以五县属之，阜陵王住寿春，九江郡治迁于阴陵，李晓杰认为五县当为阜陵、寿春、合肥、浚遒、成德。③ 质帝永熹二年，阜陵国绝嗣，除，所属五县还归九江郡。一年后复之，建安十一年绝嗣，国除。可以看出，阜陵国断续存在很长时间。

但说阜陵国五县有合肥可能不确。坚镡在建武六年封为合肥侯，26年后去世，文献记载传后三代，到东汉后期，政坛上还有讨论拥立合肥侯为帝的问题。仅以坚镡及后代合肥侯而言，四代也当有百年左右的时间，即到了和帝（90—105）以后。而阜陵王是在明帝永平十六年（73）被封，其时合肥侯当还在。阜陵国的五个属县，说有阜陵、成德、浚遒、寿春可以相信，余一待考。

---

① 《后汉书·百官志》。
② 《汉书·百官公卿表》。
③ 李晓杰：《东汉政区地理》，第217—223页。

《后汉书·郡国志》九江郡有十四县,治阴陵,户口 89436,人口 432426;庐江郡十四县,治舒县,户口 101392,人口 424683;人口、户数比之前汉都有减少。《郡国志》的资料,一般根据司马彪在河南尹下自注,认为是永和五年(140)的情况,清代学者钱大昕提出在永熹与本初之间(145—146)。① 但是九江郡县包括阜陵、寿县等,当是建安十一年后阜陵国除以后的情况,而建安末年临湖、襄安、历阳等又属于吴国的丹阳郡。所以,《郡国志》九江郡、庐江郡的情况可能是建安十一年后几年间的情况。其中全部或主要部分属于今合肥地区的有合肥、浚遒、居巢等,部分属于合肥地区的有阴陵、成德、阜陵、临湖、舒县等。合肥、居巢的情况下面专门考述,这里将其他各县的情况简述如下。

临湖县,旧志多认为在今无为县西南 80 里临壁山下之临湖圩。② 临湖圩今属无为县百胜镇临壁村,西去白湖近甚。近年在庐江县城北圣山一带发掘一座西汉中期的墓葬,随葬器物极其丰富,有 149 件之多,五铢钱 40 枚,其中有铅质"临湖尉印"一枚,说明此墓主人生前可能担任过距此不远的临湖县的县尉之职,死后埋在这里。临湖县名无疑是因为县城邻近大湖而设,临湖村去现在的白湖不远,白湖在古代是一个面积很大的湖泊,在白湖镇一带也有不少汉代大墓,庐江县周围也有很多汉墓群,因此我们认为临湖县有可能是因距白湖不远而设立。县尉为一县治安官吏,县"皆有丞尉,秩四百石至二百石,是为长吏"③,是县令之下主持治理县内事物的重要官吏,有些也是本县人担任。从此考虑,临湖县应该包括今庐江县东部很大一部分地方。东汉建光元年乐成王刘苌因罪废为临湖侯,临湖县遂为侯国。

浚遒,地当今肥东县,具体位置旧说不一,《旧唐书·地理志》慎县条:"汉浚遒县,属九江郡,古城在今县南。"即在隋唐慎县之南。《太平寰宇记》:"浚遒县故城在(慎)县南二十五里。"《清一统志》卷八

---

① 李晓杰:《东汉政区地理》第 14—15 页。
② 周振鹤:《汉书地理志汇释》,第 146 页。
③ 《汉书·百官公卿表》。

五庐州府"故迹"条:"在合肥县东北,汉县也,属九江郡,后汉因之,晋属淮南郡,宋后改。宋书州郡志逡遒令,汉作浚遒,晋作逡遒,旧唐书地理志慎,汉浚遒县,属九江,县故城在今县南。寰宇记:逡遒故城在慎县南二十五里,魏武伐吴尝修此城以屯守,亦名曹城,府志:今其地名清水桥。"按:慎县古城在今肥东八斗镇,其南数十里,与今龙城古城址接近。该城址东西约400米,南北600多米,城内遗物从商周时期到南北朝时代的都有,而以战国秦汉为主,城外分布大量的墓葬遗存,也是汉代的居多。其地战国可能即龙城县。浚遒本是淮南王刘安训练军队的地方,留下很多传闻轶事,如金水河、御水桥、梳妆台等,又曰龙城,可能都与当年刘安准备起事有关。

曲阳,传世秦官印有"曲阳左尉",《汉书地理志》九江郡有曲阳县,"侯国,莽曰延平亭"。后汉时名西曲阳,《水经·淮水注》引应劭云:"以在淮曲之阳而名,下邳有曲阳,故此加西,晋因之,后废。"地址在今淮南市东南,管辖的地方包括淮南市大部、凤阳县一部分等,也可能涉及长丰县北部一带。巢湖北山头一号墓出土"曲阳君胤"印章,很可能是刘安母亲的印章。

阴陵县,春秋战国为陵县,曾为陵君封地。秦有阴陵县,《史记·项羽本纪》载项羽夜度淮,"至阴陵,迷失道。"汉承秦名,王莽时曰阴陆,东汉时为九江郡治所在,旧志一般认为在定远西北,当今长丰与定远交界一带。

橐皋,战国为橐皋君封地,东汉初省并。杜预注《左传》谓之在县东南,说明晋时已并入浚遒县,今巢湖市北柘皋河流域有柘皋镇,当是橐皋旧县所在。

阜陵县,西汉县,刘安做过阜陵侯,东汉因之,《后汉书·明帝纪》李贤注说阜陵县故城在唐代全椒县南,《清一统志》云:"在全椒县东十五里,汉置县,文帝八年封淮南王子安为侯国,元狩初属九江郡。后汉永平十六年,徙淮阳王延为阜陵王,建初元年改为侯国,元和初复为王国,后徙。晋书志:阜陵县汉明帝时沦为麻湖,晋属淮南郡,寻废。章怀太子曰:阜陵故城在全椒县南。寰宇记:在县西南十八里,汉县,废城。舆地纪胜:地名,赤土冈,高一丈四尺。"过去认为在全椒县东或东南、西南等,可能不确。李晓杰将之标在历阳(今和县城)之西。所以阜陵县的情况甚复杂,大体位置在全椒、历阳与居巢之间,所以范增也曾被说成是阜陵人。

舒县,春秋时楚灭舒子平,成为楚的疆域,当是建立了相应的行政管理机构。战国楚有舒县,地点可能在今舒城县城一带。舒县作为庐江郡治之所在,当为大县,统治地区北到今肥西县南部,南至今桐城一带。朱邑年轻时为"舒桐乡啬夫,廉平不苛,以爱利为行"[①],治声远播。建安后期,因为军事斗争"曹公恐江滨郡县为权所略,征令内移。民转相惊,自庐江、九江、蕲春、广陵户十馀万皆东渡江,江西遂虚,合肥以南惟有皖城"[②],则舒县、居巢、临湖等都曾虚荒。

成德县,据《汉书·地理志》,"莽曰平阿",东汉因之,据《水经·肥水注》:"肥水出九江成德县广阳乡西,"又曰:"北过其县西,北入芍陂。肥水自荻丘北径成德县故城西,"则成德方位大体在芍陂东南方。又《清一统志》卷八七凤阳府故迹"成德故城"条:"在寿州之东南。汉县,属九江郡,后汉因之,晋属淮南郡,后废。"寿县东南也正是汉魏芍陂东南方,成德南有广阳乡,当今肥西县将军岭一带,故其辖地当包括寿县、肥西、长丰三县交界一带,甚至可能还涉及今日合肥市的西北界,三国时成德人刘晔,是为阜陵王后代,后成为曹操的重要谋士。

西汉时期,中央政府还在九江郡设置了陂官与湖官。这也是全国唯一的设置。陂官主要可能管理芍陂等陂塘灌溉事宜,如塘坝维修、水资源分配等水事。湖官则主要管理巢湖的水事。东汉时期郡县也有水官设置,据《后汉书·百官志》记载:"其郡有盐官、铁官、工官、都水官者,随事广狭置令、长及丞,秩次皆如县、道,无分土,给均本吏。有水池及鱼利多者置水官,主平水收渔税。在所诸县均差吏

---

① 《汉书·朱邑传》。
② 《三国志·吴书二》。

更给之。置吏随事，不具县员。"1959 年，安丰塘一带考古发现东汉时期的闸坝工程遗址，出土有"都水官"铁锤等大量遗物。① 江淮地区属于丘陵地带，陂塘灌溉较普遍，汉代芍陂的面积也十分广大，不限于寿县，王景为庐江太守，"郡界有楚相孙叔敖所起芍陂稻田。景乃驱率吏民，修起芜废"，②说明庐江郡内也有芍陂灌溉问题。九江郡的陂官可能设在寿春，而湖官设在合肥或者居巢的可能性更大，这里距离巢湖最近，便于管理。

根据《汉书·百官公卿表》《后汉书·百官志》，当时的县，有一万户以上的县官称为"令"，秩千石至六百石不等；不满一万的称为"长"，秩五百石至三百石。列侯所食县曰"国"，皇太后、皇后、公主所食曰"邑"，县令、国相之下都有副手称为"丞"，一人，主要是管理文案，典知仓狱；军事治安官员称为"尉"，大县二人，小县一人，"凡有贼发，主名不立，则推索行寻，案察奸宄，以起端绪。各署诸曹掾史"。"诸曹略如郡员，五官为廷掾，监乡五部，春夏为劝农掾，秋冬为制度掾。"侯国的管理者称为"相"，"其秩各如本县，主治民，如令、长，不臣于侯。但纳租于侯，以户数为限。侯有家臣，置家丞、庶子各一人。主侍侯，使理家事。列侯旧有行人、洗马、门大夫，凡五官。中兴以来，食邑千户已上置家丞、庶子各一人，不满千户不置家丞，又悉省行人、洗马、门大夫"。

根据汉代县乡总数的情况，一县平均约有 4.1 个乡，大县多一些，小县少一点，县以下的管理机构有乡、里等。乡设置有秩、三老、游徼，"秩，郡所署，秩百石，掌一乡人，其乡小者，县置啬夫一人，皆主知民善恶，为役先后，知民贫富，为赋多少，平其差品。三老掌教化，凡有孝子顺孙，贞女义妇，让财救患，及学士为民法式者，皆扁表其门，以兴善行。游徼掌徼循，禁司奸盗。又有乡佐，属乡，主民收赋税"。

---

① 殷涤非：《安徽寿县安丰塘发现汉代闸坝工程遗址》，《文物》1960 年第 1 期。
② 《后汉书·王景传》。

亭有亭长,主求捕盗贼,直接受郡都尉与县尉指导,类似今天的派出所。

里设里魁,即里长一人,民有什伍,善恶以告。"里魁掌一里百家。什主十家,伍主五家,以相检察。民有善事恶事,以告监官。"

大体十里一亭,亭有亭长,一县四乡,乡有秩,四乡的名称多为北乡、南乡、西乡、东乡等。也有例外,如成德县有广阳乡等。

二、合肥的名义与地理

"合肥"一名出现于何时?因何而得名?合肥县又是如何设立的?这些涉及合肥早期历史的重要方面,过去说者纷纭。这里在以往研究的基础之上试做一综合考察。

(一)《史记》《汉书》关于"合肥"的记述

"合肥"一名初见于《史记·货殖列传》:

郢之后徙寿春,亦一都会也。而合肥受南北潮,皮革、鲍、木输会也。①

这是目前所知"合"与"肥"两字连在一起的最早记录。《货殖列传》记载了多个区域性都会,江淮之间就是寿春,而后一句中的"合肥"是否就是我们今天合肥市的来源?古来说解者很是不同。现存最早的《史记》注解者裴骃"史记集解"引徐广曰:"在临淮。"汉有临淮郡治徐县(今泗县与泗洪之间),若此临淮指的是临淮郡,则在淮河的下游靠近海滨了;若是说的临近淮河,寿春自然在淮河之滨,而古代的合肥县则在哪里呢?宋元以来,徐广的这个说法一般放在"合肥"名下,即用来注释合肥的。当初情况如何,不得而知。因为古代的时

---

① 《史记·货殖列传》。

第四章 秦汉时期合肥地区的行政建置与政局

候,注释与正文有时分开,有时又放到正文的下面,分分合合,时有错乱。张守节"史记正义"曰:"合肥县,庐州治也。言江、淮之潮,南北俱至庐州也。"他把合肥理解为唐代庐州府合肥县即今合肥市。以后的学者大都从其说。我们认为此说是可取的。其具体地点,《旧唐书·地理志》有云:"汉县,属九江郡,旧县在北。"就是说汉代的合肥县在唐代合肥县城的北边。《明一统志》卷十四庐州府"合肥县"条云:"附郭,本汉旧县。"附郭就是城外不远所附属之城郭,意思与《旧唐书》接近,大体当今天合肥市四里河一带,20 世纪七八十年代以前还有古城址存在,如今皆在建筑之下。

也有学者认为这个"合肥"不是地名,而是动宾结构,即汇合东、西肥水意,指的是寿春处在淮河汇合东、西肥水的地方。这个说法 20 世纪 60 年代陈怀荃先生最先提出,他认为应劭所说是指寿春城为肥水与淮河接受南来北往的航舶聚合处,"是通称谓语,非指固定的地名"。[①] 最近也有一些相近的讨论者。[②] 但此说不可取。首先,寿县在淮河之东、八公山之南,不在所谓"南北潮(湖)"即两大湖的中间,无以受之,而合肥则如张守节所说,正在芍陂与巢湖两大水泽之间。其次,寿春之所以成为一大都会,自是因为它是淮南国的都城,但与合肥转输南方财物也相关系,南方的木材、皮革、鲍鱼等汇聚于巢湖之滨的合肥,这些东西大都运往寿春,即便北上中原也要经过寿春,淮南王管辖从淮河到江南的很多地方,寿春自然成为江淮地区的政治经济与文化中心。何况,寿春春秋以来先后是州来、下蔡与楚国的都城所在,有着很长时间的经营。所以后一句是进一步说明寿春何以为都会的,合肥起了很重要的作用。《汉书·地理志》说"寿春、合肥受南北湖,皮革、鲍、木之输,亦一都会也"[③],则是将这种关系合在一起说的。至于有人说"一都会也"不应有两地,实则此"一"为一方之一,非一地之一,《史记·货殖列传》言"陶、睢阳亦一都会也",也是两

---

① 陈怀荃:《豫章考》,《黄牛集》,安徽教育出版社 2005 年版,第 133 页。
② 参考《秦汉魏晋时期的合肥史研究》有关诸论文,黄山书社 2014 年版。
③ 《汉书·地理志》,中华书局 1965 年版。

地而曰"一都会"的,与此同。所以怀疑《史记》已出现地名的"合肥",理由都不具足。

从上引文献可以看到,《史记》与《汉书》对于合肥的叙述稍有区别,后者笼统言之,而《史记》则更为具体,既说出了寿春在江淮地区的都会地位,又指出合肥从属于寿春,因为处在两大湖中间而成为本地转输贸易的中心,即合肥主要是转输贸易发达,并不是说它有和寿春一样的区域政治、经济与文化中心的地位。

"合肥"县名,目前所知最早明确记载于《汉书·地理志》,为九江郡十五县之一,它的周边有浚遒(今肥东县龙城遗址)、成德(在今肥西、寿县与长丰县间)、橐皋(今巢湖市柘皋镇)、舒县(今舒城县,一说在庐江西南)等。成德在它的西北肥水之滨,距离合肥不远。汉代前期在寿县与合肥之间还有一个肥陵邑,淮南王刘长的座上宾开章就葬在这里,邑在汉代是公主等的食邑,近于县的级别,似乎刘长时期这里设有县级的单位。"史记正义"引《括地志》云:"肥陵故县在寿州安丰县东六十里,在故六城东北百余里。"接近今天寿县、长丰的结合部,唐朝初年在这一带所设的肥陵县,当因汉肥陵邑而来,可能在成德县以北略偏东。据《水经》记载,肥水发源于成德县广阳乡西,广阳乡大概略当于今天肥西县的将军岭一带。合肥东面的浚遒县城,即今肥东龙城古城遗址,去合肥不过百里,两县交界地带无疑更偏西。今肥西县的南部汉代很多属于舒县,这从封在舒县的羹颉侯墓在肥西花岗镇可以知道。所以合肥县的西界也当在今肥西县城派河镇一带,距离合肥市区几十里。这样看来当时合肥县的地面是很小的,东西、南北似都不够百里,其所以立县当与这里交通运输发达相关。这样来看"合肥受南北潮,皮革、鲍、木输会也",确属可信。

(二)汉魏学者对于肥水的认识

过去学者都认为合肥得名,与肥水有着密切关系,肥水的情况是需要具体讨论的。《水经·施水注》引东汉末年人应劭说:"夏水出城父东南,至此与肥合,故曰合肥。"应劭的说法还有一个版本,即颜师古注《汉书·地理志》的引证:"应劭曰:夏水出父城东南,至此与淮合,故曰合肥。"后来一些人根据颜师古的引证,认为合肥当在淮河之滨,而不是今天合肥市的位置。这个说法是不可取的,因为颜师古的引证是错误的。首先,西夏水所出的是"城父"而不是"父城",这一点前人已指出。① 其次,郦道元引证的是"至此与肥合"而不是"与淮合"。郦氏早颜师古近二百年,距离应劭的时代更近,所引自然更可取,尤其重要的是郦氏所引与唐代其他一些学者的引证相一致,如唐卢潘《庐州四辨》所引应劭说与郦道元的完全一样。② 还有杜佑《通典》卷一八一庐州府"合肥县"条:"合肥:汉旧县,故城在北,夏水出城父东南,至此与肥水合,故曰合肥。"根据唐代国史与实录等资料编辑的《旧唐书》,其《地理志》记载:"合肥:汉县,属九江郡,旧县在北,夏水出城父东南,至此与肥水合,故曰合肥。"两书虽没有明说引应劭言,但语句与郦氏所引应氏之言完全一样,而且都说是"与肥合"。后根据汉晋隋唐资料编写的《太平寰宇记》卷一二六"合肥县"条亦云:"应劭曰:夏水出城父东南,此至与肥合,故曰合肥。"可以看出颜师古之前、同时与之后的多数文献引证的应劭说,大都与颜引不同,而与郦道元一致。③ 第三,合肥在淮河之南200余里,用肥水与淮合来解释合肥的设立与命名,明显不妥,应劭博学通识,不会如此不济。第四,阚骃是北魏早期的人,地理学大家,郦氏引阚说谓之"阚骃亦言,出沛国城父,东至此,合为肥",则在出城父东南行合为肥方面,阚骃与应劭是相近的,说明汉魏时期有一派学者就是把西肥水与东肥水合在一起看的。早在春秋时期,多位楚王长期驻跸于"乾溪之上",即涡水从城父通往西肥水一段,在这里建设著名的章华台,④楚灵王甚至因为在这里时间太久导致郢都发生叛乱,死在从乾溪赶回的路上,

---

① 周振鹤《汉书地理志汇释》引王先谦等说,安徽教育出版社2006年版,第150页。
② 卢潘:《庐江四辨》之"辩合肥",《唐文粹》卷46引,《文渊阁四库全书》本。
③ 唐以后引应劭说也有与颜师古引证相近的,如《资治通鉴》胡注等,较晚。《舆地纪胜》引《元和郡县志》曰"淮水与肥水合",但是《纪胜》引书本不甚严格,多是大意引述,而且散佚甚久,现在所见又是学者自他书征引汇编而成的本子,未可视为《元和郡县志》的本文。
④ 参见清华简《楚居》。

而楚军与吴在江淮地区争战，也经常从乾溪出发南下江淮之间，都说明很早的时候夏肥水就是一条重要水路。

《汉书·地理志》有夏肥水即西肥水，这也是西肥水称为肥水的开始。《水经·淮水注》言："然则濮水即沙水之兼称，得夏肥之通目矣。"《水经》没有讲到夏肥水，只说肥水即东肥水，郦道元注才提到夏肥水即沙水、濮水。这一片地区先秦是陈、楚、吴、宋、徐等多国交征之地，也是淮夷居区，地名叫法多样不足为怪。"濮水"之名多见于《左传》，也见于《庄子·秋水篇》，说明濮水的叫法可能是宋人的。《左传》昭公四年有"冬，吴伐楚，入棘、栎、麻，以报朱方之役。楚沈尹射奔命于夏汭，咸尹宜咎城钟离，薳启强城巢，然丹城州来"。《说文》："汭，水相入也，"王筠《说文句读》："小水归大水曰入，比长絜大而相入者，则别其名曰汭也。""夏汭"即夏水的入淮口，《三国志·满宠传》有"夏口"，都当是指的同一条河。可能的情况是，上段在宋国境内，谓之濮水、沙水，下游在楚国境内，楚人谓之夏水。西与夏关系密切，《左传》襄公十年载郑国有公孙夏字子西者，可以证之。上古华夏部族在西方，夷族在东方，所以称夏之都邑曰"西邑夏"①。因为此，"西"与"夏"逐渐联系在一起，夏肥水又曰西肥水，当是这种情况的具体体现。先秦时期夏肥水尽管有多种称谓，但是没有肥水之名，因此我们推测原先叫肥水的只是东肥水（东肥水一直名肥水），因为楚人长期从城父等南下前往寿春，即东肥水入淮靠近寿春的一段成为从北方过来之水路的一部分，夏水因而也有肥水之名而曰夏肥水。蒙文通做过一篇《鸿沟由夏肥水过寿春入巢湖通大江考》，指出应劭说夏水"与肥合"的意思"盖自水道交通言之，故夏水亦曰夏肥水，非一水道流注为说也"②。所言可谓得体。

淮河以南从寿春到合肥一段，先秦时曾称为"豫章"，《左传》凡六次提到。陈怀荃先生指出："春秋时代的'豫章'，乃是北起州来附近

---

① 《礼记·缁衣》引，《十三经注疏》本，中华书局1987年版。
② 蒙文通：《古地甄微》，巴蜀书社1998年版，第145页。

的淮水之浦,南迄巢城以西的巢湖之滨,这一长条地带的地片之名。在这一地带内,有肥、施二水沟通江淮,构成江淮间重要的南北通道。实际上,即此沟通江淮的南北通道之名。"又说:"豫章,肯定是连接肥、施二水沟通江淮的南北通道之名。"①谭其骧也说:"春秋时代所谓豫章指今淮南寿县至合肥一带。"②"豫章"应该是楚人的叫法,即是陆地联通的道路,也有水路即肥水、施水。后来的《水经》云:"肥水出九江成德县广阳乡西……北入芍陂。施水亦从广阳乡肥水别,东南入于湖,"说明汉末三国时期学者对于这一带的山水情况了解更多。《水经·肥水注》引西晋吕忱作《字林》说:"肥水出良余山,俗谓之连枷山,亦或以为独山也,"已能注意到所出之山,但是没有具体考察,所以引证了不同的说法。

翻开地图可以看到,东、西肥水地理走势基本在一条线上,早期西肥水与东肥水的入淮口可能也是对应的,只是后来因为某种原因而稍微错开,即西肥水略偏北一些。再者,东、西肥水之名也告诉我们,它们之间一定有着某种关系,不然何以都叫肥水而又东、西分别呢?它们原即是一条水运通道,鸿沟开通后,南下经西肥水过淮河走东肥水、施水入巢湖。晋以后水道不畅,与淮河中游地区地壳运动导致不断抬升及河道变迁等因素相关。③

从这样的背景来看阚骃的话夏肥水"至此合为肥",即通为一水而曰肥水是有道理的。《汉书·地理志》城父县下班固自注:"夏肥水东南至下蔡入淮,过郡二,行六百二十里。莽曰思善。"西汉时淮河以北城父、夏肥水以及下蔡县等属沛郡境,在淮以北的夏肥水并无"过郡二"的情况;④还有,自城父到淮河的距离,直线距离不到 280 里,水道最多不过 350 里,无论如何也不可能达到 620 里。联系到阚骃、应

---

① 陈怀荃:《黄牛集》,第 123—124 页。
② 谭其骧:《长水集》,第 228 页。
③ 淮河中游主河道上古时期摇摆不定,学者已有研究,参卢茂村:《关于"蔡迁州来"及"古州来国"地望考辨》,《楚文化研究论集》第五集,黄山书社 2003 年版;张义丰:《淮河中游江淮湖群形成的地理因素和社会因素》,《芍陂水利史论文集》(1988 年)。
④ 王先谦《汉书补注》认为"兼汝南言之耳",只是推测,没有实据。

劭的话，班固所言让我们想到"过郡二"与620里指的是经过沛郡、九江郡到合肥，从城父过来到合肥正好"过郡二"，里程也相当（古里小于今里）。看来，班固、应劭等讲从城父经夏肥水南下"与肥合"或"合为肥"，都是指的通到合肥县，古代它是一条重要的联系南北的水利交通要道，后来曹操"四越巢湖"走的也是这条路线。

（三）郦道元以来关于合肥得名的研究

郦道元虽然引证了应、阚二说，但是认为："余按川殊派别，无沿注之理。方知应、阚二说，非实证也。"因而提出新的说法："夏水暴长，施合于肥，故曰合肥，非谓夏水也。"①即合肥是由于施水在夏天因为暴雨的原因而与肥水汇合，故而称为合肥。郦氏的说法影响很大，现在一般人讲述合肥名字的来源，都引证他的说法。应该说，郦道元对于施水、肥水流向情况的叙述大体是正确的，参考了前人的意见，但是细致分析就会发现他对于合肥得名的说法却是不可取的，与他自己叙述的肥水与施水的枝津关系不一致的。夏天"施合于肥"在何处？是"合"在合肥市的地方呢？还是合肥以北长丰一带两者相会之处？若是后者与合肥得名又是什么关系？郦道元言肥水起源引晋人吕忱说没有辩证对错，施水注说："施水受肥于广阳乡，东南流迳合肥县，"大略言之而已，也没有新意见，说明他对于这一带山水地理的知识没有超过《水经》的作者，夏天肥水暴涨之说不过是推测罢了。我们知道，曹操父子曾多次率水军自谯郡走涡水到淮河，再出肥水至合肥，而且经常是冬天，说明当时水道一直是相通的，不是只有夏天才可以通过。到了晋代，陈敏被任命为合肥度支，转运南方米谷，后迁升为广陵度支，②也说明合肥与扬州一样是南北转运的中输站。以后便不见有走合肥北上的水运了。南北朝时期南方的军队北上寿阳（即寿春、寿县），经常走扬州北上淮河再西进寿阳。是以郦道元时

---

① 《水经注》卷32，陈桥驿校证本，中华书局2007年版，第752页。
② 《晋书·陈敏传》，中华书局1974年版。

期,北方南下巢湖走肥水入施水已不再通畅,他只能猜度施合于肥是夏天洪水暴涨造成的情况了。

唐代,卢潘作《庐江四辩》,其中《辩合肥》短而精,照录如下:

《汉书》:淮南王杀开章,葬之肥陵。肥陵,肥水之上也,在寿春。应劭:西夏水出父城东南,至此与肥合,故曰合肥。今按:肥水出鸡鸣山,北流二十里,所分而为二,其一东南流,经合肥县南,又东南入巢湖。其一西北流二百里,出寿春西,投于淮。二水皆曰肥。余按《尔雅》:归异出同流肥。言所出同而所归异也。是山也,高不过百寻,所出唯一水,分流而已,其源实同,而所流实异也,故皆曰肥。今二州图记皆不见夏水与父城,恶睹其谓夏与肥合者乎?合於一源,分而为肥,合亦同也,故曰合肥。而云夏与肥合者,亦应氏之失也。①

卢潘从分析应劭说出发,指出肥水从鸡鸣山北出,20里后一分为二,东南流的经过合肥而入巢湖,也叫肥水,并提出他所论述的根据在《尔雅》"归异出同流肥"。可以说卢潘论述施水也名肥水,简洁精当,要言不烦。为什么这么说呢?

首先,卢潘对于肥水与施水的关系及肥水之名的认定与《水经》的说法相一致,施水与肥水都是发源于同一个地方鸡鸣山,一个北流为肥水,一个东南流为施水,根据"归异出同流肥"的古训,施水也得谓为肥水,它流经合肥城的东南,也是合肥得名的缘起。汉代已有合肥县城,说明当时此水必是称名肥水的。这个解释比之夏天河水暴涨造成施合于肥的说法显然更可取。

其次,卢潘说肥水北流然后分而为二,很是明确,卢潘曾做过庐州刺史,在合肥任官,对于这里的情况自然了解更多。文中说他看到过本地的图记,即本地的方志地理图,这些是地方士人实地勘验而制作的。可能是这个原因,杨守敬要说"惟卢潘释合肥,最得经文'肥水

---

① 卢潘:《庐江四辩》之"辩合肥",收《唐文粹》卷46,《文渊阁四库全书》本。

别'之意"。① 有的学者认为卢潘"合于一源"说不辞,不取其言,实则卢潘也说了"合亦同也",即他是在"同"的意义上讲"合"的,同出一源自然可以。

宋明以来,讨论合肥得名的学者还有很多,如宋王应麟《通鉴地理通释》卷十一"合肥条",参考颜师古引应劭说提出:"淮水與肥水合,故曰合肥,"似乎合肥指的是肥水入淮口,但与合肥县有什么关系看不出来。明代闻人诠在《南畿志》中说:"肥水出紫蓬山,东北流入金斗河,一支西北流,东复转南,东门外二水相合,故曰合肥。"这里说的施水所出与《水经》说施水为"肥水别"即从东肥水分出不同,很显然是根据明代地志资料所做的新诠释,而谓之曰肥水两支迂回包围合肥城,则有些道理。清代一些方志如左辅《合肥志》(嘉靖八年修)、张祥云《庐州府志》(嘉靖八年刊本),都能根据当时合肥地区的水道地势情况,辨识《水经》及"注"的说法与不同,而且注意到古今变化,认识到高山为谷、深谷为陵乃常有之事。另外,照录古人说法的也不乏其人。如《清史稿·地理志》庐州府"合肥县"条载:"肥水迳鸡鸣山,淮水来与之合,县名昉此,"就是混合古人的一些说法而言之的。还有其他一些说法。进入现代,学者对于合肥地区的山川情势的考察更细,研究更深入,对于南淝河的源头能够辩证看待古今学人的不同认识。现代学者所做工作更多,对于南淝河正源有细致的踏查与研究,可以说现代南淝河的正源终于得到较好的论证。②

不过,依据现代踏查确定的肥水之源在将军岭来讨论古代关于合肥得名的做法,未必得当。"古代江淮河等水系走向已与今日区别甚大,今人更不可用今日流经简单揣测古时走向。要以历史时期地理变迁的角度审度,历史地看待古人对江淮等水系描述的一些言论。"③古人关于肥水的知识可能存在一些错误,但正是这些知识促成

---

① 郦道元著、杨守敬、熊会贞疏:《水经注疏》,江苏古籍出版社,1989年,第2674页。
② 马骐:《合肥古地理若干问题考辨》,《秦汉魏晋时期的合肥史研究》。
③ 陆发春:《合肥地域南淝河史事考述》,《合肥学院学报》2009年第6期。

第四章 秦汉时期合肥地区的行政建置与政局

了古人关于合肥的认识与命名,讨论合肥的得名需要了解的是古人何以谓之"合肥",正是他们关于这一地区山川城邑的知识与认识才使得这里被命名为合肥。这才是理解古人合肥命名的关键所在。基于正确的肥水源知识,虽然能帮助人们认识古人关于肥水知识的局限,却不能说明合肥何以得名。是秦汉时期的古人命名了合肥,需要认识秦汉时期古人命名合肥的道理与依据。所以不能抛开古人谈合肥的得名。有人认为南淝河古称施水,也称肥水,"更可称'施肥(水)'",又据《康熙字典》《中华大字典》"仝,古施字",说:

> 则古时"施肥(水)"当写作"仝肥"。……"仝"与"合"极似,笔画又一样,在辗转刻写中,难免将"仝"字刻成"合"形,进而由"仝肥"误成"合肥"。①

这一番推理表面看没有错,但分析起来就知道问题不少。首先,《康熙字典》是清代编写的,所收此字早到什么时候,没有说清,而这个"仝"字在《说文解字》中已出现,其仓部有:"仝,奇字仓。"《说文解字》比《康熙字典》要早一千数百年,编成于东汉,"仝"初为仓字的异写,后来念为施音显然不能代表合肥命名时的情况。其次,说施水、肥水更可以称"施肥(水)",为什么?作者没有举出任何例证来说明其中的道理。这个前提如不能成立,下一句所谓字形辗转刻写又变异的分析就更加没有意义了。至于进一步说"古时'施肥(水)'当写作'仝肥'",则完全是推测之言了。如此之类,不一一讨论。历史问题的推断都是需要确切的证据为根据的,所谓实事求是,无征不信。

还有学者在讨论了各种说法,即应劭、阚骃说,郦道元说,卢潘说,淮、肥之合说,闻人诠说,李洁非说,嘉庆《庐州府志》说之后,加以评议,认为都不可取。之后根据郦道元"淇水注"引犍为舍人的说法:

---

① 马骐:《合肥古地理若干问题考辨》,《秦汉魏晋时期的合肥史研究》。

"水异出,流行合,同曰肥,"又依据资料考出汉代合肥城周四条水的名字:北边的清代称为北十五里河,城西边为阊润水(今四里河),城东边的是皇陵庙南水,城南即施水,提出了自己的看法:"四水都是异源,符合'水异出'的要求,其他三水皆汇合一水后而同流,又符合四水'流行合,同曰肥'的概念。这样'合'、'肥'二字自出,四水既'合'又'肥',故曰合肥。"①

可以看出,这是想另辟蹊径解决"合"与"肥"二字组合问题。但是存在迂曲之处也是很明显的。首先,对于淇水支流的"肥泉",《诗经》毛传就说:"同出异归为肥泉,"郦道元首先也是引证毛传、《尔雅》《释名》三种相近的解释来说明"肥泉"之为"肥"的。因为解释不通,又引证犍为舍人的说法,自己也指出"今是水异出同归矣",就是如今水流的情况与毛传等的注释不能符合,于是拿犍为舍人的说法来诠释肥泉的名与义,至于肥泉以前什么样子并没有考察。这个解释即便正确也只能说明肥泉何以曰"肥",不足以说明多水汇合流入一水即为"合肥"。其次,四水"合流"本即"同流",宫先生把合流解释为"合",同流解释为"肥",因而曰合、肥"二字自出,四水既'合'又'肥',故曰合肥",叫人摸不着头脑,纯粹是为了粘出合、肥二字而做的文字游戏,不符合犍为舍人的本意。何况,犍为舍人之语是否该如此断句,学界有不同的意见。②

其实,古人说同出异归为"肥"是有根据的。《山海经·西山经》云:"有蛇,一首两身,名曰肥遗,见则其国大旱。"郭璞注引《管子》曰:"涸水之精名曰蝄,一头而两身,其状蛇,长八尺,以其名呼之可使取鱼龟,亦此。"关于这个肥遗或蝄(音近肥),很多神异鬼怪之书都讲到,见则天下大旱,商汤时期就是因为它的出现而大旱七年的。它最基本的特点是一首二身,《尔雅》、毛传等将同出异归的河流命曰"肥",显然是从此肥遗一首二身演化而来的。所以"肥"之命义即同

---

① 宫为之:《合肥得名新探》,《安徽史学》1995年第4期。
② 这一句话,陈桥驿《水经注校证》第236页标点作:"水异出流行,合同曰肥",与此异。

第四章 秦汉时期合肥地区的行政建置与政局

出一源而归异是从远古传说演化而来的,有其古远的传承,不能随便更改的。

(四)合肥的命名与设县的时机

古代以来关于肥水、合肥名义的研究让人明白几件事：一是《水经》把施水的源头说成是"肥水别",即肥水别出者,而不是后来大家认为的正源今将军岭之南;二是汉代施水既有肥水之名;三是至少汉代学者已把肥水水道北推至夏水因而谓之夏肥水,其起点当楚国早期在东方的重要中心城父,南至合肥县,班固、应劭等都有这种观念。至此,合肥的得名就清楚了。汉代合肥的情况郦道元有一些叙述：

"施水自成德东迳合肥县城南,城居四水中,又东有逍遥津,水上有梁,孙权之攻合肥也,张辽败之于津北……施水又东分为二水,枝水北出焉,下注阳渊。施水又东迳湖口戍,谓之施口也。"①

郦道元没有到过合肥,说合肥城在四水之中,当是根据图经、地志之类或有关记载陈述的。肥水即施水从东肥水分出东南流经过县城之南,又从东南流亡巢湖,其中一个枝津北出即在城的东边,这就意味着肥水必是从城北到城西再到县城南的。以后又向东流,分为两支,一支北出入阳渊,一支南下入巢湖。则肥水自北、西、南三面环绕合肥城,加上东面的枝津即支流,正好构成四水环城,则合肥城实为肥水干支流合围之城。《说文解字》云："亼,三合也,从入②、一,从三合之形,读若集。"又云"合,合口也,从亼,从口"。段玉裁注："引申为凡汇合之称,"③即凡是汇合皆得称为"合"。三条线结成一个三角形,而"合"字正是从三角形加上口,以形示意,甲骨、金文的合字正像

---

① 陈桥驿：《水经注校证》,第752页。
② 徐铉等注认为："此疑只象形,非从入、一也。"本字为三直线连成一个近似之三角形(下一横略短),所从不当为人,徐说是。
③ 段玉裁：《说文解字注》,《汉小学四种》本,巴蜀书社2001年版,第230页。

器盖相合之形,四边和合,也即围绕一周。是以"合肥"二字说的正是县城为肥水干、支流包合之义。①

古人建都设邑,常选在水隈间高地上,即水的转弯、岔道处,一般都是高地,在这里建设都邑正所谓"凡立国都,非于大山之下,必于广川之上,高毋近旱而水用足,下毋近水而沟防省,因天材就地利,故城郭不必中规矩,道路不必中准绳"②。河水流动之所以转弯,正是遇到了岗地,近水而地高,适合建都设邑,所以早期中国的都邑建设基本都是如此选择。合肥附近的寿县建在肥水的转弯处,东、北、西北三面为肥水包围,临泉县沈子国故城建在流鞍河与泉河交叉口的高地上,宿州蕲县城址建在沱河(古蕲水改道后名)转弯处的高地上,古代的焦即亳州城建在涡水转弯处高地的后面,如此之类。所以古代四面或三面邻水的城池是很多的。汉合肥城在今四里河、蒙城路一环路一带,因城市建设已看不出地势比周围高多少,但在土岗之上也还是清楚的。基本的情况应该是南肥水所谓正源自西北方过来,进到古城西北,受高地阻挡转道城西经城南而东走,所以会经过城的北、西、南三面。可惜的是这一带古今水势变化太大、太多,已看不到郦道元所说的情况了,明清及现代学者推测的古城周围四水名种种是否当时的情况,不能确定。唐卢潘注意到东肥水分出的支流东南经过合肥东向南流,但没有指出南淝河正源流出的河道情况。

总之,合肥得名本甚显明,即为肥水干支流围合一圈,郦道元时合肥南北水上运输已不通航,即淮河水系与长江水系在这里断流了,只好推测为夏水暴涨才有的情况,后之学者或专注于肥水而不注意合肥城在四水之中,或忘记肥之本义而说众水所汇即曰合肥,或不顾肥之命义自我作古而曲为之解,都难得古人合肥命名之义。

需要说明的是,郦道元时期的合肥城还是汉代的合肥城,中间刘

---

① 清代学者庄有可作《合肥考》,认为四水分别为:西为肥水经流,南为施水经流,东为逍遥津,北为施水枝津(收谭其骧主编《清人文集地理类汇编一》,浙江人民出版社1987年版),但所说不尽符合《水经》及郦道元所言情况。

② 《管子·乘马》,《管子校注》本,中华书局2004年版。

馥曾修整过,但他所做的工作只是"高为城垒,多积木石"①,并没有改变城市的位置与布局。以后直到北魏时未见有改建。所以郦道元时期的合肥城格局还当是汉代合肥城的情况。

合肥一名出现的具体时间,过去有人认为当在战国末年南方物资转运北方而兴起的。② 更多的人说在秦时已设县,见于很多关于合肥的介绍与史话之中。这当然是对于《汉书·地理志》记载的误读。《地理志》曰:"九江郡,秦置。"以下还述及汉代的废置沿革及所辖十五县,读之者因"秦置"二字误以为秦时的九江郡已有合肥县了。其实,《汉书·地理志》是以汉平帝元始二年(2)时全国的情况为基础编纂而成的,这里的十五县也是那时的置县情况,不是秦代的。还有一些人认为合肥县设置于汉武帝元狩元年(前122),这一年淮南国更名为九江郡,合肥属于九江郡,因此合肥县之设可以以本年为开始。这种可能似乎是存在的,但是论证成立则是很难的,尤其是合肥商业贸易的迅速发展需要联系淮南国的需要才可以解释清楚的。

合肥南淝河流域很早有人居住,调查遗址早到新石器时代晚期,商周遗址分布密集。③ 战国时期楚国统治整个南部中国,江淮地区巢湖流域的物资主要云集于居巢,经由巢湖通向长江运往湖北,或者北上寿春,过淮河西向方城,经江汉平原运往江陵纪南城。这在《左传》、出土的鄂君启节车节中都有记述,《左传》说巢邑有城,还曾筑郭,有城门;鄂君启节记载战国后期楚怀王六年(前323)时,江淮中部只有居巢是大码头,楚国贵族鄂君的属下做生意,车队人马到达江淮中部的通都大邑是居巢。秦汉建立统一集权的国家,到刘长刘安父子淮南王国的建立,寿春成为九江、庐江、衡山与豫章四郡(包括今安徽、江西大部、湖北一小部)的政治经济中心,合肥成为寿春后院与巢湖通向北方的中转站,需要建置县级行政单位加以管理,并且全国唯

---

① 《三国志·刘馥传》,中华书局 2011 年版。
② 陈怀荃:《黄牛集》,第 284 页。
③ 《安徽合肥市南淝河流域先秦遗址调查报告》,《文物研究》第十六辑,黄山书社 2009 年版。

一设置的陂官、湖官就在九江郡,负责管理巢湖、芍陂的渔业、税收与水利灌溉等。所以西汉时期,合肥取代了居巢的地位,成为全国著名的"输会"之都。由此推测合肥设立为县,大略可定在淮南王刘长、刘安父子在位时期,即文景到汉武帝时代。战国末至秦时,江淮地区以北部寿春为都会,但是时间很短,秦末九江王也是第一任淮南王英布的都邑在六县,即今六安市,合肥并非通往六安的通道。战国中后期的包山楚简有陵君分封的陵邑,地点据考即后来的肥陵邑或再后的成德县一带,也可能近于今长丰县杨庙镇与陶楼乡之间的古城村,[①]距离汉代合肥县城都不足百里。汉朝建立不久,淮南王刘长、刘安父子经营寿春,合肥作为巢湖过来转输河道的转运站,成为巢湖流域乃至江南通往寿春的最佳位置,而居巢处在今巢湖的中南部(另文专论),转输贸易不如合肥方便,于是寿春之南的合肥作为转输北上物资的据点开始重要起来,在此基础上单独设县是可能的,也是必要的。司马迁写完《史记》不久就去世了,时当汉武帝末年,以征和二年(前91)前后说较为可取。[②] 其书已有"合肥",似可作为合肥县之设在汉代的下限,即最晚不晚于此时。或者以为当公元前150年、公元前122年等,皆有可能,有待征实。但不会早到秦代是可以说定的。

研究合肥县的得名,要注意南、东肥水的地理源流关系、古今水系的变化,尤其是古人关于这一带山川地理的知识,不能用今天的地理知识去说古人的认识,也不能拘于郦道元的名气而不去探究早期合肥命名的实况。其实,从今天国际通行的"河源唯远"的原则看,《水经》记载从东肥水分出而南流进入巢湖的所谓施水枝津,应该比发源于将军岭之南的所谓南肥水正源要长得多,谓之东肥水的别支或南淝河的主源也是可以的。只是这个支流后来断流了,甚至需要考证才能略知大概。

---

① 陈立柱:《结合楚简重论芍陂的创始与地理问题》,《安徽师范大学学报》2012年第4期。

② 司马迁卒年有多种说法,参考袁传璋《太史公生平著作考论》第二章,安徽人民出版社2005年版。

三、居巢地望

居巢，源于《左传》多次提到的江淮之间的巢国，《史记》作居鄋、居巢，后世多作居巢，西汉庐江郡十二县之一。我们曾推断春秋巢国初在肥西至寿县一带，被楚人打败后一部分人东迁（也可能是楚人迁之），大体位置即《左传》"豫章"之南，这里是楚人拒抗吴国的前沿，建立军事据点而曰巢城，战国时期成为江淮中部重要的城邑与贸易中心，范增为秦居巢县人，曾封为历阳侯，是这一地区的著名人物。但是，汉代居巢县的具体位置在哪里？历来意见不一。古代多认为居巢旧址在巢县北（或东北）五里，即今巢湖市东北。现代学者或者说汉代居巢县在桐城之南六十里，①或者认为在六安东、巢湖西北一带。② 所以关于居巢的具体地点，有待于进一步考述。

（一）居巢地望当距庐江巢湖不远

关于汉晋居巢的位置有一些资料可以参考。《文选·江赋》六臣注引《水经注》文："巢湖在居巢。"这就是说巢湖属于居巢县，而居巢县城当在巢湖之滨或不远。与之可以互证的是《三国志·魏志三》载青龙二年五月，"孙权入居巢湖口，向合肥新城"，③孙权率军所进入的湖叫"居巢湖"，当即是今日的巢湖或其一部分，其和居巢之间关系密切由此可见。同时这两段材料还说明居巢在桐城之南的说法不可取，因为巢湖去那里远甚，不可能属于所谓在那里的居巢县。

还有一段资料也是值得注意的，如《水经·沔水》云："沔水与江合，又东过彭蠡泽，又东北出居巢县南，又东过牛渚县南，又东至石城县，分为二；其一东北流，其一又过毗陵县北，为北江。"

---

① 谭其骧：《再论鄂君启节地名答黄盛璋同志》，《长水集》（下），第212—232页。
② 黄盛璋：《关于鄂君启节交通路线的复原问题》，《中华文史论丛》第五辑。
③ 北周薛寘《西京记》云："今居巢江南水有鹊岸"（《初学记》卷六"江"部引）。北周时似已无居巢，居巢江南水亦不可确指。

这里提到沔水东北流经过居巢县南,谭其骧认为居巢在桐城之南这是一条重要的证据,说明居巢县南距长江不远。我们知道,《水经》关于长江、汉水下游记载混乱的地方很多,江水部分只说到"又东过下雉县北,利水从东陵西南注之"。以下部分包括注全都散佚了。郦道元在《沔水注》中也一再指出其错误,这些无疑是由于错简乱简所造成的。所以后来学者校对、重编江水、沔水部分做了大量的工作。我们引证的是陈桥驿的校证本。过去学者在校勘有关资料大都是根据自己掌握的道理而改动,很少有人结合这里的地理形势来说沔水的走向,即就地而言其合理性。文献记载既不完全,不考察这一带的地势,光有辩证文献的功夫无论如何难以做到符合实际。我们结合《尚书·禹贡》的记载、古人关于沔水在彭蠡以东与江水分流的观念以及这一带地理走势,提出校改如下:

"沔水与江合,又东过彭蠡泽,分为二:其一东北流,又东北出居巢县南,为北江。其一又东至石城县,又东过牛渚县南,又过毗陵县北,又东至会稽余姚县,东入于海。"

后面的"其一"部分无疑即《禹贡》"中江"的走向,也即《汉书·地理志》的"大江"。这从经过石城县(今池州市)、牛渚(今马鞍山采石镇)等可以看出来。但也有乱简,如"又过毗陵县北,东至会稽余姚县"。余姚在杭州湾南,江水是不会流到这里的,错简很明显。毗陵据考在今常州,江水如何流到这里?一些学者猜疑这里是"北江"的所在,也有说是"东江"或"南江"。这些暂且不管。而沔水所走的路线为"北江",《禹贡》有明言:沔水"……入于江。东汇泽为彭蠡,东为北江,入于海。"出彭蠡为北江当然是东北行。而经过居巢县南,意味着弄清楚"北江"的路线,对于认识居巢县地望的所在无疑是重要的。

依据《禹贡》江水"……过九江,至于东陵,东迤北会于汇;东为中江,入于海",则江水主要走的是"中江",与沔水走的北江不同。"中江"即是大江,也即今天长江的主航道,①则北江又在其北明也。从彭蠡东来是古代的九江,有很多支流与湖泊,再往东就是大别山南麓与长江南岸山地之间,在这个十分宽阔的地带中间,即自太湖以南经过安庆以北迤逦东北,经过庐江、无为与枞阳之间的三官山,断断续续到巢湖南岸的银屏山,可以看出正有一条隐隐约约的山地高岗将之分为两部分,南边即中江所走水道,而北边无疑即"北江"了。中间的部分从太湖之南、安庆以北的低山到三官山一带,这些应该就是《禹贡》所谓的"过九江,至于敷浅原",低山高岗延绵其间,而银屏山一带较高,应该就是"东陵"了。这些低山丘陵延续到银屏山一带,包括向南过大江所到的铜陵、繁昌、芜湖一带,早期都是著名的产铜区,难怪古人会特别重视这里了。考古遗址资料显示,自今庐江县城向南到三官山以西一直到枞阳一带,大多是高岗低山丘陵,新石器时代晚期到春秋战国时期的遗址比较多而稠密,可能是北方过来的人们不断深入铜矿区而留下的。

如此,则"北江"正是走的大别山南麓东北行的水道,符合"东汇泽为彭蠡,东为北江"的大方向。今天这一线路上还有很多湖泊,如七里湖、菜子湖、白兔湖、巢湖南部等。巢湖处在北江的水道上或附近,而居巢自然可以在"北江"之北。结合"巢湖在居巢",则居巢的位置大体可以定在今巢湖水域一带。这与我们上一章推测居巢在巢湖水域至庐江县北部大体是一致的。

(二)汉晋时期居巢一带多次发生地震地陷

居巢所在还可以从范增家乡发生地陷的情况得到进一步的认识。范增籍里古代有三种说法,分别是《史记·项羽本纪》记载的"居巢人"说,《史记索隐》引《汉纪》的"阜陵人"说,《水经注·泗水注》提到的"历阳人"说。可巧的是,这三个地方在汉代都发生了地陷为湖

---

① 关于长江下游"三江"问题,古代以来研究者众多,可参考胡渭《禹贡锥指》,谭其骧主编《清人文集地理类汇编》(五),顾颉刚、刘起釪《尚书校释译论》等有关部分。

的事。《淮南子·淑真训》载，"历阳之都，一夕反而为湖"，历阳县城沉入湖底，变成了湖泊。事在刘安著书之前。

东晋干宝作《搜神记》，其中"古巢"条载：

> 一日江水暴涨，寻复故道，港有巨鱼，重万斤，三日乃死，合郡皆食之。一老姥独不食。忽有老叟曰："此吾子也。不幸罹此祸，汝独不食，吾厚报汝。若东门石龟目赤，城当陷。"姥日往视。有稚子讶之，姥以实告。稚子欺之，以朱傅龟目；姥见，急出城。有青衣童子曰："吾龙之子。"乃引姥登山，而城陷为湖。

这个故事与前引高诱所说有很多变化，也有相近之处，但明说是城陷而为湖，说明东晋时期古巢已成往事、传说。

《晋书·地理志》阜陵县条原注亦有"汉明帝时沦为麻湖"，明帝在东汉初，其时阜陵县城也变成了湖泊。《明一统志》卷十四庐州条言亚父山，"在巢县东八十里，亚父，范增也，增居此山之阳，故名。"巢县东80里应该是当时阜陵县的属地。居巢县地陷的说法出现稍晚，但也不晚于隋唐，且是传得最多最盛的，唐朝诗人罗隐在游巢湖《姥山》一诗中说："借问邑人沉水事，已经秦汉几千年，"说明唐代人的观念中，巢湖或者其中一部分为居巢沉降而来，已经传说很久了。隋唐以后历代志书都讲居巢陷而为巢湖的故事，不下数十条，仅引《太平寰宇记》卷一二六卷"庐州条"为例：

> 巢湖在今县东南六十里。吴志云：或云巢作剿字，音亦谓焦湖。耆老相传曰：居巢县地，昔有一巫妪，豫知未然，所说吉凶，咸有征验。居巢门有石龟，巫云：若龟出血，此地当陷为湖。未几之间，乡邑祭祀，有人以猪血置龟口中，巫妪见之南走，回顾其地，已陷为湖，人多赖之，为巫立庙，今湖中姥之庙是。

这个传说与高诱注《淮南子》说历阳沉湖的传说内容接近，人们用它来说明居巢县的沉没,一方面可能是误传,还有一种可能就是历阳也在这一带,或者居巢县沉没了,借此以为传闻。而居巢县晋以后不见于记载,唐人又说沉湖传说很久了,则居巢县的沉没不会是空穴来风。至今学者们还在热烈讨论本地盛传的"陷巢州,长庐州"的故事。依据范增籍贯的情况看,汉代的居巢、历阳与阜陵三县应该是相邻的,项羽将亚父范增封在家乡,称为历阳侯也说明这一点,不同的时间三县可能还有部分地区相重叠的可能,所以会有范增为三县人的说法。而三县城都沉陷为湖,似乎也印证了居巢县在巢湖之中的可能。这些也启示我们,历阳县最初可能是居巢邻县,沉没后再南迁大江之滨另建。其他还有很多资料也显示,汉晋时期巢湖一带确实发生了比较多的地震与地陷的事情。

一是《后汉书·显宗孝明帝纪》永平十一年,"澋湖出黄金,庐江太守以献。"这件事《论衡·符验篇》有详细叙述,说事情发生在庐江皖侯国,金币"数百千枚",存放在酒罇之中,两小儿在巢湖水中嬉水发现,带回家中告知其父,父亲去湖里见到更多,后献给郡府,郡府又以为祥瑞而献给国家。此事既记载于正史,又传布于社会,为王充等人知晓。东汉庐江郡为侯国者,南部有临湖、居巢、龙舒三县,其他都在舒县以北。皖侯刘闵在刘秀当国时为起义军李广等所杀,马援镇压李广后,皖县不再是侯国。黄金所出为澋湖即巢湖,而皖县去之远甚。所以汉明帝永平十一年(68)巢湖所出黄金之县,非是居巢则为舒县,不可能是皖县。其时刘般封为居巢侯,最为著名,出黄金的县最可能是居巢县所属的巢湖。而临湖县在白湖之滨,也说明邻近巢湖的更可能是居巢县。此黄金可以数百千枚论之,则最大可能是为楚金币,存于酒罇之中,为人间生活常用之物,见于湖水之内,说明这里过去当为人间聚邑之所在,可能就是一个集镇或者聚邑,因为地震或其他原因而沉入湖底。

二是2005年巢湖市城市风景住宅小区内,施工发现30多座汉墓,其中九号墓外墙呈弧形内凹,墓室地表砖呈挤压状上鼓,墓砖上面有龟裂纹及 X 状节理纹,明显为地震所致。①

三是巢湖东北焖炀镇属巢湖内发现唐咀遗址,为一处重要聚落遗址。目前露出水面的遗址沿湖滨大道护坡底部东西长有 600 米,南北宽 150 米左右。在遗址上发现的时代最早的遗物是新石器时代的玉斧,最晚的是王莽时期钱币。从目前已掌握的材料来看,这一遗址沉入水底的时间应该在王莽以后。遗址上发现大量的十分完整的陶器、各种生活生产用具、货币、铜箭镞、建筑用材、印章以及玉器、银器等经济价值比较高的遗物,有些是一些以废墟为特征的遗址上所没有的。所以调查者认为:"遗址有可能是在某次突然的灾难中沉入湖底的。"②

以上考古情况,加上历阳、阜陵、居巢三县沉入湖底的记载与传闻,则巢湖一带在汉晋时期曾经多次发生地震与地陷情况是很明白的。《后汉书·五行志》也记载了郡国动辄地震、地陷的情况,经常是 40 郡国地震、12 郡国地震、22 郡国地震、30 郡国地震,等等,有数十次之多,说明东汉时期确是地震频发期。

据地质学家研究,巢湖是由于地层局部陷落潴水而形成的,为一典型的构造断陷湖。从其形态看,至少由四组断裂所组成,其中以北北东、北西西两个方向的活动性断裂为主。巢湖区域地质构造比较复杂,我国东部巨大而著名的"郯城(山东郯城)—庐江(安徽庐江)断裂带"正好斜贯巢湖而过,很可能是巢湖形成的主干断裂。追溯到 7000 万年前,巢湖一带白垩纪沉积盆地的产生,就明显地受北北东向的郯庐断裂和北西、东西向的断裂构造控制,形成了古河、肥北和古城等断裂凹槽。凹槽好比是水库,沉积物好比是水库中蓄的水,凹槽断陷越深,沉积物堆积越厚,反过来沉积物的厚度,基本上就可以代表当时地壳断陷的深度。

从巢湖区域内断裂作用、地震活动、温泉出露种种现象均说明直

---

① 钱玉春:《巢湖文明的记忆》,黄山书社 2012 年版,第 15 页。
② 钱玉春:《巢湖市唐嘴水下遗址调查报告》,《巢湖学院学报》2006 年第 1 期。

到今天,地壳的这种升降运动仍然还在继续,只是表现比较缓慢而已。初始形成的巢湖湖盆比今天的湖区要大得多,西可能到六安的双河镇,北近合肥,南与庐江的白湖水域串连相通成一体。以后,由于湖盆内不断接纳了杭埠河、丰乐河、派河、南肥水等带来的大量泥沙,还承受了湖区周围山地洪水期挟带的大量泥沙,致使湖区不断被充填淤塞。堆积填淤的泥沙,主要来自巢湖的西部和西北部,湖盆内河流三角洲发育,所以湖盆的面积西部萎缩也最快,最显著。据《庐州府志》记载,肥西县三河镇1855年以前,还只是河流入湖口刚出现的一个小沙洲,而到1907年,它的位置却远离了湖滨,而现在与巢湖相隔已有十五六公里了。这里的填淤速度平均每十年推进1公里,十分惊人。这也是现在巢湖水西部浅东部深的原因。目前,巢湖的主体有不均衡的缓慢下沉趋势,如北岸中庙一带,已北移数百米,原来沿岸的村庄、农田已没入湖区;而南岸却又相对上升,湖岸线弯曲不齐。

居巢县何时沉入湖底,难以确考。据《晋书·五行志》记载,晋武帝太康二年(281)春二月,从淮南郡(治寿春)到丹阳郡(治建邺即今南京)同时发生了大地震,合肥正处在震中,居巢很有可能就是在此前后沉入湖底的。所以到了唐代,"借问邑人沉水事,已经秦汉几千年"了。《晋书·地理志》有居巢县,但也仅此一见,晋代以后不见有居巢地名。由此推测,居巢或者晋代以后完全沉降了。唐咀遗址碳十四测年为2090±130,相当于公元215±130,大体也在魏晋的纪年范围内。

(三)居巢县城去姥山附近不远

过去有学者据清代康熙《巢县志》载:赤乌二年(239)己未日"巢

城陷为湖"①,说唐咀遗址即陷落巢湖中的古居巢县城。②查《三国志·步骘传》,言"嘉禾六年五月十四日,赤乌二年正月一日及二七日,地皆震动"。《晋书·五行志》亦言"嘉禾六年五月江东地震,赤乌二年正月,地再震",这几次地震似是指的江东,非为巢湖,不知《庐江县志》所据为何。遗址去西汉橐皋县(今柘皋镇附近)近甚,不过十数里,时两县并在,西边是大湖,居巢在此无以所属,如此近距离似乎不当设有两县。依据文献记载推断,唐咀遗址很可能是三国时期著名的军事据点镬里。《三国志·三嗣主传》太平二年,"七月,(孙)綝率众救寿春,次于镬里。朱异至自夏口,綝使异为前部督,与丁奉等将介士五万解围"。朱异以军士乏食引还,綝大怒,九月朔已巳,杀异于镬里。辛未,綝自镬里还建业。《资治通鉴》卷七十七胡三省注云:"后吴主责孙綝以留湖中不上岸一步,则镬里当在巢县界。"《江南通志》卷三十五亦云:"镬里,在巢县西北,滨焦湖,吴太平二年孙綝拒诸葛诞于寿春,大发兵出屯镬里,帝亮责綝留湖中,不上屯一步者是也。"

据以上,居巢县城当在西晋时期太康二年沉入湖底,大体位置,上一章推定在庐江以北、合肥以南。还可以根据《三国志》记载魏吴两国在居巢、巢湖争战的路线进一步推定具体方位。《三国志·臧霸传》:"从讨孙权,先登,再入巢湖,攻居巢,破之。"臧霸是先入巢湖,再攻居巢的,则居巢必在巢湖之旁,或在湖中而有路线通于外面。旧说居巢在巢县东北5里,而巢县去巢湖15里,则东北5里去巢湖更远,不在巢湖之滨,入湖难以攻拔,故居巢不当在彼。又《卫臻传》:"权果召(朱)然入居巢,进攻合肥。帝欲自东征,臻曰:'权外示应亮,内实观望。且合肥城固,不足为虑。车驾可无亲征,以省六军之费。'帝到寻阳而权竟退。"又《吴主传》:"二十一年冬,曹公次于居巢,遂攻濡

---

① 《巢县志》,黄山书社2007年版,第38页。这段文字,也有说是出自清代《庐江县志》、《庐州府志》的;具体时间也有说"湖陷于赤乌二年七月二十三日戊时"的。

② 王心源等:《从环境考古角度对古居巢国的蠡测》,《安徽师范大学学报》2005年第1期。

须。"据这两条，居巢是进攻合肥与濡须口的较合适的军事据点，必然是在巢湖之中的某个位置。合肥城在今四里河一带，从南淝河可直通这里。濡须口所在旧说甚为混乱，以在今巢湖至含山东关镇濡须坞一带可能性最大。古代今银屏山以东、巢湖市以南的地区都为水域，当是湖区的一部分。又《武帝纪》："二十二年春正月，王军居巢。二月，进军屯江西郝溪。权在濡须口筑城拒守，遂逼攻之，权退走。三月，王引军还，留夏侯惇、曹仁、张辽等屯居巢。"魏军占据居巢，吴军在濡须口筑城拒守，此居巢不可能是今巢湖市，两者距离太近，敌人来时难以筑城拒之，两者必有适当之距离，方才可以相抗拒守。所以居巢在今巢湖中部一带更可能。

再依据巢湖东西向的断裂构造控制情况看，在巢湖中部而遭沉陷的可能是最大的。从今天合肥地区的地理形势看，从肥东南部过来的东北—西南走向的山系，本应经巢湖中庙、姥山，到湖西南庐江白山镇一带，也就是说原来应该是连为一体的，而中庙、姥山到白山镇一带为尾闾，最容易与其他地层相错而发生地震。则古居巢在这一带，最为符合地质构造多变而遭地陷的可能。如此则《后汉书·郡国志》庐江郡居巢侯国条刘昭注引《广志》曰"有二大湖"也好理解了，居巢南北正是今日巢湖的两部分。巢湖的南与东部原来可能就是"北江"的水道，因为地陷而连为一整体，因为居巢在此而曰"居巢湖"，简称巢湖、漅湖、焦糊等。古有"焦门""巢门"，《春秋公羊专》何休解诂云："吴子欲伐楚，过巢不假途，卒暴入巢门，门者以为欲犯巢而射杀之。"此巢门当在这一带，或者是巢湖南北两部分相通之门道。战国时期居巢原为水陆大码头，自当有一显著之位置，此地西与杭埠河（古龙舒水）、丰乐河、白石天河口相连，北走经南淝河可直达合肥，南下不远则到濡须口，早期成为重要战略与贸易交通中心，当然也。清《巢县志·艺文志下》载"姥山西，旧称巢湖；姥山东，则故巢州"，"巢陷时，所陷非止一城。今计齐头嘴及姥山东南至巢河，长可百五十里，阔不下五六十里，皆其所陷没也。""旧称"者故老相传也，未必全真，但与这一地区地质构造、魏吴双方战争路线等情况相暗合，就值得注意了。

还有人推断,巢州或者居巢的沉陷与东吴构筑东兴堤(在今含山县东关)有关。时当吴黄龙二年(230),筑堤截断濡须水,导致巢湖水位抬高,加之汛期水位高涨,淹没田庐村镇,甚至居巢县城。姥山一带即是如此陷落的。若然,水退之后自然要露出水面的。但是没有相关的遗存。

巢湖水域的考古还没有正式开始,唐咀遗址被发现是因为湖水冲刷,导致大量遗物见于巢湖东北岸附近。湖中想必还有其他的遗址存在。我们等待着巢湖水下考古的开始。

第二节　以合肥为中心的江淮政局演变

一、秦朝统治与江淮地区反秦起义

公元前223年,秦国灭楚,设立九江郡,治寿春,管辖晚期楚国的核心区域。

据《史记·项羽本纪》记载,秦二世元年七月,陈涉等起于大泽乡,不久会稽郡守殷通谓项梁曰:"江西皆反,此亦天亡秦之时也。"当时的"江西"指江淮之间的西部,即汉代九江郡与庐江郡的地方,说明江淮地区反秦起义,早于吴地的项梁、项羽,合肥地区无疑是较早反秦的地区之一。范增应该就是这个时期参加反秦斗争的。据《史记·项羽本纪》等记载,范增直到七十岁的时候,一直居住在家里,"好奇计"。从他熟悉楚南公之言"楚虽三户,亡秦必楚"来看,他应该是楚国的士大夫一类人物,楚亡以后,无所事事,居家读书,思考谋略,等待时机。江淮地区是楚国晚期的大本营,楚亡后,很多人谋议反秦。是以陈胜首义后,江淮地区随机相应,范增因为年老而有智谋可能被立为一支义军的首领。所以在薛城会议上,他能劝说项梁"立楚之后"。他指出,"陈胜败固当。夫秦灭六国,楚最无罪。自怀王入秦不反,楚人怜之至今",又说:"陈胜首事,不立楚后而自立,其势不长。今君起江东,楚蜂午之将,皆争附君者,以君世世楚将,为能复立楚之后也。"就是说,陈胜失败是不立楚王室之后,楚人投奔你项氏,是以为你家代代为楚将。如果立楚国王室的后裔为王,号召力会更大。项梁接受了范增的建议,立楚怀王在民间为人牧羊的孙子熊心为王,也称楚怀王。从此项梁的势力迅速壮大。公元前207年,秦将章邯等围攻巨鹿,这时候项梁已战死,楚怀王派遣宋义为上将军、项羽为次将、范增为末将,前往救助。说明此时范增还是独领一军。后项羽杀死宋义,自为上将军,大败章邯军队,成为诸侯上将军,各路军队统属于项羽指挥,范增也成为其部下。其后项羽军队迅速发展,打到关中。这一路上范增的计谋应该是发挥了很大的作用,只是具体情况没有载述罢了。范增发现刘邦军队在关中"财物无所取,妇女无所幸",与"沛公居山东时,贪于财货,好美姬"完全不同,认识到其志不小。又"令人望其气,皆为龙虎,成五采,此天子气也",建议项羽"急击勿失"。因为项羽的小叔项伯为刘邦说情,项羽心软,未能立即进击刘邦。刘邦又亲来说明情况,项羽留下刘邦喝酒,这就是著名的"鸿门宴"。宴会上,范增数次目视项羽,要其斩杀刘邦,项羽不忍,范增又使项庄舞剑,意在沛公。项伯也舞剑游戏,加以阻当。后刘邦借故逃回自己的军队,留下张良应付局面。张良献上白璧一双给项羽,又献上玉斗一双给大将军范增。范增生气,拔出剑来击碎了,叹息道:"竖子不足与谋。夺项王天下者,必沛公也,吾属今为之虏矣。"①

鸿门宴上,范增被称为项羽的"亚父",说明项羽与范增之间建立了非同寻常的关系,当是范增的谋略在项羽事业的发展中发挥了绝大的作用,故以"亚父"尊崇之。

公元前206年,项羽大封天下诸侯,范增被封为历阳侯。按照当

---

① 《史记·项羽本纪》。

时分封的情况,被封者多是封在自己的家乡或故国,如英布封为九江王,都六(今六安市北);项羽自为西楚霸王,占领以彭城为中心的九个郡;齐国后人多封在齐地;赵国后人与将军多封在赵地与周边。只有刘邦特殊,封在汉中,家乡丰沛成了项羽的地盘。所以范增所封的历阳侯之地应该也是自己的家乡。《项羽本纪》说他是居巢人,荀悦《汉纪》说"范增阜陵人",[①]而《水经·泗水注》又说他是历阳人,这三个县在汉代最初是邻县,以见上文,当时历阳侯范增的封地应该包括历阳、居巢、阜陵或其一部分的地方。历阳县可能很大,不像后来汉代的历阳县一样小。《汉书·灌婴列传》载其"下东城、历阳。渡江,破吴郡长吴下"。灌婴攻下东城,接着就是历阳,而汉代东城与历阳之间有全椒、阜陵等县,也说明秦末历阳县应该是很大的。

分封诸侯不久,楚汉之间的战争开始了。之后,汉王刘邦占据河南西部以西的广大地区,与项羽分庭抗礼,据守荥阳,请求划界分治。范增要求项羽急速围攻刘邦。怎奈遭遇刘邦使用的离间计,项羽对范增产生怀疑,"稍夺之权"。范增气愤不过,大怒道:"天下事大定矣,君王自为之。原赐骸骨归卒伍。"项羽许之。范增行未至彭城,背上的疽疮发作,死在半道。一代谋臣就这样含恨而去了。过了两年,项羽兵败垓下,刘邦建立了汉王朝。刘邦总结自己胜利项羽失败的教训说:"项羽有一范增而不能用,此其所以为我擒也。"[②]

秦汉之际,江淮之间另一位重要人物是黥布。

黥布,姓英名布,六(今六安市)人。年轻时因为坐法而判黥刑,即在脸上刺字,故又称黥布。后逃亡到江淮南部长江一带为盗贼。陈胜起义后,他也与当时在鄱阳湖一带的番君部众一起叛秦,在江淮南部一带活动。后项梁势力壮大,以兵属项梁。英布善于冲锋陷阵,打仗常称"冠军",先后在项梁、宋义、项羽的领导下,发展壮大。项羽分封诸侯,英布为九江王,都六。在刘邦与项羽争斗最激烈的时候,

---

[①] 《史记·项羽本纪》"索隐"引;《文渊阁四库全书》本《汉纪》卷一仍做"居巢人范增"。
[②] 《史记·高祖本纪》。

九江王英布被说动,反叛项羽支持刘邦。刘邦胜利后,分封英布为淮南王,仍都六,拥有九江、衡山、庐江、豫章四郡地,与原来九江王之地大致相当,包括今江淮地区、大别山周围以及江南安徽、江西、湖北的一些地方。合肥地区属于淮南王的核心势力范围。

二、诸侯王统治时期的合肥及周边地区

《汉书·百官公卿表》载:"诸侯王,高帝初置,金玺盭绶,掌治其国。有太傅辅王,内史治国民,中尉掌武职,丞相统众官,群卿大夫都官如汉朝。景帝中五年令诸侯王不得复治国,天子为置吏,改丞相曰相,省御史大夫、廷尉、少府、宗正、博士官,大夫、谒者、郎诸官长丞皆损其员。""彻侯金印紫绶,避武帝讳,曰通侯,或曰列侯,改所食国令长名相,又有家丞、门大夫、庶子。"按照汉初的定制,诸侯王的权利很大,是王国内最高统治者,有自己一套官吏制度,太傅、内史、中尉、丞相等群卿百官,一如汉朝廷。景帝五年以后才有所改变。封侯者也是侯国内的统治者,只是一般只有一县的地方。

(一)刘长刘安父子统治江淮

英布为淮南王,高祖十一年谋反,不久失败被杀。在征讨英布的过程中,刘邦封皇少子四岁的刘长为淮南王,王英布故地,都于寿春。刘长性刚直,为人骄横,及孝文帝初即位,淮南王称之为"大兄"①,刘长有材力,力能扛鼎,而又性格暴烈,为替母亲报仇,袖揣铁锤击杀吕后宠臣审食其。但汉文帝还是容忍了他的言行,刘长"以此归国益骄恣,不用汉法,出入称警跸,称制,自为法令,拟于天子"②。刘长甚至在淮南国内不顾汉法,擅自任命王国丞相及二千石官吏。史载文帝前六年(前174),刘长"令男子但等七十人与棘蒲侯柴武太子奇谋,以

---

① 《史记·淮南衡山列传》。
② 《史记·淮南衡山列传》。

辇车四十乘反谷口"。还让人暗地里出使闽越和匈奴①。孝文帝六年被废,远徙途中绝食而死,统治江淮地区二十年,刘长做淮南王的早期,学者张苍曾任淮南国相,"苍本好书,无所不观,无所不通,而尤善律历"②,对于本地文教事业的发展当有所推动。

　　文帝前十一年(前169),贾谊上疏称:"今淮南地远者或数千里,越两诸侯,而县属于汉。其吏民徭役往来长安者,自悉而补,中道衣敝,钱用诸费称此,其苦属汉而欲得王至甚,逋逃而归诸侯者已不少矣。"认为淮南国除为郡后,给地方百姓和中央王朝都带来诸多不便,不利于地方的安宁和汉朝的统治,这种情况急需解决,"臣之愚计,愿举淮南地以益淮阳,而为梁王立后。"③由于顾忌刘长案后,民间流传的"一尺布,尚可缝;一斗粟,尚可舂。兄弟二人不能相容"的民谣。④汉文帝的态度比较复杂,所以他没有完全采纳贾谊的建议。第二年,徙城阳王喜王淮南王故地,追尊故淮南王长为厉王,十六年徙喜复故城阳王,而立厉王三子王淮南王故地:阜陵侯安为淮南王,安阳侯勃为衡山王,阳周侯赐为庐江王。此时的庐江国主要在长江以南,可能也拥有长江以北的部分地方,淮南国包括后来的九江郡与庐江郡的部分地方,所以刘安成为合肥地区的实际统治者。

　　刘安七八岁的时候封为阜陵侯,住在今巢湖市以东的地方,十六岁前后改封淮南王,住在寿春,可以说是从小生活在江淮中部地区,对合肥一带十分熟悉。"淮南王安为人好读书鼓琴,不喜弋猎狗马驰骋,亦欲以行阴德拊循百姓,流誉天下。"与一般的诸侯王骄奢淫逸不同。因为父亲之死,对于朝廷不满,寻找机会报复。在朝廷上,结交权贵太尉武安侯田蚡作为内应,又招募天下贤才,宾客达数千人,其中苏非、李尚、左吴、田(陈)由、雷被、毛周、伍被、晋昌等最著名,号曰"八公",还有大山、小山等儒生,逐渐形成了一个以刘安为核心、以道

---

① 《汉书·淮南衡山济北王传》。
② 《史记·张丞相列传》。
③ 《汉书·贾谊传》。
④ 《史记·淮南衡山列传》。

家学说为主旨的学术文化研究中心,文学与方术都称鼎盛,形成著名的"淮南学派"。据说,豆腐也是刘安为淮南王时发明的。其时,汉武帝"方好艺文",对刘安执子侄礼,比较尊重他。给刘安写的书信,武帝常常要召司马相如等文士看过草稿修改后才发出。刘安入朝献上新作,武帝常常表现得非常喜爱。刘安曾受命撰写《离骚传》,早上受诏,午食时就撰毕献上。① 又曾献《颂德》及《长安都国颂》。每宴见,谈论政治及方技赋颂,直到黄昏才得罢休。

吴楚七国叛乱时,吴王刘濞曾约请淮南、庐江、衡山三王连兵直捣长安。"吴使者至淮南,淮南王欲发兵应之。"淮南相发现情况有异,就骗取了兵权,派兵守卫寿春城,不听刘安指挥。此时汉廷派曲城侯率兵救援淮南,"淮南以故得完"。② 建元二年(前139),刘安入朝。与他原有交谊的田蚡对他说:"方今上无太子,大王亲高皇帝孙,行仁义,天下莫不闻。即宫车一日晏驾,非大王当谁立者!"淮南王大喜,自此始"为畔逆事"③。元朔二年(前127),汉武帝接受主父偃的建议,下令诸侯国推恩分封。刘安有两个儿子,其庶长子不害未能封侯,以此隐伏下家庭矛盾。元朔三年(前126),武帝"赐淮南王几杖,不朝"。五年(前124),淮南王太子刘迁与郎中雷被比剑,雷被误伤太子,两下产生矛盾,雷被想借投军攻击匈奴的机会,离开淮南国,但遭到禁绝。随后雷被逃往长安,上书朝廷以自明,并揭发了淮南国事。武帝派中尉殷宏赴淮南调查案情,最终以武帝下诏削去淮南两县作罢。此后,刘安加紧防卫,史称其"日夜与伍被、左吴等案舆地图,部署兵所从入""治器械攻战具,积金钱",招募军队,形成国内有胜兵十余万人的力量④。他向伍被了解用兵计谋及大将军卫青的军事才能,以确定对策。元朔六年(前123),淮南国事被刘不害之子刘建告发。刘建因此暗中结交友人,欲以已父不害取代太子。据记载,刘建获知

---

① 《汉书·淮南王传》。
② 《史记·淮南衡山列传》。
③ 《史记·淮南衡山列传》。
④ 《史记·淮南衡山列传》。

太子要谋杀前来调查的汉中尉的阴谋,就让寿春人庄芷①上书朝廷告发淮南王后、太子迁,以及他们对于自己和父亲的迫害,从而牵出淮南国的隐情。

刘安见形势不对,就准备造反。他有一位谋士叫伍被,伍被原本是反对刘安谋反的,多次给刘安分析天下形势,指出天下太平,国家富有,天子精明,百姓艾安,不合适造反,并且分析古今造反不得善终的例子,予以告诫。但是刘安就是不听,并且把伍被的父母囚禁起来,反复要伍被为之谋划。经不住刘安的一再劝说与威逼,伍被给他提出一个计谋,就是假造一通丞相、御史、左右司空等的奏请、诏狱之书一类,制造天下混乱,百姓怨恨,诸侯恐惧,从而为反叛制造机会。刘安于是"令官奴入宫,作皇帝玺,丞相、御史、大将军、军吏、中二千石、都官令、丞印,及旁近郡太守、都尉印",还有汉使节的法冠,②准备按照伍被的计划行事,又派人潜入京师,混入大将军与丞相身边,一旦有事,就刺杀大将军卫青,游说丞相公孙弘就范。近年,阜阳市一位收藏家手里收有一件虎符,名"浚遒虎符"。此符仅存左半,通长9厘米,高3厘米,重78克,铜质,形如伏虎,尾上曲。铭文错金,自虎中脊向左下横排四行,书40字,文曰:

甲兵之符,右才王,左才浚遒,凡兴士被甲,用兵五十人以上,必会王符,乃敢行之,燔燧事,虽毋会符,行殹。

有学者著文研究此符,指出它与此前发现的被王国维认为是秦代虎符的新郪虎符一样,都是西汉时期淮南王刘安为造反而刻制的虎符。③ 据安徽省博物院领导见告,此虎符曾经国家鉴定委员会多位专家鉴定为真品。虎符名为浚遒,说明刘安为隐藏实力,防止淮南相

---

① 《汉书·淮南王传》作"严正",庄与严近,正与芷古文形似,当是一名之异写。
② 《史记·淮南衡山列传》。
③ 韩自强:《记新见淮南王刘安浚遒虎符》,发表在阜阳市方志办主办的杂志《志鉴》上。

与二千石知晓（他们反对淮南王与中央对立），故意藏兵于浚遒县（今肥东县）一带。如今肥东浚遒古城遗址还有金水桥、王府等传说。刘安被中央政府查处时，胶西王端曾说他"所见其书、节、印、图及他逆无道事验明白"①，即亲眼看见淮南王谋反制作的"书、节、印、图"，《汉书·贾捐之传》也说"淮南王盗写虎符，阴聘名士"，这些似乎都能印证这一点，合肥、肥东一带是刘安私下藏兵、暗地布置的所在，为的就是避开淮南相等人的眼目。虎符字体、字数似是按秦法仿制的，似乎也是故意为之。不过，也有个别学者认为此符尚待考证。

刘安准备发动国中之兵造反，恐怕淮南相与两千石不同意，又计谋杀死二人。还没有进行，又问伍被，起事如果诸侯没有响应该怎么办？伍被说：

"南收衡山以击庐江，有寻阳之船，守下雉之城，结九江之浦，绝豫章之口，强弩临江而守，以禁南郡之下，东收江都、会稽，南通劲越，屈强江淮间，犹可得延岁月之寿。"

伍被的这个分析指出，在江淮地区，南边占据衡山、庐江两郡，西南守住长江中游进入下游的下雉之城，拥有寻阳等地的战船，东边拥有江都、会稽二郡，南边与越人通好，整个江淮地区就可以坚持独立自守一段时间了。后晋人伏滔《正淮论》对江淮地区的形势有更具体的分析。② 他指出：

爰自战国至于晋之中兴，六百有余年，保淮南者九姓，称兵者十一人，皆亡不旋踵，祸溢于世，而终莫戒焉。其天时欤，地势欤，人事欤？何丧乱之若是也！

---

① 《史记·淮南衡山列传》。
② 《晋书·伏滔传》。

他所说的九姓十一人，指的是战国末楚考烈王三代、汉英布、刘长刘安父子、李宪、袁术、三国王凌、毌丘俭、诸葛诞，皆在江淮间称雄自立者。伏滔认为，他们敢于独立于江淮是诸多原因造成的：

夫悬象著明，而休征表于列宿；山河衿带，而地险彰于丘陵；治乱推移，而兴亡见于人事。由此而观，则兼也必矣。昔妖星出于东南而弱楚以亡，飞孛横于天汉而刘安诛绝，近则火星晨见而王凌首谋，长彗宵暎而毌丘袭乱。斯则表乎天时也。彼寿阳者，南引荆汝之利，东连三吴之富；北接梁宋，平涂不过七日；西援陈许，水陆不出千里；外有江湖之阻，内保淮肥之固。龙泉之陂，良畴万顷，舒六之贡，利尽蛮越，金石皮革之具萃焉，苞木箭竹之族生焉，山湖薮泽之隈，水旱之所不害，土产草滋之实，荒年之所取给。此则系乎地利乎者也。其俗尚气力而多勇悍，其人习战争而贵诈伪，豪右并兼之门，十室而七；藏甲挟剑之家，比屋而发。然而仁义之化不渐，刑法之令不及，所以屡多亡国也。

伏滔从天时、地利、经济、风俗等方面的分析是深刻的。淮南王刘安也是看到这里形势险要，经济富足，交通便利，加上民风剽悍，可以独立自足，他本人的强悍与反叛之心强，也是江淮民风影响的结果。所以他认可伍被的说法，王曰："善，无以易此。急则走越耳。"① 就是实在没有办法，就逃亡到越人那去。

汉武帝派廷尉监到淮南，伍被首先自首供出淮南国谋反的情形，太子、王后和参与反叛的宾客均被逮捕。很多诸侯王与卿相都认为淮南王当诛，皇帝派宗正前往治罪刘安，刘安感到大势已去，自杀而死。与淮南王案有牵连的列侯、二千石、豪杰数千人被处死，王后荼、太子迁被杀。淮南国除为九江郡。

关于刘安有否谋反，长期以来学界存在两种不同意见：一种认为

---

① 《史记·淮南衡山列传》。

刘安谋反是事实,这也是主流意见,即多数学者的看法。另一些学者认为淮南狱有冤情①。有的学者认为:"刘安事件,在当时是个重大政治问题,是朝廷与诸侯矛盾斗争的一次大爆发,以朝廷加强了统一集权、诸侯受到削弱而告终,有才能和思想的刘安成了这场斗争的牺牲品。"②我们应当看到的是,刘安之狱后,诸侯王国作为一种政治势力已经名存实亡,汉初以来诸侯王国的问题基本得到解决。但是,刘安盗写虎符、阴结名士的情况应该也是真实情况,最后没有成功罢了。

关于刘安不死仙去之说,东汉已有流传,王充《论衡·道虚》载:"儒书言:淮南王学道,招会天下有道之人,倾一国之尊,下道术之士。是以道术之士,并会淮南,奇方异术,莫不争出。王遂得道,举家升天,畜产皆仙,犬吠于天上,鸡鸣于云中。此言仙药有余,犬鸡食之,并随王而升天也。好道学仙之人,皆谓之然。此虚言也。"

今巢湖市发现北山头西汉墓,时间大体在文景至汉武之初,墓中发现一枚"西曲阳君胤"的玉印章,还有很多规格甚高的玉器,如朱雀衔环卮、白玉环、白玉粉盒、凤鸟兰花玉佩以及多种质地精良、规格甚高的漆器等。又据鉴定,死者为一女性。③ 综合来看,这个墓主人最有可能是刘安母亲的墓。理由:一是时间上基本吻合;二是文帝在刘长死后封刘安四兄弟为列侯,刘安为阜陵侯,地点大体接近;三是封号称"曲阳君",西汉很多受封女性曰"君",如景帝时郦商的儿子郦寄"孝景中二年,寄欲取平原君为夫人"④;还有王莽母亲封为"功显君"等。刘安七八岁时封为阜陵侯,很可能是文帝愧于刘长之死,为照顾年幼的刘安兄弟,再封其母亲为"曲阳君",死后埋于刘安封地,墓中出土物规格甚高,很多物品都为汉皇室所赐。

---

① 陈丽桂:《淮南王两世谋反研议》,(台湾)《书目季刊》1984年第2期。
② 白寿彝、高敏、安作璋主编:《中国通史》第四卷,上海人民出版社1994年版,第143页。
③ 安徽省文物考古研究所、巢湖市博物馆:《巢湖汉墓》,文物出版社2007年版。
④ 《汉书·郦商传》。

(二)衡山国

文帝封刘勃为衡山王,刘赐为庐江国王,他们都是刘安的弟弟,其时庐江国在江南,衡山国在江北。吴楚七国动乱,三国表现不同,结果命运也不一样。《史记·淮南衡山列传》载:

孝景三年,吴楚七国反,吴使者至淮南,淮南王欲发兵应之……吴使者至庐江,庐江王弗应,而往来使越。吴使者至衡山,衡山王坚守无二心。孝景四年,吴楚已破,衡山王朝,上以为贞信,乃劳苦之曰:'南方卑湿。'徙衡山王王济北,所以褒之。……庐江王边越,数使使相交,故徙为衡山王,王江北。淮南王如故。

衡山王因为坚决支持中央政府,景帝褒奖之。庐江王表面上不应从吴王刘濞,但与和刘濞王国关系密切的越人来往不断,实际上是暗中支持刘濞。没有动淮南王刘安,是想以观后效。庐江王刘赐徙为衡山王,王江北。这个"江北"的中心是在原衡山王吴芮所都的邾(当今湖北黄冈市一带),还是大别山以东的六或者舒县?邾在寻阳与下雉之西,过去有学者以从前吴芮都邾为衡山王,认为刘勃、刘赐的都城也当在黄冈市。① 主要根据的是《史记·诸侯王表》说刘安自杀,"置六安"国。如果是这样,伍被讲"南取衡山、庐江"二国,以及守住下雉之城,都只是取得衡山国的部分地区,不是占有衡山国的全部,或者占有代表国家的都城。这是其一。其二,邾所在的黄冈市虽属江北,实在江边,属于滨江地带,似乎也不必强调是在江北。其三,衡山王吴芮高帝初已徙为长沙王,汉置江夏郡,邾地等属之,因此以后的衡山郡可能就没有寻阳、下雉以西的土地了。《汉书·地理志》言:"庐江郡,故淮南,文帝十六年别为国。"十六年所别者只能是衡山国。又,"六安国。故楚,高帝元年别为衡山国,五年属淮南。文帝十

---

① 周振鹤:《西汉政区地理》,第47页。

六复为衡山,武帝元狩二年别为六安国。"即后来的六安国也是文帝时期衡山国的地方,包括所属的六、蓼、安丰、安风、阳泉五县。刘勃、刘赐为衡山王,当也拥有这些地方,即是说,最早的衡山国很大一部分地区在江淮西部,包括居巢、皖、霍山、六安国五县等,湖北只有邾、寻阳、下雉等地。"王江北",按理更应在皖城、舒县或早期淮南国都的六,这三地说是"王江北"显然更在理。其四,《汉书·地理志》江夏郡说"邾,衡山王吴芮都",没有说邾也是刘勃、刘赐等人的都邑,似乎也说明之后邾可能已经不属于衡山国而归于江夏郡了。其五,后世言庐江王墓,或说在庐江县东,如明清《一统志》庐州府古迹都说"庐江王坟,在庐江县东三十里,有梅山,遇风雨晦寒即闻,音韵如金石";或说在舒城县,如《太平寰宇记》卷126庐州府"舒城县"条:"古舒王庙:汉文帝封淮南厉王之子赐为庐江王,居舒,即此县也,王有遗爱,立庙祀之。"其六,"元朔五年秋,衡山王当朝,过淮南"。[①] 如果衡山王都邾,当朝路过的应该是邾、西陵、安陆往北的随枣走廊往北,不当绕道江淮走淮南寿春一路。这里讲"过淮南",即路过这里。这只有在大别山以东居住才会走寿春前往长安。

综合言之,衡山王刘勃、刘赐的都城在舒县的可能性最大,这也是舒后来成为庐江郡治所在地的基础。

刘赐在江北有哪些作为,如何"遗爱百姓",文献记载缺如。据《史记·淮南衡山列传》记载,他除了与刘安通好,"约束反具",在国内也积极准备反叛,很多做法,包括家庭内部矛盾,多与淮南国的情况类似。两个儿子间不和,刘赐不喜欢太子爽,想要废除太子,另立子孝为太子,爽使人上书状告孝,引起朝廷的调查,衡山国内与淮南案有关者先被捕。孝又上书状告一些参与谋叛者,自己企图摆脱罪责,结果导致衡山国内部反叛的阴谋暴露,衡山王自杀。国除为衡山郡。汉官吏审理淮南案及此案时,"皆穷根本"[②]。导致"党与死者数

---

① 《史记·淮南衡山列传》。
② 《史记·酷吏列传》。

万人。"①

汉王朝在处理淮南、衡山王案时，又颁行或援用左官律和附益法。

左官、附益等律法，在七国之乱后已设立。自吴楚乱后，朝廷稍夺诸侯权，"左官附益阿党之法设。"②元狩元年（前122），汉武帝在镇压淮南、衡山王时，又利用它们对两王势力进行严厉打击，"武有衡山、淮南之谋，作左官之律，设附益之法，诸侯惟得衣食税租，不与政事。"③

所谓"左官"，《汉书·诸侯王表》注引应劭曰："人道上右，今舍天子而仕诸侯，故谓之左官也。"师古曰："左官犹言左道也。……汉时依上古法，朝廷之列以右为尊，故谓降秩为左迁，仕诸侯为左官也。"左官律首先规定在诸侯王那里做官降秩为左，如果犯法则更得严厉惩处。所谓附益法，就是指对投靠诸侯王为虎作伥者重加镇压。④ 刘向《新序》说汉武帝"重附益之法"。元狩元年十一月，诛杀淮南、衡山两王国数万人就是例子。这种严厉的镇压诛杀行为，影响了淮南、衡山国之后的江淮地区，致使很多优秀人才不敢进入江淮，导致此地文化走向衰落。

七国之乱平定后，景帝为进一步削弱诸侯王权力，曾缩减了王国的统治机构，降低了王国官职的等级，"令诸侯王不得复治国，天子为置吏，改丞相曰相，省御史大夫、廷尉、少府、宗正、博士官，大夫、谒者、郎诸官长丞皆损其员"⑤。此后，诸侯王国虽仍存在，但王国的主要官吏秩别一再降低，诸侯王不再能干预王国政事，已经和郡县没有多少区别了。

景武时期，中央还从经济上加强对诸侯国的控制和约束。汉初

---

① 《汉书·武帝纪》。
② 《汉书·高五王传赞》注。
③ 《汉书·诸侯王表》。
④ 《汉书·高五王传赞》赞注引师古曰："附益，言欲增益诸侯王也。"
⑤ 《汉书·百官公卿表》

封国不仅在政治上独立行使职权，而且在经济上权力很大。诸侯王在封国内可以征收汉廷规定的各种赋税。王国赋税的征收和汉中央政府一样，主要有两大类：一是租赋，即田租和人口税；一是山川园池和市井之税。前者作王国官吏俸禄、军队给养以及政府日常开支之用，后者则主要用于王室自身的开支，亦即诸侯王的"私奉养"，并设少府掌管。武帝在经济上实行了盐铁官营，禁止私铸钱币，诸侯王逐渐沦为一般地主了。

这样，诸侯王原来掌握的行政、军事、经济权力就没有了。"诸侯稍微，大国不过十余城，小侯不过数十里……而汉郡八九十，形错诸侯间，犬牙相临，秉其陀塞地利，强本干，弱枝叶之势，尊卑明而万事各得其所矣。"①汉中央政府在逐渐剥夺诸侯王的政治权力、军事权力，扩大和巩固了中央王朝的控制范围后，汉初郡国并行的地方行政制度渐趋于瓦解。

（三）羹颉侯

西汉前期，还有一个羹颉侯刘信，他是刘邦的侄子，被封为羹颉侯的原因，《史记》《汉书》都有明确记载。《史记·楚元王世家》：

> 高祖兄弟四人，长兄伯，伯蚤卒。始高祖微时，尝辟事，时时与宾客过巨嫂食。嫂厌叔，叔与客来，嫂详为羹尽，栎釜，宾客以故去。已而视釜中尚有羹，高祖由此怨其嫂。及高祖为帝，封昆弟，而伯子独不得封。太上皇以为言，高祖曰："某非忘封之也，为其母不长者耳。"于是乃封其子信为羹颉侯。而王次兄仲于代。

《汉书》所记相近。关于羹颉侯，《史记》"集解"徐广曰："羹颉侯以高祖七年封，封十三年，高后元年，有罪，削爵一级，为关内侯。""索隐"："羹颉，爵号耳，非县邑名，以其栎釜故也。""正义"引《括地志》

---

① 《史记·汉兴以来诸侯王年表》。

云:"'羹颉山在妫州怀戎县东南十五里。'按:高祖取其山名为侯号者,怨故也。"

一说羹颉非县邑名,为爵号;一说为山名,高祖取山名为侯号。二者孰是?从《史记》《汉书》的记载看,羹颉是刘邦大嫂敲锅以示羹尽,故前说更可取。怀戎县的羹颉山未必与之有关。到了宋代,刘攽为庐州从事,到舒城看到七门三堰灌溉两万顷,感慨良多,考察文献图书,访问当地耆老,知道是羹颉侯刘信最初修筑,汉末刘馥修复之,因而作《刘氏七门庙记》记其事,文后收《文献通考》卷六,此引录如下:

予为庐州从事,始以事至舒城,观所谓七门三堰者,问于居人,其田溉几何?对曰:凡二万顷。考于图书,则汉羹颉侯信始基,而魏扬州刺史刘馥实修其废。昔先王之典,有功及民则祀之,若信者,可谓有功矣。然吾恨史策之有遗,而怜舒人之不忘其思也。昔高帝之起宗室昆弟之有材能者,贾以征伐显,交以出入匡命,谨信为功,此二者皆裂地为王连城数十。代王喜以弃国见省,而子濞亦用力战王吴,独信区区,仅得封侯,而能勤心于民,以兴万世之利,而爱慕岂与贾濞相侔哉?夫攻城野战,灭国屠邑,是二三子之所谓能,能杀人者也,与夫辟地垦土,使数十万之民世世无饥馁之患,所谓善养人者欤,以相譬犹天地之悬绝也。然贾、濞以功自名,信不见录,岂杀人易以快意,养人不见形象哉?然彼贾、濞之死,泯无闻久矣,而信至今民犹思之。

记文说明了刘信修筑七门塘给当地世代灌溉事业带来便利,至宋代人民仍然思之的情况,与刘贾、刘濞杀人而得封为更高级别的王,被人遗忘不一样。但是,刘信是否封在舒县,唐宋学者的意见是不完全一样的。另外,《元丰九域志》卷五滁州古迹有"阜陵城,汉侯邑",又有"羹颉侯墓"。所以,刘信最初可能封在舒城一带,后刘长提出:"侯邑之在其国者,毕徙之佗所。"①刘信封地受到影响,迁至今全椒一带,即淮南国之旁。刘信从小吃过苦,成为皇室宗亲又不得宠,深明下层社会之艰辛,进入侯国后所以能问民疾苦,兴修水利,造福人民,是以为后人祭祀不绝。高后元年,有罪,被削爵一级,为关内侯。后世如何,未有记载。今肥西县花岗镇有一大冢,俗称舒王墩,方志记载为羹颉侯刘信墓,高38米,直径70米,面积3000平方米,2000年发掘,墓为木椁墓,墓室呈"T"字形,室内面积130多平方米。时代当西汉中期前后。综合看说是庐江王刘赐的墓更可信。

诸侯王时代,江淮之间尤其是合肥地区发展较快,因为国就是王侯自己的家,诸侯们为加强自己实力,对内发展生产,开发矿山,加强商业贸易往来,建设自己的军队,对外加强联系,也经常得到朝廷的赏赐。刘信开发七门堰塘是一个典型例子,合肥在西汉时期很快成为商业"输会"中心,也与刘安发展自己的实力密切相关。到西汉后期,合肥的经济地位有所下降,②此与诸侯统治时代的结束可能相关系。

三、郡县治下的合肥地区政局

淮南王、衡山王、庐江王之后,江淮地区设立九江郡与庐江郡,合肥地区成为中央郡县的组成部分。事实上,汉武帝以后,诸侯王与此前已大不同,"武帝改汉内史为京兆尹,中尉为执金吾,郎中令为光禄勋,故王国如故。损其郎中令,秩千石;改太仆曰仆,秩亦千石。成帝绥和元年省内史,更令相治民,如郡太守,中尉如郡都尉"③。王国由中央委派官吏治理,一切制度建设与郡县没有不同,只是名目有别而已,如王国里的相,和二千石的郡守职责、待遇完全一样了。所谓封国,王侯不过食其土地上的租税而已,西汉早期的郡国并行制度完全

---

① 贾谊:《新书·淮难》。
② 张南、张宏明:《安徽汉代城市功能初探》,《安徽史学》1991年第4期。
③ 《汉书·百官公卿表》。

为郡县制所代替。

（一）西汉时期江淮地区频出循吏

"循吏"之称始见于《史记》的《循吏列传》，传文一开头太史公曰："法令所以导民也，刑罚所以禁奸也。文武不备，良民惧然身修者，官未曾乱也。奉职循理，亦可以为治，何必威严哉？"其孙叔敖传文也说："此不教而民从其化，近者视而效之，远者四面望而法之。"子产传：相"郑二十六年而死，丁壮号哭，老人儿啼，曰：'子产去我死乎！民将安归？'"公仪休传又说："奉法循理，无所变更，百官自正。使食禄者不得与下民争利，受大者不得取小。"石奢传："坚直廉正，无所阿避。"李离传谓其"过听杀人，自拘当死……伏剑而死"。《太史公自序篇》复言："奉法循理之吏，不伐功矜能，百姓无称，亦无过行。作循吏列传第五十九。"

由此，太史公心目中的"循吏"，主要是指能"奉法循理"者，治理国家百姓不要过于威严，要能达到不教而民自化则更好。其所选择入传的五位，为春秋战国时期治理国家的大臣，可以说都是这方面的代表，或者教化民众而有实绩，或者尊法循理的典范。后班固《汉书·循吏列传》对于"循吏"也有自己的议论：

汉兴之初，反秦之敝，与民休息，凡事简易，禁罔疏阔，而相国萧、曹以宽厚清静为天下帅，民作'画一'之歌。孝惠垂拱，高后女主，不出房闼，而天下晏然，民务稼穑，衣食滋殖。至于文、景，遂移风易俗。是时，循吏如河南守吴公、蜀守文翁之属，皆谨身帅先，居以廉平，不至于严，而民从化。……孝武之世，外攘四夷，内改法度，民用凋敝，奸宄不禁，时少能以化治称者，惟江都相董仲舒、内史公孙弘，倪宽，居官可纪。三人皆儒者，通于世务，明习文法……王成、黄霸、朱邑、龚遂、郑弘、召信臣等，所居民富，所去见思，生有荣号，死见奉祀，此廪廪庶几德让君子之遗风矣。

可以看出,班固对于循吏,较为关注"谨身帅先,居以廉平,不至于严,而民从化",与"所居民富,所去见思,生有荣号,死见奉祀,此廪廪庶几德让君子之遗风"者,与司马迁的认识略有区别,而大率接近。书中班固也选取五位代表性的循吏以为传记,其中三位出生于江淮之间,另两位则为淮河以北出生的人。

文翁,名党字仲翁,庐江郡舒县人。少年好学,精通《春秋》,仁爱好教化。汉景帝末年被任命为蜀郡太守。他到任后,兴修水利,兴办教育,移风易俗。在任郡守期间,为开发当地农业,使百姓增加收入,文翁进一步扩建和完善了都江堰北部灌区的工程,组织民工"穿渝江口,灌溉田千七百顷"。由于注重兴修水利,发展农业,蜀郡出现了"世平道治,民物阜康"的局面。①

文翁任太守时,蜀地仍属边陲,文化很不发达,《汉书》所谓"蜀地辟陋有蛮夷风"。文翁针对这种情况,决定从教育入手,来改变落后状况。他采取的措施之一是派一些机敏聪慧、心态开放而有培养前途的低级官员,到京城长安,跟随博士学习经术,也有学习法律的。他亲自选派张叔等十余人,勉励他们努力进学,学成后回家乡服务。后来不少回来的人都被他任命为郡县官吏。他还在蜀郡治所在的成都创办"官学","招下县子弟以为学官弟子,为除更徭,高者以补郡县吏,次为孝弟力田。"还经常选学官僮子在自己身边,学习如何做事。每次出行到县里,他都要带一些成绩好的能力强的跟着,到地方学校传授知识与法令。"县邑吏民见而荣之,数年,争欲为学官弟子,富人至出钱以求之。由是大化,蜀地学于京师者比齐鲁焉。"②从此以后,四川文风大盛,"及司马相如游宦京师诸侯,以文辞显于世。乡党慕循其迹。后有王褒、严遵,扬雄之徒,文章冠天下。由文翁倡其教。"③"武帝时,乃令天下郡国皆立学校官,自文翁为之始云。"可以说文翁是中国地方教育事业的开创者,对于四川文教事业贡献厥伟。班固

---

① 《华阳国志·蜀志》。
② 《汉书·循吏传》。
③ 《汉书·地理志》。

指出:"至今巴蜀好文雅,文翁之化也。"①他把文翁列为循吏之首,可见他对文翁的重视。

由于对蜀地经济、文化建设和社会进步做出了巨大贡献,文翁在蜀地病逝后,当地人民为他修建了祠堂,世代接受蜀人敬奉。在文翁原籍舒县的乡贤祠(移建易名忠义祠)里,文翁也以首立地位获得崇祀。《汉书·循吏传》最后说:"元始四年,诏书祀百辟卿士有益于民者,蜀郡以文翁,九江以召父应诏书。岁时郡二千石率官属行礼,奉祠信臣冢,而南阳亦为立祠。"对人民国家有贡献,国家与人民都不会忘记的。《后汉书·刘梁传》记载:"桓帝时,(刘梁)举孝廉,除北新城长。告县人曰:'昔文翁在蜀,道著巴汉;庚桑琐隶,风移碨磈。吾虽小宰,犹有社稷,苟赴期会,理文墨,岂本志乎!'乃更大作讲舍,延聚生徒数百人,朝夕自往劝诫,身执经卷,试策殿最,儒化大行。此邑至后犹称其教焉。"文翁的影响由蜀郡偏于天下。

朱邑字仲卿,也是庐江郡舒县人。年轻时,朱邑做过舒县桐乡啬夫,"啬夫职听讼,收赋税",②是乡里重要的职位。朱邑平时"廉平不苛,以爱利为行,未尝笞辱人,存问耆老孤寡,遇之有恩,所部吏民爱敬焉"。所谓"以爱利为行",就是仁爱待人,安于本职,考虑别人的利益,因而深得当地吏民的敬爱。因为声誉甚好,职务也不断升迁,先后任庐江太守卒史、大司农丞、北海郡守等。因为所在政绩和德行都评为第一,最后官至九卿之一的大司农。"为人淳厚,笃于故旧,然性公正,不可交以私。天子器之,朝廷敬焉",成为全国官吏的模范。朱邑为人淳朴厚实,禀性公正,轻易不举荐人。当时胶东国相张敞写信给他,说国家正处用人之际,希望他利用自己大司农的身份,多举荐一些贤才,不必一定要达到伊尹之材才保举。朱邑感慨其言,以后举荐贤才甚多。他虽然身在九卿的高位,但生活节俭,自己的俸禄多分给族人和乡亲们,家中没有剩余的钱财。朱邑于神爵元年(前61)去

---

① 《汉书·循吏传》。
② 《汉书·百官公卿表》。

世,汉宣帝非常怜惜,特下诏书称赞他:"大司农邑,廉洁守节,退食自公,亡强外之交,束修之馈,可谓淑人君子。"①朱邑死后,其子遵其遗言,将其葬在曾任啬夫的桐乡西郭外,百姓"共为邑起冢立祠,岁时祠祭,至今不绝"②。

在合肥北邻的寿春(今寿县),还出生一位著名的循吏叫召信臣,"以明经甲科为郎,出补谷阳长。举高第,迁上蔡长。其治视民如子,所居见称述,超为零陵太守。"即因为在每一个岗位上都是政绩卓著,视民如子,为人称道,破格提拔为郡守。"信臣为人勤力有方略,好为民兴利,务在富之。躬劝耕农,出入阡陌,止舍离乡亭,稀有安居时。""其化大行,郡中莫不耕稼力田,百姓归之,户口增倍,盗贼狱讼衰止。吏民亲爱信臣,号之曰'召父'。荆州刺史奏信臣为百姓兴利,郡以殷富,赐黄金四十斤。迁河南太守,治行常为第一,复数增秩赐金。"一个人做好官一时较容易,品行治绩考核经常天下第一,那就不光是一心为民、为国家,而且能力卓绝了。后征为少府,列于九卿,也是兢兢业业,为国家百姓考虑,卒于任上。

《汉书·循吏传》所选另外两人是黄霸与龚遂,一个是淮阳郡阳夏县(今河南太康县)人,一个是山阳郡南平阳县(今山东邹县)人,都在淮河流域。再看《史记·循吏列传》所选的五个循吏中,孙叔敖,为"期思之鄙人",③即期思县边鄙地区人,在今淮河中游地区,即孟子所说的"孙叔敖举于海"之淮河中游一带的大湖海。④ 子产是郑国的卿相,郑国都在今河南新郑;公仪休,鲁国卿相;石奢,楚昭王的令尹。昭王很多时间生活在亳州东南的干溪沟一带,包括前两任国君灵王、平王也是,灵王时建设的著名的章华台就在"干溪之上"。《史记·循吏列传》中只有一个李离是晋文公的大理官,不知籍贯何处。五个人有四个出生在淮河流域,可以看出,春秋至汉代,淮河流域包括江淮

---

① 《汉书·循吏传》。
② 《汉书·循吏传》。
③ 《吕氏春秋·赞能》、《荀子·非相篇》都说孙叔敖"期思之鄙人也。"
④ 陈立柱:《结合楚简重论芍的起始与范围问题》,《安徽师范大学学报》2012年第4期。

之地,多产循吏之官。相比较而言,《史记·酷吏列传》所选十人,无一在淮河中游地区出生的,《汉书·酷吏传》所传酷吏,只有一个是属于淮域即东海郡下邳县人严延年,其余多是关中、河东地区出生的。严延年为官,"其治务在摧折豪强,扶助贫弱。贫弱虽陷法,曲文以出之;其豪杰侵小民者,以文内之。"并且对于部下"吏忠尽节者,厚遇之如骨肉,皆亲乡之,出身不顾,以是治下无隐情"。只是"疾恶泰甚",结果遭到一个"亲厚有加"的部下告罪而死。可以看出,春秋战国以来,淮河流域出生的官吏,循吏多而酷吏少,江淮之间尤其如此。

但是到了东汉情况大变,《后汉书·循吏传》列传循吏十一人,只有刘矩(沛国萧县人)、仇览(陈留考城人)出生于淮河流域,江淮之间竟无一人,而江南会稽郡还有两人呢。这一现象令人关注。大略言之,此与西汉开始江淮地区社会动荡加剧、风俗趋于强悍或者相关。

(二)两汉之际的江淮政局

李宪(? —30),颍川许昌(今河南许昌市)人,王莽时任庐江属令,职如都尉。王莽统治末年,江淮地区反新朝起义很多,其中在长江一带活动的王州公等,攻城夺地,势力最盛。王莽急令李宪为偏将军、庐江连率,率军镇压。连率是王莽朝的官名,职如原来的郡守。李宪很快攻破王州公的军队,占领以舒县城为中心的江淮地区。此后不久,王莽败亡,李宪遂割据庐江郡而自立。更始二年(24),李宪称淮南王,光武帝建武三年冬天(27),李宪又自立为天子,广置公卿百官,拥据九城,有兵十余万,在舒县城做起了皇帝。李宪占据的九城,据学者推测为:舒、居巢、龙舒、临湖、雩娄、襄安、皖、潜、枞阳。①建武四年(28)秋,汉光武帝巡游寿春(今寿县),劝李宪投降,李宪拒不接受。光武帝遂派遣扬武将军马成等率领诛虏将军刘隆、振威将军宋登、射声校尉王赏等,发动会稽、丹阳、九江、六安四郡的兵力进击李宪,围困其所据守的舒县城。李宪多次挑战,马成命令诸军深沟

---

① 李晓杰:《东汉政区地理》,第282页。

高垒,实行坚壁清野的措施,准备困死李宪。马成的军队围困舒县城一年有余,至建武六年(30)春,城中粮尽,汉军攻克县城,屠杀守军。李宪逃跑,其麾下军士帛意,追斩李宪而降汉,李宪的妻子儿女也遭诛杀。光武帝得到消息后大喜,特赐封帛意为汉渔浦侯,后马成也封为平舒侯。此后李宪余部淳于临等复聚众数千人,屯守潜山,继续对抗汉军。潜山即今霍山,处在大别山之中,易守难攻,扬州牧欧阳歙遣兵进击不克,光武帝准备再次派军征讨,时任扬州牧从事的庐江人陈众,主动提出愿前往说服叛军投降。陈众于是乘单车、驾白马前往宣谕招安。经过一番劝导,淳于临等主动投降。霍山地方的百姓感谢陈众的活命之恩,为立生祠,号"白马陈从事",一时传为佳话。① 李宪势力割据江淮七八年,至此被彻底消灭,江淮地区恢复了往日的平静。

(三) 世家大族

西汉选举并不特别重视家世阀阅,可还是有一定资格要求。《汉书·地理志》:"汉兴,六郡良家子选给羽林、期门。"所谓良家子者,如淳注言:"医、商贾、百工不得与也。"羽林、期门不过是选用善骑射者,尚且如此,其他重要职位可想而知。因此,早在西汉就已经出现了数世为官的家族。

东汉继承西汉制度,实行察举制、征辟制与任子制相结合的任官制度。察举特别重视孝廉科,其对象多为公卿或郡县的属吏,或者精通经学的儒生,还有就是道德高尚的处士。东汉初年,继承西汉的察举制度。建武十二年,光武帝诏三公举茂才各一人,廉吏各二人。不久,又颁布了察举标准,即所谓"四科":"方今选举,贤佞朱紫错用。丞相故事,四科取士。一曰德行高妙,志节清白;二曰学通行修,经中博士;三曰明达法令,足以决疑,能案章覆问,文中御史;四曰刚毅多略,遭事不惑,明足以决,才任三辅令;皆有孝悌廉公之行。自今以

---

① 《后汉书》之《光武帝纪》《马成传》《李宪传》。

后,审四科辟召。及刺史、二千石察茂才、尤异、孝廉之吏,务尽实核,选择英俊、贤行、廉洁、平端于县邑,务授试以职。有非其人,临计过署,不便习官事,书疏不端正,不如诏书,有司奏罪名,并正举者。"① 以后四科的内容不断有所调整与强调。

随着政治腐化的加剧,选举不实的现象日益严重,选举不按标准,只看门第,造成地方行政效率低下,官吏风气日坏,大族为了把持政权,扩大家族利益,结为朋党,互相举荐亲属故旧,使得察举制度成了豪族、官员安插私人亲信的工具。加之任子制度本来就是专门为中上层官员设置的,安帝建光后,任子范围进一步扩大,就使得大量豪族子弟非常顺利地进入政权体系,形成了世代为官的家族,甚至出现了累世公卿的家族。这些家族又以"门生""故吏"等名义,将一些中下层官员招揽在周围,从而结成了一个个以某一家族为中心的政治集团。

东汉时期还出现了一些累世专攻一经,并传授经学的家庭,他们的授业范围上起皇帝,下至州郡乡里。在通经出仕的背景下,许多官吏都出自门墙,受业者为弟子,弟子的弟子为门生,有些大儒经师,弟子门生动辄千百人。而经学入仕本身也成就了一些累世公卿的家族。老师与弟子门生、荐主与故吏、长官与掾属之间的关系,是具有实质性君臣名分的主从关系,从而形成了世族大家,如著名的弘农杨氏、汝南袁氏等。江淮之间也出现了一些影响较大的世家贵族,与合肥地区关系密切的著名世家有:居巢刘氏、舒县周氏、合肥坚氏。

合肥坚氏。坚镡字子伋,颍川襄城人也。为郡县吏。世祖刘秀讨伐河北,"或荐镡者,因得召见。以其吏能,署主簿。又拜偏将军,从平河北。世祖即位,拜镡扬化将军,封濦强侯。"后在东汉建立的过程中立下汗马功劳。一是与诸将并攻洛阳,二是与右将军万修共徇南阳郡各县,攻下宛城,但受到南北夹击,"镡独孤绝,南拒邓奉,北当董䜣,一年间道路隔塞,粮馈不至,镡食蔬菜,与士卒共劳苦。每急,

---

① 应劭撰,陶宗仪辑《汉官仪》,《汉官六种》,中华书局1990年版,第115页。

辄先当矢石,身被三创,以此能全其众。"后来光武帝南征,解其围。"以镡为左曹,常从征伐。"六年,定封合肥侯。后永平中,"显宗追感前世功臣,乃图画二十八将于南宫云台,其外又有王常、李通、窦融、卓茂,合三十二人",其中就有"左曹合肥侯坚镡"。二十六年,卒。子鸿嗣。鸿卒,子浮嗣。浮卒,子雅嗣。① 以后的情况缺如。

坚镡是跟随光武帝打天下的"二十八将"之一,之后封于合肥为侯,可谓是功成而身退。坚镡的三个品质对于后世传之多代不绝有影响:一是吃苦耐劳的精神,南阳独守,坚镡能"食蔬菜,与士卒共劳苦";二是艰难困苦忠于主上的品格,受到南北夹击一年多,劳苦不堪仍然坚持;三是身先士卒、保全部下的爱心。另外,《三国志·魏武本纪》注引《魏书》也讲到合肥侯:

冀州刺史王芬、南阳许攸、沛国周旌等连结豪杰,谋废灵帝,立合肥侯,以告太祖,太祖拒之。《魏书》载太祖拒芬辞曰:"夫废立之事,天下之至不祥也。古人有权成败、计轻重而行之者,伊尹、霍光是也……今诸君徒见曩者之易,未睹当今之难。诸君自度,结众连党,何若七国?合肥之贵,孰若吴、楚?而造作非常,欲望必克,不亦危乎!"

此事发生在汉灵帝时,曹操为议郎。王芬等人敢于谋议废立皇帝,一则与反对皇太后与大将军窦武专权有关,二则与汉灵帝起于微弱可能也有关系。灵帝刘宏"世封解渎亭侯,帝袭侯爵"②,亭侯是一个很小的爵位,食邑只是一个乡镇大小的地方,因为朝廷内部政治斗争的原因而登上帝位。与之相比,此合肥侯不管是坚镡之后,还是另有其人,级别都要高很多。一些学者认为不会是坚镡之后。因为从曹操的话中看,此合肥侯可比于西汉时期吴国、楚国等刘氏的宗室,

---

① 《后汉书·坚镡传》。
② 《后汉书·孝灵帝纪》。

应该也是宗室分封的。但仔细分析本文,"连党"各人,曹操比之为"七国",即战国时期的七个雄强之国,而合肥侯比之吴、楚。此吴、楚是否汉代的吴与楚二封国?虽然可能性是存在的,但不必然如此。钱大昭《后汉书补表》亦云"属未详。不得封年",是很谨慎的。汉时没有人提议吴、楚二国王继位皇帝问题,曹操何以如此比对?事远不能具知。关于合肥侯的情况,看来要等到合肥侯墓发掘才有可能揭晓了。据传,合肥侯墓在今蒙城北路上。

居巢刘氏。居巢刘氏为西汉宗室,汉宣帝子楚孝王刘嚣之后。嚣生思王衍,衍生纡。纡袭王位,遭王莽篡汉,废为庶人,居家于彭城,早卒,子般。刘般幼孤,遇王莽末年动乱,流离关西,而"笃志修行,讲诵不息,其母及诸舅,以为身寄绝域,死生未必,不宜苦精若此,数以晓般,般犹不改其业"。建武八年(32),刘般年甫弱冠,带着全家回到洛阳,继续觅师学习经学。次年,光武帝绍封刘般为菑丘侯,使奉楚孝王嚣之祀,后徙封杼秋侯。建武十九年,光武帝巡行沛地,"诏问郡中诸侯行能。太守荐言般束修至行,为诸侯师。帝闻而嘉之,乃赐般绶,钱百万,缯二百匹。二十年,复与车驾会沛,因从还洛阳,赐谷什物,留为侍祠侯。"永平元年,又徙为居巢侯,随诸侯就国,"数年,杨州刺史观恂荐般在国口无择言,行无怨恶,宜蒙旌显。显宗嘉之。十年,征般行执金吾事,从至南阳,还为朝侯。明年,兼屯骑校尉。"刘般在京任职期间,能从实际出发提出一些好的意见与建议,特别注意为百姓考虑。"帝悉从之。"官至长乐少府、宗正。刘般也很重视保护家族利益,"收恤九族,行义尤著",因此其家族在封国所在地得到繁衍发展,子孙相袭至汉末。建初三年卒。二子:刘恺、刘宪。

刘恺(?—125?),恺为长子,本应袭父侯爵,而他让爵于弟,逃匿避封。永元十年(98年),其父刘般去世已过二十年,他才由贾逵推荐,和帝征召为郎。累历侍中、步兵校尉、宗正、长水校尉,安帝永初元年(107),迁太常。六年,代张敏为司空。元初二年(115),为司徒。建光元年(121),安帝亲政,采纳陈忠等人的建议,拜刘恺为太尉,后卒于家。任三公期间,议丧礼,抑邓氏,轻刑法,皆得其宜,为朝野称道。子刘茂。

刘茂,生卒年不详。历任尚书,掌理机要,桓帝延熹八年(165),为司空。遇李膺等党人之狱,与陈蕃、刘矩等共同讼其冤,触怒桓帝,宦官集团趁机劾奏,被罢免。灵帝建宁中,复为太中大夫,卒于官。

刘宪,以兄恺让封得袭居巢侯。卒,子刘重嗣。

刘般后人也有知名者,如唐朝有刘知几,字子玄,《新唐书·刘子玄传》:子玄内负有所未尽,乃委国史于吴兢,别撰《刘氏家史》及《谱考》。上推汉为陆终苗裔,非尧后;彭城丛亭里诸刘,出楚孝王嚣曾孙居巢侯般,不承元王。尝曰:"吾若得封,必以居巢绍司徒旧邑。"后果封居巢县子。乡人以其兄弟六人俱有名,号其乡曰"高阳",里曰"居巢"。

庐江周氏。庐江周氏起自东汉周荣。周荣,生卒年不详,庐江舒人。章帝时,举明经,为司徒袁安所辟,凡袁安议论之朝政,多出周荣之手,尤其是袁安弹劾窦宪等争立北单于的奏章,虽然遭到窦氏的恐吓,却使周荣获得了相当高的政治声望。和帝时,历颍川太守、山阳太守等,多有政绩。以老病致仕,卒于家。子周兴。

周兴,生卒年不详。以父任为郎中,安帝永宁(120—121)中,陈忠举周兴孝友、博闻、辞采,诏拜尚书郎,卒。子周景。

周景(？—168),初为大将军梁冀所辟,历官豫州刺史、河内太守,以识拔人才、荐举贤能著称于时。后入朝为大司农,不久受梁氏之狱牵累禁锢。复拜尚书令,历太仆、卫尉,桓帝延熹六年(163),代刘宠为司空,与太尉杨秉共同遏制宦官专权谋私,奏免宦官子弟、亲信任官者自将军、牧、守以下50余人。八年,以地震罢免。九年,代陈蕃为太尉。灵帝建宁元年(168)四月,去世。因曾参与迎立灵帝之谋,追封为安阳乡侯。二子:周崇、周忠。

周崇袭安阳乡侯,官至甘陵王相。

周忠,汉末曾与朱儁共败董卓部将李傕,历大司农。献帝初平三年(192),代皇甫嵩为太尉,录尚书事。次年,以灾异免,复为卫尉,从献帝东归洛阳。子周晖。

周晖,曾任洛阳县令,后弃官归里。中平六年(189年)灵帝死,董卓入京,废少帝立献帝,洛阳大乱。周晖弟兄担心父亲,前往探望,为董卓派人劫杀。

周景从子周异,洛阳令。异从弟周尚,袁术任为丹阳太守。异子周瑜,东吴大都督。

庐江周氏五世二千石,周景、周忠父子两代太尉,显赫一时,为江淮间名族著姓,影响及于后世。

东汉时期合肥地区的侯国还有如乐成王刘苌贬为临湖侯,子孙食于临湖,曲阳侯王根因罪归国,淮阳王延徙封阜陵王,后贬为阜陵侯,再复为阜陵王,子孙为王为侯,延续至汉末。江淮之间去中原京都远甚,常常是被贬官员或王侯的去处,所以很多县乡都是王侯的食邑封地。

四、东汉后期合肥地区的社会动乱[①]

东汉顺帝及冲、质时期,江淮徐扬之间"盗贼"蜂起,"九江、广陵二郡数离寇害,残夷最甚。"[②]变乱仍频,震怖东南,倾动朝廷,史书经常有所谓"州郡不能制""朝廷不能讨"的说法,反映了"扬、徐盗贼"势力之盛,对东汉后期统治秩序产生了巨大的冲击力。学者研究指出:"总观'群盗'扰乱之区域,多在沿海九郡及江淮流域,其地理之分布,尤可注意也。"[③]而东汉后期的"盗贼"现象,又以顺帝及冲、质时期(126—146)最为集中、炽盛,此即《后汉书·滕抚传》所谓"顺帝末,扬、徐盗贼群起,盘牙连岁"。兹据《后汉书》顺、冲、质本纪及《续汉书·天文志》,将此一时期的重要"盗贼"事例罗列如下。

阳嘉元年(132)三月,"扬州六郡妖贼章河等寇四十九县,杀伤长

---

① 赵凯:《"扬、徐盗贼"与东汉后期政局》,《秦汉魏晋时期的合肥史研究》。
② 《后汉书·质帝纪》。
③ 贺昌群:《贺昌群文集》第二卷,商务印书馆,2003年版,第123—124页。

吏"。

永和三年(138)四月,"九江贼蔡伯流寇郡界,及广陵,杀江都长。……闰月,蔡伯流等率众诣徐州刺史应志降"。

汉安元年(142)九月,"广陵盗贼张婴等寇郡县。……是岁,广陵贼张婴等诣太守张纲降。"至永熹元年(145年)正月,"广陵贼张婴等复反,攻杀堂邑、江都长。"永熹元年十一月"丙午,中郎将滕抚击广陵贼张婴,破之"。

汉安二年(143)十二月,"杨、徐盗贼攻烧城寺,杀略吏民"。

建康元年(144)八月,"杨、徐盗贼范容、周生等寇掠城邑,遣御史中丞冯赦督州郡兵讨之"。

建康元年(144)十一月,"九江盗贼徐凤、马勉等称'无上将军',攻烧城邑。"十二月,"九江贼黄虎等攻合肥"。

永熹元年(145)正月,"九江贼徐凤等攻杀曲阳、东城长。"三月,"下邳人谢安应募击徐凤等,斩之"。

永熹元年(145)四月,"丹阳贼陆宫等围城,烧亭寺,丹阳太守江汉击破之"。

永熹元年(145)七月,"庐江盗贼攻寻阳,又攻盱台,滕抚遣司马王章击破之"。

永熹元年(145)十一月,"历阳贼华孟自称'黑帝',攻杀九江太守杨岑,滕抚率诸将击孟等,大破斩之"。

以上具见《后汉书·顺帝纪》。

据统计,从公元132—147年,"15年间,全国农民起义共计17起,其中扬州10起,荆州3起,其他州郡4起……江淮地区是2世纪30—40年代我国农民起义最集中的地区"[①]。短短数年间,扬州九江、庐江、丹阳诸郡及徐州广陵郡都发生了大规模"贼乱"。特别是合肥所在的九江郡,出现了范容、周生、黄虎、徐凤、马勉、华孟等"九江贼",堪称乱中之乱。规模较大,势力较强。像华孟"攻九江,杀郡

---

① 姚治中:《东汉后期江淮农民起义论述》,《六安师专学报》1995年第1期。

守",其势力显然相当强盛。官军后来"斩孟等三千八百级,虏获七百余人"①。《后汉书·朱穆传》称"顺帝末,江淮盗贼群起,州郡不能禁"。

　　另一方面,从抢夺财物的普通盗贼发展为聚众劫掠的群盗,进而成为对抗官府的武装集团,甚至建立了自己的政权组织。顺、冲、质帝时期的徐扬"盗贼"攻打城邑,烧毁官寺,杀伤官吏,破坏甚至摧毁地方行政管理体系。史书称"安顺以后,风威稍薄,寇攘浸横,缘隙而生,剽人盗邑者不闋时月,假署皇王者盖以十数。或托验神道,或矫妄冕服"②。各种反抗起义中,徐凤"衣绛衣,带黑绶",称"无上将军";马勉"皮冠黄衣,带玉印",称"黄帝"。他们筑营于水泽山寨中,建年号,置百官,俨然是一个独立政权。"历阳贼"华孟则自称"黑帝",也应有建号置官的举措。有学者指出,从"黄帝""黑帝""无上将军"之类的"托验神道"的事实中可以看出,"许多起义和当时日益流行的道教发生了千丝万缕的联系"③。扬、徐地区后来成为太平道及黄巾势力的重要区域,与此相关。

　　江淮地区民众集中起事,对东南地方统治秩序乃至东汉政局带来了强烈冲击。死于其事的地方长吏屡见史载,如蔡伯流杀江都长,徐凤等攻杀曲阳长、东城长;两任九江太守邓显、杨岑先后死于动乱;扬州刺史尹耀也在征讨范容、周生的过程中兵败被杀。其他如章何"杀伤长吏",张婴"杀刺史、二千石",足见死于其事的地方长吏不在少数。还有一些官员因平乱不力而遭到惩处,如广陵太守王喜"坐讨贼逗留,下狱死"④中郎将赵序"坐畏懦不进,诈增首级,征还弃市"⑤。官寺被烧,长吏被杀,吏人奔散,东南地方行政管理体系陷于崩坏。

　　徐、扬盗贼之乱,对东汉政局也产生了相当大的震动。为了平

---

① 《后汉书·藤抚传》。
② 《后汉书》卷三八"后论"。
③ 漆侠:《秦汉农民战争史》,第157页。
④ 《后汉书·顺帝纪》。
⑤ 《后汉书·藤抚传》。

乱，朝廷进行了一系列的人事调整，先派御史中丞冯绲持节督扬州诸郡军事，复遣中郎将赵序前往；又"博求将帅"，任命"有文武才"的滕抚为九江都尉，"合州郡兵数万人"，共讨盗贼。朝廷还一度讨论派遣太尉李固前往东南，节制诸将讨贼。乱事正盛之际，冲帝驾崩，梁太后"以杨、徐盗贼盛强，恐惊扰致乱"，一度不敢正常发丧。①

"徐、扬盗贼"之乱，给当地经济、民生及社会秩序造成巨大破坏。乱起之后，"东南跋扈，两州数郡，千里萧条，兆人伤损。"②质帝本初元年，乱事平息，朝廷在二月庚辰下诏曰："九江、广陵二郡数离寇害，残夷最甚。生者失其资业，死者委尸原野。……其调比郡见谷，出禀穷弱，收葬枯骸，务加埋恤。"③九江本系租谷调出地区，经此变乱，反需要从邻郡输入粮食来赈济。至次年二月，"荆扬二州人多饿死，遣四府掾分行赈给。"④"贼乱"给周边地区乃至全国的民生带来消极影响。东汉《张寿碑》记载，张寿任沛郡竹邑侯相，"遭江杨剧贼，下下□征，役赋弥年，萌于□戈，杼轴罄殚。"本初元年七月，新登帝位的汉桓帝诏称"方今淮夷未殄，军师屡出，百姓疲悴，困于征发"。所谓"淮夷"，李贤注云："本初元年，庐江贼攻盱台，广陵贼张婴等杀江都长。盱台、江都并近淮，故言淮夷。时中郎将滕抚屡击破之，其余众犹未殄也。"

东汉后期江淮地区持续不断的社会动乱，直接原因是百姓穷困潦倒，聚乱偷生。导致百姓穷困的原因很多，一者，国家横征暴敛，东汉时期的大规模羌乱共有三次，第二次系自顺帝永和四年至汉安元年，平乱历时7年，耗费80余亿。后来皇甫规上疏检讨其事，称马贤"拥众四年，未有成功，悬师之费且百亿计，出于平人，回入奸吏。故江湖之人，群为盗贼，青、徐荒饥，襁负流散"⑤。所谓"江湖之人，群为

---

① 《后汉书·李固传》。
② 《后汉书·李固传》。
③ 《后汉书·顺帝纪》。
④ 《后汉书·桓帝纪》。
⑤ 《后汉书·皇甫规传》。

盗贼"，即指江淮徐扬间的民乱。东汉中后期，扬州诸郡成为国家粮食调出地区。如安帝永初元年（107）九月，"调扬州五郡租米，赡给东郡、济阴、陈留、梁国、下邳、山阳。"李贤注："五郡谓九江、丹阳、庐江、吴郡、豫章也。扬州领六郡，会稽最远，盖不调也。"永初七年也有调九江、庐江等粮食输敖仓。①

二者，吏治大坏，地方官侵枉百姓。桓帝时朱穆在致权臣梁冀的奏记中说："牧守长吏，多非德选，贪聚无厌，遇人如虏，或绝命于棰楚之下，或自贼于迫切之求。……昔永和之末，纲纪少弛，颇失人望。四五岁耳，而财空户散，下有离心。马免之徒乘敝而起，荆扬之间几成大患。"②顺帝阳嘉元年诏曰："间者以来，吏政不勤，故灾咎屡臻，盗贼多有。退省所由，皆以选举不实，官非其人，是以天心未得，人情多怨。"③

三者，地理因素使得江淮地区易于"盗贼"滋生。一方面，这里偏居东南，距离帝国统治中心区域较远，因而国家控制力量相对薄弱。同样由于偏远，舆情不易上达，百姓愁苦，无处告诉，被迫铤而走险。广陵太守张纲招抚"广陵贼"张婴时说，"前后二千石多非其人，杜塞国恩，肆其私求。乡郡远，天子不能朝夕闻也，故民人相聚以避害"。④另一方面，江淮徐扬之间，西侧山岭纵横，东侧江湖密布，有利于盗贼聚生。如汉灵帝时"九江山贼起，连月不解"⑤。献帝时"庐江界有山贼陈策，众数万人，临险而守……莫能禽克"⑥。

四者，江淮徐扬之间"多盗贼"，与其地的民风故俗也有关。按照《史记·货殖列传》的记述，九江、庐江等扬州诸郡属南楚，"其俗大类西楚"，而西楚"其俗剽轻"。《论衡·言毒》说，"吴、越之人，促急捷

---

① 《后汉书·安帝纪》。
② 《后汉书·朱晖传附孙穆传》。
③ 《后汉书·顺帝纪》。
④ 司马彪《续汉书》卷四《张纲传》，见周天游《八家后汉书辑注》下册，上海古籍出版社1986年版，第432页。
⑤ 《后汉书·酷吏阳球传》。
⑥ 《三国志·魏书刘晔传》。

疾"。《汉书·地理志》也说,这一地区也具有吴、粤之人"轻死易发"的性格特点。学者总结道:"这一地区的民俗风格,是以轻急暴烈的节奏为特征的。"①这种性格特点,意味着不畏死亡,容易冲动生事,因而往往会成为稳定秩序的破坏者。太史公在分析总结汉初淮南、衡山二国变乱行迹时说:"此非独王过也,亦其俗薄,臣下渐靡使然也。夫荆楚僄勇轻悍,好作乱,乃自古记之矣。"②

五者,两汉时期,徐扬江淮之间人群构成较为复杂,这种情形也容易导致社会秩序的不稳定。这里曾是内迁越人的安置地。西汉武帝建元年间,东瓯为避闽越侵扰,在征得汉廷同意后,"乃悉举众来,处江淮之间。"③前后迁入的有数万人。这样一个庞大的外来族群,其剽轻风尚对于当地的区域文化的影响不可低估。而他们本身也往往是社会秩序的破坏者。如《史记》卷一一八《淮南衡山列传》记载:"南海民处庐江界中者反,淮南吏卒击之。"还有"南郡蛮"的迁入,据《后汉书》卷八六《南蛮传》,光武帝时,武威将军刘尚平定南郡潳山蛮之乱,"徙其种人七千余口置江夏界",《后汉书·陆康传》记载:(灵帝末)"庐江贼黄穰等与江夏蛮连结十余万人,攻没四县"。《后汉书·卢植传》也记载:"熹平四年,九江蛮反,四府选植才兼文武,拜九江太守,蛮寇宾服。"则九江郡亦是"南蛮"徙入地区。

六者,内郡灾民与流民流入就食于江淮之间,也加剧了这里的动乱。如西汉武帝元鼎年间,"山东被河灾,及岁不登数年,人或相食,方一二千里。天子怜之,诏曰:'江南火耕水耨,令饥民得流就食江淮间,欲留,留处。'遣使冠盖相属于道,护之,下巴蜀粟以振之。"④东汉安帝永初之初,"连年水旱灾异,郡国多被饥困",御史中丞樊准上疏言救灾之策,建议将灾民之"尤困乏者,徙置荆、扬孰郡,既省转运之

---

① 王子今:《秦汉区域文化研究》,四川人民出版社1998年版,第282页。
② 《汉书·淮南衡山列传》。
③ 《史记·东越列传》。
④ 《史记·平准书》。

费,且令百姓各安其所"①。以上均属官方有计划、有组织的移民就食。灾民自动流徙,应当更为常见。大量移民的徙入,对于当地社会秩序的影响是客观存在的。

① 《后汉书·樊准传》。

第五章

秦汉时期合肥地区
社会经济的发展

秦汉时期，随着大一统王朝的建立，中国社会经济全面发展，并由中心向四面波及，特别是向南方地区发展，同时人口也在持续增长，在西汉中后期达到一个高峰。整个安徽地区可以分为淮北、江淮和江南三个部分，淮北地区临近中原，受其影响，社会经济及人口发展与中原地区同步，江南地区因为远离中原地区，非常滞后，江淮地区毗邻淮北，又处于南北东西交通的枢纽，发展水平稍后于淮北而高于江南，到东汉末与北方的情况已经比较接近。西汉时期，司马迁综合比较后指出这里是"无积蓄而多贫"。合肥的情况有些特别，因为处在江南、巢湖通向寿春与中原的水路交通要道上，商贸来往频繁，西汉前期即成为转运贸易的中枢，所谓"输会"之都。江淮地区因地理位置上的特点，逐步受到中央政府重视，不仅派遣了大批能干的官员到此任职，还特别设置了全国仅有的湖官、陂官、楼船官等，管理本地的水利、渔业与造船业。大量外来人口迁徙于此，尤其是数万越人迁居江淮间，加快了这里的农业开发，生产技术也显著提高，使过去"不知牛耕"的现象有了很大的改观。东汉时期本地生产发展水平有较大提高，有时候甚至可以接济北方的灾民了。

第一节 合肥地区的人口变化与城乡生活

一、秦汉时期江淮地区开发的基本情况

春秋战国时期，楚在江淮之间设立很多县与封君，对于这里的开发起到了一定的作用，特别是开发较多较早的芍陂一带，从春秋楚国孙叔敖时，便在这里渚水灌溉，发展良田，战国时期很多封君继续在这里开发，楚王还在这里设立新马场，所以一直是沃野之地。其他地方的情况相对荒凉一些。所以到了秦汉时期，包括合肥地区的江淮

之间,大部分地方的经济发展比之淮北与中原还是落后的。司马迁壮行天下时曾经过江淮地区前往江浙,他在《史记·货殖列传》指出:

> 楚越之地,地广人稀,饭稻羹鱼,或火耕而水耨,……不待贾而足,……无积聚而多贫。是故江淮以南,无冻饿之人,亦无千金之家。

所谓"楚越之地"主要指的就是江淮地区。这里因为人口稀少,水乡泽国,觅食容易,农业生产比较落后,火耕而水耨,所以大家都很少积储,没有比较富有的人家,也很少穷困冻饿之人,一片初期开发的景象,比较中原可以说是落后的。到了东汉,王景做庐江太守,《后汉书·王景传》说:

> 明年,迁庐江太守。先是,百姓不知牛耕,致地力有余而食常不足。郡界有楚相孙叔敖所起芍陂稻田。景乃驱率吏民,修起芜废,教用犁耕,由是垦辟倍多,境内丰给。遂铭石刻誓,令民知常禁。又训令蚕织,为作法制,皆著于乡亭,庐江传其文辞。卒于官。

汉代,赵过改进耕犁技术与实行代田法,关中与广大的中原地区经济因此有了很大的发展,到了西汉后期普遍推行,野地大面积开垦,粮食亩产普遍提高,进一步促进了各地的农业生产,而江淮地区到东汉时还有一些地方尚不知牛耕,原来开发较好的芍陂一带也是芜废多时,需要王景做太守加以督促,重新开发,说明江淮地区农业经济发展的不足。

王景对于庐江郡的发展贡献是巨大的,一是带领官民兴修水利,尤其是芍陂,这在考古上也有体现,1959年安丰塘修建时,发现东汉时期修筑的一处闸坝遗址,原是用草土混合修筑而成,是蓄泄兼顾的水利工程,出土800多件遗物,其中最为珍贵的是铸有"都下官"三字的铁锤。二是教民牛耕,牛耕技术是生产进步的明显标志,东汉时期一些地方尚不知使用牛耕,主要是这里觅食容易,不需耕作即可饱食。但是进一步发展,使用牛耕是必然的。三是刻石立誓,对于民众需要注意的禁忌习俗等,以立誓的形式进行移风易俗,改变陋俗。四是训令蚕织,即是教民种桑养蚕,利用织布。江淮地区是水乡泽国,气候温湿,到了东汉开始转凉,适合种植桑麻,王景适时教民种植,纺织布帛,并以制度形式固定下来,直可谓之良吏。是以民众记其恩德,到南北朝范晔写作《后汉书》的时候,庐江地区还传颂王景的言辞,百姓传其恩惠。王景也为庐江郡鞠躬尽瘁,卒于任上。

江淮地区开发不够还可以从这里的生态原始得到验证。《后汉书·宋均传》记载宋均"迁九江太守。郡多虎暴,数为民患,常募设槛阱而犹多伤害。均到,下记属县曰:'夫虎豹在山,鼋鼍在水,各有所托。且江淮之有猛兽,犹北土之有鸡豚也。'"北土即中原地区没有或很少虎豹,正是农业发展、成片野地大量开发,虎豹等食肉动物难以存生的表现,而江淮地区老虎很多,经常伤人,这让宋均看到了中原与江淮地区因开发而导致的不同,北方看到的多是鸡、猪等人类饲养的动物,而江淮则更多自然生存的猛兽。并且宋均驱除虎患的办法也很特别:"'今为民害,咎在残吏,而劳勤张捕,非忧恤之本也。其务退奸贪,思进忠善,可一去槛阱,除削课制。'其后传言虎相与东游度江。"剪除过去驱赶捕捉的工具,减少税课,除去贪官污吏,老虎因此渡江而去,即用仁义感化了老虎。

《宋均传》还记载:"中元元年(56),山阳、楚、沛多蝗,其飞至九江界者,辄东西散去,由是名称远近。浚遒县有唐、后二山,民共祠之,众巫遂取百姓男女以为公妪,岁岁改易,既而不敢嫁娶,前后守令莫敢禁。均乃下书曰:'自今以后,为山娶者皆娶巫家,勿扰良民。'于是遂绝。"浚遒县即今肥东龙城遗址,东汉这里还有为山神取妇祭祀的习俗,说明这里人的思想观念与经济发展一样与中原有差距。

合肥地区整体发展尽管比不上中原,但合肥市的情况稍好,主要是合肥处在南方通往寿春与中原的要道上,水陆运输发达,成为当时著名的"输会"之都,全国不多的转输贸易中心。

二、两汉时期合肥地区的人口与移民

秦汉时期(前221—220)共441年,这一时期是中国封建社会的成长时期。秦代的人口数量,史料中找不到直接的记录,但是从西汉初的人口数量推测,秦统一六国时人口大约是4000万。由于秦汉之际连年战争,到汉初汉高祖五年(前202),据有的学者估计,人口约1500万。此后,随着推行的休养生息政策的实施,社会秩序的稳定和经济的逐步恢复与发展,到汉武帝元光元年(前134)增加到约3600万[1]。汉平帝元始二年(2),中国实施了历史上的第一次人口普查。根据《汉书·地理志》记载:汉平帝元始二年(2),有12,23,3062户,59,594,978人。这是这一阶段的峰值人口数。西汉末王莽篡位,战乱又起,持续不断的战乱和严重的自然灾害波及了全国大部分地区,因而人口数量锐减,至东汉光武二年(57)人口只2100.20万[2],到桓帝永寿三年(157)人口刚刚恢复到5648.256万[3]。

根据研究,西汉时期全国人口分布不均,主要集中在今天的河南、山西、河北、山东、陕西、皖北一带,特别是渭河下游、汾河下游、河南中部、濉水流域等。其他如江汉平原西部、宁绍平原、皖中平原等地区人口密度也比较高。根据下面两表的推测,西汉平帝时期合肥地区人口在35万左右,九江郡合肥所属之地的人口较多,庐江郡所属合肥地区的人口偏少。东汉时期本地区人口只有20多万,两个时期本地区人口有差别,主要是由于两汉之际动乱的原因,造成合肥地区人口锐减。以后虽有恢复,一直未能达到西汉盛期的情况。

---

① 葛剑雄《中国移民史》第二卷,福建人民出版社1997年版。
② 《后汉书·郡国志》。
③ 《晋书·地理志》。

西汉时期部分郡国人口表（汉平帝元始二年）

郡国名	户数	口数	面积（平方公里）	密度（平方公里）	县数	县平均口数
楚国	114738	497804	6476	76.87	7	71115
鲁国	118045	607381	3724	163.10	6	101230
平原	154387	664543	9172	72.45	19	34976
千乘	116727	490720	4096	119.80	15	32715
济南	140761	642884	6888	93.33	14	45920
北海	127000	593159	4000	148.29	26	22814
东莱	103292	502693	14592	34.45	17	29570
齐郡	154826	554444	3928	141.15	12	46204
甾川	50289	227031	916	247.85	3	75677
胶东	72002	323331	7256	44.56	8	40416
高密	40531	192536	1032	186.57	5	38507
南阳	359316	1942051	48831	39.77	36	53946
江夏	56844	219218	61569	3.56	14	15658
桂阳	28119	156488	53069	2.95	11	14226
武陵	34177	185758	122456	1.52	13	14289
零陵	21092	139378	45050	3.09	10	13938
南郡	125579	718540	63919	11.24	18	39919
长沙	43470	235825	80544	2.93	13	18140
庐江	124383	457333	36180	12.64	12	38111
九江	150052	780525	26181	29.81	15	52035
会稽（北部）	212239	982604	68835	14.27	26	37792

九江郡 15 县 780525 口人，平均每县有 52035 人；庐江郡 12 县 457333 人，平均每县 38111 口。现在所知完全属于合肥的县，九江郡有合肥、浚遒、橐皋等，庐江郡有居巢等。居巢春秋以来为要地，西汉时当是大县。部分属于合肥地区的县，九江郡有阜陵、成德、阴陵、曲

阳、阜陵等,庐江郡有舒县、临湖等。六县管辖的东部可能涉及肥西的西界。截长去短,以今合肥记有九江郡四个县,庐江郡三个县,则西汉后期合肥地区当有35万左右人口。其中巢湖以北以东地区人口分布稍多,以西以南人口分布稍稀,不如北部东部人口稠密。

东汉时期部分郡国人口表(东汉永和五年)

郡国名	户数	口数	面积（平方公里）	密度(人/平方公里)	县数	县均口数
扬州						
九江	89436	432426	27506	15.72	14	30888
丹阳	136518	630545	53560	11.77	16	39409
庐江	101392	424683	46764	9.08	14	30335
会稽	123090	481196	190336	2.53	14	34371
吴郡	164164	700782	37080	18.90	13	53906
豫章	406496	1668906	165915	10.06	21	79472
益州						
汉中	57344	267402	70488	3.79	9	29711
巴郡	310691	1086049	125694	8.64	14	77575
广汉	139865	509438	39284	12.97	11	46313
蜀郡	300452	1350476	32416	41.66	11	122771
犍为	137713	411378	67175	6.12	9	45709
	31523	267253	202176	1.32	16	16703

江淮西部与周边地区人口对比表

地区	甲:东汉永和五年人口数	乙:西汉元始二年人口数	甲净增长人口数	甲占乙的百分比	人口密度（每平方公里人口数）	
					永和五年	元始二年
全国	49150220	69594978	－20444758	70		
九江	432426	835397	－402971	52	11.5	20.7

续表

庐江	424683	635949	−211266	67	10.0	12.6
丹阳	630545	405170	225375	156	11.1	7.7
豫章	1668906	351965	1316941	474	9.5	2.12
汝南	2100788	2637436	−536648	80	61	77

注：西汉，元始二年为公元2年，东汉，永和五年为140年。

三国时期的263年，据估计全国大约1500万人口，其中魏国淮南郡12县25050户约8万人，平均每县6660。当时"合肥以南唯有皖城"，如居巢、舒县、临湖等人口基本迁入江南。是以丹阳郡守才能在丹阳境界召集居巢等地的流民。江淮之间南部除了山区芦荡，基本没有大的聚邑，人口消减可想而知。

两汉以来合肥地区的移民也不少，主要来自南、北两个方向。远古以来包括合肥地区的江淮之间就是北方失意贵族或逃亡人士的避难所。早期如"桀奔南巢"最为典型。还有周代周王朝打击东方夷族势力，先是进攻山东的蒲故、商奄等，迫使大批夷族南迁，其中江淮地区就很多，如徐国就是从今山东中南部过来江淮之间的。考古资料显示，西周以后江淮地区文化发生较大变化，与夷族的大量迁入可能相关，"南淮夷"主要指的淮南之夷，很多可能来自北方地区。春秋时期寿县的州来，一些学者认为可能来自山东地区。后来蔡国从河南上蔡迁到寿县一带，统治江淮之间的北部地区，楚国迁都寿县，失败后大批迁入合肥地区。可以说在早期中国历史上形成了一个"避地江淮"的现象。

汉代，因为各种原因迁徙江淮地区的还有不少。武帝时大量的饥民就食江淮，这批人也有可能就此扎根江淮，正式移民江淮地区了，成为本地人口。

《汉书·武帝纪》载元光三年（前132）："河决濮阳，泛郡十六。"这次黄河决口的地点在濮阳境内的瓠子。《史记·河渠书》载："今天子元光之中，而河决于瓠子，东南注鉅野，通于淮、泗。于是天子使汲黯、郑当时兴人徒塞之,辄复坏。"这次黄河决口危害大,持续时间长,直到武帝元封二年(前109)四月,汉武帝"至瓠子,临决河,命从臣将军以下皆负薪塞河堤,作《瓠子之歌》"①。才结束了这场持续23年的黄河水患。在黄河水患泛滥期间的元鼎二年(前115),因雨水大,进一步加重了关东的灾情。《汉书·武帝纪》载元鼎二年:"三月,大雨雪。夏,大水,关东饿死者以千数。"面对灾情,武帝下诏救济:秋九月,诏曰:"仁不异远,义不辞难,今京师虽未为丰年,山林、池泽之饶与民共之。今水潦移于江南,迫隆冬至,朕惧其饥寒不活。江南之地,火耕水耨,方下巴、蜀之粟致之江陵,遣博士中等分循行,谕告所抵,无令重困。吏民有振救饥民免其厄者,具举以闻。"对于救灾措施之一,就是让救民就食江淮。《史记·平准书》载:时山东被河菑,及岁不登数年,人或相食,方一二千里。天子怜之,诏曰:"江南火耕水耨,令饥民得流就食江淮间,欲留,留处。"遣使冠盖相属于道,护之,下巴蜀粟以振之。

《汉书·食货志》也载:"是时山东被河灾,及岁不登数年,人或相食,方二三千里。天子怜之,令饥民得流就食江、淮间,欲留,留处。"颜师古注:"流谓恣其行移,若水之流。至所在,有欲往者,亦留而处也。""使者冠盖相属于道护之,下巴、蜀粟以赈焉。"这一记载也见于《平准书》:"及岁不登数年,人或相食,方一二千里"。"天子怜之,诏曰:'……令饥民得流就食江淮间,欲留,留处。'……下巴蜀粟以振之。"②武帝之所以"令饥民得流就食江淮间",乃是因为江淮地区自然资源丰富,易于解决食物问题③。而"欲留,留处"的诏令,一方面说明"火耕水耨"的江淮地区,尽管生产力水平不高,但是解决流民食物的理想场所,具备接纳流民的条件和能力;另一方面说明,政府允许流

---

① 《汉书·武帝纪》。
② 《史记·平准书》。
③ 《史记·货值列传》说:"总之,楚越之地,地广人希,饭稻羹鱼,或火耕而水耨,果隋赢蛤,不待贾而足,地势饶食,无饥馑之患,以故呰窳偷生,无积聚而多贫。"《史记正义》:"言江淮以南有水族,民多食物,朝夕取给以偷生而已。不为积聚,乃多贫也。"

民变为移民,一部分饥民可能就此扎根江淮,正式移民江淮地区了。这也是江淮移民历史上需要特别关注的一次。如果流民到达后愿意留在当地,政府则就地解决其户籍问题。西汉中期以后大量人口迁徙至江淮地区,加速了这里的农业开发,江淮地区的耕地面积得到了扩大。到西汉末年,江淮之间五十余县的面积仅为江南会稽、丹阳、豫章3郡61县的1/5,但人口有220万,比前者的178.9万还多出23%①。"严助、朱买臣等招来东瓯,事两越,江淮之间萧然烦费矣。"②而在武帝征南越后,江南得到进一步开发,人口也大量增加。除了政府有组织的人口流动后,西汉末年绿林赤眉起义之后,大批中原百姓为逃避战乱也纷纷向江南迁移。大量流民的涌入也成为当地经济发展的一个重要推动力。

王莽时期改制失败,加上自然灾害频发,致使新莽天凤五年(17)爆发绿林赤眉起义。之后烽火遍地,各州刺史部监察区出现了割据君主制政权和互相争夺郡县的战斗,造成期间黄河流域大量人口向南方诸较为安定的州刺史部监察区迁徙或部分死亡,或为躲避战火向长江流域的江汉平原或汉水流域太湖流域和岷江、沱江、涪江、嘉陵江、嘉陵江的支流渠江流域迁徙;新莽时期没有具体的人口调查,估计新莽天凤五年(17年)全国有6300万人。汉光武帝之后,华南地区人口升至全国四成。口数超过500万的有豫、荆、扬、益四州刺史部监察区。南方人口增长的同时,北方大部分郡国人口有所下降。

东汉末年,爆发了黄巾起义,随着黄巾起义的被镇压,又进入了长期的军阀割据混战的局面,影响及于全国,但中心区域是在黄河中下游地区。自灵帝中平元年(184)黄巾起义爆发,到献帝延康元年(220)曹丕代汉自立,30余年间,战乱不休,生民涂炭,没于战火者无计其数,侥幸苟活者为了逃避灾难,纷纷逃离故乡,转向相对安定的区域,要么南下渡江,要么北迁辽东,或者逃往深山密林,而汝南、沛

---

① 张南:《简明安徽通史》,安徽人民出版社1994年版。
② 《史记·平准书》。

国、九江、庐江等地的流民,则大多是向南迁徙到扬州、荆州,也有少数流向更南端的交州。建安十八年(213),曹操攻孙权,两军对峙月余,"曹公恐江滨郡县为权所略,征令内移。民转相惊,自庐江、九江、蕲春、广陵户十余万皆东渡江,江西遂虚,合肥以南惟有皖城。"[1]此次北方向南方的大规模移民,是曹操"征令内移"所引发的。实际上,东汉末年,割据军阀对于人口的争夺是非常残酷的,经常有强制性的规模迁移活动。建安十九年(214),孙权征皖城,"获庐江太守朱光及参军董和,男女数万口"[2]。经过连续两年如此大规模地迁移,作为曹、孙拉锯地区的江淮之间的合肥地区损失人口即近20万。

两汉之际,中原动乱,有很多士人、百姓避乱,迁往江淮之间甚至江南地区,以吴郡、会稽等郡为多,也有一些是迁往九江、庐江、丹阳等郡,增加了当地的人口。如汝南人郅恽,王莽时以罪入狱,出狱后即南避苍梧,后又至庐江郡。

把永和五年人口数量、分布情况与西汉平帝元始二年进行对比的话,就会发现一些突出的特点。与全国人口数量下降相应,包括合肥地区在内的安徽省长江以北各郡国的人口数量也呈下降趋势,下降幅度在10%到20%,与全国人口下降比率基本一致。特别是合肥地区所在的九江郡户口数量则呈急剧下降趋势,西汉九江郡15县,户150052,口780525;而东汉九江郡14县,郡界区域与西汉无太大差异,却只有户89436,口432426。户数减少40%以上,口数竟然减少近45%。其直接原因是风起云涌的农民起义,从顺帝永建四年(129)开始,扬州境内就接连爆发人民起义,永和三年(138)四月,九江人蔡伯流起义,进攻九江、广陵,所到焚烧城郭,处死长吏。永和四年(139),扬州各地尤其是九江郡,农民又纷纷发动起义,东汉政府不断以兵镇压,导致九江兵祸连年不解,百姓游离失所,户口减耗。永和五年进行户口统计,正是九江农民起义方兴未艾之时,所以有这样

---

[1] 《三国志·吴书·吴主传》。
[2] 《三国志·吴书·吴主传》。

的反常结果①。

东汉政府恢复生产与稳定社会秩序,鼓励流民回归原籍。光武帝自建武二年(26)到建武十四年(38),先后颁布了六道释放奴婢的诏令,建武二年,"民有嫁妻卖子欲归父母者,恣听之。敢拘执,论如律。"七年,"吏人遭饥乱及为青、徐贼所略为奴婢下妻,欲去留者,恣听之。敢拘执不还,以卖人法从事。"②同时,光武帝还数次释放刑徒。这些法令,使得大量在两汉之际社会动乱时期沦为依附农民与奴婢的百姓得到解放,重新成为编户齐民,增加了各地的户口数量与农业人口。

东汉初年,实行轻徭薄赋、与民休息的政策,大力号召地方官员兴修水利,发展生产,招抚流民,安定社会。同时极力限制大土地所有制的继续膨胀,实行严厉的度田措施,取得了显著的效果。建武初年,废除了王莽时实行的严刑峻法,并且减轻农民的田租负担,恢复了西汉的"三十税一"制度。建武十五年(39),"诏下州郡检核垦田顷亩及户口年纪",即著名的"度田"。因此,所谓"度田",不只是检核土地占有量,同时还有一个重要的内容——核查"户口年纪",即检括非法隐户、隐口。这次度田进行得非常彻底,以至于关东大族不惜以武装反抗来应对。次年,刘秀以"度田不实"的罪名,下狱处死了河南尹张汲等十余名郡守二千石,痛下如此杀手,既表明了光武帝的决心,又能够从侧面透露出此次度田取得成效的信息。汝南郡太守欧阳歙就是在此次廉政风暴中被杀的,汝南郡的度田工作应该进行得相当彻底。众多隐户、隐口解放,大量多占田产没收并重新分配,也成了东汉初年人口数量重要的增长点。

东汉分封许多王国、侯国于今安徽境内,这些王、侯们就国之时,必然会带来大量的亲属以及依附人口。如刘般先后为抒秋侯、居巢侯,"收恤九族,行义尤著",则其"九族"亲属随其就封是可以肯定的。

---

① 王鑫义、张子侠《安徽通史》第二卷,安徽人民出版社2011年版。
② 《后汉书·光武帝纪》。

窦融为安丰侯,食安丰、阳泉、蓼、安风四县,其子窦穆骄纵不法,"以封在安丰,欲令姻戚悉据故六安国,遂矫称阴太后诏,令六安侯刘盱去妇,因以女妻之"①,亦一典型事例。丹阳郡地处江南,下湿暑热,尚未得到完全开发,东汉时期是犯罪王、侯贬徙之地。明帝永平十三年(70),楚王英之狱,"帝以亲亲不忍,乃废英,徙丹阳泾县,赐汤沐邑五百户。……明年,英至丹阳,自杀。……以诸侯礼葬于泾。"而"楚狱遂至累年,其辞语相连,自京师亲戚、诸侯、州郡豪杰及考案吏,阿附相陷,坐死徙者以千数"②。鲍昱曾经说:"臣前为汝南太守,典治楚事,但汝南一郡,系者千余人,恐未能尽当其罪。"③汝南郡并不是楚王英之狱的核心区域,受牵累者即有千余人,全国的数字应该相当惊人。此外,还先后有广陵王狱、淮阳王狱、济南王狱,都是大规模的株连。这些人连同家属被流放迁徙,主要去处是"南方湿暑,障毒互生"之地,具体地点未详,除了合浦、日南、九真等南方极边以及北部边疆外,参照楚王英的徙地,可能也有部分是被徙于江南等郡的。另外,如王常之子王广被徙封为石城侯,马防及马廖之子马遵均坐窦宪之狱徙封丹阳。而傅俊之子傅昌徙封芜湖侯,竟然"以国贫不愿之封,乞钱五十万,为关内侯,肃宗怒,贬为关内侯,竟不赐钱"④。这些事件对于江南地区的开发与人口增殖也会产生积极的影响。

社会稳定,土地垦殖,经济发展,是人口自然增殖的必要前提。东汉前期汝南太守邓晨、鲍昱、何敞先后修复鸿却陂、鲖阳旧渠等,并新修扩展水利设施。王景、樊晔等人在庐江等南方州郡修复芍陂,推广牛耕技术。庐江、九江、丹阳诸郡地广人稀,自然条件相对恶劣,宋均、刘平等守、令解除虎患,改善生产与生活条件。所有这些举措,都使得农田面积增加,农业经济发展,百姓富足,人口繁衍。

合肥地区不但有北方移民南迁,还有不少南方的少数民族迁入

---

① 《后汉书·窦融传》。
② 《后汉书·光武十王传》。
③ 《后汉书·鲍永传附鲍昱传》。
④ 《后汉书》卷二十二《傅俊传》。

成为本地居民。西汉时期越人徙居江淮共有3次。① 第一次是西汉前期南海王织率众徙处庐江界中；第二次是武帝建元三年(前138)东瓯举国徙居江淮；第三次是武帝元封元年(前110)，东越之民迁居江淮。南海王织的最早记载，见于高祖时期。《汉书·高帝纪下》载高祖十二年(前195)二月诏曰："南武侯织亦粤之世也，立以为南海王。"当然，此时的南海在南越王尉佗的掌握之中，高祖刘邦对越王织分封的名号只有象征意义。对此，文颖注曰："高祖五年，以象郡、桂林、南海、长沙立吴芮为长沙王。象郡、桂林、南海属尉佗；佗未降，遥虚夺以封芮耳。后佗降汉，十一年，更立佗为南越王，自此王三郡。芮惟得长沙、桂阳、零陵耳。今复封织为南海王，复遥夺佗一郡，织未得王之。"南海王织及跟随他的一批越人由于客观条件的限制，没有到南海去，被安置到了淮南国的庐江界中。《史记·淮南衡山列传》载文帝时期，丞相张苍，典客冯敬等在上奏淮南王刘长的罪行时说"南海民处庐江界中者反，淮南吏卒击之"；"南海民王织上书献璧皇帝②，忌（按：间忌，淮南国中尉）擅燔其书，不以闻。"南海民处"庐江界中"，并未言具体地点，但大部分应处在江淮地区的安徽南部一带③。

又《汉书·严助传》载淮南王刘安上书言曰："前时南海王反，陛下先臣使将军间忌将兵击之，以其军降，处之上淦。后复反，会天暑多雨，楼船卒水居击棹，未战而疾死者过半。"从《汉书·严助传》可知，南海之民后被迁居上淦。上淦具体位置不详，可能在今江西东北部一带。

东瓯举国徙居江淮之事，起因于闽粤与东瓯的矛盾。《史记·东

---

① 本节参考袁延胜《略述两汉时期江淮地区的人口》，《秦汉魏晋时期的的合肥史研究》。

② 《汉书·淮南衡山济北王传》为："南海王织上书献璧帛皇帝"，无"民"字。对此，王先谦《汉书补注》周寿昌曰："织，南海王名，见《高纪》，《史记》多一'民'字，缘上'南海民'而误也。若是，民何以能上书献璧帛乎？无'民'字是。"

③ 《汉书·地理志》"庐江郡"王先谦《补注》曰："郡称庐江，明以水氏，疑文帝时，郡跨江南。"则此处的"庐江界中"，可能还包括长江以南地区。但庐江郡治在舒（今安徽庐江县西南），也曾为庐江王都，故庐江的统治重心应在江北。

越列传》载:"闽越王无诸及越东海王摇者,其先皆越王句践之后也,姓驺氏。……汉击项籍,无诸、摇率越人佐汉。汉五年,复立无诸为闽越王,王闽中故地,都东冶。孝惠三年,举高帝时越功,曰闽君摇功多,其民便附,乃立摇为东海王,都东瓯,世俗号为东瓯王。"双方矛盾起于吴王刘濞被杀及吴王之子子驹的挑唆。《史记·东越列传》:"后数世,至孝景三年,吴王濞反,欲从闽越,闽越未肯行,独东瓯从吴。及吴破,东瓯受汉购,杀吴王丹徒,以故皆得不诛,归国。吴王子子驹亡走闽越,怨东瓯杀其父,常劝闽越击东瓯。至建元三年,闽越发兵围东瓯。东瓯食尽,困,且降,乃使人告急天子。"《汉书·武帝纪》亦载建元三年:"闽越围东瓯,东瓯告急。遣中大夫严助持节发会稽兵,浮海救之。未至,闽越走,兵还。"汉政府不战而屈人之兵,闽越遁去。为了长远的安全考虑,东瓯请求"举国徙中国",得到了汉武帝的允可。《史记·东越列传》载建元三年(前138):"(庄助)遂发兵浮海救东瓯。未至,闽越引兵而去。东瓯请举国徙中国,乃悉举众来,处江淮之间。"

《史记集解》引徐广曰:"年表云东瓯王广武侯望,率其众四万馀人来降,家庐江郡。"从记载来看,迁徙到庐江郡的东瓯人口有4万余人,这是江淮地区第一次有明确人口数量记载的大规模移民活动。西汉庐江郡治在舒县,属地大部分在今天江淮之间的南部,尽管东瓯徙居庐江的具体地点不明,但也不排除迁居今巢湖地区的可能。据省考古所王峰研究员告知,庐江县一些汉代的墓葬出土物中有一些东南越人陶器的特征,主要是釉陶,所占比例远高其他地区,应该是越人在这里生活遗迹的体现。

东越的内徙,源于闽粤的强悍与东越王余善的反汉。东越是从闽粤分出来的。《史记·东越列传》载建元六年(前135),闽越击南越。汉派兵出击闽粤,"闽越王郢发兵距险",其弟余善乃与相、宗族合谋杀闽越王郢,示好于汉。汉武帝在"立丑为越繇王,奉闽越先祭祀"的同时,"因立余善为东越王,与繇王并处。"元鼎五年(前112),南粤反,东越王余善"持两端,阴使南越",引起汉朝的不满。元鼎六年

(前111),余善"遂反,发兵距汉道"。元封元年(前110),汉军攻入东越。为了根除祸乱,汉武帝下诏把东越之民徙居到江淮地区。《史记·东越列传》载:于是天子曰东越狭多阻,闽越悍,数反复,诏军吏皆将其民徙处江淮间。东越地遂虚。对于此事,《汉书·武帝纪》元封元年(前110)亦载:东越杀王馀善降。诏曰:"东越险阻反复,为后世患,迁其民于江、淮间。"遂虚其地。元封元年(前110)迁徙东越之民到江淮地区,未言迁徙地点。主要是迁徙到汉九江郡、庐江郡一带。

另外,汉代合肥地区还有一些称为"蛮夷"的少数民族聚落,他们还是以氏族部落的方式生活。如后《汉书·南蛮西南夷列传》记载:"江夏蛮复反,与庐江贼黄穰相连结,十余万人,攻没四县,寇患累年。庐江太守陆康讨破之,余悉降散。"江夏蛮本居江夏郡内,大别山西部,因为反抗政府而与庐江郡起义军联合起来,进入庐江郡地界。其降散部落想必留在了本郡之内。还有九江蛮,《据后汉书·卢植传》:"熹平四年,九江蛮反,四府选植才兼文武,拜九江太守,蛮寇宾服。以疾去官。"九江蛮也是聚落形态生活,不在编户之内,统计人口当也未曾计入,他们主要居住在山区。

可以看出,秦到西汉时期,合肥人口有所递增,至西汉末王莽篡位,战乱又起,持续不断的战乱和严重的自然灾害波及了全国大部分地区,因而人口数量锐减,东汉中期有所恢复,到了后期至三国时期,战争又起,人口大减。大型遗址、墓群的发掘,展示了汉代社会的繁荣,显现了汉代民众生活的丰富多彩。合肥地区各墓葬出土的器物反映了民众的生活状况,包括住、行、用、妆等各方面。西汉合肥地区社会稳定,经济发展迅速,各项手工业均有长足进步,东汉以后社会动荡,尤其是东汉后期动乱较多,社会经济发展受到一定程度的影响。

三、城乡生活基本面貌

从文献记载和聚落遗址发现来看,新石器至汉代合肥地区聚落的分布大体上均匀分布在湖泊周围,而不限于西侧。例如自巢县人、凌家滩文化至春秋时期的巢国、橐皋,即均分布在湖泊的东侧。2003年在居巢区炯炀镇唐咀村一带巢湖水底发现的汉代古城遗址,①不仅证明历史上巢湖东岸曾有聚落城邑,而且证明了历史上有关"陷巢州、长庐州"的说法,表明历史上巢湖的湖泊区域并非固定不变,而处于摆动状态。由此也可以推测,早期环巢湖地区的聚落、城邑很可能均是滨湖兴起的,即巢、群舒、庐等古国原来距离巢湖的距离都很近,后来随着湖面的缩小,特别是湖泊的东移,西岸的聚落、城邑拉开了与巢湖的距离,而东岸的一些古聚落则淹没在湖水中。《汉书·地理志》中还有一个特别值得注意的现象,即有一些称作"邑"的县名。如庐江郡的"湖陵邑",九江郡的寿春邑。此外,庐江郡的"龙舒",颜师古注引应劭曰:"群舒之邑。"这些在汉代被称作"邑"的县,应当是古城邑,如寿春在战国末是楚国的最后定都地。故此在汉代仍保留了"××邑"的名称。此外,《地理志》中还有一些县名如橐皋(今安徽巢湖市西北柘皋镇),在先秦文献中就已出现。《春秋经》载哀公十二年(前483),"公会吴于橐皋"。② 显然它是一座古城邑,春秋时已相当繁荣,故被用作诸侯会盟之地。

汉代合肥地区重要的中心城市是合肥。在《史记》之前无论是传世还是出土资料均未出现过"合肥"之名,而《史记》中也仅出现过这一次,因此,关于合肥设县的具体时间无从详考。学界一般将合肥的设县时间等同于九江郡的设郡时间,即秦王政二十四年(前223)灭楚后。③ 但汉武帝时合肥已是江淮地区与寿春齐名的经济中心城市,司马迁对今天的安徽省境只记载了这两个城邑,东南地区加上吴(今苏州)和番禺(今广州),也只记录了四个城市,其发达、繁荣程度由此可见一斑。因此,其设县时间或更早,至晚在战国末楚考烈王二十二年

---

① 丁云葆:《巢湖水底露出古城遗址 专家呼吁亟待发掘和保护》,《安徽日报》2003年1月3日;丁云葆、张曙光《安徽巢湖进入枯水期 湖底露出古城遗址》,《人民日报》2003年1月10日;等。

② 《春秋左传注疏》,《十三经注疏》本,中华书局1980年影印。

③ 参见谭其骧《秦郡新考》,《浙江学报》第二卷第一期,1947年,收入其著《长水集》(上),第4页。

（前241）从陈（今河南淮阳）迁都寿春（今安徽省六安市寿县寿春镇）时，合肥应已作为重要的近都城邑而设县。① 但是，《史记》之前（即汉武帝之前）的传世文献记载了大量江淮地区的城邑，独不见"合肥"，这也足以说明合肥并不是一个历史悠久的古城邑，而是一个在战国后期至秦汉时期发展起来的后来居上的新兴城市。合肥城的地理位置，据《太平寰宇记》记载：汉代合肥县城"在今县（城）北"，据《庐州府志》载："献帝时（200），曹操表刘馥为扬州刺史，（刘馥）单马造合肥空城，立州治。今合肥县西二里，故城是也。"据此可知，合肥汉城，建于明清合肥城西北部岗阜高地。建城于此，既可得南淝水之利，又可远水患之弊，实为最佳选择。合肥城址位于今四里河附近，今长丰路以西、板桥河以东、一环路以南、南淝河以北，面积没有明清合肥城大。该处今天看来已是高楼林立，但是在距今三四十多年前，整个遗址范围内仅数十户农舍，其他皆为菜地、荒地、操场和露天仓库，该地原有地名为古城郢，有古城生产队在此。在早期地图上地形地貌及河、塘、沟、渠曾清晰地勾勒着古城的大体轮廓。虽然没有发掘，但是通过调查，可以了解到古城的地下遗址基本完整，遗存十分丰富，不同时期的文化遗层清晰，遗物反映了不少的历史信息。汉代文化层遗存最为丰富，各种陶器完残件都随手可得，还有铁器、钱币、青铜器等，有人曾采集到封泥多枚，那批封泥共有印章文字 41 个（含复叠字），以汉代封泥为主，也有具有秦官印特征的"东阳口印"封泥（字间有界格方框）及三国期间蜀将"周仓"的私印封泥。②

　　肥东地界汉代设浚遒县，今留下龙城遗址。③ 清·嘉庆《合肥县志·古迹志》云"浚遒故城在梁县南三十里，今龙城寺北角一占城遗址，在龙城集，去城（合肥）东偏北五十余里"。在龙城一带先后考古发掘出龙城遗址、大城墩遗址、古城墙及护城河遗址也有力地证明了

---

① 《史记·六国年表》："（楚考烈）王东徙寿春，命曰郢。"（第752页）《史记·楚世家》："（楚考烈王）二十二年，与诸侯共伐秦，不利而去。楚东徙都寿春，命曰郢。"
② 汪炜：《从考古学角度看汉代合肥城与墓葬的分布关系》，《秦汉魏晋时期合肥史研究》。
③ 彭余江：《浅谈汉浚遒县城故址——龙城遗址》，《秦汉魏晋时期的合肥史研究》。

史书记载。由此可以推断,汉高祖置县的浚遒古城县治应在今肥东龙城一带。现今的龙城遗址,现隶属肥东县石塘镇龙城居委会龙城村,包括了整个汉逡遒县城内外。经初步调查考证,东、西、北三面还残存部分土垄,是古城垣倒塌后形成的,城地东西 400 多米,南北 600 多米,旧城址内遍地断砖、碎瓦、残陶片,以梳妆台、东门、大杨家和龙城小学西边分布最多,年代从商周到战国时期,再到汉代和南北朝,

龙城遗址晚景

商代遗物集中于城西,先后采集到陶纺轮、石斧、石锛及陶鬲、陶罐等残片。在龙城遗址北 1 公里处为我县省保单位——大城墩遗址,该遗址孤墩凸起,比四周高出 5 米,北连新河陂水库,四周低洼,面积约为 6300 平方米,文化层厚度约为 4 米,省考古队曾在此采集到石斧、炼铜渣、陶拍、残陶片等。在遗址的红烧土中还发现有稻粒结块,属国内最早发现。除此之外,遗址内还有点将台、练兵场等地名。汉代和南北朝遗物更多,有青铜剑、铁剑、箭镞、戈、陶井栏、陶罐、陶盆、铜碗等。1995 年在龙城杨发现一座大型东汉砖石墓,有五室,因早年被盗,里面出土了大量青铜器片和陶瓷碎片,还有少量五铢钱。整个墓葬区都分布在城外。

唐咀水下遗址[①]。该遗址地处巢湖市烔炀镇唐咀行政村,北纬

---

① 巢湖市文物管理所《巢湖市唐咀水下遗址调查报告》,《文物研究》第 14 辑。

31°39.457′东径117°41.704′,市区通往中庙的湖滨大道19至20公里碑处,南面巢湖一侧。冬季部分露出水面,遗址地势略显北高南低,伸入巢湖,最高处的海拔高度4.1—4.2米,在遗址上发现的时代最早的遗物是新石器时代的玉斧,最晚的是王莽时期钱币。从目前已掌握的材料来看,这一遗址沉入水底的时间应该在王莽以后。遗址上发现大量十分完整的陶器,以及玉器、银器等经济价值比较高的遗物,是一些以废墟为特征的遗址上所没有的。遗址有可能是在某次突然灾难中沉入湖底的。由于灾难来的突然,人们来不及将经济价值较高的物品和生活必需品带走或转移。遗址上发现的建材主要是筒瓦、板瓦和瓦当,砖以及其他建筑构件极少,说明当是一个重要的聚落遗址。

此外还有居巢县,已沉入湖底;橐皋,今柘皋镇;舒县,具体地点,一说在庐江西南,一说在舒城县城一带。

汉代民众的生活是丰富多彩的。从合肥地区各墓葬出土的器物,就反映了民众的生活状况,包括住、行、用、妆等各方面。

两汉时期的厨房一般称为"厨",也称为"爨室"。汉画像石中,灶都被安排在厨房最突出的位置,合肥出土的东汉陶灶,平面椭圆形,灶台中间开一个灶眼,上置一个陶釜,灶壁立面为屋面形状,并模印三个蕉叶纹,正中开一拱形灶门,尾部有一圆形排烟孔。灰陶胎。陶釜口沿微侈,鼓腹,圜底,素纹,有旋削痕,灰陶胎。合肥大蜀山油墩汉墓群出土东汉红陶灶[①],两部分组成,灶体呈长方形,平底,有额墙,灶面开灶眼两个,各置一个陶釜,台面上一侧剔地刻有勺、盘各一,两灶眼之间刻一鱼勾,另一侧刻一鱼和一勺。灶体后部连着三层楼阁,长方形屋顶,三面有墙。全身施绿釉,剥釉严重,红陶胎。2001年巢湖市环城乡三河村出土的四足四环铜灶,灶由灶身、灶面、灶门、烟囱、火眼、釜、四蹄足、四环组成。灶身为船首形,灶面设有一火眼,船中心为一较大的火眼,上面置有釜、甑、盖炊具。釜,小圆口,立颈,溜

---

① 汪炜:《合肥油墩东汉砖室墓群发掘简报》,《文物研究》第14辑。

肩,圆底,肩下有一圈凸棱,用于卡在灶上。甑,碗形,敞口,折沿,圈足,底部有圆形透孔。盖,盆形,敞口,折沿,平底。灶首处有一半U形烟道管。灶尾设一长方形口,用于填柴烧火。灶四边设有四环,灶下为四蹄足支撑整个灶身。

  餐具方面也是很精美的。既有包银的,更多是漆器。1997年巢湖市北山头一号汉墓出土的西汉包银铜勺,斗呈心形,扁平条状长柄。长柄分上下两部分,上部略宽,下部稍窄,柄上嵌有米粒状绿松石,绿松石部分脱落。柄下端连接斗部。漆器大多出土于巢湖放王岗汉墓和北山头汉墓中,其中最多的是耳杯,另外还有盒、盘等。北山头出土耳杯,承酒或水的器具,器口呈椭圆形,内为红漆,外施黑漆,耳面及外沿下用朱漆绘波折文和点状纹。还出土有匕,这在古代指勺、匙之类的取食用具,斗呈椭圆形,长圆柄,末端安装有一圆形铜套,黑漆,斗内无纹饰,背面用朱漆绘云纹和变形兽纹。①

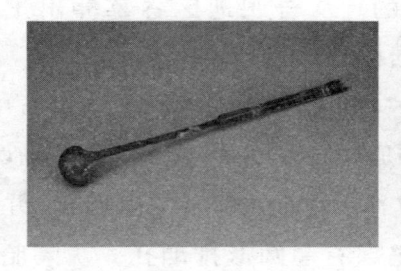

包银铜勺   大蜀山油墩汉墓群出土东汉红陶灶

  秦汉时期人们非常重视日常居处,对于住宅的选择、经营的准则,一是人们对居住的生活需求,二是对生活中一些不详事物的规避。《淮南子·天文训》:"何谓七舍?室、堂、庭、门、巷、术、野。"1996年巢湖市放王岗西汉吕柯墓出土的西汉铜鎏金卧鹿盘,整器为一卧鹿形,鹿头昂起,两耳直竖,鹿身背脊为一略呈椭圆形的浅盘,盘口微敛,四足屈伏于盘底边,平底。外底双线刻画云气纹。器表鎏金。放王岗汉墓出土了不少的漆案、漆几。漆案按照花纹分为

---

① 安徽省考古研究所、巢湖市文物管理所:《巢湖汉墓》,文物出版社2007年版。

兽纹案、鸟纹案和云纹案，都是木胎，案面为一块长方形整板，四周加一圈边框，底部靠近两端横嵌一长条形木衬，两根木衬的两头各安装一蹄形足。

夜间室内照明普遍使用灯具。非常讲究生活用具的造型、制作。1976年合肥市五里墩大队刘东队出土汉卧羊陶杯，卧绵羊状，嘴微张，浅刻画及浮雕羊角羊身，羊身为圆柱状杯，中空，平底。2004年合

铜熏炉

肥大蜀山油墩东汉砖室墓出土东汉铜羊灯，灯整体为卧羊状，昂首卷角，全身刻有细密羊毛，羊眼用料珠装饰。羊背翻起形成托起的灯盏，并在羊颈后由活轴相连，形成一件精美的艺术品。1997年巢湖市北山头一号汉墓出土的西汉铜豆形灯，整器作豆形，敞口，直腹壁，盘中成"品"字形分布3个烛扦，盖作覆盆式，由3个120度的扇形面组成，顶部中部形成一个圆形捉手纽，三个扇面外侧均伸出一凸榫，嵌入盘口外的竖槽内贯以横轴相接，每个扇形盘中亦铸有一烛扦，细高柄上段较粗，作八棱形，下端稍细，呈圆柱状，圆座足，底内凹。安徽省农机鉴定站上交的西汉楼阁式红陶熏炉，整体略呈长方形，楼阁式，子母口，分炉盖与炉身两部分，盖为庑殿式屋顶，顶部有圆形排烟孔，顶部下面方形，四周分别刻画和剔刻菱形纹，炉身与上部分刻画一致，底部分为两层盝式底，表面刻画菱形纹，内空。1997年巢湖市北山头一号汉墓出土西汉提链铜熏，炉身为一鼎形，子母扣，球形鼓腹，圜底，三矮蹄足。上腹部饰带状凸弦纹一周，对置两铺首衔环纽。铺首微凸出器体外，纽上各系一提链，每边4节，每节似一"8"字，最上一节与提梁两端的龙头扣合。三熊形足。中间安装一半环纽，上

套一提环,圆纽座,周饰六叶纹,盖缘于纽座间透饰三组六龙,龙首尾相连,龙身弯曲缠绕,空隙处即为镂孔。炉内尚存香料和木炭粒。

铜鎏金卧鹿盘　　东汉铜羊灯　　西汉铜豆形灯

1973年合肥出土汉铜熊足,漆盘足,整体较薄,呈蹲坐状,上肢弯曲,前掌放在下肢膝盖上,张口吐舌,背面有锥钉。

汉代妇女也非常讲究化妆,使用胭脂、粉盒,使用铜镜。2003年合肥市青阳路颐和花园工地出土汉雕螭虎纹研石(附研板),由研石和研板组成。研石正方形,上部呈圆形,顶部浮雕螭虎纹,外围浮雕一圈连珠纹,底座呈方形,四角上翘。研板长方形,素面无纹,正面有黑色墨迹。放王岗汉墓出土过木胎黛板,圆形、椭圆形、长方形各一,黑漆,光素,无纹饰,长方形的出土时盘内尚存有白色粉状物。1997年巢湖市北山头一号汉墓出土西汉柿蒂纹玉粉盒,白玉质。器口部镶嵌铜扣使口部呈子母扣状,盖形状与身完全相同。盖中心饰柿蒂纹,盖侧饰勾连云纹。器身壁采用隐起技法雕刻4只兽首,兽首间双线琢勾连纹,外底部纹饰与盖顶相同。①

汉代人们的娱乐生活也是丰富多彩的。巢湖放王岗汉墓出土了瑟、六博棋盘,表明当时人们对于音乐和休闲的追求。六博棋盘,斫木胎,正方形,四角边原镶嵌有铅质条框加固。角下附曲尺形特矮足。正反面均为黑紫色漆做地,盘中心绘一只怪兽,兽周边有内框,沿盘的边缘有外框,内外框之间四面各有一只形态相同的怪兽,兽身和四足均先用针画出毛纹,然后勾绘。整个构图画面简洁。箸未见。

---

① 安徽省考古研究所、巢湖市文物管理所:《巢湖汉墓》,文物出版社2007年版。

六博，又作陆博，是中国古代一种掷采行棋的博戏类游戏，因使用六根博箸所以称为六博，以吃子为胜。其中的古玩法大博，由于是与象棋一样要杀掉特定棋子为获胜，是很早期的兵种棋戏，被推论象棋类游戏可能从六博演变而来。战国时期的一套完整的六博棋具包括楒（棋局）、棋（棋子）、箸（相当于后世的骰子），汉代时有些博具中开始使用茕（骰子）代替。放王岗汉墓出土的瑟属于明器，瑟面微弧呈拱形，首尾两端黑漆，隐间不施漆。在瑟左右两头横置首岳和尾岳各一条。首尾岳外均有三个弦孔，尾端有两个系弦的木枘，枘头雕成梅花花瓣状。弦已朽，但在瑟上残留的五条印痕较清晰。此瑟虽专做随葬之用，但制作方法与实物相同。

汉雕螭虎纹研石　　　　西汉柿蒂纹玉粉盒

六博棋盘

第二节　经济发展

一、农业的发展

　　农业生产与地理环境、气候等关系密切,特别是在生产力水平不高的古代,三者的关系尤其不可缺分。合肥地区位于江淮之间,属于江淮丘陵,北起舜耕山,南至巢湖盆地周围,大部分地域岗冲起伏,垄畈相间。总的地势是中部高,南北低。江淮分水岭横贯中部(大别山余脉),自六安龙穴山进入肥西牛尾巴山,向东延伸,经大潜山、官亭、焦婆、大柏店、将军岭,至长丰山土山、吴山和肥东县中北部八斗岭、广兴一带高岗出境,进入定远县继续向东延伸。自肥西小蜀山北三向庙,有江淮分水岭南侧的一个分支(古称"龙干")延伸向东,经南三十里岗、大蜀山向市区延伸,形成合肥市区中间高、南北两侧低的局部地貌特征。江淮分水岭以南为长江水系,流域面积4316平方公里,地势由北向南(巢湖盆地周围)倾斜,沿巢湖一带形成冲积平原,地势平坦,土地肥沃,圩畈绵延。江淮分水岭以北为淮河水系,流域面积2950平方公里,地势由南向北倾斜,大部分为海拔高程30—50米台地,今日瓦埠湖、高塘湖周围有小块狭长的冲积平原,古代肥水北流未见经过瓦埠湖,说明它是后来形成的。今天的合肥气候湿润,水系发育分别源于江淮分水岭两侧,或南流注长江,或北流入淮河。属长江流域的河流,古代见于记载的主要有南淝河及其支流。司马迁、班固都说合肥南北有二湖,即古代的芍陂与巢湖。属淮河流域水系的河流主要有东肥河等,现在的庄墓河,郦道元等称之为阎涧水,是连接肥水与施水支津的一条重要的河流。在今长丰境内还有一个湖泊阳渊,一些书也谓之阳湖,主要在今下塘集、陶湖一带。巢湖的情况与今天可能有一些区别,主要是面积广大,但水体形状与今或有差别,主要是居巢城可能即在姥山岛附近不远,《三国志》有居巢湖的说法,主要可能指的是今巢湖的北部,还说湖里有一个聚落叫镬里,吴国执政孙綝率大军出屯镬里,在这里住过很长时间,我们推测很可能即唐咀遗址一带。南部以及东部的情况还没完全形成今天这样的广大连片的水域。今天裕溪河南部古代称为濡须水,北部可能还是很大的水面,与巢湖相连。今天肥西东南部、庐江西北部大部分地区还是水面。由此,我们可以理解为什么汉政府会在九江郡专门设有陂官、湖官,在庐江郡设楼船官等。战国时期气候比现在温暖得多。到了秦朝和西汉,气候继续温和。东汉时代即公元之初,我国天气有趋于寒冷的趋势。但东汉的冷期时间不长。三国时代气候已比前述汉武帝时代更为寒冷,魏文帝曹丕公元 225 年到淮河广陵(今之淮阴)时率军演习,由于严寒,淮河忽然结冰,演习不得不停止,这是我们所知道的第一次有记载的淮河结冰。那时气候比现在寒冷,这种寒冷气候继续下来,特别是公元 280—289 年的十年间达到顶点①。这些地方,气温的适度下降,对某些农作物的生产反而形成更好的气候条件。

　　秦代本地区属九江郡,汉代先是淮南国,后为九江郡与庐江郡。《史记·货殖列传》:"楚越之地,地广人稀,饭稻羹鱼,或火耕而水耨……是故江淮以南,无冻饿之人,亦无千金之家。"西汉前期这里的有些地方还采用粗放式的耕作方式,百姓生活非常贫困。江南地区的开发比较迟,史载"江淮有猛兽,犹北土之有鸡豚也"。成书于战国时期的《禹贡》曾将全国土地分成三等九级,合肥所属的扬州"厥田下下",又称荆扬之地"厥土涂泥"。"厥田下中"和"下下",可见在作者眼中,战国时期江淮一些地区和江南的土质不及中原肥沃,这种评价也反映了这一地区农业生产的落后状况。这种情况一直延续到东汉初年。但江淮之间和江南地区的气候条件较淮北优越,统治者也认

---

① 竺可桢:《中国近五千年来气候变迁的初步研究》,《考古学报》1972 年第Ⅰ期。

识到这一点,所以比较重视江淮之间和江南地区的开发。经各级官府着力经营,"伐木而树谷"开发转盛,水利常修,犁耕推广。九江郡设湖官、陂官专管水利。东汉建武时期,樊晔"迁扬州牧,教民耕田种树理家之术"①。建初八年(83)王景任庐江太守,"先是百姓不知牛耕,致地力有余而食常不足。郡界有楚相孙叔敖所起芍陂稻田,景乃驱率吏民,修起芜废,教用犁耕。由是垦辟倍多,境内丰给。""训令蚕织,为作制法",即把养蚕织布的方法刻成条文,供百姓学习使用。至东汉中叶,江淮粮食开始外调。《东观汉纪》卷三记载:东汉永初七年(113)九月"调滨水县彭城、广阳、庐江、九江谷九十万斛送敖仓"。九江郡从不知牛耕到能调出粮食,充实国库,说明农业生产有了较大的进步。

农业大发展,与生产力的提高是分不开的。汉代在庐江、广陵设有炼铁与制造铁器铁犁的工官。考古资料表明,江淮地区出土的大多汉代遗址都有铁铲、铁镰刀、铁犁铧、铁锤、铁斧、铁匕首矛等铁质生产、生活用具出土,1996年7月巢湖市放王岗西汉吕柯墓出土西汉铁锸,整起呈"凹"字形,圆弧刃,背部有一长方形槽口。这表明江淮大地已经广泛使用铁器和犁耕技术,生产效率大大提高。

淮南王刘安及其门客所著《淮南子》一书中,有很多关于当时农业气象和生产经验方面的阐述,作者认为"为治之本,在于安民",告诫统治阶级必须"节欲""省事",使民"足用""勿夺(农)时"等,并提出顺应自然、遵循客观规律发展经济的方针,其中《天文训》是汉代天文知识的代表。

关于汉代农业技术的进步,《氾胜之书》提到当时的土壤耕作理论与技术都有了较大提高。"凡耕之本,在于趣时,和土,务粪、泽,早锄,早获",其中"趣时"就是及时,不违农事。"种稻,春冻解,耕反其土",是说为了疏松土壤,便于稻谷发芽生长,要将地表累积的枯枝烂草翻入土中提高土壤肥力。"三月种粳稻,四月种秫稻","稻,地美,

---

① 《后汉书·酷吏传》。

用种亩四升",是说三月开始种稻,每亩大体用种4升。当时人们已经认识到春季天冷,水稻生长需要温度,应把被太阳晒热了的水灌入田中,以提高温度。夏至后,把水放到渠中冷却,再灌进田中,以调节水温。氾胜之原籍山东曹县,后来他以轻车使者的身份到关中管理农业生产,因此《氾胜之书》中关于稻作的记载可以看成是淮河流域稻作技术的实录。

汉代水井在安徽更是多有发现,而且分布密集,这说明当时井灌式农田水利技术的发展与使用。合肥地区也发现不少,曾在政务区一工地发现汉代陶圈井,井残存深约2米,残存6层陶制井圈,每圈高40厘米,径80厘米,壁厚1.5—2厘米,上下口沿各有凹槽,使圈与圈之间接缝严密吻合。在今杏花公园也发现汉代井的痕迹,出土两件带"官"字的铜釜型器。合肥大蜀山油墩汉墓群出土东汉陶井[1],井身正方形,方形井面,井口支架相交,井架梯形,中有一轱辘。井身四面施绿釉,有部分剥釉,三面刻有网格纹,平底,红陶胎。

西汉时期的合肥地区经济社会,仍处于早期农业经济社会阶段,是一种简单再生产式的农业经济。由于生产力有限,经济基础薄弱,使得任何一种内在的或外来的扰乱因素,都可以破坏它的平衡,导致社会经济发生剧烈变动。

在淮河以南地区,牛耕也开始得到推广。早在东汉初建武年间,樊晔任扬州牧,即"教民耕田、种树、理家之术"。王景任庐江太守,"驱率吏民,修起芜废,教用犁耕,由是垦辟倍多,百姓充给"。在寿县发现的巨型铁铧,表明牛耕也确实在淮南一带得到普及。农作物品种与粮食产量的增加,农作物品种与西汉相比,没有多大变化,以水稻和小麦种植面积最大。从现存史料分析,淮河流域的陂塘灌溉区主要是稻作农业,如富陂县"多陂塘,以溉稻"。在寿县马家古堆东汉墓葬里出土了籼稻实物[2],2000年1月烟墩乡墩村东汉墓出土的东

---

[1] 汪炜:《合肥油墩东汉砖室墓群发掘简报》,《文物研究》第14辑。
[2] 安徽省文化局文物工作队、寿县博物馆:《安徽寿县茶庵马家古堆东汉墓》,《考古》1966年第3期。

汉陶磨，泥质灰陶。磨分上下两部分，上磨盘上置有圆形中凹把手，侧有一凸钮；下磨盘外有一周凸槽，槽上有一方形孔，高圈足座。上磨盘侧面饰网纹，磨盘饰扇形直线纹，高圈足镂雕长方形竖孔．轮制。表明了当时加工技术的提高。

油墩汉墓群出土东汉陶井　　东汉陶磨

圩田是我国古代劳动人民根据当地河汊纵横、湖泊棋布、地势低洼的地形特征而创造的开发浅沼，发展农业生产的一种有效水利田。宋沈括称："江南大都皆山也，可耕之土皆下湿，厌水濒江，规其地以堤，而艺其中，谓之圩。"南宋杨万里《为丁词十解序》，"农家云，圩者，围也"；并说"堤河两涯，而田其中，谓之圩"。元著名农学家王祯赞此种水利田"实近古之上法，将来之永利，富国富民，无越与此"。江淮地区气候湿和，水源充足，河道众多，湖泊星罗棋布，大片地区低洼沼泽，很适合圩田的推广和应用。我国圩田技术首创于南方。早在春秋、战国时代，吴、越就在太湖流域筑堤断绝外水围田，促进经济发展。秦汉后不断向周边地区推广。①

屯田则是利用人少地多的情况，主要是边地，召集流民进行开发。

东汉末期，曹操南下征讨孙权，虽然战争对当时的社会经济造成了一定的破坏，但是曹操为了南下在当地实施的一系列措施，却对合肥地区的经济发展又一次起到了推动作用。曹操率领大军抵达合肥

---

① 方岳林、巴兆祥：《江淮地区开发探源》，江西教育出版社1992年版。

以后,孙权却不战而退,避开曹操的兵锋,双方没有交火。曹操没有立即回师,驻扎合肥半年,利用这次机会,坐镇合肥,经略规划了很多重大的事项。其中之一是选贤任能,"置扬州郡县长吏"①。史书记载,"曹公遣朱光为庐江太守"②,淮南人仓慈"为郡吏",因为善于农业被任命为淮南"绥集都尉"③,即召集民众进行屯田,健全充实了扬州郡县的各级官员,稳固吏治,稳固了江淮地区的统治。其用人特点体现了重农强兵的方针。史料记载,曹操率军南下的途中,"至寿春,时庐江界有山贼陈策,众数万人,临险而守。"曹操到达之前,地方官曾经派遣"偏将"前去剿灭,"莫能禽克"。曹操与大家商讨对策,身边幕客成德县人刘晔分析说:陈策"据险以守",是因为"中国未夷",社会动荡不定。"今天下略定",应当采取安抚措施。"开赏募",让他们"自溃",无需用兵。曹操欣然接受这一建议,很快招抚了陈策等数万流民④。曹操一方面继续安集流民,一方面颁发了《恤抚令》,宣布了相关政策,解决"百姓流离"问题。这是安定社会的重要文件,《令》曰:

　　自顷已来,军数征行,或遇疫气,吏士死亡不归,家室怨旷,百姓流离,而仁者岂乐之哉?不得已也。其令死者家无基业不能自存者,县官勿绝廪,长吏存恤抚循,以称吾意。

　　《恤抚令》是曹操在合肥期间颁发的诏令,自然是结合合肥地区的情况而颁发的,对于稳定江淮地区的社会局势发挥了重要作用。
　　曹操除了选用屯田都尉仓慈开募屯田于淮南外,还任命朱光据皖屯田,"皖田肥美",屯田很有成效。建安二十二年,曹操亲往合肥,决战孙权,凯旋时"留伏波将军夏侯惇、都督曹仁、张辽等二十六军

---

① 《三国志·武帝本纪》。
② 《三国志·吴书·吕蒙传》。
③ 《三国志·魏书·仓慈传》。
④ 《三国志·魏书·刘晔传》。

屯居巢。"居巢,即今巢湖,曹操在此建"二十六军屯",足见规模之大。皖、居巢、淮南等地的"民屯""军屯",广泛推行,进一步促进了合肥的经济繁荣。

淮南屯田最大规模是合肥以北包括芍陂附近的屯田。芍陂始建于是楚庄王(前598—前591)时期,由楚相孙叔敖创建,至今2500多年一直发挥着不同程度的灌溉效益。西汉在九江郡专门设置陂官,显然也是因为这里的陂塘灌溉较多的缘故。东汉王景整修过。1959年,安徽省文化局文物工作队曾在安丰塘越水坝地方,发掘出一座汉代水利工程(草土堰)遗址,伴随出土的有汉代都水官铁锤等文物。芍陂灌区面积,在4—13世纪常见记载,有灌田万顷、灌田五千余顷等说法。《水经·肥水注》指出陂有五门(水口),吐纳川流。三国时邓艾在淮河南北进行了大规模的屯田。史载他上书:"'令淮北屯二万人,淮南三万人,十二分休,常有四万人,且田且守。水丰常收三倍於西,计除众费,岁完五百万斛以为军资。六七年间,可积三千万斛於淮上,此则十万之众五年食也。以此乘吴,无往而不克矣。'宣王善之,事皆施行。正始二年,乃开广漕渠,每东南有事,大军兴众,汎舟而下,达于江、淮,资食有储而无水害,艾所建也。"《晋书·食货志》也指出:"遂北临淮水,自钟离而南,横石以西,尽沘水四百余里,五里一营,营六十人且田且守。"

二、手工业的发展

汉代合肥地区在社会稳定时期,经济发展迅速,各项手工业均有长足进步,部分方面还能赶超全国水平。

金属业及冶炼技术。古代安徽铜矿资源丰富。汉代丹阳郡治宛陵(今宣城)置有铜官,丹阳铜闻名全国。《汉书·食货志》记载:"金有三等,黄金为上,白金为中,赤金为下。"注:丹阳铜也。皖南地区的铜矿早在先秦时期就已经开始开采,产铜地区主要集中在今南陵、铜陵、泾县、繁昌、贵池、当涂一带,江北枞阳、庐江等地也有一些。西汉时的丹阳郡，除了铸钱外，还是当时著名的铜镜产地。早在西汉前期，皖南地区的工匠们就掌握了铜镜的抛光技术，成书于西汉前期的《淮南子·修务训》就记录了这一工艺流程：铜镜铸就之后，抹上锡汞剂，再用白毡布在镜面上反复研磨，直到达到平整光亮、纤毫毕现的程度。这种抛光技术一直沿用到近代。丹阳镜因选料精细，铸工精巧而闻名，在国内各地出土的铜镜铭文中多次发现有"汉有善铜出丹阳，和以银锡清且明"之类的佳誉。甚至到数百年后的南朝，梁简文帝还有诗云"戈镂荆山玉，剑饰丹阳铜"。西汉时期安徽的铜器制作业虽然受到铁器、漆器业等的排挤，但其冶铸技术仍然保持了较高的水平。汉代冶铁业较战国、秦代有了较大发展。到西汉后期，铁制器皿和铁兵器基本上代替了铜器皿和铜兵器。铁器品种很多，冶铁技术有很大进步，发明了淬火技术。汉代已经有了容积为50立方米的冶炼大高炉，并出现了铸铁脱碳钢、沙钢、百炼钢、灌钢等几种生铁制钢技术。在毛振伟等的《巢湖市汉墓出土文物部分残片的X射线荧光光谱分析》一文中，对放王岗汉墓出土的11件文物残片进行了分析，包括铜洗、勺、盖弓帽、北山头汉墓的铜匜、银果盒等的残片，认为汉代冶炼技术水平非常之高，当时的人们已经能够根据实际需要来选择原料并铸造出能满足不同用途的制造所需的各种性能的材料。

在三国新城遗址内就发现有铸造作坊遗址，该遗址位于城内东北部，北距北城垣约30米，东距东城垣约40米。钻探时发现这里有大片红烧土堆积。考古发掘发现内含大量炼铁渣、木炭和炉灰，并有较多的铁链。红烧土堆积叠压在三国时期的建筑基础上。红烧土周围发现2个圆形、1个长方形的水坑和1条水沟，水坑、水沟底部有5—6厘米厚的淤土层，坑壁有水渍印迹。水坑、水沟中共出土300多件铁链，故考古学者认为此处应为铸造兵器的作坊遗址。[①]

合肥地区的墓葬发现的大量精美铜器，说明合肥地区制造业的

---

① 安徽省文物考古研究所：《合肥市三国新城遗址的勘探和发掘》，《考古》2008年第12期。

发达。桃花店汉墓群彭岗墓区发掘的70多座墓葬都是土坑墓,出土的文物以陶器和铁器居多,几乎每个墓葬都有铜质或者铁质的剑,在31号墓葬中,一下就出土了三把铁剑。虽然此次出土的铜器不算多,但也有铜剑、铜盆、铜鼎、铜镜、铜弩机等物,其中最为珍贵的是一面直径22厘米的战国铜镜,不仅个大,背面还铸有战国时代显著特征的纹饰,铜镜上还附着一枚当时楚国的蚁鼻钱,还出土了四件造型精巧的鸟形镇纸铜器。

巢湖放王岗汉墓出土铜器110件,其中的铜朱雀饰件,表面鎏金,制作精致,形象生动、逼真;另外一件,1号墓出土的骆驼形席镇,模制、铜质实心、整器鎏金,造型精准,头、耳、四肢比例合适,足部姿势自然,鬃毛刻画生动,具有很高的写实性,应是对骆驼形体结构有深刻了解的产物,是之前楚地出土的骆驼形象无法比拟的。[①]

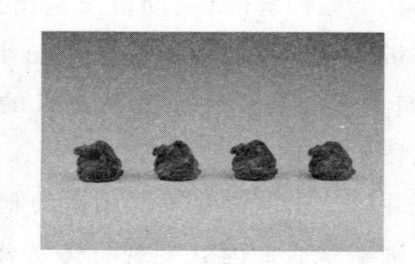

铜朱雀饰件　　　　　　　　鎏金骆驼形席镇

油墩汉墓中最大的M1由于被盗,出土器物较少,M2体积最小,但是出土器物却是最多,除钱币外,出土了羊形铜灯、铜勺、铜盆、铁盆和铁质烧烤架、铁剑、铁戟、铜洗、陶井、陶灶、银质指环、铜带钩、琥珀辟邪等器物。[②]

桃花店汉墓群中彭岗墓区的出土器物,有大量生活用具,如陶灶、陶厕所、陶猪圈等。31号一座墓葬就出土文物100多件。该墓长

---

① 余雯晶:《巢湖汉墓骆驼形席镇与凸瓣纹银盒初探》,《文物研究》第20期。
② 汪炜:《合肥油墩东汉砖室墓群发掘简报》,《文物研究》第14辑。

3.9米、宽3.4米,去除2米的封土,深达3.5米,各种随葬品大都完好,有铜镜、铜盘、铁剑、兽面铜饰等,制作精美。该墓最大特点是出土了大量微型兵器和车马器件,从墓葬的规模和出土随葬品看,该墓主除了身份和地位非同寻常外,极可能是个武士。

在东山墓区出土的800余件文物中,除大部分为陶器,也有不少青铜器,包括剑、鼎、镜、印章、洗等器物,以及铁剑、铁削、钱币等器物。出土的青铜器中,以铜镜和青铜剑居多。出土的铜镜中,最大的直径30厘米,有四神规矩镜、三旋纹镜、草叶纹镜等类型。M2出土的一套铃铛和磬和M15出土的一套9个的环状青铜质地砝码最为特别。

2004年,合肥市青阳路颐和花园出土东汉龙凤纹铜泥筒,呈圆柱筒形,直壁,筒盖和身由子母口扣合,并由铰链连接,筒全身刻有七龙一凤,呈"S"形相互缠绕,筒身的上下两端分别刻有一圈网格纹;筒盖侧面刻一圈蕉叶纹,盖顶对置一龙一凤;筒底部光素。图案刻画生动,是我国汉代青铜刻画工艺的精品。

东汉龙凤纹铜泥筒

金银器。1954年合肥西郊乌龟墩东汉墓出土金饰两件,其中一件为钟形饰物,高2.3厘米,宽1.8厘米,重2克。上有"宜子孙"篆书铭文,饰连珠纹与瓣叶纹,以极细的金丝和金珠焊接制作花朵,与花茎、花瓣联为一体,巧夺天工。金粒焊缀工艺的发明是汉代黄金细工最重要的成就,该工艺是将细如粟米的小金珠和金丝焊在金器表面构成纹饰,此件钟形金饰充分体现了金银器物制作的高超工艺水平。①

桃花店汉墓群彭岗墓区31号一座墓葬就出土文物100多件。该墓长3.9米、宽3.4米,去除2米的封土,深达3.5米,还发现了银指环,其中最引人注目的是鎏金锥和一颗晶莹剔透的水晶14面体,这种水晶饰件在合肥地区是首次发现。

油墩汉墓出土了多件鎏金银饰件,其中鎏银饰件2件,一件中空,柱状,错金,上半部饰有鱼鳞状纹饰,下半部为菱形纹饰,一件梯形,有顶,错金,长2.4厘米,高1.8厘米,上半部分饰有鱼鳞状纹饰,下半部为连续三角形和水波纹,鎏金饰件多件,呈"L"形应是某件木质或漆器物品的组成构件,内空,残存有木屑,当系漆木器之边饰。还有银指环2件。

北山头一号墓的凸瓣纹银盒,造型别致,做工精致,器壁较薄。直口,上腹壁较直,下腹斜收,平底,矮圈足。腹部对置铺首衔环耳。盖作覆盆式,平顶,中心饰一对鎏金铺首拱环,与其同样样式的金属盒中国境内发现只有11件,山东、江苏、广东、云南,应该是中原北方制造,外国匠人在华制造或者中国仿制,应只存在在政权中心,只有直接或者间接赏赐馈赠形式进入了不同地区,最终出现在高等级的墓葬里面。主要见于诸侯王墓与外诸侯墓,彰显巢湖地区在西汉早中期的重要历史地位。②

1975年,合肥常青乡朝阳大队槽房郢1号墓出土汉银手镯,整体圆形,素纹,表面部分氧化成黄色。

2000年,烟墩乡岗墩村东汉墓出土东汉金环,圆形,素面,色金黄。

1997年,巢湖市北山头一号汉墓出土西汉银匜,直口,弧腹较深,平底,单耳,短流,杯呈椭圆形。下腹壁及底部均刻有铭文。

---

① 安徽省博物馆筹备处清理小组:《合肥西郊乌龟墩古墓清理简报》,《文物参考资料》1956年第2期。

② 余雯晶:《巢湖汉墓骆驼形席镇与凸瓣纹银盒初探》,《文物研究》第20期。

| 凸瓣纹银盒 | 东汉金环 | 西汉银口 |

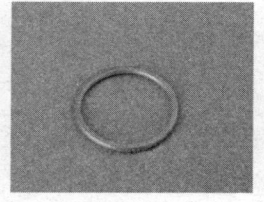

陶瓷业。两汉时期,我国在传统制陶业得到了进一步发展,最早的青瓷即是在此基础上产生的,东汉中期以后,青瓷技术日渐成熟,已经有了取代西汉盛极一时的漆器的趋势。安徽各地出土了大量东汉时期的釉陶器物,主要是陶院落、陶楼、陶仓、陶井、陶猪圈以及鼎、壶、罐、瓶等,还有鸡、猪、狗等动物模型。大多为绿色釉陶,釉料中含有较高比例的氧化铅,烧制温度并不高,一般在800℃左右,被称为"铅釉"或"软釉",内胎多呈砖红色,不太坚实,釉色易于脱落或变质,大多用作明器随葬,所以多出土于墓葬中。青瓷胎质坚实细致,胎釉结合牢固,釉面光亮明快,青润如玉,造型美观。黑瓷同样为高岭土制造,但原料未经认真粉碎和淘洗,胎不及青瓷细腻,烧成温度较低,釉层较薄,光泽欠佳,但胎质坚硬,基本不吸水,也极少脱釉,丰富了瓷器制造的内容。这些瓷器被认为是制作技术比较成熟的东汉末年早期瓷器,意义重大。

合肥出土的刻花釉陶壶,外部自口沿、颈、腹分别刻有凹弦纹和水波纹、斜方格纹、蕉叶纹、兽纹等,灰青色釉,灰红色胎,属低温釉陶。此物造型匀称,纹饰瑰丽,刻工精细,被认为是东汉釉陶佳品。①

油墩汉墓M4除钱币以外墓中出土有陶灶、青瓷罐、陶灯、铜炉等20余件器物,特别是其中的5件青瓷器物,4件罐1件盂,造型优美,釉色青荧,胎质细腻(图见附图录)。油墩汉墓出土的灶造型别致,灶体部分呈长方形,平底,有额墙,灶面开釜眼,两个各置一陶釜,台面上一侧刻有勺、盘各一,两眼之间刻一鱼勾,另一侧刻一鱼和一

---

① 王鑫义:《淮河流域开发史》,黄山书社2001年版。

勺;灶体后部一侧连一竖长方体,顶上为屋顶,下为柱形,三面有墙体,前面空,中有格板三,分四格。

在东山墓区出土的800余件文物中,大部分为陶器,墓葬中出土器物组合是钫、壶、豆、鼎、敦、罐等器物,还有灶、熏、耳杯、盘、簋、仓等器形。全身施彩绘,脱落严重,纹饰不清,灰色泛红胎。

漆器业。漆器制造在我国的历史非常悠久,据史书记载,在尧舜禹时代就已经将漆器用作餐具或礼器。秦汉时期,漆器业与战国时期相比,生产规模更大,漆工间的分工更细,产地分布更广,并出现了大件器物。这一时期的漆器,在安徽发现的也较多,如阜阳双古堆西汉汝阴侯墓曾出土精美漆器110余件,其中不少器皿有"女(汝)阴"之类的铭文或戳记,表明这些漆器是当地作坊生产的。汝阴侯墓出土的天文仪器"六壬栻盘""二十八宿圆盘""太乙九宫占盘"均为木胎髹黑漆漆器,另外还有一些银扣夹纻胎漆器等。但是在东汉的墓葬和遗址中却少有漆器出土,说明东汉后漆器的制造与使用由盛转衰,这应该与硬陶、原始青瓷的广泛使用直接相关,此外,在东汉盛行的砖室墓中,漆器不易保存,导致人们改变了以漆器充明器的习惯做法。

合肥地区也出土了不少的漆器,种类、造型、工艺都非常多和高。特别是巢湖放王岗汉墓出土的漆器数量多、种类多、造型精美。① 这些漆器常见的纹饰有鸟兽纹、几何纹、云纹和花草纹。从出土漆器纹饰看,汉代工匠已经具有相当高超的绘画技术,用笔娴熟,线条流畅,构图布局工整。放王岗汉墓出土漆器中以耳杯最多,达到255件,占整个漆器数量的70%以上。特别精美的漆器是下面两件。

放王岗汉墓出土的漆卮,有两件,都是夹纻胎。直筒状,由盖和器两部分组成。盖径略大于器身,盖面的中部、边缘、下口边部皆镶嵌有银扣饰。顶中心嵌银质柿蒂纹,环柿蒂纹周朱漆双线绘一同心圆,同心圆与柿蒂纹间绘两只梅花鹿奔走于云间。盖边在两条带状

---

① 安徽省文物考古研究所、巢湖市文物管理所编著:《巢湖汉墓》。

银扣间绘两只鸟纹和云气纹。器作直壁,直口,圆唇,器身一侧上腹部安装一个圆形附扁尾状的铜扳手,底部嵌铜质三蹄形足,耳与足均鎏金。三道银扣间绘几何纹、云纹和八只形态各异的兽纹,所有花纹都是先以针刻画出图形,然后再以朱漆勾描。线条细如游丝、流畅奔放,造型精致。《盐铁论·散不足》中所记银口黄耳应指此类器。

北山头出土的漆罐,直口,弧肩,鼓腹矮圈足,外黑漆内红漆。口颈与圈足部以铜铸成后安装在木胎上,铜扣的表面均已细线琢四组正反相对的八只凤鸟纹,鸟首相对鸟尾相接,并填金箔,外套水晶环。上肩部与近底部各镶嵌银带状饰一周,其上等距离点缀八只半球形蓝色料珠,肩部对称玉质铺首环耳,耳两边和下腹分别嵌桃形玉片饰,桃形玉片饰、上饰十数颗浅浮雕圆点纹。在腹部最大径处嵌入八只桃形玉片,每只玉片上均刻有一只凤鸟,凤做屈身卷尾。另外在露胎处的黑漆地上用赭色勾绘变形鸟首纹。此件漆罐集金、银、铜、玉、水晶、料器装饰于一身,制作精良,前所未见,具有较高的工艺美术价值。这两件以金银镶嵌的漆器在当时应是极其珍贵的。

合肥西郊乌龟墩东汉墓出土了五种漆器,有羽觞、盒、奁、盘、箱,但均已破碎,箱、盘等较大型器为木胎,羽觞等、奁等小型器为砂胎。色泽鲜艳,有朱地黑花和黑地朱花两种款式,花纹为直线纹和斜方格纹,饰于器物边口。小型器还镶鎏金边[①]。

| 漆卮 | 漆罐 | 耳杯 |

---

① 安徽省博物馆筹备处清理小组:《合肥西郊乌龟墩古墓清理简报》,《文物参考资料》1956年第2期。

玉器制造业。两汉时期安徽玉器制造发展到了一个新的高度。合肥地区各地历年都出土各式各样的玉器。巢湖放王岗汉墓共出土玉器39件,多为精巧别致、纹饰生动华美、具有很高艺术价值的珍稀器类。①

桃花店汉墓群中出土了不少的玉器,各种造型都有。玉既有造型精巧的口含和五窍塞,也有装饰剑柄用的玉饰,另外还有两块玉璧,其中一块直径达17厘米。

唐咀水下遗址出土的玉印章,这是一枚在漆黑乌亮的新疆和田玉上刻制双面印,阳文有边框,无钮无孔,印面呈正方形。长2.3厘米,宽2.2厘米,高0.8厘米,该印制作精良、章法严谨、笔势圆转,笔画平方正直。一面印文是箴言"慎斋",另一面是"护封"。"慎斋"可能取自《论语·述而第七》:"子之所慎:斋,战,疾。""护封"是用于密封书信内容的印章,先秦及秦、汉的印章多用作封发物件,把印盖于封泥或信的封口之上,以防私拆泄密。早期一般使用的是姓名印,到了汉以后出现了专门用于书信的印章。"护封"印一直沿用到民国时期。②

有孔玉斧,软玉,黑色,略残,表面光洁,器身较扁薄,顶窄刃宽,刃部呈弧形,侧面还有一刃,有使用的痕迹。通长9.4厘米,厚1.2厘米,刃口宽8.2厘米,孔径1.2厘米。③

---

① 安徽省文物考古研究所、巢湖市文物管理所编著:《巢湖汉墓》。
② 巢湖市文物管理所:《巢湖市唐咀水下遗址调查报告》,《文物研究》第14辑。
③ 巢湖市文物管理所:《巢湖市唐咀水下遗址调查报告》,《文物研究》第14辑。

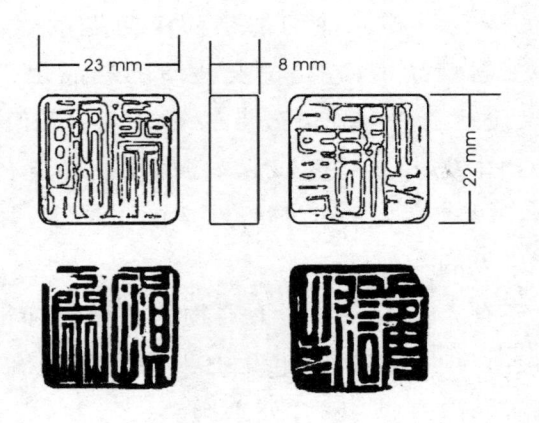

唐咀水下遗址出土玉印章

有孔玉斧　　玉斧　　石斧

有孔玉斧

北山头一号墓为木椁墓，规模不大，它比起随后发现的北山头二号汉墓要小得多，共计出土了十分珍贵和精美的玉器、银器、铜器、漆木器、陶器等140多件，其中"朱雀衔环踏虎双翼玉樽"的艺术价值和经济价值都极高，在玉雕史上占有重要的地位。朱雀衔环踏虎双翼玉樽，杯体上以一昂首展翅的朱雀口衔一绞丝纹活环，脚踏一猛虎，形象生动，栩栩如生，高浮雕突出杯体达2厘米，两侧下部带有立体的羽翼，把手是一个挺胸凸肚，憨态可掬的熊形象，通体饰勾连云纹、乳丁纹，三只兽首足。作品充满着动态和灵气。该器作朱雀踏虎造型，表现的是春秋战国时楚国人的特殊信仰和好恶观念。朱雀雍容华贵，伟岸英武，而虎则身躯矮小，形象卑下，其神态似已承担不了朱雀的重压而在哀叫。在此之前全国仅有两件整块玉雕成的玉樽。一件是北京故宫博物院珍藏的"夔凤纹玉樽"，另一件是徐州狮子山汉代楚王墓出土的雕花玉樽。他们都是西汉时期的作品,"夔凤纹玉樽"在故宫多件玉器藏品中,它是出类拔萃的珍品之一,雕花玉樽也是徐州狮子山汉代楚王墓中分量最重的珍品之一。但是它们和北山头一号墓出土的"朱雀衔环踏虎双翼玉樽"相比却逊色了很多。"朱雀衔环踏虎双翼玉樽"是目前我们所发现的玉樽中,雕工最精美、工艺最复杂、尺寸最大的一件。[1]

除此之外,还有大量的各类器型器物。各种配饰都有,如璧、瑗、衍、璜等造型均有。1997年巢湖市北山头一号汉墓出土西汉白玉龙形匕首,柄白玉质。由三截组成,分别为头、颈、身,每截纵穿一椭圆形孔。首部浅浮雕成龙首形,颈部刻三周凹弦纹,身饰卧蚕纹。腹部无纹饰,背部有一圆钉孔。

1997年,巢湖市北山头一号汉墓出土西汉白玉镂空凤鸟纹佩,白玉质,主体透雕一站立的凤鸟,作回首张口状,高冠,双目圆睁,尾羽呈扇形敞开,羽间透雕兰花一朵,羽毛以阴线刻勒,头、尾间饰一瓶装物,其上浅雕变形兽面纹,瓶口部伸出凸榫,榫上有一穿孔。西汉蒲纹玉璧,青玉质,体扁平圆形,体较薄,璧面阴刻两圈细绞丝纹,绞丝纹带间饰蒲纹,纹饰较平坦。西汉蒲纹玉璜,青玉质,体扁平弧形,有齿。两面均刻蒲纹。西汉白玉勾连纹瑗,白玉质,体扁平圆形,内外缘起棱。两面刻纹基本相同,均为由"S"形纹和卧蚕纹组成的变形兽面纹。西汉谷纹玉珩,青玉质,体扁平弧形,有齿。两面均刻谷纹。

巢湖放王岗汉墓出土玉器

1975年,合肥建华窑厂出土汉玉剑饰三件,一件玉饰,白玉质地较疏松,半圆形,一侧弧形,一侧两花瓣形,剖面呈圭形,素纹。一件

---

[1] 付慧娟:《巢湖北山头西汉墓出土玉器浅析》,《文物研究》第13辑。

玉剑镡，白玉，一角有红褐色沁，略成长方形，侧视为菱形，中间厚，两端薄，中部凸起一脊，中部有上下贯穿的椭圆形孔，正面饰浮雕勾连云纹。边沿刻弦纹一周。一件玉剑璏，青白色，局部边缘颜色为黑褐色沁。正视为长方形，一端下垂内卷，另一端长斜削下垂，下部镂雕矩形孔，孔内可见拉丝痕迹。表面浅浮雕勾连云纹。边沿轮廓刻一周弦纹。

通过对放王岗汉墓出土玉器和良渚文化出土玉器进行分析，表明两者都是透闪石，和现代新疆和田软玉相同，皆为真玉。[①] 那么，放王岗汉墓玉器的原料来源于哪里呢，是否就是来自于新疆和田呢，还有待考证。

朱雀衔环踏虎双翼玉樽　　　　合肥建华窑厂出土汉玉剑饰

产地、工艺及文化影响。在漆器方面，我国是世界上最早发现使用天然漆的国家，汉代的漆器制造业在继承战国漆器工艺基础上，为适应社会发展的需要，出现了空前的繁荣局面。巢湖汉墓的漆器发现，是继马王堆、凤凰山汉墓之后的又一重大发现。大部分漆器从整体造型风格、制作方法、漆绘技法方面与湖南长沙、湖北江陵、江苏扬州、安徽阜阳、天长地区出土的同期的大同小异，但是自身特征也很明显。特别是扣器，识见于战国，在马王堆、凤凰山汉墓中极为少见，但在巢湖汉墓中则常见。汉代漆器的主要产地在今河南、山东、四川

---

① 程军等：《良渚文化遗址及放王岗汉墓出土玉器的物相及微量元素测试分析》，《考古》2005 年第 7 期。

等地,但是出土漆器最多是湖南、湖北、安徽、江苏等地。出土漆器最多的地区的漆器,无法认定为都是从外地输入的。汉代除官府设立有专门的作坊外,各诸侯国和地方官府都设有手工作坊。巢湖汉墓所出土漆器都是没有标明产地的器物,所以不能排除其商品性,也不能排除今天合肥境内有生产地的可能,也许该产地还未发现。

在玉器方面,汉代也是玉器制作的繁荣时期。巢湖汉墓出土的玉器,与天长汉墓群、徐州楚王墓等比较,不难看出,其主要是继承战国时期楚文化绘画、雕刻的浪漫主义和现实主义传统,并在此基础上有较大创新。北山头出土玉器就是合肥地区玉器的代表,种类齐全,纹饰丰富、雕法多样,制作上乘,充分证明了西汉时期有一批技艺高超的制玉工匠。北山头汉墓的玉器,从装饰风格、雕刻技法与长丰杨公战国晚期楚墓出土的接近,也与时代相近的徐州楚王墓出土的玉器风格基本相同,因而不外乎两种可能,一种是作为商品从外埠流入的,二是战国晚期楚国匠师后代就地制作的。巢湖市乃至整个合肥地区与楚国晚期都城寿春(今寿县)相距很近,而且,战国晚期这里一直是楚国统治区域,并且楚亡以后,很多楚人因散居于合肥地区,今天合肥地区不少村一级的地名称作郢,不与此没有关系,所以人们的生活习惯、文化传承受楚国文化影响极大,但也逐渐融入整个汉代发展中了。

在陶器方面,从庐江汉墓群可以看出整个合肥地区的工艺发展与文化影响。通过分析,可以看出,庐江汉墓群出土陶器的形制、纹饰具有区域传统文化因素,在墓葬制度上有楚文化因素。但在整个陶器组合、随葬钱币风气等方面,又与汉文化在形成与发展过程中的整体趋势保持一致。也就是说,庐江汉墓在与整体汉文化形成发展过程保持一致的同时,还保留着本地的传统文化因素和楚文化因素,这与陶器与普通百姓的生产生活是密切关联的,而不同于只有上层人士才能使用的漆器、玉器一样。①

---

① 安徽省文物考古研究所:《庐江汉墓》,科学出版社2013年版。

造船业的发展。《易经·系辞》:"刳木为舟,剡木为楫,舟楫之利,以济不通。"汉代,各种舟船基本上还是使用楫,即后来所说的桨或橹划水前进。《汉书·刘屈氂传》:"又发楫濯士,以予大鸿胪商丘,"《百官公卿表》记载衡水都尉下有属官楫濯令、丞。《淮南子·说林训》:毁舟为杕,高诱注:"杕,舟尾柁,"杕,是船尾小梢也,相当于船后面的舵,用来调整船的方向。

《汉书·地理志》庐江郡有楼船官,是国家水军的主要建造基地与水军训练基地。楼船是大型军事战舰,"治楼船,高十馀丈,旗帜加其上,甚壮。"[1]这是在长安昆明湖做的,在安徽巢湖与长江一带所做的楼船无疑会更大。《水经注·江水》言楼船"装大船,……载坐直之士三千人"。《三辅黄图》记载:"作豫章大船,可载万人。"当时做楼船,主要是南攻百越。楼船在庐江郡建造,这里也是楼船将士训练基地,自然招募的水师大多也是当地人,很多楼船将士后来屯军番禺,还在那里建设楼船基地,必然有很多江淮将士移居其地,他们对于广州的早期开发是做出了贡献的。《汉书·武帝纪》载"江淮以南楼船十万人",《西南夷二粤朝鲜传》还说"令粤人及江淮以南楼船十万师往讨之",可见楼船水师规模之大。同时把一些江淮地区、巴蜀地区的罪人随军发配到广州番禺一带,对于当地的开发,当也起到一定的作用。

三、渔业林业的发展

汉代合肥地区的农业不甚发达,老百姓的生活中,渔猎业是一个很大的补充。司马迁已注意到本地生活这方面的特点:"楚越之地,地广人希,饭稻羹鱼,或火耕而水耨,果隋(蓏)蠃蛤,不待贾而足",《史记正义》云:"果蓏犹蓏叠包裹也,今楚越之俗尚有'裹蓏'之语。楚越水乡,足螺鱼鳖,民多采捕积聚蓏叠包裹,煮而食之。"又说:"食

---

[1] 《史记·平准书》。

螺蛤等物,故多羸弱而足病也。"用今天的话说,就是采捕螺、鳖、鱼、蛤等,或者包裹起来,直接蒸煮就吃了,因为有些螺蛤是有毒的,吃了以后身体受到影响而羸弱。两汉之际,天多灾害,李宪在庐江郡自立为淮南王、天子,失败后他的一个部下叫帛意,追斩李宪的家人,后被封为渔浦侯,应当也是因为这一带渔猎生活重要的缘故。

东汉时期,曾"下令禁民二业,又以郡国牛疫,通使区种增耕,而吏下检结,多失其实,百姓患之"。当时居巢侯刘般上书,提出:"郡国以官禁二业,至有田者不得渔捕。今滨江湖郡率少蚕桑,民资渔采以助口实,且以冬春闲月,不妨农事。夫渔猎之利,为田除害,有助谷食,无关二业也。又郡国以牛疫、水旱,垦田多减,故诏敕区种,增进顷亩,以为民也。而吏举度田,欲令多前,至于不种之处,亦通为租。可申敕刺史、二千石,务令实核,其有增加,皆使与夺田同罪。"刘般的上书得到皇帝的认可,"帝悉从之。"[①]刘般所指出的情况,即滨临江湖较少桑蚕业的地方自然是他对于江淮地区巢湖一带观察的结果,也说明这里渔猎业对于百姓生活的重要。

东汉末,刘馥在合肥做扬州刺史,收集鱼脂数千斛以为守备。建安十三年,孙权率十万大军来攻,围困合肥城百余日,阴雨连天,城墙眼看要崩坏,守城将士用刘馥准备的"苫蓑覆之,夜然脂照城外,视贼所作而为备,贼以破走"[②]。鱼的油脂多到可以用于照明视察敌情,也说明本地渔业生活所占比例之大。

明白以上,则可以理解汉政府特别在九江郡设立全国唯一的湖官,负责管理渔民生活与税收了,渔猎业是合肥地区邻水而居之民众生活的重要方面。合肥地区地处长江淮河两大水之间,并且拥有面积宽广的水域——巢湖、芍陂,水系发达,大小河流遍布,湖泊塘坝众多,即可以灌溉农业生产,如著名的芍陂灌溉工程,毗邻今天的合肥地区,也是渔猎生活的保证。

---

① 《后汉书·刘般传》。
② 《三国志·刘馥传》。

第五章 秦汉时期合肥地区社会经济的发展

合肥地区当时气候湿润，人口不多，农业生产规模不大，因而一直到汉代，江淮之间的森林资源，依然相当可观。1959年在寿县南六十里的安丰塘，发掘出一座汉代谛工工程遗址，其中有一排排整齐有序的栗树木桩，还有一道用大量栗树纵横层层错叠而成的拦水坝。①1975年在天长县北岗发掘的汉代木椁墓群十余座，其中棺椁多是用巨型杉、梓、楠三种木材做成的，其棺采用直径一米以上的整段大树研成②。这些民间墓群，按古代交通条件是不可能将如此巨木从外地运来，应是当地产物。另外，在长丰县发掘的东周时期楚王墓，以及楚国贵族墓九座，都出土了巨型楠木棺椁。据《汉书》地理志记载，寿春（寿县）、合肥地区盛产楠木、香樟。《后汉书·宋均传》说宋均任九江太守，"郡多虎暴"，虎豹藏于山林，虎豹之多说明这里原始林木较多，开垦不够。出土的实物和文字记载均可以证明，那时江淮一带森林资源是丰富的，因而当时的林业发展也应该是有一定的规模的。西汉时期的人们视死如生，棺椁墓葬大量用木，加上频繁的战争以及大规模的屯田，都会大面积破坏森林。《史记·货殖列传》说合肥"皮革、鲍、木输会也"，即是各种木材的转输贸易中心，很多应该也是本地采伐的。

四、合肥"输会"地位与江淮水道线路

《史记·货殖列传》说："郢之後徙寿春，亦一都会也。而合肥受南北潮，皮革、鲍、木输会也。与闽中、干越杂俗，故南楚好辞，巧说少信。"《汉书·地理志》也云："寿春、合肥受南北湖，皮革、鲍、木之输，亦一都会也。"

可以看出，《汉书》的文字是简括《史记》的，更强调了寿春与合肥的密切关联。实际地说，《史记》对于寿春、合肥地位的概括显然更准

---

① 殷涤非：《安徽寿县安丰塘发现汉代闸坝工程遗址》，《文物》1960年1期。
② 安徽省文物工作队：《安徽天长县汉墓的发掘》，《考古》1979第4期。

确,即寿春是南部江淮之间的大都市。春秋战国时期,由于黄淮流域商品经济的发展,各国先后利用天然河流开凿运河,形成了一个密如蛛网般的水运系统:"荥阳下引河东南为鸿沟,以通宋、郑、陈、蔡、曹、卫,与济、汝、淮、泗会于楚。"[1]寿春正是这个水运网络的汇合点,自然成为江淮地区政治、经济与文化中心。而合肥是从属于寿春的,主要是来往运输商业贸易的中心,这个地位的获得与合肥处于南北潮(湖)的中间地带密切关系。这里说的"南北潮"之"潮",实即《汉书》所谓的"湖"字,字形相近而误写。所谓南北湖,即南边的巢湖与北边的芍陂,古代芍陂是很大的,合肥处于两大湖的中间连接点上,而芍陂北边即是寿春。过去它是楚国的都城,后来则是刘姓淮南国的都邑,一直都是政治经济与文化中心,人口众多,合肥依托这个中心而成为"输会"之地。春秋战国时期,楚国的都城在江陵,江淮地区是楚国的东方,位处巢湖之中的居鄛是江淮地区的大码头运输中心,货物主要通过水路走长江,进入湖北。战国末年,楚国迁都寿春,只有风雨飘摇的十八年,居鄛的中心地位还没有根本撼动。秦灭楚建立九江郡,寿春成为江淮地区的中心,尤其是刘姓淮南国建立,合肥成为寿春的后院,江南南方过来的货物,都要在合肥转道走运河运往寿春,或者更远的中原,合肥的地位就逐渐重要起来,"输会"地位就这样建立起来了。

输会贸易的内容,颜师古注《汉书》说:"皮革,犀兕之属也。鲍,鲍鱼也。木,枫、柟、豫章之属。"宋章如愚撰《群书考索》卷六一《地理门·风俗类》"诸国风俗"条则将"鲍"写作"匏":"寿春、合肥受南北朔皮革、匏木之输,亦一都会也。""匏"字在这里不可解,显然是别字。

古时取犀兕皮革以为甲,而长江流域是犀兕主要产地。《禹贡》说到扬州、荆州都有"齿、革"之贡,扬州所贡"齿、革",孔安国解释说:"齿,革牙;革,犀皮。"[2]孔颖达也说:"《考工记》:'犀甲七属,兕甲六

---

[1] 《史记·河渠书》。
[2] 《史记》卷二《夏本纪》引《禹贡》扬州"齿、革、羽、旄",裴骃《集解》:"孔安国曰:'象齿、犀皮、鸟羽、旄牛尾也。'"

属。'《左传》宣公二年云：'犀兕尚多，弃甲则那。'是甲之所用，犀革为上，革之所美，莫过于犀。知'革'是犀皮也。"①这些物资正是通过合肥运往寿春等地的。

对于所谓"鲍"，也有解为经过鞣制的皮革的。王先谦《汉书补注》引钱坫说："'鲍'即'鞄'字。《说文》：'鞄，柔革工也。'读若'朴'。《周礼》曰'柔皮之工鲍氏'。'鞄'即'鲍'也。"后来不少学者都从钱、王说。现在看来是有问题的。首先，讲过皮、革了，再说鞣制的皮革，就是多余的。其次，二字虽然字形相近、读音相关，但通过通假来说之，不若照本字解释更合适。汉代以前，海潮经常上至江淮地区，所以这里富有海产品，也是中原通往东南海域的通道，商末，散宜生得"江淮大贝，因纣之孽臣费中献之"②。江淮大贝无疑即海产品。又东晋干宝《搜神记》卷二十"古巢"条记述古巢城沉入湖底的传说："一日江水暴涨，寻复故道，港有巨鱼重万斤，三日乃死，合郡皆食之。……"干宝所记虽是传闻，但距居巢沉入湖底的时间并不太久，其中从长江过来的上万斤的大鱼，显然也是海鱼。江淮之地富有渔业资源，西周以来即很出名。所以，通过这里运输名贵的鲍鱼前往北方，很是正常。汉人郑玄注《礼书》也说："鲍者，于鰛室中糗干之，出于江淮也。"③司马迁、班固、郑玄都是汉时人，所言相一致。

至于木材，主要是南方盛产的名木大才，《史记·货殖列传》说江南出产楠、梓、豫章大木，这些正是北方所需要的。北方因为开发较早，战国时期"宋无长木"④，像样一些的大木已经没有了。汉代视死如生，重视地下生活，所以多用名贵木材制造地下宫殿与居室，墓内大量使用木材。《盐铁论·通有》记载，"吴越之竹，隋、唐之材，不可胜用，而曹、卫、梁、宋，采棺转尸。江湖之鱼，莱黄之鲐，不可胜食，而邹、鲁、周、韩，藜藿蔬食。天下之利无不澹，而山海之货无不富也。

---

① 参看王子今：《走马楼简的"入皮"记录》，《吴简研究》第1辑，崇文书局2004年版。
② 《资治通鉴外纪》卷二夏商纪。
③ 陈祥道：《礼书》引，《文渊阁四库全书本》。
④ 《战国策·宋卫》。

文学曰:荆、扬南有桂林之饶,内有江湖之利,左陵阳之金,右蜀汉之材,伐木而树穀,燔莱而播粟,火耕而水耨,地广而饶材",就是叙述的江南各地大木名材大量砍伐的情况。这些砍伐下来的木材都要通过江淮地区运往北方,这个运输通道即是江淮水道。另一方面,刘安"时时怨望厉王(刘长)死,时欲畔逆";"愈益治器械攻战具,积金钱,赂遗郡国诸侯、游士、奇材"。① 也促进了南方物资更多地运往寿春。长江上下游是淮南君臣策划的外延扩张地区,南越则是被当作可靠的大后方和最后退路。刘安上书极力谏阻汉武帝伐南越,其用心盖在此。从这里看,合肥的战略地位十分重要。"皮革鲍木之输",当以此时为最兴旺。

据《淮南子·本经训》记载,尧舜时期"江淮通流"。早期的地质调查也发现"沿南淝河低洼处的第四纪黏土含有砂礓及铁结核"②,这种土质在淮河流域普遍存在,与合肥地区不同。这可能也是淮河水曾长期翻越江淮分水岭进入巢湖流域沉积形成的。战国时期,楚国"西方则通渠汉水、云梦之野,东方则通沟江淮之间。於吴,则通渠三江、五湖"③。说明当时楚国为了水路运输,曾经对于江淮中部南北水上通道进行疏通,"沟"者人工沟通也。后来曹操从老家谯县带领水师,四次来到合肥巢湖,与东吴争战,走的也是这条水道。

不过,沟通南北的江淮水道到底走的哪条路线?近代以来频多讨论者,多数认为走的是将军岭一带,即东、南肥水源头处,之间有四十里的陆路。这个说法开始于唐代,当时江淮转运使杜佑曾建议恢复"秦汉运路",即走东关到巢湖,往北"疏鸡鸣冈首尾,可以通舟,陆行才四十里"④,是想走今将军岭一带,疏通南、东肥水的源头,中间走四十里的陆路。这个也是现代许多学者讨论的所谓"江淮运河"⑤。

---

① 《汉书·淮南衡山列传》。
② 李毓尧:《合肥地质》油印稿,1958年3月。
③ 《史记·河渠书》。
④ 《新唐书·食货志》。
⑤ 杨钧:《巢肥运河》,《地理学报》1958年第1期;刘彩玉:《论肥水源与"江淮运河"》,《历史研究》1960年第3期;又《秦汉魏晋江淮地域背景中的合肥史研究》有关文章。

但从文献记载的情况看秦汉运路并不走这里,谓之"秦汉运路"也说明很长时间以来江淮水道已经不能通航了。实际上将军岭一带根本难以通航,各种解说并不符合水路运输的基本要求。江淮中部南北沟通的路线应该如《水经》与《水经注》所言走的是合肥东北今长丰县境,当时这里有联通肥水与施水的施水枝津。《水经》云"施水亦从广阳乡肥水别",即施水也是从成德县广阳乡分出,是肥水的别出支流。郦道元注云:"施水受肥于广阳乡,东南流径合肥县,"所说正是这个意思。又《水经·肥水注》:"(肥水)北流分为二水,施水出焉。肥水又北,径荻城东,又北径荻丘东右会施水枝津,水首受施水于合肥县城东,西流径成德县,注于肥水也。"又说:"肥水又北,右合阎涧水,上承施水于合肥县北,流径浚遒县西,水积为阳湖。阳湖水自塘西北径死虎亭,南夹横塘西注。"

综合起来看,这个水道就是:淮河—肥水—肥水支流阎涧水—阳渊—施水(南肥水)枝津—施水—巢湖。这里的阎涧水即今庄墓河,古代是东肥水重要的支流,现在流入瓦埠湖,其水源在现代灌溉渠道改造之前深入到了长丰双墩镇一带。"阳渊"又称"阳湖",据考当在今长丰下塘集、陶湖一带,这一带地势低洼而有"湖"名。[①] 阳湖的南边有很多流向阳湖的河流,其中当有《水经注》记载的施水枝津。枝津者歧出而多流,自然有很多条。

东汉以后,这条通道的运输能力可能开始下降,据东汉成书的《潜夫论·浮侈》篇记载,东汉时期江南大木名材,如楠梓豫章梗柟等运往北方,"牛列(引)然后能致水,油渍入海,连淮逆河,行数千里,然后到洛,"即运送大木主要走长江入海,再经淮河、黄河运到洛阳,而不是直接走长江—巢湖—合肥—寿春,然后北上洛阳了。西晋三王起兵(301)后"久屯不散",京师洛阳仓廪空虚,庐江郡人陈敏建议将南方谷米运往北方救患周急,"朝廷从之,以敏为合肥度支,迁广陵度支",陈敏在合肥未做什么事情旋即转任广陵(今扬州)度支,可能是

---

① 许昭堂等:《巢肥运河的形成与历史演变蠡测》,《巢湖学院》2015年第1期。

考察合肥运路有问题，难以胜任漕运，故而转任广陵度支。从广陵北上到达淮水，沿着淮水西至寿县，再走颍水、西肥水等北上即可到达洛阳。两年后（303），陈敏以广陵度支身份在寿阳（今寿县）率领护漕的运兵进攻逃向寿阳的张昌部将石冰，第二年斩之。① 这以后就很少见到南方财物通过合肥走水路北运的了，很有可能是水路因为地壳运动，如地震而遭破坏，施水枝津因此而发生断流或者变成细流浅流，不能通航。之后，中国南北水运转道扬州北上。晋武帝太康二年（281）春二月，从淮南郡（治寿春）到丹阳郡（治建邺即今南京）同时发生了大地震，合肥、长丰处在震中，无疑会受到很大影响。又元康四年（294）五月，"淮南寿春洪水出，山崩地陷，坏城府及百姓庐舍。……六月，寿春地大震，死者二十余家。"②寿春与长丰相连，连续的大地震自然也会影响到长丰一带，或者就是这个时候，这一带原来南北通流的施水枝津因为地势抬高，合肥北上的水路受到了影响。所以东晋兴宁二年（364）桓温北伐往合肥，需要派军队先凿通杨仪道（大体位置在今长丰一带，可能是通向阳渊的施水枝津）以通运，说明合肥北上的水路已经不能通航。

---

① 《晋书·陈敏传》。
② 《晋书·惠帝纪》。

第六章

秦汉时期合肥地区的风俗与文化

第六章 秦汉时期合肥地区的风俗与文化

秦汉时期,随着政治大一统局面的形成和中央集权的君主专制体制的建立,统治者在促进社会、文化统一以及移风易俗等方面做了大量的工作,江淮地区在秦风汉雨的沐浴下,原有的以楚国地域文化为主要特征的民风习俗有了一定程度的改变,受中原地区的影响越来越明显。但是,秦汉时期中原以外的地方还是相对闭塞,社会流动有限,蛮夷族群生活的情况依然存在,造成区域文化的传承与影响仍然明显。大体说来,秦汉时期江淮中部地区上层受到儒家、道家、道教的影响越来越大,下层还是信巫鬼神道,甚至为山神取妇,整体上看风俗浇薄、轻侠而劲悍。文化上,随着政府教育机构的设立与开展工作,本地区人才逐渐多起来,尤其是九江郡与庐江郡郡治所在地。这与汉政府派遣治才卓越、文才超迈的郡守相尉到九江、庐江郡任职也是相关的。合肥作为寿春的后院受到影响,淮南王刘安输会贸易于合肥,在寿春、合肥整理《楚辞》,著述立说,居巢作为春秋以来江淮中部重要的城邑,产出范增这样的英雄人物。楚文化因素在整个江淮地区的政教风俗、社会生活等方面的影响仍然较突出。

第一节 社会风尚

一、社会风俗基本情况

秦汉时期,包括合肥在内的江淮地区社会风俗习惯,《史记·货殖列传》在讲天下山川郡国形势与经济社会发展时有一些基本的概括:

"衡山、九江、江南、豫章、长沙,是南楚也,其俗大类西楚(按:西楚俗剽轻,易发怒,地薄,寡于积聚)。郢之后徙寿春,亦一都会也。

而合肥受南北潮，皮革、鲍、木输会也。与闽中、干越杂俗，故南楚好辞，巧说少信。江南卑湿，丈夫早夭。……总之，楚越之地，地广人希，饭稻羹鱼，或火耕而水耨、果隋蠃蛤，不待贾而足，地势饶食，无饥馑之患。以故呰窳偷生，无积聚而多贫。是故江淮以南，无冻饿之人，亦无千金之家。

从中可以看到，合肥地区属于南楚的九江郡，司马迁通过比较看到南楚的风俗和西楚的接近，就是"剽轻易发怒"。剽轻的意思就是强悍快捷而有些浮躁，这里的人能说会道但是诚信不够。为什么会有这样的情况？司马迁又从地理与经济方面对此作了解释：就是这里水域面积广大，生活资源丰富，和北方秦、魏、鲁、宋等地老百姓完全依靠农业生产不同，这里的人们不必要有太多的积蓄以应付水旱之灾，所以对于农业生产不如北方人那样特别看重，注意积累，北方人完全依靠土地，而这里人们随时可以到水中找到食物，地广人稀，不重视农业生产，没有形成稳重的品格，因而显得巧言令色，说话做事剽轻而易怒，所谓"好辞，巧说少信"。因为潮湿，男人过早去世的情况很多。这里与越地接壤，很多地方甚至是越人占领过的地方，汉代越人迁入的也很多，因此司马迁也指出这里风俗与越人的风俗相杂乱，轻急飘忽，正是越人的习俗。

可以看出，司马迁对于这里风俗文化的概括简洁明了，而且能提纲挈领地指出产生的因缘。到了东汉，班固作《汉书·地理志》，再一次分析了这里风俗文化的特点：

楚有江汉川泽山林之饶；江南地广，或火耕水耨。民食鱼稻，以渔猎山伐为业，果蓏蠃蛤，食物常足，故呰窳媮生，而亡积聚，饮食还给，不忧冻饿，亦亡千金之家。信巫鬼，重淫祀。……吴地，斗分野也。今之会稽、九江、丹阳、豫章、庐江、广陵、六安、临淮郡，尽吴分也。……吴、粤之君皆好勇，故其民至今好用剑，轻死易发。……寿春、合肥受南北湖皮革、鲍、木之输，亦一都会也。始楚贤臣屈原被谗放流,作《离骚》诸赋以自伤悼。后有宋玉、唐勒之属慕而述之,皆以显名。汉兴,高祖王兄子濞于吴,招致天下之娱游子弟,枚乘、邹阳、严夫子之徒兴于文、景之际。而淮南王安亦都寿春,招宾客著书。而吴有严助、朱买臣,贵显汉朝,文辞并发,故世传《楚辞》。其失巧而少信。初淮南王异国中民家有女者,以待游士而妻之,故至今多女而少男。本吴、粤与楚接比,数相并兼,故民俗略同。

　　班固的时代比之司马迁要晚一百多年,社会风俗发生了很多变化,他的分析总结也比司马迁的更细致,增加不少。班固注意到从天文分野上看,九江、庐江等都属于吴分,同时这里也是吴、楚、越、蔡接壤之地,数相兼并,所以民俗大体接近。如无"积聚,饮食还给,不忧冻饿,亦亡千金之家。信巫鬼,重淫祀"都是比较接近的,又如"好勇"等,吴、越、楚俗也同俗。但是淮河之南的寿春与合肥,也有与其他地方不同之所在,就是淮南之地对于楚辞的爱好,因为这里是楚国最后的国都,曾集中很多楚国的贤才,如唐勒、宋玉等都曾祖述屈原,而淮南王刘安也亲自著述加以推动,《楚辞》最初整理就是在这个地方完成的。所以王逸《楚辞章句》序言说屈原"作《九歌》以下,凡二十五篇。楚人高其行义,玮其文采,以相教传。至于孝武帝,恢廓道训,使淮南王安作《离骚经章句》,则大义粲然,后世雄俊,莫不瞻仰,揽舒妙思,缵述其词"。可以看出,正是因为楚文化的影响,这里的人们好说巧辞,《楚辞》文化在这里发扬光大。班固更明确地指出了《楚辞》正是在寿春、合肥等地整理并得到发扬的。刘安做阜陵侯的时候住在今巢湖市以东的地方,接近巢湖,后在寿春做淮南王,对于处在其中的合肥、浚遒、橐皋等地想必是经常光顾的,所以在肥东等地今天还有很多关于刘安在此建设宫殿、金水桥等的传闻。其时刘安与管理淮南国的相与中尉关系不太好,所以会在浚遒等地藏兵练兵,以避开他们,在转输经济发达、交通便利的合肥整理《楚辞》也是在乎情理的。

　　司马迁、班固所叙述的一般情况,在具体社会生活中也有很多表现,秦末陈胜吴广起义不久,江淮地区就在范增等人的鼓动下迅速起事响应,项梁、项羽等都是受到江淮地区农民起义影响才起事的。西汉时期,刘长四岁封为淮南王,受到地方劲悍风气的影响,"刚直而勇,慈惠而厚,贞信多断",率性而为,不奉法度,快意恩仇,与皇帝称兄道弟,"入朝甚横",结果横死于发配的途中。其子刘安"其群臣宾客,江淮间多轻薄,以厉王(刘长)迁死感激安",也影响刘安为父报仇而暗中起事。太史公司马迁总结说:"淮南、衡山亲为骨肉……谋为畔逆,仍父子再亡国,各不终其身,为天下笑。此非独王过也,亦其俗薄,臣下渐靡使然也。夫荆楚僄勇轻悍,好作乱,乃自古记之矣。"①在司马迁看来,这些都是自古以来的风俗影响的结果。到魏晋时陈寿总结三国时期合肥一带风俗也指出:"扬(指扬州,时治所在合肥)士多轻侠狡桀,有郑宝、张多、许乾之属,各拥部曲。宝最骁果,才力过人,一方所惮,"②用今天的话说就是俗尚劲悍,轻侠仗义,忠勇果敢并且富有智谋。所以魏晋以后文献经常可以看到诸如"楚淮之人可为兵""淮南楚子,天下精兵"的记载,《隋书·地理志》记述淮南、庐江郡一带旧时的风俗文化说:"性并躁劲,风气果决,包藏祸害,视死如归,战而贵诈,"与《史记》《汉书》等的记述大体是一致的。这种影响沿及于近代还有声名卓著的"淮军"出现。追溯源头,都可以在楚人的性质特点中找到根源。

总之,汉代的合肥地区,民风较为轻疾剽悍,易生盗贼,属社会秩序不甚稳定的区域。所以东汉后期,随着自然灾害增加,生活趋于艰难,江淮地区民风彪悍的情况就表现明显了,盗寇风起,义军不断,山区湖荡烽火连天,反抗起事铤而走险的各种情况丛出不穷,对统治秩序产生了巨大的冲击力,具体情况第四章有详述。

因为这样的风俗影响,包括合肥地区在内的江淮西部出现的人才也是别有特色,最明显的是早期循吏较多,《汉书·循吏传》》为五人列传,其中三人文翁(庐江郡人)、朱邑(庐江郡人)和召信臣(九江

---

① 《史记·淮南衡山列传》。
② 《三国志·魏书·刘晔传》。

郡人)生于江淮,本地循吏所占比例之高实在惊人。再者,这里的人才多是敢于作为、积极向上、大义凛然、循循善诱与富有智谋之人。如谋士居鄛人范增,官至历阳侯,项羽尊称"亚父";庐江郡人文翁,为蜀郡太守,开地方教育之先河,也是西汉循吏第一人;居巢侯刘般刘恺父子,行义高古,世人称颂,为官能为天下百姓着想;合肥侯坚镡,忠勇果敢,与士卒共劳苦;庐江郡人陈众,只身入虎穴,说服数千据山反抗之人;成德县人刘晔,曹操最重要谋士,官至侍中;合肥儒生刘整、郑像,为保卫合肥新城凛然大义,英勇赴死,等等。到了动乱时代,聚众起事的情况也很普遍,东汉后期,"徐、扬盗贼"蜂起,"九江、广陵二郡数离寇害,残夷最甚。"①变乱仍频,震怖东南,倾动朝廷,史书经常有所谓"州郡不能制""朝廷不能讨"的说法,他们此起彼伏,称帝称将军,建立自己的管理组织,也与这里的社会风气劲悍相关。

二、日常礼俗

婚礼。春秋战国时期,在激烈的社会变革浪潮的冲击下,古老的婚礼发生了变革。无媒而嫁、同姓而婚、同姓联姻,卜之不吉而犹通婚等违背传统婚礼的行为,在《左传》《国语》《战国策》等书中不乏其例。秦汉统一帝国建立后,统治者重整了婚礼。

周礼,男子二十而冠,冠而娶妻;女子十五而笄,笄而许嫁。秦人不以年龄而是以身高作为成丁与否的标准,男子身高六尺五寸(合今1.50米)、女子身高六尺二寸(合今1.40米),即为成丁,始可嫁娶。汉承秦末战乱之后,人口锐减,"户口可得而数者十二三"②,造成了严重的人口危机。为增加人口,汉惠帝六年(前189)诏令:"女子年十五以上至三十不嫁,五算。"③惠帝此诏,法定了年十五为女子的始婚龄。至于最低年限,则无条文规定。汉乐府诗《孔雀东南飞》就讲道:"十

---

① 《后汉书·质帝纪》。
② 《史记·高祖功臣侯者年表序》。
③ 《汉书·惠帝纪》。

七嫁为妇,心中常悲苦。"据《汉书·外戚传》载,上官安之女立为昭帝皇后时,"年甫六岁"。至于男子婚龄,则无条文规定,有年十九而娶者,也有年八岁而娶者。总的看来,惠帝以后男女婚龄普遍过小,因而带来了某些弊端。宣帝朝的博士谏大夫王吉说:"夫妇,人伦大纲,夭寿之萌也。世俗嫁娶太早,未知为人父母之道而有子,是以教化不明而民多夭。"①

秦汉时期,婚姻的决定权依旧操持在父母手里。司马相如与卓文君的自由结合违背了卓王孙的意志,遭到极大的阻挠。汉乐府诗《孔雀东南飞》中的焦仲卿与刘兰芝先由父母包办婚姻,后又被焦母拆散,两人被逼死。若父母的意见有分歧,则服从父意。如吕公欲嫁女吕雉与刘邦,吕雉母不同意,吕公斥之曰:"此非儿女子所知。"②最后按照吕公的意见把女儿嫁给了刘邦。若父已谢世,长兄便代行父权。刘兰芝被婆母赶回后,其兄要她改嫁县令之子,刘兰芝表示她的婚事要"适兄意",不能"自任专"③。这是子从父、妇从夫、夫死从子的封建伦理道德在婚姻上的反映。

在择偶标准上,汉人认为有五种女子不可娶:"丧妇之长女不娶,为其不受命也;世有恶疾不娶,弃于天也;世有刑人不娶,弃于人也;乱家女不娶,类不正也;逆家子不娶,废人伦也。"④汉时谓此为"五禁"。除了"世有恶疾"一条外,其余四条都属于封建伦理道德。

在先秦之时,名位不同,婚姻礼仪亦异数。遭秦焚书后,先秦婚礼文献只有《仪礼·士昏礼》残存下来。吕后时,将《士昏礼》稍加变通,用之于国。故在汉代,自皇帝至庶人的婚礼,皆由《士昏礼》变通而成。东汉,郑众编有《婚礼谒文》现已不存,一些内容为后世著述引用,结合有关引文⑤及《士昏礼》,可把汉代婚姻分为几个步骤,即"纳

---

① 《汉书·王吉传》。
② 《史记·高祖本纪》。
③ 《孔雀东南飞》。
④ 《后汉书·应奉传》注引《韩诗外传》。
⑤ 据《艺文类聚》《太平御览》等征引。

彩,始相与言语择可否之时;问名,谓问女名将归卜之也;纳吉,谓归卜吉,告之也;纳征,用束帛,征成也;请期,谓吉日将迎娶,谓成礼也。"和现在的情况很接近。

首先,媒人受男方父母之托,到女方家中求婚,谓之"纳采"。秦汉时,为皇帝纳采者,有宗正、少府、尚书令等人。官僚或遣吏为子纳采,或亲自为之。

据《士昏礼》,士用雁。在秦汉,纳采无论尊卑,一律用雁。这时的雁已非身份地位之标志,其含义是顺乎阴阳,因为雁为候鸟,叶落南翔,冰泮北徂。此外还有璧、羊、酒等三十余种礼物,各有名堂,大意都是象征婚姻和谐美满。行纳采礼者,多是皇室和讲究礼仪的官宦之家,一般人户求婚大都比较简单,无繁文缛节。

按《士昏礼》,纳采之后,便问女之姓名生辰,谓之"问名"。男方占卜联姻是否吉利,叫"纳吉"。秦汉时期二礼犹存,然备典而已。

占亲之后,行纳聘之礼,因定婚约,古谓之"纳征",秦汉称"聘礼"。官吏之家的聘礼很丰厚,若以两三万钱为之者,便被视乃为俭陋。贫无聘礼者,则假贷以聘。有的人家为骗取聘金,至"一女许数家"①。女方要为女儿置办嫁妆,也很丰厚,富者有奴婢、金钱等,贫者也有疏裳、布被、竹笥、木屐之属。秦汉最重聘礼,婚姻具有明显的买卖性。官府屡下禁令,皆无成效;士大夫们也多加讥斥,然则沿而不改,以致造成"贫人不及,故不举子"②的惨景。

下聘礼后,选定吉日迎娶新娘,谓之"请期"。新郎亲往迎娶,谓之"亲迎"。一般人均需亲迎。东汉之时,"富贵嫁娶,车軿各十,骑奴侍僮,夹毂节引。富者竞欲相过,贫者耻不逮及。"水乡则有以船亲迎者。

女将行,家长致戒。如张负嫁孙女与陈平,临行,戒曰:"毋以贫故事人不谨!事兄伯如事乃父,事嫂如事乃母。"③既行,家人送之。

迎至后,行同牢礼,饮合卺酒,及妇见公婆等礼。据《戊辰杂抄》载,

---

① 《潜夫论·断讼》。
② 《汉书·王吉传》。
③ 《汉书·陈平传》。

李夫人初至,武帝迎入帐中共坐,饮合卺酒,令人遥撒五色同心花果,帝与夫人以衣裾接之,云得果多得子多。此即后世"撒帐"之礼的渊源。

婚日,亲朋故友,上司下属,皆往贺,夫家具酒肉以飨之。酒食宴客是汉代婚庆不可缺少的内容,盛行将婚礼办得风光排场。汉皇帝专门下旨要求重视婚礼酒宴:"夫婚姻之礼,人伦之大者也,酒食之会,所以行礼乐也。今郡国二千石或擅为苛禁,禁民嫁娶不得具酒食相贺召。由是废乡党之礼,令民亡所乐,非所以导民也。"①所以汉代婚礼隆重讲排场的情况多有。婚宴上,宾客开杯畅饮,歌舞以乐,言行无忌,后世"闹房"之俗,汉时已有之。

婚后三月,新婚夫妇拜见祖庙,婚礼告终。

关于离婚,汉代的基本原则是"七弃、三不去"。所谓"七弃"是:"不顺父母;无子;淫;妒;有恶疾;多言;窃盗。""不顺父母者,为其逆德也""无子,为其绝后也""淫,为其乱族也""有恶疾,不可共粢盛也""口多言,为其离亲也""窃盗,为其反义也"。若妻子犯有七条中的任何一条,便可与其离婚。但在具备以下三条中的任何一条,则不应离婚,这三条是:"有所取而无所归不去""与更三年丧不去""前贫贱而后富贵不去"。此即所谓的"三不去"。

关于离婚手续,秦律规定,离婚必须报告官府并登记;否则,夫、妻各罚二甲。汉代离婚手续,是因秦制还是有所变更,于史无征。《汉书·衡山王赐传》记载:住在舒县的衡山王刘赐女儿名无采,出嫁后被丈夫抛弃而回娘家,王的女儿也可能被抛弃,说明夫权在当时的严重,妇女地位的低下。

丧礼。秦汉时期传统的墓葬制度发生了显著变化,埋葬习俗渐趋奢侈,有视死如生的习俗,因此陪葬品中有大量生活用具。厚葬之风盛行,一直伴随着两汉时期直到三国时期。富贵人家迷信神仙,做不成神仙,死后仍欲享乐,便"厚资多藏,器用如生人"。棺椁之制,因等级而异。西汉早中期的墓葬多为木椁墓,西汉晚期经济衰落,木材

---

① 《汉书·宣帝纪》。

紧张，墓葬又开始转为砖石墓，到了东汉时期因砖石烧制好看、耐用、经济而砖石墓盛行。砖室墓、石室墓，即用砖、石或砖、石混合砌成地下墓室，墓室里面安置棺椁。在室壁、门楣上，往往刻上画像，内容丰富，涉及日常生活的各个方面，故这两种墓葬又被称为"画像砖墓""画像石墓"。到东汉时，这两种墓葬形式达到极盛。汉代的墓室壁画，一是反映墓主人生前所过生活，二是描绘人死后要进入的天堂之神及其他，另有一些装饰性的花纹图案，特别是着重地描写车队和骑从行列，真实地再现了墓主人生前所过的奢华生活。画像石、画像砖在两汉间极为兴盛。所谓画像石，是以石为地，用刀代笔的绘画艺术。画象石大约废止在汉末三国时期，魏晋南北朝时期已不多见。在随葬品上，秦汉时的礼器和仿礼器逐渐减少，反映现实生活的模型明器逐渐兴盛，从杯、盘、勺、案等生活用具，到仓、井、灶、楼房、猪圈、鸡鸭舍等建筑；从水田、池塘，到鸡、鸭、猪、狗等禽兽，无不具备，是一个埋在地下的现实世界。

对皇帝来说，在他即位后不久便开始操办丧葬了，这就是做"寿陵"或曰"初陵"，寿陵始见于战国。秦王政初即位，即在骊山营建规模庞大的寿陵。"汉天子即位一年而为陵"[①]。有的皇帝即位数年以后方做陵，到皇帝驾崩之时，他的陵墓也基本上做好了。

人初死，沐浴饭含。饭含之物以玉石珠贝最为常见。裹尸的衣衾，有金缕玉衣、银缕玉衣、铜缕玉衣三种。据《续汉书·礼仪志》载，皇帝用金缕玉衣，诸侯王、列侯、始封贵人、公主用银缕玉衣，大贵人、长公主用铜缕玉衣。实际情况要复杂一些，如西汉时诸侯王可用金缕玉衣；东汉时的诸侯王也有用铜缕玉衣者。其他人等，则用布帛之类裹尸，也有裸体而葬者。

宣布死讯，谓之发丧。闻丧讯后，亲属无论是家居者，抑或外出者，均要赴丧；其不能亲赴者，则寄物以吊。丧家具酒肉以飨吊唁者，并娱之以音乐。对于王侯公卿，皇帝或遣使持节吊祭，或亲临其丧；

[①] 《晋书·索靖传》。

对某些重臣谢世,天子往往罢朝三日,以示哀悼。

送葬时,帝王用辒辌车,具黄屋左纛,大驾卤薄,礼仪甚重,丧车所过,街路有祭。重臣之丧,国家或遣羽林孤儿挽送,或派军士列阵以送。东汉时,常有皇帝或帝、后共同为重臣送葬之举。在文帝以前,行服盖如先秦。文帝遗诏短丧,规定下棺后服大红("红"同"功")十五日,小红十四日,纤七日,合计三十六日。此后遂成定例。王莽时,复行三年丧服之制。东汉建立后,刘秀废告宁之典。安帝时,邓太后临朝,诏长吏不亲行服者不得选举。邓太后死,安帝又改制,仍不听行服。桓帝时又令刺史二千石行服,未几又断之。实际上,无论官府准与不准,从西汉到东汉,都有很多服丧三年者。东汉时,有的人为博取乡曲之誉,进入仕途,竟行服多达二十余年。

合肥周边规模较大、出土器物较多的汉代墓葬有:肥西县花岗镇安墩村发掘的舒王墩汉墓,是合肥地区经考古发掘的西汉时期最大的土坑木椁墓,其形制特别,规模罕大。长达4—15米的棺板,史书上没有记载。出土有长3米、宽11米的漆器,筷面上刻有类似马王堆汉墓出土的天地人融为一体的帛画图案的数段角质筷;还有两件1000多片漆制盔甲,亦为难得的珍品。出土有300多枚陶冥币,棺椁长达8.2米。另出土有玛瑙器、铜器、陶瓷器、漆器和骨角器等珍贵文物。器物有壶、五连罐、钫、剑、钩、珠、铠甲片、骨饰件等70多件,很可能就是衡山王刘赐的墓。桃花店汉墓群100余座,出土器物千余件。其中东山墓区出土800余件文物,包括陶器(钫、壶、敦、鼎、罐)、青铜器(剑、鼎、镜、印章、洗)、玉器、铁削、钱币等器物。彭岗墓区墓葬71座,出土文物1300多件。油墩汉代砖室墓4座,出土文物近百件。方兴大道汉墓群160余处,出土文物上千件。

从以上墓葬的地理位置看,墓葬分布于城址的南北两个方位。从墓葬位置的地形地势看,都是位于其所在区域的较高位置上。从墓葬形制上看,一是封土下面有竖穴土坑墓,部分有墓道,如桃花店东山墓区,大多墓向朝东南或西南。二是砖室墓,如油墩汉墓群M1。该墓分前、中、后三室,呈土字形,前、中室南北均长5.74米、东西均宽 3.50 米,后室东西长 5.74 米、南北宽 3.50 米,通长(不含墓道)15米,墓室内高 3.60 米。墓室以及甬道的拱形圈顶是用楔形砖圈成,每块砖朝墓内一侧是乳丁纹,朝外一侧有两楞竹节纹,墓壁的砌法是三顺一丁,朝墓内一侧的全部和朝外的部分有花纹。铺地砖也是用楔形砖。在后室还用楔形砖码成两列两排矮墙,用来放置棺。

从出土器物来看,桃花店汉墓群彭岗墓区出土的文物以陶器和铁器居多,几乎每个墓葬都有剑,也有铜剑、铜盆、铜鼎、铜镜、铜弩机等物,其中最为珍贵的是一面直径 22 厘米的战国铜镜,背面铸有战国时代显著特征的纹饰,铜镜上还附着一枚当时楚国的蚁鼻钱。还有造型精巧的鸟形镇纸铜器,大量生活用具,如陶灶、陶厕所、陶猪圈等。玉既有造型精巧的口含和五窍塞,也有装饰剑柄用的玉饰、玉璧。31 号一座墓葬其中最引人注目的是鎏金锥和一颗晶莹剔透的水晶 14 面体,这种水晶饰件在合肥地区是首次发现。该墓最大特点出土了大量微型兵器和车马器件,从墓葬的规模和出土随葬品看,该墓主身份和地位非同寻常外,极可能是个武士。

东山墓区出土的大部分为陶器,器物组合是钫、壶、豆、鼎、敦、罐等器物,还有灶、熏、耳杯、盘、簋、仓等器形以及青铜器,包括剑、鼎、镜、印章、洗等器物,以及玉璧、玉挂件、铁剑、铁削、钱币等器物。出土的青铜器中,以铜镜和青铜剑居多。出土的铜镜中,最大的直径 30 厘米,有四神规矩镜、三旋纹镜、草叶纹镜等类型。M2 出土的一套铃铛和磬和 M15 出土的一套 9 个环状青铜质地砝码最为特别。

油墩汉墓 M2 出土了羊形铜灯、铜勺、铜盆、铁盆和铁质烧烤架、铁剑、铁戟、铜洗、陶井、陶灶、银质指环、铜带钩、琥珀辟邪等器物。

巢湖放王岗西汉墓出土了大批文物,其中铜器有鼎、灯、壶、斧、盘、盆、剑、矛、刀等,铸造极精良。漆木器有奁、壶、耳杯、盒、樽、盘等,表面有各种花纹、怪兽、柿蒂图案,以及金银箔贴饰。质地轻巧,造型各异,色彩艳丽。玉器有龙形玉佩、玉蝉、玉龙和玉人佣,都为汉玉之精品。墓主人吕柯,我们考证他就是宣帝时期的扬州刺史柯,他巡查扬州各地,启奏海昏侯与地方官吏交往,使朝廷削去其租户三千,不久死去。①

巢湖市北山头汉墓群。二号墓坑制作十分规整考究,墓坑、墓道和棺盖上都铺上了十分精细的篾席,在棺椁的上方,墓道一侧,有用矛、戈、盾牌组成的护卫兵阵,这在以前发掘的墓葬中是不多见的。

汉代人视死如生,重来世生活,所以墓冢高大,陪葬品丰富,合肥地区目前所见早期墓葬最多的就是汉代的墓冢了,每一个县都发现不止一处汉代墓葬群。墓内有的还有镇墓石刻,以清除墓冢恶气。如民国时期在寿县与长丰交界的三义集发现居巢刘君墓,其中就出土有圭形石刻一件,有文:"曰(白?)天帝告除居巢刘君冢恶气。告东方青帝,主除黄气之凶;告南方赤帝,主除西方白气之凶;告西方白帝,主除青[气]之凶;告北方黑帝,主除赤气之凶;告中央黄帝,主除北方黑气之凶。……[子]子孙孙寿老。如律令!"既希望告除恶气,又寄托子孙寿考。

综上所述,秦汉时期合肥地区居民的埋葬区域在距离城市中心区比较近,位置较高的方位,符合传统的丧葬制度要求,延续时间长,埋葬集中。一个封土下面有两到多个墓葬,可见当地比较注重家族观念。出土器物中精美的陶器、铜镜、车马器等,体现出汉代合肥的经济社会发展也已达到了一定的高度,由于高度发达的交通带来贸易的便利,从而使得人们的物质生活很丰富,带到另一个世界的东西也很丰富。

歌舞娱乐。先秦之时,歌舞甚盛。降至秦汉,斯风不衰,时人颇喜以歌舞的形式来表达喜、怒、哀、乐,且往往出口成章,为千古绝唱。如刘邦做了皇帝后,衣锦还乡,置酒沛宫,召父老乡亲纵饮,"酒酣,高祖击筑,自为歌诗曰:'大风起兮云飞扬,威加海内兮归故乡,安得猛士兮守四方!'令儿皆和习之。高祖乃起舞,慷慨伤怀,泣数行下"②,这就是有名的《大风歌》。秦汉歌舞形式众多,风格不一,各有千秋,主要的歌舞形式有:盘鼓舞、袖舞、巾舞、假面舞、仙人舞、鞞舞等。

《隋书·地理志》中称合肥地区"俗少争讼,而尚歌舞"。从紧承

---

① 陈主柱:《巢湖放王岗一号汉墓主人吕柯即扬州刺史柯》,《巢湖学院学报》2016年第4期。

② 《史记·高祖本纪》。

秦汉的曹魏时期民间传闻,可窥一斑。据《太平寰宇记》载:合肥有"筝笛浦",相传曹操曾乘船至此,其载有八百歌舞伎的船只沉于金斗河中筝笛浦。清嘉庆《合肥县志》有《筝笛浦》二首,诗曰:"美人画舫娇歌舞,烟鬟无数沉黄土。香魂一片化湘云,千年尚听残箫鼓。箫鼓残,君莫哀。曾闻孟德风流处,卖履分香铜雀台""……曾闻魏诸姬,胶舟南浦阴。艳质付清波,水大雨淫淫。不能变猿鹤,虫沙纷浮沉。我欲然犀角,照见遗钗簪。北望铜雀妓,先后自同吟。"八百歌舞伎"艳质付清波"实属不幸事件,但由此可见当时歌舞之盛。

张骞"凿空"以后,中西交通开辟,从西方传入了魔术表演。《史记·大宛列传》载,汉武帝元封三年(前108),安息"以大鸟卵及黎轩善眩人,献于汉"。《索隐》引《魏略》云:"黎轩多奇幻,口中吹火,自缚自解。"又《后汉书·西南夷传》亦载,安帝时,掸国(今缅甸)献大秦幻人,"能变化吐火,自支解,易牛马头"。东汉时期,江淮之间魔术或幻术的表演水平已达到相当高的阶段。《搜神记》中的描述虽有所夸张和神化,但其所显示出的道具制作和服装、化妆等高超技艺,为合肥本地戏曲的最终产生准备了充分的条件。"百戏"历千余年而不衰,许多县(州)志上亦多载有民间演出时的盛况,由此亦可推出汉代"百戏"的盛景。如合肥县志(清嘉庆八年即1803年)载:"上元,食元宵,张灯杂百戏,箫鼓喧阗彻夜。"

饮食服制。根据云梦《睡虎地秦墓竹简》中的《传食律》《仓律》等篇记载了秦代官吏、卒人及下层的仆役、刑徒等人每天的饮食习惯为早晚各一次,即每天两顿饭。汉初每日两餐的习惯还没有很大的改变。晁错曾说:"人情一日不再食则饥。"[①]说明汉文帝、景帝时期,人们的饮食习惯还大体如此。但是从西汉起,一日三餐也开始出现了,《汉书·淮南厉王传》记载:"请处(厉王)蜀严道邛邮,遣其子、子母从居,县为筑盖家室,皆日三食,给薪菜盐饮食器席蓐。"这可能是贵族王侯的饮食规定,而天子似乎是四餐。《白虎通》记载:"平旦,食少阳

---

① 《汉书·食货志》。

之始也；昼，食大阳之始也；晡，食少阴之始也；暮，食太阴之始也。"

汉代饮食很多还是遵照古礼,从出土的画像石可以见到一些。一般都是分食,即一人一案的饮食形式。坐姿则是席地而坐。

在先秦时期,衣是用来区别尊卑贵贱的一个重要标志,"非其人不得服其服"①。否则,就是僭越。至于秦汉,一方面,有些旧的等级有了变化,加以往唯庶人才服的巾,到秦汉之时,"上下群臣贵贱皆服之"②。另一方面,新的等级开始建立。秦汉时区分衣之尊卑的标志主要有三：一是服色。秦人尚黑。汉初尚赤。汉武帝时正服色,色尚黄。东汉则尚赤。此外,青紫也是贵族的服色③,平民不准服用,到西汉后期,才放宽了限制。二是质料。如秦简《法律答问》有一般人不得穿"绵履"之条文。汉初,刘邦曾规定商人不得衣丝,以卑贱之。三是形制。一般说来,长而肥者为贵,短而瘦者为贱。

第二节　学术与文化

一、学术教育

秦灭楚,楚国贵族四散分逃,江淮地区一些知识分子隐居不出,范增就是这样的人物,70岁以后才参加反秦起义。刘长淮南国建立后,高祖刘邦把秦朝柱下史张苍调来任淮南国相。张苍"好书律历。秦时为御史,主柱下方书。……明习天下图书计籍,又善用算律历,故令苍以列侯居相府,领主郡国上计者。黥布反,汉立皇子长为淮南王,而苍相之。十四年,迁为御史大夫。……苍为计相时,绪正律历。

---

① 《急就篇》颜师古注。
② 《急就篇》颜师古注。
③ 《东观汉记》。

以高祖十月始至霸上,故因秦时本十月为岁首,不革。推五德之运,以为汉当水德之时,上黑如故。吹律调乐,入之音声,及以比定律令。若百工,天下作程品。……故汉家言律历者本张苍。苍凡好书,无所不观,无所不通,而尤邃律历。……著书十八篇,言阴阳律历事。"①可以看出,张苍在天文、历法、历史、书法、计算、经济、音律等很多方面都是当时最有学问的人之一,无书不观,刘邦派他来做淮南国相,就是要他辅佐教导幼小的刘长。张苍在淮南国十四年,以他的学问,对于淮南国的文化教育事业无疑会有积极的贡献,虽然教育刘长未必算得成功。②景帝时期淮南国成为秦汉时期中国最著名的学术文化中心之一,张苍的奠基之功不可没。合肥作为淮南国的腹地,接近寿春,自然也会受到影响。

淮南王刘安生于江淮间,七八岁为阜陵侯(在今巢湖市以东),16岁为淮南王,住寿春,对于江淮之中的合肥地区甚为熟悉,《盐铁论·晁错》篇:"日者淮南衡山修文学,招四方游士,山东儒墨咸聚于江淮之间,讲议集论著书数十篇。"淮南之地成为函谷关以东儒墨道家之徒汇聚之地,自然是因为淮南王刘安喜欢文学修行。《汉书》本传也说:"淮南王安为人好书,鼓琴,不喜弋猎狗马驰骋,亦欲以行阴德拊循百姓,流名誉。招致宾客方术之士数千人,作为《内书》二十一篇,《外书》甚众,又有《中篇》八卷,言神仙黄白之术,亦二十余万言。"在刘安的带动下,淮南国聚集了一大批各类学者,形成了一个学术中心,著述丰厚,刘安与其父"不好学问大道,触情忘行"决然不同,当然是潜心学习的结果。汉武帝时,"安入朝,献所作《内篇》,新出,上爱秘之。使为《离骚传》,旦受诏,日食时上。又献《颂德》及《长安都国颂》。每宴见,谈说得失及方技赋颂,昏莫(暮)然后罢。"刘安的学问由此可见,也得到武帝的赏识。《汉书·地理志》记载:"寿春、合肥受南北湖皮革、鲍、木之输,亦一都会也。始楚贤臣屈原被谗放流,作

---

① 《汉书·张苍传》。
② 据《汉书·淮南衡山济北王传》,称刘长"刚直而勇,慈惠而厚,贞信多断",品行还是不错的,当然也有张苍等人的教育之功。

《离骚》诸赋以自伤悼。后有宋玉、唐勒之属慕而述之,皆以显名。……而淮南王安亦都寿春,招宾客著书。而吴有严助、朱买臣,贵显汉朝,文辞并发,故世传《楚辞》。其失巧而少信。初淮南王异国中民家有女者,以待游士而妻之,故至今多女而少男。"就是刘安利用本地多女而少男的情况,为游学之士娶妻,以聚集四方学人,著书立说,《楚辞》就是在寿春、合肥一带整理的。秦灭楚国后,很多楚国贵族逃到合肥的各个地方,巢湖周边,淮南王组织编纂《楚辞》,自然有很多住在合肥地方的人士参与。淮南传授《楚辞》的传统,到了宣帝时期还有表现,"宣帝时修武帝故事,讲论六艺群书,博尽奇异之好,征能为《楚辞》九江被公,召见诵读"。[①]

两汉之际,著名学者桓荣在江淮地区讲学,生徒数百人,"桓荣字春卿,沛郡龙亢人也。少学长安,习《欧阳尚书》,事博士九江朱普。贫窭无资,常客佣以自给,精力不倦,十五年不窥家园。至王莽篡位乃归。会朱普卒,荣奔丧九江,负土成坟,因留教授,徒众数百人。莽败,天下乱。荣抱其经书与弟子逃匿山谷,虽常饥困而讲论不辍,后复客授江淮间。建武十九年,年六十余,始辟大司徒府。"桓荣在江淮之间受徒数十年,"都讲生八人补二百石,其余门徒多至公卿。"[②]另外,大儒如戴圣、卢植卢毓父子等都曾出任九江太守,礼教江淮,对于江淮地区的文化教育事业都起到了积极的推动作用。据有的学者考察,"两汉时期可考九江郡太守共计38人。依照汉代任官回避制度,郡守只能用外地人士。九江郡太守群体中有两汉史上著名的循吏和酷吏,还有一些在经学上有杰出造诣的士大夫人物,其数量超过了知名见纪的本地籍贯名人,仅次于两京所在的三辅之地和河南尹。与同时段的国内一些著名的郡国太守群体相比,无论其学术水平、知名度、与皇权的密切关系和治理政绩,应该说都毫不逊色。朝廷将一流的察举人才和治国精英频频派遣到九江郡任职,反映了该郡控制江

---

① 《汉书·王褒传》。
② 《后汉书·桓荣传》。

淮的重要战略地位,同时与当地曾发生过淮南王叛乱,两汉后期多次爆发农民反抗斗争也有关系。……将汉代淮南九江列为文化较发达地区的判断是可以成立的。"①

汉代,庐江人文翁在蜀郡首先建立地方学校教育,汉景帝、武帝间,文翁为蜀郡守,教民读书法令,"又修起学官于成都市中,招下县子弟以为学官弟子,为除更徭,高者以补郡县吏,次为孝弟力田。……至武帝时,乃令天下郡国皆立学校官,自文翁为之始云。"成帝永嘉二年三月,博士行"乡饮酒礼。"从此,每年三月学校在祭祀周公、孔子时都要举行盛大的酒会。东汉明帝永平二年三月,郡、县、道行乡饮酒于学校,皆祀圣师周公、孔子。当时的乡饮仪式非常受重视,伏湛为光武时的大司徒"以为礼乐政化之首,颠沛犹不可违。是岁奉行乡饮酒礼,遂施行之"②。合肥地区教育情况应该也不例外。三国时期,合肥儒生刘整、郑像受招募出城求援,不幸被俘,最后大义凛然,英勇就义,可谓是本地儒生的榜样,显示本地教育富有成效。

汉代合肥,社会上层尽管受到儒家道家影响,但下层社会受到巫术神道的影响还是很大。《后汉书·宋均传》记载宋均任九江太守,当时"浚遒县有唐、后二山,民共祠之,众巫遂取百姓男女以为公妪,岁岁改易,既而不敢嫁娶,前后守令莫敢禁。均乃下书曰:'自今以后,为山娶者皆娶巫家,勿扰良民。'于是遂绝。"浚遒即今肥东县地,汉代这里还有为山神取妇的习俗,岁岁改易。宋均来到后才采取办法杜绝。另一方面,相信神道方术的也很多,庐江郡左慈成为闻名天下的方士。《后汉书·左慈传》记载:"左慈字元放,庐江人也。少有神道。尝在司空曹操坐,操从容顾众宾曰:'今日高会,珍羞略备,所少吴松江鲈鱼耳。'放于下坐应曰:'此可得也。'因求铜盘贮水,以竹竿饵钓于盘中,须臾引一鲈鱼出。操大拊掌笑,会者皆惊。操曰:'一鱼不周坐席,可更得乎?'放乃更饵钩沉之,须臾复引出,皆长三尺余,

---

① 王健:《两汉九江郡士人、典籍考略》,《秦汉魏晋时期的合肥史研究》。
② 《后汉书·伏湛传》。

生鲜可爱。"《魏书·方技传》记载文帝《典论》论郄俭等事曰："颍川郄俭能辟谷，饵伏苓。甘陵甘始亦善行气，老有少容。庐江左慈知补导之术。并为军吏。"魏文帝曹丕将各种异能之士搜罗军中，担任军职，左慈即是善于导引、房中之术的人才。据《通志》记载，左慈有《真人助相见规戒》一卷传世。后汉末期，道教观念在全国传布，江淮地区尤其盛行，都与这里下层社会群众相信原始神道观念相关。

二、儒家教化流行合肥地区

秦汉时期的社会思潮，早期崇尚黄老自然无为学说，汉武帝以后儒学定为一尊，伦常之说支配人心，道家思想虽然不是统治意识形态，但信道之人很多，东汉皇帝甚至在宫中祭祀黄老。神仙方士之说，谶纬学说盛行，形成以儒、道两家思想互补的中国哲学的主要思想根基。佛教自西汉后期已传入中国，东汉时代已为少数统治者支持和信仰，但无显著影响。

儒学流行后，国家大力提倡孝行节义，从汉武帝元光年间（前134）开始，每年令郡国各举一名孝廉，任为官吏。以后教化大行，逐渐形成汉代重视孝道的社会风气。据《后汉书》记载，东汉初，庐江毛义少有节行，家里贫困，但是因为孝顺称名全国。南阳人张奉慕其名，往候之。坐定而府檄适至，以义守令，义奉檄而入，喜动颜色。奉者，志尚士也，心贱之，自恨来，固辞而去。及义母死，去官行服。数辟公府，为县令，进退必以礼。后举贤良，公车征，遂不至。张奉叹曰："贤者固不可测。往日之喜，乃为亲屈也。斯盖所谓'家贫亲老，不择官而仕'者也。"章帝时专门下诏褒宠毛义，"赐谷千斛，常以八月长吏问起居，加赐羊酒。寿终于家。"[①]

《后汉书》作者感叹道："若二子（毛义、薛包）者，推至诚以为行，

---

① 《后汉书·毛义法》。

行信于心而感于人,以成名受禄致礼,斯可谓能以孝养也。若夫江革、刘般数公者之义行,犹斯志也。撰其行事著于篇。"①元和元年,朝廷又诏告庐江太守、东平相曰:"议郎郑均,束修安贫,恭俭节整,前在机密,以病致仕,守善贞固,黄发不怠。又前安邑令毛义,躬履逊让,比征辞病,淳洁之风,东州称仁。书不云乎:'章厥有常,吉哉!'其赐均、义谷各千斛,常以八月长吏存问,赐羊酒,显兹异行。"毛义因为孝顺屡次受到朝廷表彰,要求天下学习。

居巢侯刘般刘恺父子都是孝悌的典型。刘般年轻的时候遭遇两汉之际的变乱,"般虽尚少,而笃志修行,讲诵不息。其母及诸舅,以为身寄绝域,死生未必,不宜苦精若此,数以晓般,般犹不改其业。"后来改封居巢侯,"扬州刺史观恂荐般在国口无择言,行元怨恶,宜蒙旌显。"般子恺字伯豫,以礼当袭父爵,让与弟宪,遁逃避封。章和年间,有关部门奏请除去刘恺的爵位,然而刘恺仍然回避不回来。前后十几年,到永元十年,侍中贾逵因上书曰:"孔子称'能以礼让为国,于从政乎何有'。窃见居巢侯刘般嗣子恺,素行孝友,谦逊洁清,让封弟宪,潜身远迹。有司不原乐善之心,而绳以循常之法,惧非长克让之风,成含弘之化。前世扶阳侯韦玄成,近有陵阳侯丁鸿、郾侯邓彪,并以高行洁身辞爵,未闻贬削,而皆登三事。今恺景仰前修,有伯夷之节,宜蒙矜宥,全其先功,以增圣朝尚德之美。"和帝纳之。下诏曰:"盖王法崇善,成人之美。其听宪嗣爵。遭事之宜,后不得以为比。"于是征拜刘恺为郎,迁为侍中。"刘恺入朝,在位者莫不仰其风行。"恺性笃古,贵处士,每有征举,必先岩穴。论议引正,辞气高雅。"②元初二年,代夏勤为司徒。夏勤是九江郡人。

三、文化成就与艺术风格

一个时代政治、经济发展促进了其文化艺术风格的形成。秦的

---

① 《后汉书》卷三十九序。
② 《后汉书·刘般传附刘恺传》。

建立客观上促进了秦汉艺术风格的形成。汉承秦制，两汉四百多年的统一局面，为社会的进步创造了良好的条件。封建经济、文化以奴隶制无法比拟的速度飞速发展。秦汉时期艺术的发展包括其绘画、雕塑、建筑艺术以及画像石与画砖等。美术也取得了长足的进步。建筑、雕刻、工艺、绘画、书法等，全面繁荣，可以说其艺术发展的多元化受其当时政治经济影响很大。

学人著述。秦汉文化传统不同，秦继承周文化的朴实。汉为楚国之后，而楚文化充满了对宇宙的奇异幻想，富有浓厚的浪漫主义色彩。淮南国是当时的学术重镇，人才荟萃，著述丰赡，据《汉书·艺文志》及后来学者的补考，道家类著述，主要有《淮南内》二十一篇，《淮南外》三十三篇，前者即传世的《淮南子》。还有《淮南道训》二篇，是淮南王刘安聘请九位知晓《易经》的学者撰述，号"九师说"。诗赋类著作有六部，《淮南王赋》八十二篇，《淮南王群臣赋》四十四篇，《淮南诗歌》四篇，淮南刘向等《琴颂》七篇，《淮南王集》二卷。儒家类著作有淮南朱普著《尚书欧阳朱普章句》四十万言，东汉九江谢曼卿《毛诗训》。其他如《淮南杂子星》十九卷，《淮南八公相鹤经》八卷。《盐铁论》的作者，据《汉书》卷六十六赞语，似为庐江郡丞："至庐江太守丞，博通善属文，推衍盐铁之议，增广条目，极其论难，著数万言，亦欲以究治乱，成一家之法焉。"再如文翁，"少好学，通《春秋》"，当也有著述。当时学者讲学主要是对于六经做章句式解读，很多学者著述未能流传下来。

鹖冠子，一般书上都说他是楚人，其弟子庞缓从鹖冠子学，前三世纪四十年代为赵将，说明鹖冠子必是楚国迁到陈城以后，甚至前253年迁都巨阳以后。此一时期的楚人当然是淮河两岸的楚人。《鹖冠子》书中用韵与徐器铭文相近，徐舒同源而接近，鹖冠子很可能是淮南之南、长江以北地区人，也即是合肥地区人。还有一些旁征，如书中鹖冠子崇尚成鸠氏时代，即尚鸠，而鸠意味着崇拜或图腾，淮南崇尚鸠的有舒鸠、祝鸠，舒鸠作为群舒之一，春秋后期迁到了今庐江县一带。另外，著述《南公》三十多篇的楚人南公，对于范增起事反秦有影响，让人想到他很可能是范增之师，也可能是今合肥地域的人。

江淮地区方志编修，历史悠久，数量众多，为人们研究本地区的历史提供了珍贵的史料和历史借鉴。江淮地区地方志书早在两汉时即已发端。东汉光武中，刘秀诏家乡南阳撰风俗传，"故沛、三辅有耆旧节士之序，鲁、庐江有名德先贤之赞。郡国之书，由是而作"①。《庐江七贤传》作于东汉初年，《隋书·经籍志》称《庐江先贤传》，列杂传类，标两卷。清姚振宗《隋书·经籍志考证》："案'七贤'，当是'先贤'之误。《志》叙……又曰，鲁、沛、三辅序赞并亡，则庐江先贤尚存，此二卷其即东汉相传之旧欤？"东汉中叶后，地志、地记、图经、图志出现，本区也有所作。汉时江淮西部置九江郡，治寿春。曾朴《补后汉书艺文志考》著录有东汉朱旸著《九江寿春记》。考是书卷数不详，据清王谟《汉唐地理书钞》所辑，内容当以述地理、沿革、城池、古迹为主。

当时各个郡国均有许多被视为"先贤"的人物，东汉时期的人物传以"耆旧传"为命名主流，"先贤"作为包含"耆旧"一词，成为这类人物的统称，"先贤"意指"具有杰出事迹的先人"。

工艺美术。用来装饰生活的工艺美术，在秦汉时期也得到了大发展。其中青铜、玉器、陶瓷、纺织、漆器等方面，都有突出的成绩，分工细致、种类繁多、制作精美，青铜工艺、陶瓷工艺、漆器工艺等成就辉煌、蜚声中外。秦汉工艺美术也鲜明地反映出时代精神风貌，华贵、粗犷、质朴，其中尤以漆器、织绣工艺最为突出。秦汉绘画迈上了历史的新台阶，流传下来的大量的画像砖、画像石，多方面地反映了当时的社会生活，其真实性、广泛性是空前的。汉代美术品，可以归为墓室壁画、画像石和画像砖、漆画、铜镜装饰、石雕与泥塑等五项。秦篆、汉隶继商周金文之后，成为中国书法史上又一个里程碑。

陶俑艺术。秦汉合肥地区雕塑艺术成就主要体现在陶塑方面。一千多年来青铜工艺提供的经验，让秦汉雕塑规模之大、艺术之精前

---

① 《隋书·经籍志》。

所未有。文献记载或考古发掘的实物,没有关于秦代以前进行大规模雕塑活动的材料。秦汉雕刻尤其是始皇陵兵马俑、汉霍去病墓前石刻群,成为秦汉大型纪念性雕刻的杰出代表,为后世中国雕刻树立了写意与写实两种风格的典范。

出土更多的陶塑作品为生活用具甚至生活环境,如陶屋、陶楼、陶厨、陶灶、陶井、陶厕、陶猪圈等,陶塑制作手法古拙。俑是古代用于陪葬的偶人,是用泥土、木或铜等做的像人的物件。俑的质地以木质、陶质最常见,也有瓷、石或金属制品。俑的形象,主要有奴仆、舞乐、士兵、仪仗等,并常附有鞍马、牛车、庖厨用具和家畜等模型。大量的汉代动物陶俑,也多能传达出各种动物的形神。

1954年合肥乌龟墩东汉墓即出土了屋、井、灶、磨、缸、豆、钵、罐、甑等大量陶塑明器。长丰杜集乡出土的汉灰陶俑头,脸部呈方圆形,俑头中空。面部表情自然,细部特征逼真。长10.2厘米,宽9.1厘米,厚7.9厘米,重375克。

合肥桃花店汉墓群东山墓区出土的西汉陶俑头四件,形态相同,红陶胎。瓜子脸形,捏塑而成,小耳,面部较平,矮鼻梁,三角形鼻尖,眉和嘴略微突起,眼窝略凹陷,头顶和底部中心有一孔,脑后捏塑圆锥形束发,头中空,短颈。巢湖市出土的汉陶俑头,瓜子脸形,整体捏塑而成,小耳、高鼻尖,眼、口细长,均刻画而成,脖子较长,内空,灰陶胎,俑头后有洞。

陶瓷工艺。秦代日用陶器发现不多,但从陕西临潼秦俑坑出土的大量兵马俑分析,可以想象当时制陶技术的高超。入汉以后,制陶工艺又得到进一步开拓,地面上的砖瓦、日用器皿以及地下坟墓里的明器,及各种陶俑,其中最典型的是施以彩绘或加黄绿釉的陶器,为后来的唐三彩打下了基础。彩绘陶在战国时期已较为流行,汉代得到进一步发展,与汉代的厚葬之风有密切联系。装饰色彩丰富,有红、黄、赭、黑、白等色,装饰题材有几何纹、人物故事、祥禽瑞兽等,以仿制漆器装饰效果的彩绘陶较为常见。秦汉原始瓷,虽然在烧制技术、掌握火候、装饰等方面有所进步,但尚未发生质的变化。经过三百多年的经验积累，至东汉末年，终于出现了现代意义上的瓷器。安徽东汉晚期墓葬曾发现过瓷制品。

1975年3月31日，合肥市建华窑厂施工出土的汉双系釉陶壶，壶侈口，直颈，斜肩，鼓腹，平底内凹。口沿下部有一圈水波纹，肩及腹部饰三道凸弦纹，肩上二道弦纹之间附对称双系。腹部以上施青釉，胎质青灰，坚硬质密。

1988年，安徽省饲料厂食堂北出土的汉双系釉陶罐，罐直口微侈，短颈，斜肩，鼓腹，平底。肩附双系，上置铺首，颈部饰波浪纹。胎较坚硬质密，色灰，上半身施青釉，釉层由口及腹渐变稀薄。

1980年10月29日，合肥市长江西路省团校出土的汉双耳釉陶瓿，瓿小口，口沿突出，球形腹，平底。肩及腹部等距离分布三道凸弦纹，分别由三道细弦纹组成，上面二道凸弦纹间左右对称附兽面纹耳一对。腹部以上施青釉，口沿处脱釉严重，腹部以下不施釉，胎灰红色。

2000年1月，烟墩乡墩村东汉墓出土的东汉陶磨，泥质灰陶，磨分上下两部分。上磨盘上置有圆形中凹把手，侧有一凸钮，下磨盘外有一周凸，槽上有一方形孔，高圈足座。上磨盘侧面饰网纹，磨盘饰扇形直线纹，高圈足镂雕长方形竖孔，轮制。

安徽省农科院出土汉陶灶，船形灶台，中空。拱形灶门，灶台后方有圆形和三角形排烟孔各一个。灶面上有一大一小两个灶眼，素纹，灰陶胎。

2002年，合肥桃花店汉墓群东山墓区出土的西汉灰陶彩绘钫器盖、器身组成。器作方形，器盖盝式顶，平口外侈，束颈，鼓腹，方形高圈足。全身施彩绘，灰色泛红胎。

西汉釉陶鼎，圆形器盖，母口，盖上等距离分布三个乳状钮。器身子口，鼎口贴附方形竖耳，外侧有兽面纹。斜直腹，平底，下接三蹄形足，盖施青釉，器身无釉。灰陶胎。

西汉灰陶钟，口沿微侈，长颈，溜肩，球形腹，高圈足外撇，肩部对称铺首双系，并有一道凸弦纹，内底拍印网格纹，灰陶胎。

西汉灰陶釜直口,溜肩,肩部有一道弦纹,鼓腹,腹部有一周宽突棱,平底。灰陶胎。

西汉红陶熏炉缺盖,炉身整体圆形,子口,束腰,喇叭底。腹部剔地菱形纹,间饰戳印纹,炉座内空。红陶胎。

青铜工艺。两汉时代青铜器的内容极其丰富,在器物的用途上主要以日常生活用器为主,在器物的特征上强烈地表现出了时代风格。秦代青铜器追求气势的同时突出艺术创作的现实主义风格,两汉时代的青铜铸造业,已经与青铜时代的高峰——商周时期的青铜器——在器物的性质、种类、形制、工艺技术及经营管理上有了根本的不同。从遗留下来的两汉时代的大量青铜遗物和近年考古发现的有关冶铸遗址来看,这一时期仍然有大量的青铜器进行生产,而且青铜铸造业某些方面的技术已经完全转到日常生活用器的制作上来。又由于商品经济的不断发展,还大量地铸造青铜货币。这一时期的青铜器铸造工艺具有很明显的特点,表现为:第一,金银与镶嵌工艺。两汉初期不但继承了先秦时代已有的错金银与镶嵌技术的传统,还在此基础上有了一定的创新,工艺更加精湛。一些贵族葬墓内出土的金属细工铜器可称得上是奇珍异宝。第二,鎏金与镶嵌技术。青铜器上的鎏金工艺早在战国中期就已经出现,到两汉时发展到高峰。经过鎏金处理的青铜器不但器物外表色泽金灿美丽,而且鎏金本身对保护青铜器,使其不氧化也起着重要的作用。第三,青铜器上细线刻纹的发展。战国时,这种线刻图案发展起来,多装饰在铜匜、铜鉴等器物上。青铜器上的这种工艺手法,到了两汉时代,尤其是西汉后期在南方和西南地区发展得更为发达。

1997年,巢湖市北山头一号汉墓出土的西汉包银长柄铜勺:斗呈心形,较深。扁平条状长柄,长柄分上下两部分,上部略宽,正面末端铸有一龙首,龙口呈倒"八"字形张开,连接龙首部分为两条平行的极细绳索纹,两股绳索相交处嵌米粒状绿松石,绿松石部分脱落,下部稍窄,一端连斗部。

2001年4月13日,巢湖市环城乡三河村轮窑厂发掘出土的四足四环铜灶,灶由灶身、灶面、灶门、烟囱、火眼、釜、四蹄足、四环组成。灶身为船首形,灶面设有一火眼,船中心为一较大的火眼,上面置有釜、甑、盖炊具。釜,小圆口,立颈,溜肩,圆底,肩下有一圈凸棱,用于卡在灶上。甑,碗形,敞口,折沿,圈足,底部有圆形透孔。盖,盆形,敞口,折沿,平底。灶首处有一半U形烟道管。灶尾设一长方形口,用于填柴烧火。灶四边设有四环,灶下为四蹄足支撑整个灶身。

2004年,合肥大蜀山油墩东汉砖室墓出土东汉耳杯形铜灯,灯为耳杯形,全素无纹,呈椭圆形,由上下两部分组成,上部分为蓬形盖,盖的一半翻开形成托起的灯盏,以活轴相连,杯底部有圈足。

2004年7月5日,合肥市青阳路颐和花园出土的东汉龙凤纹铜泥筒,呈圆柱筒形,直壁,筒盖和身由子母口扣合,并由铰链连接,筒全身刻有七龙一凤,呈"S"形相互缠绕,筒身的上下两端分别刻有一圈网格纹;筒盖侧面刻一圈蕉叶纹,盖顶对置一龙一凤;筒底部光素。图案刻画生动,是我国汉代青铜刻画工艺的精品。

2004年3月,合肥大蜀山油墩东汉砖室墓出土的东汉铜羊灯,灯整体为卧羊状,昂首卷角,全身刻有细密羊毛,羊眼用料珠装饰。羊背翻起形成托起的灯盏,并在羊颈后由活轴相连,形成一件精美的艺术品。

铜镜装饰。两汉是中国古代铜镜发展史上的繁荣时期,它的纹饰图案及装饰艺术特色集中体现了汉代的艺术风格及当时人们的审美思想,渗透着我国古代民族优秀的文化传统,是汉代工艺史上的一项重大成就。秦汉铜镜总的发展趋势是精致化、世俗化。背面的纹饰带三圈五圈不等,有的在纹饰带间穿插一圈或两圈文字(铭文),以表达人们的美好心愿。

秦代及西汉初期铜镜还沿用传统青铜纹饰,如蟠龙、蟠夔、蟠螭、蟠凤、云纹等,但这些纹饰都经过抽象化、图案化,写实成分基本已经没有了。西汉中期以后,这些纹饰渐渐废弃不用,代之以草叶、云气、涡纹、乳钉、绳弦纹等。西汉中期以后,随着社会享乐之风的漫延,铜镜花纹装饰也日渐富丽,花纹题材有四灵(龙凤龟麟)、禽兽、神话传说、历史故事等。镜形以圆形者为多数,也有方形的。镜背面纹饰核心有圆形、方形两种。纹饰核心为方形的圆形铜镜称之为规矩镜,如"规矩禽兽镜""规矩四神镜""规矩五灵镜"等,其中的精品多为少府所属尚方官手工场铸造。规矩纹镜是汉镜中相当精美的一类,"规矩纹"与四神、禽兽的组合是新莽至东汉前期最流行的铜镜图案,而其变体又延续流行到东汉末年。四神即青龙、白虎、朱雀、玄武,它们分别象征着东、西、南、北四个方位,又各自代表了春、秋、夏、冬四个季节。这种纹样也盛行于汉代,但它们不仅见于铜镜,还大量装饰在瓦当、石刻等上。东汉时的主要产品是各式神兽镜和画像镜。神兽镜和画像镜以浮雕手法表现主题图案。改变了以前以线条为主的方式,令图案更加醒目,这在艺术上是有意义的。制作纹饰的手法有刻画、镶嵌、浮雕等,东汉中期以前流行前两种,浮雕纹饰法产生并流行于东汉后期。

1977年雷麻乡长墩墓出土的汉"东王父西王母"镜,圆形,半球形钮,圆钮座。青铜钮座外饰一周小圆点纹饰,内区四个双环圆套四枚小尖乳丁,钮左右饰二神兽(一龙首,一兽首),上下饰仙人各一对,其神态一个盘膝而坐,另一个向坐者跪拜姿势,外饰"东王父西王母"等22个字铭文及一周栉齿纹,外区饰锯齿纹,双线水波纹各一周,缘呈斜面。

东汉三兽镜,圆形,球形钮,圆钮座。青铜,内区饰浮雕夔兽三只,一只屈体,两只伸尾,外铸铭文,栉齿纹各一周,外区饰栉齿纹,双层水波纹各一周。

西汉四乳禽鸟镜,圆形,圆钮,圆钮座,内外两周短斜线纹将镜背分为内外两区,内区凸弦纹,中间为四乳并穿插四对禽鸟,禽鸟两两相对,宽素缘。

合肥南门大钟楼工地发现的东汉半圆方枚镜,圆形,圆钮,圆钮座。主纹是八个方枚与半圆相间环绕,枚内有铭文不清。内有面朝钮座方向变形连弧纹,空隙处相间方形乳,宽素缘。

新仓镇桥东村发现的汉"十二地支"禽鸟规矩镜,圆形,半球形钮,柿蒂纹钮座。青铜,座外双线方框,框内排十二辰铭文,每字间一乳丁相隔。方框四角与V形纹相对,内区饰八只禽鸟,螭兽和八枚乳丁,外饰一周48字铭文和栉齿纹,缘饰锯齿纹和双线水波云纹。

店埠镇西山峥发现的汉四神规矩镜,圆形,镜面微凸,半球形钮,四柿蒂纹钮座,正方形外框相围,外区有对称乳丁纹12枚,相间有12地支铭文"子、丑、寅、卯、辰、巳、午、未、申、酉、戌、亥",为阳文篆书,双线外框,四边正中各外伸出一个"I"形符号与"L"形符号,四角又与"V"形符号相对,中间分别饰一颗近似圆状乳纹,将镜背的内区分为四方八等分,在四对"I"和"L"之间分别饰以青龙、白虎、朱雀、玄武四神兽,宽平缘,上饰两周锯齿纹,缘内有一周短线文,在四方八区纹饰带与短线纹带之间铸一周铭文"尚方作竟真大巧,上有山人不知老,饮玉泉"。

2002年合肥桃花店汉墓群东山墓区出土的西汉大乐富贵博局蟠螭镜,圆形,桥形钮,伏螭钮座,座外围以双线方格。方格各边框内有铭文,三边各四字,一边三字加一鱼纹,合为:"大乐富贵,得所好,千秋万岁,延年益寿。"方格之外为博局纹,博局纹形成的四方各饰有蟠螭纹一组,作弧形盘曲,各组的钮结形态均不一样。

西汉日光四乳单层草叶镜,圆形,弓形钮,方形钮座。座外一个细线小方格和一凹面大方格,格内铭文:"见日之光,天下大明。"方格外伸出双瓣一苞花枝纹,四乳钉及桃形花苞两侧各一对称单层草叶纹。连弧纹缘。

西汉蟠螭纹铭文镜,圆形,桥形钮,伏螭钮座,座外两个双线凸圆圈带。中间圆圈内有铭文带,内容是"大乐富贵,千秋万岁,宜酒食",以一鱼纹结局。圆周外伸出均匀对称的四株三叠式花瓣纹,将纹饰分为四区,每一区置一组蟠螭纹。四组蟠螭两两相对。主纹饰外有一周或两周绳纹圈带,窄高卷边。

2004年,合肥油墩汉墓出土的东汉八连弧圈带镜,圆形,圆钮,四叶柿蒂纹钮座,四叶间铭文"君长宜官",字形长方,笔画方折。钮外八连弧纹带,宽平素缘。

东汉方枚神兽镜，圆形，圆钮，圆钮座，座外一圈连珠纹，内区四神兽与四莲花相互穿插。其外一周半圆及方枚带，方枚内各有一字，文字不清。小涡纹缘。

2004年，合肥油墩汉墓出土东汉龙虎瑞兽画像镜，圆形，圆钮，圆钮座。座外四兽奔驰，短斜线外连续云气纹缘。

玉石工艺。秦汉玉石工艺，在传统基础上继续提高完善，其中最富特色也是空前绝后的是作为殓具的玉衣。玉衣又称玉匣，是汉代的皇帝和高级贵族所特有的殓具。它是将玉片用金属丝缀合而成的。按《续汉书·礼仪志》说，依身份不同，所用金属丝有金缕、银缕、铜缕三种。商周以来人们已开始用玉装殓，防止尸体腐烂，身上放玉璧、口中含玉、鼻孔塞玉、耳中填玉、两眼盖玉。汉代将"玉覆面"扩大为包裹全身的玉衣。

1975年，合肥建华窑厂出土的汉玉剑饰，一件玉饰，白玉质地较疏松，半圆形，一侧弧形，一侧两花瓣形，剖面呈圭形，素纹。一件玉剑镡，白玉，一角有红褐色沁，略成长方形，侧视为菱形，中间厚，两端薄，中部凸起一脊，中部有上下贯穿的椭圆形孔，正面饰浮雕勾连云纹。边沿刻弦纹一周。一件玉剑珌，青白色，局部边缘颜色为黑褐色沁。正视为长方形，一端下垂内卷，另一端长斜削下垂，下部镂雕矩形孔，孔内可见拉丝痕迹。表面浅浮雕勾连云纹。边沿轮廓刻一周弦纹。

1997年，巢湖市北山头一号汉墓出土的西汉鸟形玉饰，青玉。整器作一鸟形，尖喙，头身相连，卷尾，器身线刻有鸟眼及羽毛。西汉玉环，青玉质，正反面纹饰相同，均以阴线刻两条弦纹，弦纹间饰涡纹。西汉玉贝，青白玉。器呈爪子状，正面中间刻一道较深的竖槽，槽两边刻数道斜线纹，背面光滑无纹饰。

西汉勾连云纹玉管饰，青玉质。柱状，由三节组成，上节略细，中下节稍粗。中贯穿一圆孔，全身饰卧蚕纹。

西汉谷纹玉珩，青玉质，体扁平弧形，有齿，两面均刻谷纹。谷点较凸。

西汉白玉谷纹璧，白玉质，体扁平圆形。身饰谷纹，谷纹颗粒较凸出。

西汉白玉镂空龙形觿，白玉质，褐色浸，体扁形，身呈 S 形回首龙，龙有前后两爪，龙尾略向下弯曲呈尖角状。

西汉玛瑙觿，酱黄色，半透明。器似一条泥鳅，弧背，身扁圆，尾部略作锥形，全身有褐色自然纹。器表光滑。

西汉蝉形玉口琀，白玉，呈半透明状，微有灰斑。器作蝉形，正面有中脊，背面较平整。两侧和下端圆弧处较薄，无纹饰。

西汉柿蒂纹玉粉盒，白玉质。器口部镶嵌铜扣使口部呈子母扣状，直壁，近底部斜收，平底。盖形状与身完全相同。盖中心饰柿蒂纹，盖侧饰勾连云纹。器身壁采用隐起技法雕刻4只兽首，兽首间双线琢勾连纹，外底部纹饰与盖顶相同。

西汉带盖朱雀玉卮，青玉质，盖呈灰白色，器身颜色偏黄，有黑褐色沁斑，筒状，直壁，平沿，平底，三矮足，盖面微弧，下缘内收成凸榫状，于器口套合。器身一侧采用雕透和高浮雕技法刻琢一朱雀扳手，朱雀双目圆睁，冠羽分向两边，身外挺出一环状扳手，其腹部有"几"形刻纹。

1996 年，巢湖市放王岗西汉吕柯墓出土的西汉玉珌，呈长方形，横断面为菱形，下端平封，上端中间有一圆孔。

西汉玉七窍塞，由一对玉耳填和一对玉鼻塞组成。耳填呈上细下粗的柱状。鼻塞与耳填完全相同，柱状，两端圆径基本相等。

西汉白玉凤鸟觿，白玉质。整器作鸟形，鸟头部肥硕，喙部钻一小圆孔，卷尾作扁平锥状。两面均用细线阴刻圆眼和形象化的羽毛。

2002 年，合肥桃花店汉墓群东山墓区出土的西汉玉剑珌，青玉，全身白色沁，束腰梯形，横断面作梭形。两面素纹。一侧头部中央有三个圆孔，中间大，两侧小。

西汉龙形玉佩，青玉，有白色沁。佩体扁平，通体镂空，作盘曲龙形，龙嘴微张，体呈连续形，腹部上拱，中间有一穿孔。全身阴线刻画，布满涡纹。边缘有阴刻轮廓线，两面纹饰相同。

2003年，合肥市青阳北路工地发掘出土的西汉白玉蝉，蝉体扁平，中心稍厚，边缘薄，头部为平头，双目外凸于两侧，以寥寥数刀雕出蝉的头、胸、腹、背及双翅，腹纹宽窄相等，双翅与尾部呈三角形出锋尖。此种雕刻技法为汉代典型特点。

漆器工艺。秦汉漆器工艺，是中国漆器发展史上的一个高峰，制作之精远胜前朝。秦汉墓出土的漆器以饮食器和妆奁器为主，造型比较轻巧，较多使用薄板卷木胎和夹纻胎，纹饰偏重平面彩绘云气、圆点纹、波折纹和几何形勾连纹。秦代漆器品种据考古发掘可知有漆盒、盂、奁、壶、漆卮、漆樽、耳杯、漆勺、漆匕、漆木梳等器物。大多是里红外黑。此外还有漆棺、髹漆的兵器、乐器和杂用器。绝大多数画面盛行三分式布局，有的作四分式，构图繁缛而不紊。据分析，漆器花纹的绘制方法主要有三种，使用最多的是漆绘，其次是油彩和针刻。此外还有"堆漆"技艺。

西汉后期的漆器，出土数量较前期少，但出土地点比前期多，西汉后期漆器以江淮地区出土最多，保存最好。东汉时期的漆器，进一步减少，大概是因为青瓷器的崛起改变了社会风气的缘故。东汉漆器工艺值得特别提出的是，漆器附件除金扣、银扣外，还有绿松石、玛瑙、珍珠等，而且在附件上刻镂或镶嵌出流云、鸟兽、花卉等精美的纹饰，这从一个侧面反映出漆器工艺向其他领域转变的迹象。

合肥地区出土的汉代漆器，数量品种丰富，造型精致，工艺考究，形制典雅华丽，堪称精品。

巢湖放王岗一号墓出土漆器338件，北山头一号墓出土漆器35件，北山头二号墓出土漆器18件，以木胎为主，分为旋木胎、斫木胎、卷木胎和少量夹纻胎。器表以黑漆为主，内里多施红漆。花纹多采用红、褐、灰三色绘制，常见的有云纹、几何纹、花草纹和鸟兽纹。有的纹饰细致流畅，构图严谨；有些则粗狂豪放，不拘一格。绝大多数花纹以双线勾勒再填色，少数以针刻画（锥刺）成极细的花纹再着色，更显精巧纤丽。器物种类有案、耳杯、奁、盒、盆、盘、六博棋盘、樽、卮、豆柄杯、几、瑟、勺、车轮、仗、盾牌、伞柄、鸟头饰和黛板、漆木板等20种。[①]

1996年,在巢湖市放王岗西汉吕柯墓中出土漆木器500多件,器形有耳杯、盒、盆、奁、壶、樽等,其中绝大多数为耳杯,从一个侧面反映了当时上流社会嗜酒的习俗。

从合肥地区出土的漆器可以看出,汉代的工匠已具有高超的绘画技术,用笔娴熟,线条细致、流畅,构图布局工整、对应。漆绘的主要颜色有黑、赭红、金黄、银灰四色。基本画法有单描、双勾、平涂和堆漆几种。花纹有明有暗,十分柔和、协调,显得既富丽,又有美感。部分器物的底部(锥)刻画有文字。

书法艺术。秦汉书法在中国书法史上占有重要地位,各种书体已基本臻于完备,秦篆汉隶体现博大的时代精神,玺印篆刻艺术也很发达。秦小篆字体严整清秀,具刚劲圆润之美,但笔画圆转,写起来较费力,所以当时又有隶书流行,至汉代隶书成为主导。秦小篆流传下来的不多,现有《琅邪刻石》和《泰山刻石》,以及少量的量器和衡器上的昭书、汉墓出土的竹简等。汉代书法遗迹非常丰富,有碑刻、帛书、简牍等。汉隶的形式很多。汉墓中发现的帛书和简牍,自由随意,行笔流畅。

巢湖市唐咀水下遗址出土的玉印章,是一枚在漆黑乌亮的新疆和田玉上刻制双面印,阳文有边框,无钮无孔,印面呈正方形。长2.3厘米,宽2.2厘米,高0.8厘米,该印制作精良、章法严谨、笔势圆转,笔画平方正直。一面印文是箴言"慎斋",另一面是"护封"。"慎斋"取自《论语·述而第七》:"子之所慎:斋,战,疾。"意思是说国君应慎重对待斋戒祭祀、战争和疾病。"护封"是用于密封书信内容的印章,先秦及秦、汉的印章多用作封发物件,把印盖于封泥或信的封口之上,以防私拆泄密。早期一般使用的是姓名印,到了汉以后出现了专门用于书信的印章。"护封"印一直沿用到民国时期。另有一枚动物

---

① 《巢湖汉墓》。

图案的肖形印,覆斗钮,上有穿孔可以佩带。边长 1.2 厘米,高 0.8 厘米,穿孔直径 0.1 厘米。采用铸印工艺制作。这枚肖形印细部刻画清晰,层次丰富,但是钤盖在纸上,动物身上的纹饰却看不出来,这并非由于纹饰锈蚀的结果,而是在制作时这些纹饰就不在同一个平面上。汉以前,文书大都写在竹木简牍上,为避免简牍泄密,就在写好的简牍外,再加上一块挖有方槽的木块并用绳子捆扎,把绳结放入方槽内,加上一块软泥,在泥上按捺出印文。于是干后硬化的软泥,就是今天看到的"封泥"。此章用于封泥上,呈现在封泥上面并非是深浅一致,呆板的轮廓图像,而是层次丰富的立体浅浮雕像。同时出土的银印章,是一枚中有穿孔的银质两面印,因为有穿孔可以佩带,所以又叫"穿带印"盛行于汉代。用刀凿(刻)而成,边长 1.2 厘米,印台高 0.8 厘米,孔径 0.2 厘米。正反面都是阴文人名"辕差",有边框,细字体一面还有日字界格。笔画略取曲势,刚柔相济,印面丰满庄重,浑厚典雅。

1996 年,巢湖市放王岗西汉吕柯墓出土西汉"吕柯之印"玉印,灰白色,方形座,覆斗形纽,顶端桥纽下横穿一孔。有边框,印文阴刻篆书"吕柯之印",字体工整,笔画圆润。

1997 年,巢湖市北山头一号汉墓出土西汉"曲阳君胤"青玉印,青玉质,玻璃光泽,色黑褐色。覆斗形纽,横穿一孔。印呈方形,阴雕"田"字格,有边栏,篆刻"曲阳君胤"4 字。曲阳君胤即刘安的母亲,是汉文帝将淮南国内的一个县封赐给刘安母亲,以示封赏。①

1980 年,肥东发现的一枚汉铜章,铜质,呈梯柱形,上窄下宽,上部饰桥形耳,印面正方形,印面阳文篆书"静斋"两字,印文清晰,俊秀。边长 1.8 厘米,通高 1.9 厘米,底座高 1.1 厘米。重 45 克。

2002 年,合肥桃花店汉墓群东山墓区出土的西汉橛钮铜印章,方形,有边框,印面阴文,字体残损不详,印背为覆斗状,上接橛钮,橛下端有圆孔。印文残损。印宽 1.6 厘米,高 2.6 厘米,重 12 克。

---

① 陈立柱:《北山头一号汉墓主人只可能是刘安母亲》,《文物研究》第 22 辑。

巢湖北山头一号墓在一些比较珍贵的陪葬品上都刻有零星的文字资料，这些陪葬品都是墓主人生前使用的，在使用过程中为了便于区分、排列和表明归属而做上了文字记号，它们主要集中在银器、漆器和铜器上。内容一般是针对器物本身，记重量、记容量、记序列、记方位、记工匠、记器物名称、记年代、记主人等。墓中出土了七件银器，因为银器在战国秦汉时期是十分珍贵的，为了防止被人调换或磨损减重，主人在每一件上都用很细的针尖刻画上了铭文，字体比较随便，极细的线条被浮锈所掩盖，不易被人发觉。在一个直径30.5厘米的银盘的底下面除了有"铢、两"等记重的文字以外，还意外地发现了有"乘舆"二字。古代这二字仅限用于宫苑陵庙等处，"乘舆"二个字的发现表明该器是皇家的御用之物。一些纹饰和造型都极其精美的漆器上也有铭文，其中有一个漆盘的底部刻画的铭文是"廿三（年），工木为右宫曹私宫。四升半。今田巷。今东宫"。字体刻工不同，大小不一，系先后几次分别刻成等字样，"廿三（年）"是记年。"今"表示该器易地或易主，意为原属某地某人，现改属某地某人。是新主人做的记号，"今田巷""今东宫"表示该器由原主人传给了田巷，然后又传给了东宫。"东宫"在战国时期和汉代，专指皇太子居所。出土铜鼎上的铭文有"泰官""大官""右般"等字样，《汉金文录》收有"泰官"鼎，楚有"大官厨"，齐有"齐大官右般北粲人"，又有"齐食大官右般"等记载，"泰官""大官""右般"皆是皇室内的馔食机构，负责宫中的餐饮。这些都是皇室赠予刘安家的。

第七章
三国时期的合肥

"三国"历史始于何时？白寿彝《中国通史》第 5 卷提出："建安元年(196)曹操迫汉帝迁都许昌,架空皇帝,结束了汉朝统治,揭开了三国鼎立的序幕。"①这个论断有一定道理。合肥地区的三国历史始于何时？大体自袁术向江淮扩张,到曹氏、孙氏相继崛起,争夺江淮,合肥被置于军阀混战和魏吴激烈争夺的过程中。这个历史时段可从中平六年(189)献帝立开始,到孙吴后主孙皓天纪四年(280)灭亡结束,近一个世纪。

在这一个世纪中,控制合肥局势的实际政治势力变换了三次,标识了三个阶段。

第一阶段(189—199)：袁术坐镇寿春、合肥,吞并扬州,扩张势力,与袁绍、曹操对立。建安二年(197)袁术称帝,建号仲氏,奢侈荒淫,横征暴敛,江淮地区残破不堪,民多饥死。后部众离心,先后为吕布、曹操所破,建安四年(199)呕血而死,江淮地区陷入一片混乱之中。

第二阶段(200—239)：曹操脱颖而出,灭袁术,伐袁绍,平定中原。建安五年(200),表刘馥为扬州刺史,建刺史治所于合肥,经略扬州,谋划合肥为中心的扬州发展。曹丕以后持续经略合肥。大略同时,孙策孙权崛起,联合周瑜、鲁肃等江淮世家大族,以东南六郡为基地,向北扩张,争夺合肥。双方以合肥为争夺焦点,发生战争 20 余次。曹氏基本控制江淮局势。

第三阶段(239—280)：司马氏控制曹魏政权,曹氏"三少帝"和孙吴"三后主"争夺合肥。

上述三个阶段,第二阶段,是合肥迅速发展的重要阶段。曹操祖孙三代经略合肥,为谋划江淮发展做出了重要贡献。在曹叡驾崩之后,孙吴政权显露强势,越长江占据合肥以南庐江郡,施行屯田,促进了生产发展。

魏吴争夺合肥的历史时期,无论曹氏还是孙氏,都努力推行仁

---

① 白寿彝《中国通史》第五卷第一章《三国的鼎立》。

政，以爱民、惠民相尚，藉以赢得百姓拥戴、巩固自身政治基础。他们兴修水利，发展生产，平息动乱，安定人民，推动社会发展，这些都具有社会进步意义。

这一时期的合肥，虽然战争阴霾密布，合肥地区的军民坚持发展生产，尤其是曹操建置扬州刺史治所于合肥，合肥行政级别提升，迅速成长为江淮地区政治、经济与文化中心。

第一节　东汉末年江淮地区乱象丛生

东汉末期，袁术浮现历史舞台，亦非偶然。

汉灵帝中平六年（189），西部凉州军阀董卓进京，发动政变，另立9岁刘协为帝，是为献帝。董卓自任太尉，独擅朝政，倒行逆施，诛杀异己。朝廷百官不能自安。世贵世胄的袁氏集团首罹大难，"太傅袁隗、太仆袁基及其家尺口（婴儿）以上五十余人"惨遭杀害①。是以袁氏家族率先起而反击董卓。初平元年（190），手握重兵的渤海太守袁绍联合关东州郡，兴兵讨伐董卓，海内州郡举兵响应者多达18支队伍。② 这18支队伍的领袖人物，大多成为即将登场的"三国"群雄。其中，袁氏家族，曹操为首的曹氏、夏侯氏，孙坚为首的孙氏等豪杰，执锐居前，迎战董卓"婴其锋"③，取得初步胜利。

袁氏兄弟袁绍袁术，本是两个势力最强、人望最高的政治集团。其四代祖袁安而下，"四世三公，势倾天下"④。所以讨伐董卓，袁氏登高一呼，成为联军盟主。

董卓面对关东联军强大阵势，暴露了虚弱本质。初平元年

---

① 《后汉书·献帝纪》。
② 《三国志·袁绍传》。
③ 《续后汉书》卷二四《赞》。
④ 《三国志·袁绍传》。

(190),董卓"挟持"献帝西徙长安(今西安)。临行洗劫洛阳金银珠宝、文物图籍,焚烧宫庙、官府和市井居家,胁迫洛阳数十万居民一同西迁,洛阳远近"二百里内无复孑遗"①,四野皆空。

董卓西逃,局势发生重大逆转。袁氏为首的联军内部暴露了致命的弱点,他们战略上放弃追击董卓,转而热衷于各自扩张地盘。袁绍占据北方四州;袁术向南扩张,占据九江郡,试图以江淮为地盘,建立基业。袁氏率先谋私,群雄步其尘,全国上下各自为政,明争暗斗,形成四分五裂的局面。

占据九江,袁术控制了寿春、合肥,暗藏着做皇帝的美梦,最后终于上演了僭越称号的闹剧。虽然这场闹剧从一开始就注定了失败的下场,然而,袁"术图为僭逆,攻没诸郡县"②,扩张兼并的战祸不断强加给合肥及其周边地区,激起了江淮地区的强烈反抗:袁术三次武力驱逐扬州刺史,兼并扬州所属郡县;合肥地区反兼并的战争亦异常激烈;袁术部属孙策,因为袁术猜忌而自立,联合周瑜,聚会历阳(今安徽和县),举事独立;曹操脱颖而出,迎战二袁;袁术在登基称帝的怪圈中败亡,庐江太守刘勋乘机劫持袁术余部及其财宝,复又为孙策周瑜所驱逐;合肥地区成为各种政治势力角逐的漩涡。

一、袁术占据九江,控制寿春、合肥

董卓篡政,拉拢袁术,拜为"后将军",袁术畏惧受祸,出奔南阳(郡治宛,今河南南阳市),另谋它图。董卓西逃,袁术兄弟内部发生冲突,相互争夺政治领导权而失和。袁绍联合曹操攻击袁术。初平四年(193),陈留一战,袁术遭受重创,率军奔九江寿春,占据扬州。

袁术为何南下占据九江、扬州?

最重要的原因,看中了九江郡的地理优势。九江郡位于江淮之

---

① 《后汉书·董卓传》。
② 《三国志·刘繇传》。

间，领有14个县邑和封国①。境内有寿春、合肥、历阳等名都大邑。历阳（今和县），原为扬州刺史治，由于寿春、合肥两大商业城市崛起，东汉中期，扬州刺史治自历阳移治寿春，成为东南诸郡的首府。各郡县前往刺史治府寿春，大多要走长江—巢湖—合肥一路，最后到达寿春，合肥、巢湖处在这条交通线路的重要位置。秦汉以来，因为巢湖发育扩大，水运发达，寿春成为全国著名淮上大都，江淮地区政治、经济、文化中心。寿春、合肥颈联，合肥也成为著名的商业都会，所谓"输会"之地。

扬州，幅员辽阔，领有六郡，物产丰殷。其江淮之间有九江、庐江2郡；江东有吴（郡治吴县，今苏州市）、会稽（郡治原为吴县，后析治山阴，今绍兴市）、丹阳（郡治宛陵，今宣州市）3郡；江西1郡，即豫章（郡治南昌县，今南昌市），后来孙策从豫章又析分出庐陵郡。

江淮之间，庐江、九江二郡毗邻，两郡环绕巢湖，钟灵毓秀，气候温和湿润，著名鱼米之乡。庐江郡，领有12个县邑和封国。物产富庶，经济发达，有国家建置的"楼船官"②，造船和训练水军，出产"黄金""铁""麒麟""白雉"（野鸡）。二郡境内，合肥、浚遒（今肥东县）、成德（今长丰县）、囊皋（今巢湖市）、居巢（今巢湖市）以及舒（在今舒城与庐江间）、历阳部分区域，属于今合肥市政区，尤为豪强所瞩目。

袁术武力占据九江，亦非一帆风顺，连续驱逐三任扬州刺史。东汉后期，一些刺史、州牧是地方割据势力，或者为地方势力所拥戴，或者因为自己势力强大而自署，而由中央任命的实权都较小。

原扬州刺史陈温驻扎九江，袁术全然无视其名州大藩高级官员，"杀扬州刺史陈温"，宣称"自领"扬州，兼"徐州伯"。③

袁绍针锋相对，另外选任袁遗领扬州刺史。袁术拒绝袁遗，发兵攻击。袁遗溃败，逃向沛（今江苏沛县），为乱兵所杀。袁术又任用陈

---

① 《后汉书·郡国志》。
② 《汉书·地理志》。
③ 《后汉书·袁术传》。

瑀为扬州刺史。①

兴平元年（194），汉朝廷颁发诏书，拜刘繇为扬州刺史。② 献帝虽然虚有其位，这份诏书表明了朝廷的政治态度，不承认袁术任命的扬州刺史。刘繇受命，"畏惮袁术"，不敢赴寿春，另择江南名邑曲阿（今江苏丹阳市），重建扬州刺史治，开府治事。

袁术试图拉拢刘繇，派遣属下丹阳太守吴景和丹阳都尉孙贲，前往曲阿迎接刘繇。

刘繇原为朝廷侍御史，思想观念正统，反对袁术拥兵自重，派兵驱逐吴景、孙贲二人，以防袁术军事兼并。吴景、孙贲被迫率军"退屯历阳"③。刘繇派遣部将樊能、于麋、张英率兵跟踪追击，越过长江，分别驻屯横江、当利口（历阳境内长江渡口）等关隘，抵御袁术军事兼并与袭击。

袁术增派兵力，选任亲信大吏惠衢任扬州刺史，提升吴景为督军中郎将，共同率军进击刘繇。双方在历阳境内僵持不下，形成军事对峙局面。

袁术自持兵力强盛，一方面出兵攻击刘繇，一方面又策划攻打庐江，战火燃向庐江，庐江人民开展了反抗袁术兼并的乡土保卫战。

二、庐江吏民殊死反抗袁术兼并

庐江郡隶属扬州，袁术发兵攻打庐江郡，理由是庐江不听袁术调遣。

兴平元年（194），袁术下令向"庐江太守陆康求米三万斛"，又命令庐江"委输兵甲"④，提供各种军用物资。庐江太守陆康原为朝廷"议郎"，属于正统的汉室官员。袁术武力手段占据九江，无端弑朝廷

---

① 《资治通鉴》初平三年。
② 《资治通鉴》卷六一，兴平元年。
③ 《资治通鉴》卷六一，兴平元年。
④ 《资治通鉴》兴平元年。

命官,陆康十分愤慨,"以其叛逆,闭门不通",①断然拒绝袁术指令。袁术恼怒,发兵攻打庐江。

袁术调遣名将孙坚之子孙策,领兵攻打庐江郡。他虚伪地向孙策说:我原先说过,让你任九江郡太守。后来"错用陈纪,每恨本意不遂",很后悔。这次你去攻打陆康,夺取庐江郡,"庐江真卿有也!"②一定让你担任庐江太守。

孙策不信任袁术,但是意欲建功立业,于是"屈意"接受了这次任务③。

陆康固守庐江,"内修战备,将以御之",严阵以待,做好了应付袁术军事打击的准备,迎接一场反抗兼并的军事搏斗。

陆康就任庐江太守,已经10年,深得庐江士民爱戴和拥护。《后汉书·陆康传》记载,陆康出身吴郡陆氏名门,祖父陆续、先父陆褒均有"志操"。陆康延续祖风,"以义烈称"闻,"举茂才",连任数郡县,有政绩,敢言善谏。汉灵帝中平二年(185),朝廷敛财"铸铜人"。陆康上章批评:"岂有聚夺民物,以营无用之铜人。"得罪"内侍"宦官张让等,被"谮",罢官。张让事败,陆康又被朝廷征拜为"议郎"。恰逢庐江郡动乱,农民领袖"黄穰"领导农民起义,会合"江夏蛮,连结十余万人,攻没四县"。朝廷"拜陆康庐江太守",平息动乱。陆康赴任,"申明赏罚",宣教劝导,辅之以武力"击破"黄穰,庐江很快安定。陆康"以恩信为治",维护庐江社会安定,经济增长。史载,自灵帝中平二年(185)到献帝兴平元年(194),庐江每年向国家"遣孝廉,计吏奉贡",输送人才和贡赋。连年得到朝廷嘉奖,授予陆康"忠义将军,秩二千石",其孙陆尚因为陆康有政绩,受荫,拜为"郎中"。

孙策率兵围攻庐江郡,陆康率全郡吏民拼死抵抗。围攻愈急,抵御愈烈,孙策领兵"围城数重",陆康殊死"固守"。陆康平时爱护吏

---

① 《后汉书·陆康传》。
② 《三国志·吴书·孙策》。
③ 《资治通鉴》卷六二,建安三年。

士,深得人心。危急关头,吏民齐心协力,保卫乡土。有些吏士"休假"还乡,此时全部自觉"遁伏还赴",回郡效力。白天回不来,就"暮夜缘城而入",赴死参加这场惨烈的庐江保卫战。

　　陆康领导的这次反抗袁术兼并庐江的战争,最终因为孤立无援,"受敌二年,城陷"。庐江城破月余,陆康"发病卒,年七十"。这位"博学善政,见称当时"的太守,举全家老小,与全郡人民生死与共、为保卫庐江而战,最终殉节庐江热土。史载,陆康"宗族百余人遭离饥厄死者将半"。可见其弹尽粮绝之际,宁可"遭离饥厄死",也不投降袁术的款款之心。袁术生活上奢侈,穷于勒索,从不关注民生和社会经济,陆康抵制袁术,就是保护庐江人民不受袁术勒索,是向庐江人民奉献了拳拳爱民之心。

　　孙策鏖战两年,攻下庐江郡。凯旋之时,袁术再次爽约,不提任用孙策庐江太守之事,相反,"复用其故吏刘勋为太守"①,孙策愈加失望,精神备受打击。

　　袁术为什么不用孙策?其实,袁术很看重孙策的才华,"甚贵异之"②,但是他担心孙策难以驾驭,就像当年猜忌孙策的父亲孙坚一样。三年前,孙坚与袁术"同盟结好"③,联手讨伐董卓。孙坚出征,袁术提供粮草补给。孙坚击败董卓前锋胡轸、吕布军,斩杀华雄,连连大捷,兵临洛阳城下,直逼董卓之时,有人向袁术潜言:"坚若得洛,不可复制。"袁术竟然听信谗言,猜忌孙坚,停运军粮,贻误战机。这次袁术又犯老毛病,猜忌孙策。孙策亦看穿袁术,无容人之量,暗自盘算离开袁术,独立发展。

三、孙策、周瑜举事历阳

　　孙策寄身袁术篱下,屡立战功,却不受重用。孙坚旧部下朱治向

---

① 《三国志·吴书·孙策传》。
② 《三国志·吴书·孙策传》裴松之注。
③ 《资治通鉴》卷六十兴平元年。

孙策指明"袁术政德不立",劝孙策"归取江东"①。孙策接纳了朱治意见。

庐江战事已毕,历阳战事仍然僵持,袁术进逼刘繇,"岁余不克"②。孙策趁机请缨,出征刘繇,帮助吴景等平定江东。《江表传》记载,孙策面见袁术,表示"愿助舅(指吴景)讨横江",并且表明攻下横江之后,即奔江东召募军队,帮助袁术"匡济汉室"。袁术知道孙策心中有"怨",因为急于要驱逐刘繇,同意孙策出征。他认为"刘繇据曲阿,王朗在会稽",孙策未必能成大势,"故许之"③。

兴平二年(195),孙策21岁。出征前,袁术归还其父孙坚的"旧部、宾客(谋士)",由孙策统领。孙策由此得"兵、财千余,骑数十匹,宾客愿从者数百人"④。孙策被表"折冲校尉,行殄寇将军",这个军衔不显,但有了光明正大的领兵资格。所得兵马不多,资财很少,却都是孙坚旧部和亲信宾客,全是精锐骨干。孙策志在"建功立事",这是他创业"举事"的宝贵力量。

孙策外托袁术之命,率军出征刘繇,内藏"归取江东",自创基业之志。此番出征刘繇,他邀请各路英雄,聚会历阳,召开了鲜为人知的"历阳会议"。

孙策领兵离开寿春,一路南下,经合肥,向历阳,驱驰于江淮间。沿途不免流连,这是他少年时代与挚友周瑜共"游万里路"的地方。这里物阜人丰,人杰地灵,世家大族辈出。孙策14岁时,游于庐江周家大宅,曾经与周瑜"升堂拜母",结为兄弟,孙策和周瑜共同生活两年。他和周瑜一起,"收合士大夫,江淮间人咸向之"⑤,在这一带有广泛而又深厚的社会基础。

---

① 《资治通鉴》卷六一,兴平二年。
② 《资治通鉴》卷六一,兴平二年。
③ 《三国志·吴书·孙策传》裴松之注引《江表传》。
④ 《三国志·孙策传》。
⑤ 《三国志·吴书·孙策传》。

孙策"驰书报瑜"①,表达"建功立事"的宏愿和计划,邀请周瑜襄助,期望周瑜联手,约定聚会历阳。

此时周瑜正在从父周尚所任太守的丹阳郡（郡治宛陵,今安徽宣城）省亲。表面上省亲,实际上在游历考察,体察天下形势,可能也得到周尚的任用。周瑜接到孙策书信,立即"将兵迎之,仍助以资粮"。从军队与军用物资两个方面帮助孙策。周瑜所"将兵"和所助物资、粮食,显然都是其从父周尚处得到的。②

孙策见到周瑜,大喜:"吾得卿,谐也。"胡三省释曰:"谐,偶也,合也。"③意思是周瑜一来,大事就好办了。战争时期,有了粮食,就可以扩充人马,壮大力量。孙策的队伍随之扩充。他们在"历阳,众五六千"④。这与孙策寿春出发相比较,人马壮大了好几倍。

历阳战事迅速发生变化,僵持一年多冷战局面转为激烈拼杀。刘繇进一步调集数郡兵力增强历阳防御,双方艰苦博弈,经历了三个阶段。

第一阶段,江北战场,位于历阳境内。双方激战于横江、当利等长江关隘,刘繇将领樊能、张英等最终败走。

第二阶段,"牛渚"和"秣陵"战场。《郡国志》记载:丹阳郡秣陵县（即今南京市南）南,有牛渚。即当涂县采石。攻打牛渚,十分艰难,孙策受伤,"被创牛渚",攻守"复反"数次,最后合力"攻讨"牛渚,"尽禽"敌众。牛渚战场,缴获很多粮谷、战具,军队消耗的资源迅疾得到补充。接着,转战秣陵。刘繇战将薛礼屯军据守秣陵城,笮融屯军守秣陵县南。孙策、周瑜全力以赴,击溃了守将,夺下了秣陵城。

第三阶段,曲阿战场,这是刘繇刺史治所在地。进击曲阿之前,孙策率军迂回转战梅陵（今安徽南陵）、湖孰、江乘（二县隶丹阳）等邑,所向披靡,皆下之。取得了曲阿外围战场的多次胜利,扩大战果,

---

① 《三国志·吴书·周瑜传》。
② 《三国志·吴书·周瑜传》。
③ 《资治通鉴》卷六一,兴平二年。
④ 《三国志·孙策传》。

补充人马和资源,然后集中兵力围攻曲阿。刘繇抵挡不住,兵败,奔走丹徒(今江苏镇江市),转奔豫章(郡治南昌县,今南昌市)。

孙策率军入曲阿,劳赐将士,发布告谕:"凡刘繇、笮融等故乡部曲来降首者,一无所问。"旬日之间,四面云集,人马壮大,兵二万余人,马千余匹,威震江东。①

孙策下一步,引兵向东,直趋吴、会稽与山越(今徽州境内越民)。他向周瑜致谢,说:"吾以此众,取吴、会,平山越,已足。卿还。"同时,派遣吴景、孙贲赴寿春向袁术通报战况。

孙策、周瑜二人合谋策划历阳、牛渚之战,取得一系列胜利,打败了刘繇在这一带的军事力量,奠定进军江东的基础。此前孙策母亲吴夫人"先自曲阿徙于历阳"②,当是参加了孙策、周瑜一系列战斗的谋划。早年,孙坚南征北战,吴夫人一直相随。孙坚旧部、宾客,诸如朱治、韩当、黄盖等名将,她都有交往,常参与论事。史称吴夫人:"助治军国,甚有裨益。"③

历阳、牛渚之战对于孙策以后的发展是重要的一步,在这里孙策聚集了数千精兵,为东进江东奠定了基础,打败刘繇,也坚定了信念。此前他便有江东发展的想法与思考,此次与周瑜合作取得成功,也奠定了以后彼此合作共谋大业的基础。应该也是在这里,具体制订了进攻江东的详细计划与战略战术,可以说江东孙吴政权建设的初步基础是在江淮之地奠定的。

孙策告别周瑜,率众转战江东,所向皆破,莫敢当其锋。袁术处心积虑驱逐刘繇,却失去了孙策等一群优秀的军事骨干力量。可惜袁术不自知,反而野心膨胀,试图改元称帝,自酿灭身之祸。

---

① 《三国志·周瑜传》。
② 《三国志·孙策传》。
③ 《三国志·吴夫人传》。

四、袁术僭越称帝，自取灭亡

孙策、周瑜发起战役，迅速夺取合肥东南的历阳地区，继续越长江进攻扬州刺史刘繇。刘繇难以抵挡，败走豫章，不久病卒于豫章。这时，淮河以南的政治格局发生变化，江淮、江东全部为袁术占有。

北方局势也出现新的变化，建安元年（196）秋 7 月，献帝在随驾公卿百官护持下，自西京长安（今西安市）东返洛阳。献帝虽然形同傀儡，毕竟是皇帝。他回到洛阳，豪华洛阳宫已经在两年前被袁术烧毁荡尽①，献帝只能驻跸原宦官赵忠的宅内，饮食不济，君臣百官又饥又乏，"尚书郎以下自出采稆，或饥死墙壁间，或为兵士所杀。"②稆即穞，一种自生的禾苗，一幅惨不忍睹的景象。

袁术坐拥扬州六郡，"带甲数万"③。他毫无护主接驾之意，反而图谋僭越自立。"自以为有淮南之众""土地之广"④，又出身名门望族，"累世公侯"，父亲是当朝司空袁逢，"天下豪杰，无非故吏"，具有很强的优越感，称帝的欲望十分强烈。袁术先用图谶造势，云："代汉者，当涂高也。"袁术字"公路"，暗合谶文；他大会群下，试探说：刘氏天下衰微，海内鼎沸，我袁家四代是国家重臣，百姓都愿归附于我。我应该秉承天意，顺应民心，现在登基称帝，大家意下如何？袁术还作出一个可笑的小动作，他扣押名将孙坚的遗孀吴氏，"拘坚妻"，夺取吴夫人收藏的"传国玺"，自以为得到宝器，是天命所归。汉献帝派遣太傅马日磾，作为使者"杖节"联络袁术，授袁术左将军，进封阳翟侯，期待袁术举兵勤王。可是，袁术眼中早已没有朝廷，他夺了马日磾的符节，扣押马日磾，马日磾愤懑不已，客死寿春。袁术的一举一动，充分暴露其处心积虑幻想当皇帝的野心。

---

① 《三国志·袁绍袁术传》。
② 《资治通鉴》卷六二，建安元年。
③ 《后汉纪》卷二八，建安二年。
④ 《资治通鉴》卷六二，建安元年。

建安二年(197)秋7月,袁术在寿春称帝,"自称仲家",建号"仲氏"。袁术以寿春为京城,按照天子规格广置公卿百官,任命九江太守为"淮南尹"①。合肥隶属"淮南尹"而成为"京畿"之地;命名"门曰建号门";在寿春城南北建筑祭坛,率领百官举行"郊祀天地"大典。②在后宫,袁术广纳妻妾数百人,穿戴豪华艳丽,食品精美,"衣被皆为天子之制,两妇预争为皇后"③。

袁术的登基大典,表面上热热闹闹,实质上人心冷淡,无人看好。《资治通鉴》记载了张范、陈珪、金尚3人拒绝加入袁术内阁,成为历史嘲讽。袁术聘用"处士张范"襄助帝业,被张范谢绝。陈珪原是袁术的好友,"少与术游",但是拒绝了袁术。袁术劫持陈珪次子为人质,试图强迫陈珪就范,陈珪回书:"欲吾营私阿谀,有死不能也!"金尚原为兖州刺史,乱世中投奔袁术。袁术登基,拜他为"太尉",金尚不从,并且逃离,被袁术抓回"杀之"④。本应拜为最高军事长官的人选,顷刻之间,成为刀下亡灵。如此草菅人命,暴露了袁术内心空虚和恐慌。

天下诸侯也普遍反对袁术称帝。孙策、吕布、曹操、刘备等率先"绝之"⑤,并与袁术兵戎相见,发动了军事战争。

孙策在江东,致书劝阻袁术,分析了僭越的10条危害,袁术不听,孙策发布檄文与袁术决裂,毅然脱离袁术而自立,顺势夺取了袁术署置的江东三郡,驱逐袁术任命的丹阳郡太守袁胤,任命吴景为丹阳太守,任命朱治为吴郡太守,自己兼任会稽郡太守,"尽更置长吏",三郡官员全部重新任命。孙策收复江东三郡之后,立即向江西进军,派遣孙贲率军攻夺豫章郡,领豫章太守。夺取豫章后,析分豫章郡部分土地,建置庐陵郡,任命从弟孙辅任庐陵郡太守。孙策拜"彭城张

---

① 《后汉书·袁术传》。
② 《后汉书·袁术传》。
③ 《三国志·武帝纪》裴松之注引《魏武故事》。
④ 《资治通鉴》卷六二,建安二年。
⑤ 《三国志·孙策传》。

昭、广陵张纮、秦松、陈端等为谋主",孙氏割据政权的框架基本构建。

袁术忙于称帝,曹操忙于"迎帝"。建安元年(196),曹操作出重大举措,迎接汉献帝,建都许县(今许昌市),"立宗庙社稷于许"①。当年十月,曹操以天子名义,下诏书指责袁绍袁术,"以地广兵多而专自树党",宣布二袁对抗朝廷的罪状,向二袁发起军事攻击。

吕布占据徐州,袁术"遣使以窃号告吕布",向吕布通报称帝,并为儿子聘吕布女儿为婚。吕布拒绝了袁术的儿女婚姻,捆绑袁术使者,"执术使送许",交给曹操。吕布之举,激怒袁术,袁术为了挽回"仲氏"皇帝脸面,遣大将张勋、桥蕤等与韩暹、杨奉连势,步骑数万,直趋下邳(今江苏睢宁古邳镇),攻打吕布。结果被吕布战败,"斩其将十人首,所杀伤堕水死者殆尽"。吕布会合各路军马,挥师"寿春,水陆并进",一直杀到钟离(今凤阳临淮镇),沿途"掳掠",然后回师"还渡淮北,留书辱术"②,大挫袁术威风。

袁术不堪其辱,意欲找回脸面,转头攻打陈郡(治陈留,今开封市陈留镇),曹操率军迎击。袁术大骇,留下张勋、桥蕤抵抗曹操,自己撤回淮南。曹操击破张勋、桥蕤,斩桥蕤,张勋逃走。袁术连连败北,"大将死众",兵力大为削弱③。

建安三年(198)冬,淮南大旱,饥荒、病疫流行。袁术称帝后,延续奢靡之风,生活腐败,开销无度,勒索不止,江淮之间民不聊生,"民多相食",许多地方人烟断绝。江淮出现人吃人的惨象。袁术臣下舒邵劝袁术散粮救饥民,袁术大怒,将斩舒邵,舒邵曰:"宁可以一人之命,救百姓于涂炭。"袁术无奈,只好作罢。袁术统御乏术,军中也发生粮荒,"士卒冻馁",饥寒交迫,"众情离叛";其部曲陈兰、雷薄等叛变,掠粮草奔于灊山(今安徽潜山县),啸聚为王。袁术人马锐减。

建安四年(199)夏,袁术走投无路,致书袁绍,申明将"帝号"归于袁绍,打算投奔袁绍长子袁谭,袁谭时任青州(位于今山东)刺史。曹

---

① 《资治通鉴》卷六二,建安二年。
② 《资治通鉴》卷六二,建安二年。
③ 《后汉书·袁术传》。

操发兵拦截，时刘备在曹操部下，曹操指派刘备率兵阻击袁术。袁术无法北进，只得回走。曹操穷追猛打，另外派遣严象为督军御史中丞，率军讨伐袁术。① 袁术只好退回寿春。军中无粮，又南下前往灊山投奔部曲陈兰，雷薄。陈兰等仅仅留下袁术三日。袁术士众又退回江亭（寿春附近），军中绝粮，仅剩下"麦屑三十斛"。时值六月盛暑，袁术欲得蜜浆解渴，无蜜，哀叹良久，曰："袁术乃至是乎！"呕血斗余而死。

袁术死后，曹操任命严象任扬州刺史。《三辅决录》记载："严象，字文则，京兆人，少聪博，有胆智，以督军御史中丞诣扬州，讨袁术。会术病卒，因以为扬州刺史。"②

袁术的皇帝梦，苟延残喘不到三年，完全土崩瓦解。江淮之地，汉代以来至于南北朝，叛离朝廷而自立者近十人，都想借助这里天然独立形势而割据一方，最终未有成功者。

五、孙策周瑜智夺庐江郡，皖城娶二乔

建安四年（199）袁术败亡，其"长史杨弘、大将张勋等，将其众欲就策。庐江太守刘勋要击，悉虏之，收其珍宝以归"③。袁术从弟袁胤、女婿黄猗率袁术余部，奉袁术棺柩，携袁术妻子家眷一同徙归庐江郡。

庐江太守刘勋，原为袁术部属，兴平元年（194），被袁术署为庐江太守。刘勋赴任时，庐江郡治舒县战后城垣残破，乃移治皖城（今安徽潜山县）。由于遭受旱灾，袁术余部及其妻子家眷人口众多，粮食供应不足。刘勋派遣从弟刘偕求米于上缭。上缭隶属豫章郡海昏县，位于豫章郡北部鄱阳湖之滨。刘勋命从弟刘偕赴上缭"籴米三万斛"，当地豪强宗帅不能足数供应，刘勋决定出兵攻打上缭。

---

① 《三国志·荀彧传》裴松之注。
② 《三国志·荀彧传》裴松之注。
③ 《三国志·孙策传》。

孙策此时正在江东石城（今江苏南京市），谋划西击黄祖，闻说刘勋掳掠袁术余部，立即调整战略部署，目光转向刘勋，谋划攻夺庐江郡。

孙策假意与刘勋联盟，配合刘勋攻打上缭，获取粮食。刘勋信以为真，"轻身"率军直趋海昏，出击上缭。孙策暗中调兵遣将，直趋庐江郡。派遣从兄孙贲、孙辅"率八千人于彭泽（今鄱阳湖北）待勋"，布阵伏击。自己会同"周瑜率二万人，步袭皖城"。

这是一场谋划周密的伏击战和攻夺战。刘勋出击上缭，悬军在外，孙策、周瑜乘其后院不备，率军向庐江进拔，临近皖城，二人"轻军晨夜袭拔庐江，勋众尽降"。刘勋出击上缭，行军至彭泽，遭遇孙贲、孙辅伏击，"勋走入楚江"，向寻阳（今江西九江市）撤退，途中"闻策等已克皖，乃投西塞，至沂，筑垒自守，告急于刘表，求救于黄祖"。黄祖派遣太子黄射，率水军"船军五千人助勋"，孙策回师夹击，大破刘勋，"勋独与麾下数百人"逃窜，最后"归曹公"①。

孙策、周瑜攻克皖城，占据了庐江郡，俘获袁术"百工（各类官员）及鼓吹部曲（嫡系家兵）三万余人，并术、勋妻子"②。孙策上"表用汝南李术为庐江太守，给兵三千人，以守皖"。

孙策、周瑜夺取庐江郡意义很大。江淮之间，唯有九江郡和庐江郡，夺取庐江郡，即占据江淮地区二分之一天下。此前，孙策已经占据江东三郡和江西二郡（豫章、庐陵），夺取庐江郡，孙策已经拥有六郡之地，地处长江中下游地带，资源丰富，钟灵毓秀，区域位置无比优越。孙氏凭借这六郡之地，建立霸业，最先形成鼎立天下之一足。

孙策、周瑜智夺皖城之后，又相传一桩历史佳话。二人在皖城意外获"得桥公两女，皆国色"③。两名美女成为孙策、周瑜的"战地新娘"，"策自纳大桥，瑜纳小桥"。孙策风趣地说"桥公二女，虽流离，得

---

① 《三国志·孙策传》。
② 《三国志·孙策传》。
③ 《三国志·周瑜传》。

吾二人作婿,亦足为欢"①。此言诚非戏言,孙策、周瑜本是一对结"总角之好"的发小,又是一对英武少年,孙策"为人美姿颜,好笑语,性阔达""士民见者,莫不尽心乐为致死""皆呼为孙郎"。周瑜"英隽异才""恩信著于庐江",会盟吴中,"吴人皆呼为周郎"。二人婚配二乔,世人皆传为美谈,诚为美女配英雄。

孙策、周瑜皖城娶二乔,其意义不止于男婚女嫁,政治意义十分深远。

其一,庐江周氏与吴郡孙氏世家大族联盟加固。有了二乔婚姻,孙策、周瑜成为连襟亲戚。孙策死后,孙权执政,两家关系进一步密切。孙权母后吴夫人和孙权一直信任周瑜,自始至终视为孙氏政权核心人物。吴夫人勉励孙权说:"公瑾与伯符(孙策字)同年小一月耳,我视之如子也。汝其兄事之。"

其二,庐江郡成为孙吴政权的外家之乡,庐江又是周瑜梓里,也是孙氏举家侨居之地。这三层意义,预兆庐江郡必将成为孙氏必争之地。

其三,周瑜加盟孙氏集团的政治态度进一步锁定。自历阳战役胜利,周瑜返回丹阳郡,交还丹阳郡兵。袁术发现周瑜借用丹阳郡兵,心中猜忌,立即派遣从弟袁胤赴丹阳,代周尚为太守。周瑜认为,历阳战役,并不悖逆袁术战略宗旨。于是,周瑜随同从父周尚一同返寿春,面谒袁术,为从父陈情。袁术观周瑜,"长壮,有姿貌",爱慕器重,"欲以瑜为将"。周瑜观袁术,"终无所成",没有直接拒绝,"求为居巢长"。居巢隶属庐江郡,属于袁术占据的扬州管辖,袁术接受了周瑜的要求,周瑜巧妙脱身。

周瑜任居巢长期间,继续对江淮地区的发展形势进行考察与研究,逐渐改变了对于袁术的认识。原先以"省亲"名义,投身丹阳太守从父周尚,因为丹阳郡隶属袁术。周瑜之所以对袁术抱有希望,一是因为祖上周荣与袁安同朝为官,两家有五代情谊;二是袁术旗帜鲜明

---

① 《三国志·周瑜》裴松之注引《江表传》。

讨伐董卓,值得肯定。通过深入考察,发现袁术割据淮南自保,僭越野心逐渐暴露,政治心胸狭窄,统御乏术,毅然离开袁术,寻求与孙氏联盟。

周瑜归吴之前,联络江淮士大夫,重点联络东城(今定远县)鲁氏,登门拜望鲁肃。二人议论时事,所见略同。约定一同加盟江东孙氏。时为建安三年(198),周瑜24岁,这时,周瑜社会历史观基本形成。他和鲁肃议论天下大势,说出了惊人之语:"当今之世,非但君择臣,臣亦择君。"①这是周瑜和鲁肃之间的对话,表达二人的政治思想,预兆他们联盟孙策,即将重新缔造一个具有崭新"君臣"关系的政治集团。

周瑜的"君臣"关系论,表明了周瑜联盟孙策的动机,也透露了周瑜远大理想。周瑜产生这一理想,亦非偶然。早在8年前周瑜就和孙策结下深厚情谊。中平六年(189)董卓入京作乱,周瑜父母罹难。次年,天下英雄奋起讨伐乱臣贼子董卓,孙坚一马当先,成为讨伐董卓名将。周瑜怀着国恨家仇,自庐江往寿春,拜望孙坚一家,见到孙坚之子孙策,二人同年,都是16岁,一见如故,"独相友善","推结分好,义同断金",结拜兄弟。周瑜迎接孙策母亲携全家弟妹,"徙家于舒",安居"周家大宅"。这段历史为周瑜联盟孙氏奠定了深厚根基。

建安三年(198),周瑜"自居巢还吴",会盟孙策。孙策"亲自迎瑜",任命周瑜"建威中郎将,与兵二千人,骑五十匹"。委以重任,防御长江军事险要关隘,出"牛渚"(今安徽马鞍山采石)、领"春谷长"(今安徽芜湖繁昌县)。拜周瑜为"中护军,领江夏(今武汉市)太守",共同谋划攻打荆州。

六、孙权再夺庐江郡

建安四年(199年),曹操听说孙策、周瑜夺取庐江郡,尤为敏感,

---

① 《三国志·鲁肃传》。

预感孙策不可小觑。《吴历》记载:"曹公闻策平定江南,意甚难之。常呼'猘儿难与争锋也'!"①猘,读音zhì,古指凶猛之狗、疯狂之犬。这表明曹操有后生可畏之感。

是时,袁绍势力方强,曹操必须集中主要力量对付袁绍,此时扼制孙策,心有余而力不足。既然"力未能逞,且欲抚之",曹操采取一系列安抚措施,拉拢孙策。首先利用"挟天子以令诸侯"的优势,代表朝廷加封孙策爵号,"表策为讨逆将军,封吴侯。"曹操又"以弟女配策小弟匡,又为子章取贲女,皆礼"。这两桩婚姻,都不是敷衍,而是慎重按礼数行事。此外,曹操又征"辟策弟权、翊"入仕,"又命扬州刺史严象举权茂才。"②至此,孙策昆仲四人全部被曹操征辟为汉室官员。其安抚不可谓不厚也。

建安五年(200),形势骤然变化。这年四月,孙策暴死于刺客暗算,孙权继任孙策之位,时年19岁。《资治通鉴》记载"曹操闻孙策死,欲因丧伐之",乘势攻打孙权,侍御史张纮劝阻。③曹操正逐鹿中原,谋划消灭袁绍,无力顾及东南,便接受张纮劝谏,继续对孙权实施安抚政策,"表权为讨虏将军,领会稽太守,屯吴。"曹操又另外作出一个"奇特"的决策,命侍御史张纮出任"会稽东部都尉",令张纮"辅权内附"④。这是曹操安抚孙权的长远谋略。表面上派遣张纮辅佐孙权,实际是筹谋张纮引导孙权归附朝廷。

孙权继位伊始,就遇到棘手难题,庐江太守李术招纳"亡叛"之徒,攻杀扬州刺史严象⑤,宣布独立。《江表传》记载:"初,策表用李术为庐江太守。策亡之后,术不肯事权。"孙权"移书"相劝,李术强硬答复:"有德见归,无德见叛,不应复还。"⑥如何应对庐江太守李术之变,这是孙权继任后遇到的第一个挑战和考验。

---

① 《三国志·孙策传》裴松之注。
② 《三国志·孙策传》。
③ 《资治通鉴》卷六三,建安五年。
④ 《资治通鉴》卷六三,建安五年。
⑤ 《三国志·荀彧传》裴松之注。
⑥ 《三国志·孙权传》裴松之注。

孙权果断决策举兵征讨，夺回庐江郡。举兵之前，效仿兄长孙策，周密谋划。先致书曹操，列举李术杀害扬州刺史严象之罪，应当讨伐，要求曹操主持公正。《江表传》保留了孙权写给曹操的这封书信，曰：

"严刺史昔为公（曹操）所用，又是州举将，而李术凶恶，轻犯汉制，残害州司，肆其无道，宜速诛灭，以惩丑类。今欲讨之，进为国朝扫除鲸鲵，退为举将报塞怨雠，此天下达义夙夜所甘心。术必惧诛，复诡说求救，明公所居阿衡之任，海内所瞻，愿勅执事勿复听受。"①

孙权这封书信，申明了自己举兵讨伐李术的理由，堵死了李术求援曹操的后路。当年十月，孙权"举兵攻术于皖城"，直接指挥了围攻皖城的战争。皖城是庐江郡临时郡治。李术"闭门自守，求救于曹公，曹公不救。"李术孤立无援，粮食"乏尽"，被孙权俘虏"枭首"。孙权收编李术"部曲三万余人"，顺利收回庐江郡。庐江战役，完全符合孙权的战前预测，展露了孙权不凡的智慧和胆略。

由以上的叙述可以看出，袁术带来江淮地区的混乱，西至大别山麓，东到历阳江滨，尤其是孙策、孙权初期，有意于江东立足，建立一方割据政权，这就需要保有庐江郡，以确保沿江上游的安全，不惜屡次攻打庐江。在合肥地区内部，尤其是巢湖一带，占湖为王的人也不少，鲁肃就差一点加入其中。《三国志·鲁肃传》记载：

刘子扬与肃友善，遗肃书曰："方今天下豪杰并起，吾子姿才，尤宜今日。急还迎老母，无事滞於东城。近郑宝者，今在巢湖，拥众万馀，处地肥饶，庐江间人多依就之，况吾徒乎？观其形势，又可博集，时不可失，足下速之。"肃答然其计。葬毕还曲阿，欲北行。会瑜已徙肃母到吴，肃具以状语瑜。时孙策已薨，权尚住吴，瑜谓肃曰："昔马

---

① 《三国志·孙权》裴松之注。

援答光武云'当今之世,非但君择臣,臣亦择君'。今主人亲贤贵士,纳奇录异,且吾闻先哲秘论,承运代刘氏者,必兴于东南,推步事势,当其历数。终构帝基,以协天符,是烈士攀龙附凤驰骛之秋。吾方达此,足下不须以子扬之言介意也。"肃从其言。瑜因荐肃才宜佐时,当广求其比,以成功业,不可令去也。

原来,在巢湖之中就有一支军队,以郑宝为首,拥众万余,庐江郡很多人依从其中,以至于鲁肃的朋友刘子扬要鲁肃快点加入,而鲁肃也认为加入很好,要不是周瑜的劝阻,差一点就成为其中的一员。江淮地区东汉后期反抗政府的义军层出不穷,如今郑宝啸聚巢湖,也是乱世下层人民求生的一个门路。据记载,郑宝骁勇果决,材力过人,为一方所敬畏,是当时合肥地区颇讲侠义而有聪慧过人者。除郑宝外,还有张多、许乾、陈策等,也是各拥部曲,占据一方者。如陈策有众数万,在庐江大山之中,临险而守,曹操军队曾久攻不下。

介绍鲁肃认识郑宝的朋友刘子扬,名晔,子扬是他的字,九江成德县人,[①]就是今天合肥西北部一带人。他是汉光武帝的儿子阜陵王延的后人,高族大名,饱学之士。少年时代就有异于常人之举。青年时代,当时著名的人物评论家许劭,就是说曹操是"治世之能臣,乱世之奸雄"的那个人,避地扬州,见到刘晔认为他"有佐世之才"。作《三国志》的陈寿评论刘晔等扬州士人曰"扬士多轻侠狡桀",用今天的话说就是重义轻死而且富有智谋。刘晔后来成为曹操、曹丕与曹叡三代谋臣,就是智谋上胜人一筹。刘晔之所以介绍鲁肃加入郑宝一伙,当然是因为乱世之中,刘晔看到郑宝不同凡响。其时郑宝正在谋事,希望刘晔等大族能够与之唱和,驱使百姓到长江之滨,把事业做大,从而有一番作为。适逢曹操派遣使者来到合肥,刘晔知道曹操是群雄之中出类拔萃者,就利用郑宝的信任,设计刀斩郑宝,并将其部众献给庐江太守刘勋。当时刘勋兵强于江、淮之间,后为孙策所败,投

---

① 《三国志·刘晔传》。

奔曹操。后来曹操来到寿春,讨伐庐江郡陈策等叛乱,用的就是刘晔的计谋。以后刘晔成为曹操的心腹,每有"疑事,辄以函问晔,至一夜数十至耳"。曹操时刘晔曾为行军长史,类似于军队参谋长,深得曹操信任,曹丕时官至侍中,尤为皇帝亲近。魏明帝曹叡时刘晔做到大鸿胪、太中大夫等。少子刘陶也高才多能,官至平原太守。[①]

此时江淮大地与中国其他地方一样,一片混乱,群雄错出,各据一方。有识之士正处在"非但君择臣,臣亦择君"之际,扫视天下,想有作为。周瑜、鲁肃等后来帮助江东孙氏,建帝业于建康,立东吴于江左。而刘晔、蒋济、胡质、仓慈等"扬州名士"则帮助曹操,成就统一北方伟业,所谓江淮群翠,南北各属也。

第二节　曹操经略合肥,确定基本方针

合肥地区战略地位之重要诚如顾祖禹所言:

(庐州)府为淮右噤喉,江南唇齿。自大江而北出,得合肥则可以西问陈、蔡,北向徐、寿,而争胜于中原;中原得合肥则扼江南之吭,而拊其背矣,盖终吴之世曾不得淮南尺寸地,以合肥为魏守也。[②]

所以如何守住合肥,成为曹操巩固北方、争取南进发展必须考虑的大方针。

建安五年(200),庐江太守李术杀扬州刺史严象;孙权出兵围攻皖城,夺回庐江郡。这两件事情连累合肥地区动荡不安。扬州失控,曹操不能坐视不问,依据扬州历史和区位特点,长谋远虑,他作出两

---

① 《三国志·刘晔传》及裴松之注引《傅子》。
② (清)顾祖禹《读史方舆纪要》卷二六南直二,中华书局2005年版。

大决策：

第一，重建扬州刺史部，移治合肥，谋划扬州发展。合肥位于江淮之中，环绕巢湖与庐江郡毗邻，移治合肥，便于控制庐江郡。合肥有巢湖通长江，得长江中下游之地利，便于沟通江东三郡和江南诸郡。

第二，安抚孙权。江淮之间，唯有九江与庐江两郡。经略扬州，毋必安抚孙权，免于二郡武力交兵，以求稳定扬州。孙权继承孙策开创的"六郡"之地，努力夺取与保有庐江，显示了能文能武的才华，孙氏集团气势旺盛，"难与争锋"。对于曹操来说，北方战事正紧，实施安抚谋略，有利于集中兵力扫荡北方割据的群雄。曹操加封孙权爵号，派遣侍御史张纮任"会稽都尉"，期待张纮"辅权内附"，即是曹操意欲政治手段解决双边关系的战略思想。曹操执政时期，坚持对孙权安抚为主，征讨为辅的战略。

曹操这两项决策，比较符合江淮地区社会实际，有利于江淮地区社会稳定与发展。曹操也试图采用军事战略，武力统一东南和全部南方地区，未能如愿。"赤壁之战"证明了武力统一南方的历史时机尚未成熟。

一、曹操谋划合肥发展方略

曹操谋划合肥发展，亦非一蹴而就。不断摸索制定适应合肥区域特点的政治策略，推进合肥地区发展，四次亲临合肥视事，调整和改进合肥区域方针与政策。

袁术死后，江淮一片混乱，建安五年（200），曹操别具慧眼，看中了合肥，重建扬州刺史部，移治合肥。扬州的辖境原来很大，共计6郡78县，县邑、侯国92个，区域范围覆盖今安徽、江苏、浙江、江西、湖北、福建等多个省的全部或一部分。现在除了九江郡之外都在孙吴势力的控制之下。扬州原治寿春，曹操移治合肥，也是为了以后扬州发展的考虑，这里已在孙吴势力的前沿。建安五年（200）"上表"献帝,获准移治合肥,建置扬州。

扬州州治由寿春移至合肥,虽然只是一小段距离,意义很大。首先,合肥卧于江淮之中,东连江东,南接庐江和江南,内涵巢湖,"所谓南临江湖",有利于环顾扬州原有属地,深藏重新恢复扬州的玄机。其次,合肥在巢湖之滨,毗邻庐江郡,形成对于占据江滨之地孙权势力的扼制之势。

这一决策实施,合肥陡升二级,由原来县级建制,提升为九江郡和扬州刺史治所,名义上下辖6郡和数十县邑、侯国,江淮地区全部包含在这一行政区划范围之内。合肥的战略地位骤然提升,成为曹操经略东南地区的政治经济中心,军事上具有划长江而守的深远用意。曹操合肥经略有两个阶段,一是表刘馥为扬州刺史,直到建安十三年刘馥去世,扬州一直在刘馥治下。二是建安十四年曹操到合肥,重新整顿扬州吏治,确定扬州地位,以后又三次前往合肥,史称"曹操四越巢湖"。

(一)刘馥与合肥发展

刘馥,字元颖,沛国相(今安徽淮北市)人。为人有才华,有见胆识。在东汉末年曾到扬州避乱,对淮河以南多有了解。建安初年(196),刘馥以敏锐的目光辨认社会局势,确认袁术昏暗,不如曹操英明,游说袁术部下将领戚寄、秦翊等,率领人马弃暗投明,"俱诣太祖",投奔曹操。曹操十分赏识刘馥,"辟为司徒掾",留为幕府谋士。建安五年(200),重建扬州,需要用人之际,曹操上表举荐刘馥,预言刘馥"可任以东南之事,遂表为扬州刺史"[①]。这是曹操重建扬州战略计划的重要组成部分。刘馥成为曹操重建扬州的首任刺史。

刘馥单骑赴任,见到的是战乱中留下的合肥空城,所谓"单马造合肥空城"。刘馥不负所望,白手起家,从头做起,安定百姓,招抚流亡,劝导生产,修建衙署、规划城池。自建安五年(200)到建安十三年

---

① 《三国志·刘馥传》。

(208)死于扬州刺史任上,八年呕心沥血,精心经略,实践曹操的战略路线,推动江淮社会经济、文化得到恢复与振兴,政绩斐然,"扬州士民益追思之。"①其中四大政绩惠及合肥人民。

一是加固合肥扬州城。

《三国志·刘馥传》记载:刘馥受命扬州刺史,"单马造合肥空城,建立州治。"何谓"州治"? 就是要把原先经历战争创伤的合肥旧县城,改造为一座新城。这是一项重大的土木建筑工程,必须符合"州治"级别,也需要兼顾战争年代备战的社会实际。刘馥着眼于时局,规划建筑了一座坚固的合肥城,"高为城垒,多积木石,编作草苫数千万枚,益贮鱼膏数千斛,为战守备"。据考证,刘馥修建的合肥城大约在今天合肥市水西门外肥河西北一公里处,这是合肥城市建筑史上重要的一页。② 刘馥修建的这座城池,后来历经数十次战争的洗礼和考验。第一次战争是建安十三年(208),这年刘馥病卒,孙权出兵合肥。史载:"孙权率十万众攻围合肥城百余日。时天连雨,城欲崩,于是以苦蓑覆之,夜然脂照城外,视贼所作而为备,"城中戍军,坚守城池,终于赢得了扬州州治合肥城保卫战的首场胜利。

二是兴修水利,推行屯田。

曹操早在建安元年(196),就采纳枣祗、韩浩的建议,推行屯田制。曹操发布的第一道《屯田令》说:"夫定国之术,在于强兵足食。秦人以急农兼天下,孝武以屯田定西域,此先代之良式也。"是岁,曹操慕民屯田许下,得谷百万斛。试验成功,立即推广各地,"州郡例置田官,所在积谷。"刘馥赴任合肥,积极贯彻曹操"强兵足食"战略思想,"广屯田,兴治芍陂及茹陂、七门、吴塘诸堨,以溉稻田",大力兴修水利,奖励农业开垦和耕种,推动农业生产发展,促进社会经济迅速恢复与兴盛。茹陂在今河南固始东南,东汉末扬州刺史刘馥开凿。七门堰原是西汉初羹颉侯刘信兴建,在舒县境内,是在七门岭下阻河

---

① 《三国志·刘馥传》。
② 陈怀荃:《安徽地名发展概说》,《黄牛集》。

筑堰,曰"七门",引水东北,发展农耕,灌田8万余亩。七门堰建设充分利用自然陂、荡、塘、沟,形成自流灌溉网络。

数年之间,"官民有畜",粮食积累丰殷,连年向曹操补充粮饷。鱼米之乡著称的合肥,成为支援曹操军队供需的粮仓。刘馥主持兴修的"陂塘之利",惠及合肥子孙后代。

三是兴学重教。

刘馥在任期间,重视文化教育,"聚诸生,立学校",兴办教育,"数年中恩化大行",合肥民风向善,社会文化教育迅速得到发展。后来读书人刘整、郑像在反对东吴诸葛恪侵犯合肥的斗争中,能不屈气节,勇敢赴死,应该说与刘馥重视教育事业是有关系的。

四是招安匪众,安集流民,"百姓乐其政"。

袁术死后,庐江梅乾、雷绪、陈兰等各聚众数万在江、淮间,残破郡县,造成社会动乱。他们分处在大别山以及其他山中、湖汊,经常出来骚扰各地,尤其是合肥周边。刘馥采取教育措施,申明赏戒,宣教谕理,第二年先后招降梅乾、雷绪等,[①]《三国志》还记载"南怀绪等,皆安集之"。社会很快安定,"百姓乐其政,流民越江山而归者以万数。"[②] 这里"越江山而归",是指长江以东以南的流民回到合肥,和迁入大别山以及其他山里的百姓,回到合肥一带定居。江淮地带的劳动生产力得到了补充,完全改变了原先"合肥空城"的景象。

刘馥死后不久,曹操派朱光为庐江太守,[③]继续刘馥屯田发展的做法。朱光重开吴塘、乌石二陂以灌溉稻田。乌石陂又称乌石堰,在今潜山县西北15公里。孙吴赤乌年间又在历阳县(今和县)建筑铜城堰,《读史方舆纪要》卷29称其"周回百里,溉田三千顷"。曹魏正始二年(241),齐王芳"欲广田畜谷,为灭贼资",令邓艾行陈、项以东至寿春,在淮河南北广兴水利,遍开屯田。光绪《寿州志》记载,邓艾

[①] 《资治通鉴》卷六三,建安五年。
[②] 《三国志·刘馥传》。
[③] 关于朱光任庐江太守的时间,文献没有确切记载,或者以为建安十九年(214),或者认为建安十四年(209)。此处从后说。

行重点整治芍陂,"淤者疏之,滞者浚之"。经过数年的不断努力,芍陂工程进一步完善,灌区面积不断增大,"沿淮诸镇,并仰给于此",促进了包括合肥在内的广大淮南地区经济的进一步发展。甘露二年(257),诸葛诞据寿春,反对司马氏专政,在一个月内"敛淮南及淮北郡县屯田口十余万官兵,扬州新附胜兵者四五万人,聚谷足一年食"[①],反映了当时淮河以南地区的农业得到了很好的发展。

二、曹操四次视事合肥

曹操执政期间,一共四次视事合肥,分别是建安十四年(209)、建安十七年(212)、建安十九年(214)和建安二十一年(216)。

合肥军事问题、政治问题很多,尖锐而又事关全局。曹操一次又一次视事合肥,不断制定和修改适应合肥本土特征的政治、军事、经济、文化战略,促进合肥进一步发展。

一是建安十四年第一次视事合肥。

建安十三年(208),合肥发生了两件重大的事情:其一,刺史刘馥病逝,封疆大吏折损。其二,孙权率十万大军围攻合肥。

这两件大事,对曹操来说,孙权围攻合肥,尤为火急。孙权围攻时间长达三个月,自建安十三年十二月至次年三月,"孙权围合肥久不下",[②]据《三国志·刘馥传》记载,因为刘馥规划合肥城池,建筑十分坚固,所以孙权久攻不破。其实,这个说法,并不全面。应该看到,孙权围攻合肥"久攻不下",有其战略上的用意。建安十三年(208)冬十月,曹操五十万大军南征孙权刘备,周瑜率水军迎战于赤壁。孙刘联合抗曹,孙权投入赤壁之战的水军只有3万。十二月,"孙权率十万众攻围合肥城百余日",[③]其战略目的,以合肥拖住曹操,分解曹操的兵力。孙权围攻合肥的同时,派遣张昭"攻九江之当涂",当涂,位

---

① 《三国志·魏书·诸葛诞传》。
② 《资治通鉴》卷六六,建安十四年。
③ 《三国志·魏书·刘馥传》。

于九江郡,侯国。应劭释曰:"禹所娶涂山,侯国。"即今蚌埠市怀远县一带。"赤壁""合肥""当涂",同一个战役的三个战场,"孙权自将围合肥"①,长达3个月,军事目的在于缓解周瑜赤壁之战的压力。这个问题,陈寿看的很清楚,他指出"孙权为备攻合肥"②。果然,曹操获悉孙权围攻合肥,立即派遣将军张憙率军援救合肥。这年冬天长江一带发生流行病,曹操军中"大疫,吏士多死者乃引军还"③。曹操撤军,瘟疫只是表面原因,骨子里也有孙权围攻合肥的军事因素。

"孙权围合肥",一直延续到建安十四年(209)三月。历史见证,孙权围攻合肥的军事战略达到了预期目标,曹操不仅从赤壁前线撤军,而且亲自率军南下,驱驰合肥。足见曹操心目中合肥地位之重要。而孙权最后撤走,与蒋济的谋策也有很大关系。

蒋济字子通,楚国平阿(今怀远)人,当时为扬州府别驾,孙权军队久攻合肥,曹操派遣张憙带领一千骑兵,并从汝南郡得到一些兵员前来解围,"颇复疾疫",行动迟缓。在危急之下,蒋济就与扬州刺史密谋,假称得到张憙的来书,有四万大军已到零楼(大别山东麓),蒋济私下里让刺史派出主簿前往迎接张憙,又派出几起使者,一部分假持张憙来书告诫城里守将,说营救大军很快就到,一部分则进入城内,还有一部分故意为孙权军队捉住,让孙军知道张憙所领大军即将到来。在这种情况下,"权信之,遽烧围走,城用得全。"④后来蒋济先做丹阳太守,再改做扬州别驾。曹操认为,蒋济回到了扬州,扬州就没有什么可担心的了,可见他对蒋济的信任。有人诬告蒋济谋叛,"太祖闻之,指前令与左将军于禁、沛相封仁等曰:'蒋济宁有此事!有此事,吾为不知人也。此必愚民乐乱,妄引之耳。'促理出之。辟为丞相主簿西曹属。"曹丕时蒋济为丞相长史,曹叡时赐爵关内侯,齐王芳时官至太尉。

---

① 《资治通鉴》卷六五,建安十三年。
② 《三国志·武帝纪》。
③ 《三国志·武帝纪》。
④ 《三国志·蒋济传》。

建安十四年（209）7 月，曹操率水军，由谯城（今安徽亳州市）出发入涡水，由涡水到淮水，再经肥水，到达合肥。曹丕同行。曹操驻扎合肥半年，吊唁死亡吏士，抚恤死者家属，制定一系列政策措施，谋划合肥地区的防守与安顿方法，至 12 月返回谯郡。① 半年之中，曹操在曹丕襄助下，做出了很多重要举措。撮其要者胪列如次：

第一，进军居巢，赶走孙权在合肥周边的驻军。当时臧霸"从讨孙权，先登，再入巢湖，攻居巢，破之"②。打开合肥外围之地，对于合肥的防守十分重要。

第二，平息寇乱，稳定江淮局势。刘馥在合肥曾招抚一些占山为王者，但是如袁术部下陈兰等一直啸聚在大别山一带，有众数万人，占据天柱山为寇，占据六、潜等地，甚至曾攻下安丰县城。也经常流窜合肥庐江郡各地，横行江淮之间十多年。建安十五年（209），曹操命张辽督领张郃、朱盖等部，率军讨陈兰，又派遣于禁、臧霸等率军讨在皖城一带的梅成。

剿寇任务非常艰巨，寇众数万，曹操调集的兵力有限，不过都是精兵强将。张辽、于禁、张郃，皆属曹操身边著名"时之良将，五子为先"的勇将。③

于禁首战告捷，梅成率众三千余人投降。于禁遣散之后，领兵还。梅成掉头与陈兰合伙，转入灊山，藏于天柱山。

张辽率军追击到天柱山下，察看地形，"天柱山高峻，20 余里道险狭"，山路仅仅容一人步行。陈兰、梅成等构建工事，"壁其上"，④易守难攻。张辽毫不迟疑，率军追击。诸将向他提出："兵少道险，难用深入。"张辽坚持率军进山，说："此所谓一与一，勇者得前耳！"步行 20 余里，抵达天柱山下，安营扎寨，封守山口，分兵攻之。张辽与山中陈兰相持，军中缺少粮食，于禁"运粮，前后相属"，供给张辽。终于战败

---

① 《三国志·武帝纪》。
② 《三国志·臧霸传》。
③ 《三国志·张辽传》。
④ 《三国志·张辽传》。

陈兰、梅成。陈兰、梅成斩首,其余全部俘虏,一举端了陈兰、梅成天柱山老巢,扫除了骚扰合肥的主要祸患,为重建扬州,稳定人心,提供了安定的社会环境。

在张辽进击陈兰的过程中,曹操又派臧霸带领一支部队至皖城,进讨吴将韩当,"使权不得救兰。当遣兵逆霸,霸与战於逢龙,当复遣兵邀霸於夹石,与战破之,还屯舒。"逢龙在皖城西北,夹石即今舒城与桐城交界的大关,是一个重要的关口,韩当两战皆败,臧霸顺利返回。孙权又派遣数万人的大军乘船进入龙舒河的河口,也就是入巢湖的湖口,想从巢湖方向直接救助在潜山的陈兰,"闻霸军在舒,遁还。"臧霸深夜追击退却的吴军,等到天蒙蒙亮,追击一百余里,终于赶上吴军,然后部署军队,前后夹击敌人,"贼窘急,不得上船,赴水者甚众。由是贼不得救兰,辽遂破之。"①

张辽进击陈兰的时间,《张辽传》没有明确指出,繁钦《征天山赋》:尝云"建安十四年十二月甲辰,丞相武平侯曹公东征临川,未济,群舒蠢动,割有潜、六,乃俾上将荡寇将军张辽,治兵南岳之阳"②,可以知道,张辽荡寇时间大致在建安十四年十二月至十五年初。

曹操在合肥其间还收服了被孙策打败的刘勋,荡平九江、庐江两郡众多的农民义军与匪盗。一些扬州名士如刘晔等就是这个时候归从曹操的。

第三,建置军事驻防,留下七千兵力,由张辽、乐进、李典统领,戍守合肥,驻屯居巢。合肥原来只有地方性的州兵防守,至此才有国家军队正式驻屯,大大加强了合肥的防守能力。

第四,颁发《辛未令》,亦称《抚恤令》③,令曰:"自顷已来,军数征行,或遇疫气,吏士死亡不归,家室怨旷,百姓流离,而仁者岂乐之哉,不得已也。其令死者,家无基业,不能自存者,县官勿绝廪(官府粮仓),长吏存卹抚循,以称吾意。"这对于长期受到战乱之苦的合肥地

---

① 《三国志·臧霸传》
② 《资治通鉴》卷六六引,建安十四年。
③ 《三国志·武帝纪》。

区尤其有着安抚的意义。

第五,"置扬州郡县长吏",建立健全各级政府机构,选任各级官员。主要是任命温恢为扬州刺史,朱光为庐江太守,任命淮南人仓慈为淮南"绥集都尉",蒋济为丹阳太守等。《三国志·温恢传》记载温恢出为扬州刺史,太祖曰:"甚欲使卿在亲近,顾以为不如此州事大。故《书》云:'股肱良哉!庶事康哉!'得无当得蒋济为治中邪?"其时蒋济为丹阳太守,曹操于是遣蒋济回到扬州为别驾,辅佐温恢。又对张辽、乐进等人说:"扬州刺史晓达军事,动静与共咨议。"见出曹操对于温恢的重视。仓慈,字孝仁,淮南人也。始为郡吏。建安中,太祖开募屯田于淮南,以慈为绥集都尉。黄初末,为长安令,清约有方,吏民畏而爱之。太和中,迁敦煌太守,是一位政绩卓著的治吏。[①]

第六,布置屯田。仓慈的"绥集都尉",其职责即招抚流民兴办屯田。据《仓慈传》记载,仓慈字孝仁,淮南人也,"始为郡吏",即他本来就是扬州淮南郡人,可能即合肥人,是以熟悉本地情况,对于农业也生产较为关注与熟悉,是以会被任命主管屯田工作。仓慈自建安十四年为绥集都尉,经营淮南民屯,直到黄初(220—226)末才迁任长安令,这说明自建安五年(200)刘馥在淮南兴办的民屯,直到黄初末年都没有间断,这是合肥地区能够恢复发展的基础。

二是建安十七年第二次视事合肥。

建安十七年(212)十月,曹操率大军步骑四十万抵合肥,征孙权。本次曹操来合肥的背景是,去年吴寻阳守令吕蒙进袭皖城,导致皖城魏军屯田部队,部分守军投降。在巢湖一带,权欲作坞,诸将皆曰:"上岸击贼,洗足入船,何用坞为?"吕蒙曰:"兵有利钝,战无百胜,如有邂逅,敌步骑蹙人,不暇及水,其得入船乎?"权曰:"善。"于是筑建之。濡须口,即巢湖流向长江的濡须水水口,在巢湖有水口,在入长江也有。孙权在濡须口夹濡须水构建军事工事"濡须坞"[②],当在今含

---

① 《三国志·仓慈传》。
② 《三国志·孙权传》。

山东关镇濡须坞,又曰濡须城,形似偃月,又称"偃月坞",主要是防御曹军进一步南下,又可保护吴军进军巢湖,进一步争夺合肥。

建安十八年(213)正月,曹操进军至濡须口。两军交兵,曹操突破濡须坞,进攻孙权江西营寨,俘获孙权都督公孙阳。①

孙权亲自率众七万抵御曹操,相守月余。曹操坐油船,夜渡洲上(长江江心的沙洲地),袭击孙权。孙权派遣猛将甘宁担任前部都督,统领三千人马,围堵曹操水军。曹军失利,三千多人被俘,还有数千人溺水。孙权乘胜挑战,曹军坚守不出。

孙权又密令猛将甘宁,黑夜袭击曹军。甘宁挑选手下健儿百余人,直接抵达曹操营帐,拔鹿角(营寨防御工事),逾垒入营,砍下数十首级。曹军惊骇鼓噪,举火如星,查询情况。曹军惊魂未定,甘宁率众已还营,作鼓吹,欢呼,庆贺胜利。②

孙权又亲自乘轻船,从濡须口进入曹操军前,观察曹操虚实。诸将皆以为是挑战者,欲击之。公曰:"此必孙权欲身见吾军部伍也。"乃敕军中严阵以待,弓弩不得妄发。权行五六里,回还作鼓吹。曹公见舟船器仗军伍整肃,喟然叹曰:"生子当如孙仲谋。"③《魏略》记载不尽同:"权乘大船来观军,公使弓弩乱发,箭著其船,船偏重将覆,权因回船,复以一面受箭,箭均船平,乃还。"④这段历史,后来被《三国演义》编成"草船借箭"的故事。

两军相持月余,不分胜负。孙权写信给曹操,说:"春水将要发生,长江将要涨水,你赶快离去吧。"又在另外一页纸上写了一句:"足下(指曹操)不死,孤(孙权)不得安。"曹操阅读后,对身边诸将说:"孙权不欺孤!"下令撤军,引军北还。

本次战役,曹操军队陆军开始进展顺利,但随着水军失利,战争形势发生变化,曹军尽管在数量上大大超过吴军,但孙权敢于乘船到

---

① 《三国志·武帝纪》。
② 《三国志·甘宁传》裴松之注引《江表传》。
③ 《三国志·孙权传》裴松之注引《吴历》。
④ 《三国志·孙权传》裴松之注引《魏略》。

曹营观其士气,说明吴国水军战斗能力超强,对于魏军并不惧怕。曹操只得撤军。

三是建安十九年第三次视事合肥。

建安十九年(214)七月,曹操率军抵达合肥,应对孙权的军事挑衅。

庐江太守朱光在皖城屯田。这里水田肥美,收成甚好。朱光还与鄱阳湖里的义军联系,准备让他们做内应。这让吕蒙感到危险,进言孙权尽快除去朱光。于是建安十九年五月,孙权亲率大军进攻皖城,俘获庐江皖城男女三万余口,并庐江太守朱光。① 驻守合肥的张辽听说孙权进军皖城,立即率部前往援助,但是到了夹石听说皖城被孙权攻陷,便退了回来。吕蒙做了庐江太守。这样一来,合肥以南的防守地带成了吴军的前沿,对合肥造成威胁。七月,曹操获悉庐江皖城遭受袭击,不顾傅干等人谏阻,忿然举军亲征孙权。但是,孙权袭击庐江之后,即坚守江西,不肯出兵。曹操十万"士马不能逞其能,奇变无所用其权","军遂无功",②十月回师。

曹操离开合肥前,命张辽"与乐进、李典等将七千余人屯合肥"应对孙权,自己则回师征讨张鲁,预料孙权会继续骚扰合肥,乃命护军薛悌,拿着写好的密函前往合肥,署函边曰"贼至乃发"。果然,第二年孙权举十万大军来攻合肥。《三国志·张辽传》对于当时情形有细致的描述:

乃共发教(指曹操密函),教曰:"若孙权至者,张、李将军出战;乐将军守护军,勿得与战。"诸将皆疑。辽曰:"公远征在外,比救至,彼破我必矣。是以教指及其未合逆击之,折其盛势,以安众心,然后可守也。成败之机,在此一战,诸君何疑?"李典亦与辽同。於是辽夜募敢从之士,得八百人,椎牛飨将士,明日大战。平旦,辽被甲持戟,先

---

① 《三国志·孙权传》。
② 《三国志·武帝纪》裴松之注引《九州春秋》。

登陷陈,杀数十人,斩二将,大呼自名,冲垒入,至权麾下。权大惊,众不知所为,走登高冢,以长戟自守。辽叱权下战,权不敢动,望见辽所将众少,乃聚围辽数重。辽左右麾围,直前急击,围开,辽将麾下数十人得出,馀众号呼曰:"将军弃我乎!"辽复还突围,拔出馀众。权人马皆披靡,无敢当者。自旦战至日中,吴人夺气,还修守备,众心乃安,诸将咸服。权守合肥十馀日,城不可拔,乃引退。辽率诸军追击,几复获权。太祖大壮辽,拜征东将军。

这就是著名的张辽大战逍遥津。先是张辽募得八百勇士,头一天晚上饱餐一顿,第二天黎明时分便冲入敌阵,张辽一人先是砍杀数十人,斩杀吴军的两员战将,大呼自己的名字再一次冲入孙权跟前,致使孙权不知所措,在众人保护下退到高岗,张辽大声呵斥孙权不敢上前应战。又先后数次冲入吴军阵营,一直战到中午,张辽气势恢宏,镇住了吴军。孙权围守合肥十多天乃撤退,撤退时又遭到张辽军队的追击,孙权几乎被捉住,吴军死伤甚多,合肥保卫战取得完胜,显示了张辽勇猛精进的进击精神。

《李典传》也有对于李典情况的简单描述:"迁破虏将军。与张辽、乐进屯合肥,孙权率众围之,辽欲奉教出战。进、典、辽皆素不睦,辽恐其不从,典慨然曰:'此国家大事,顾君计何如耳,吾可以私憾而忘公义乎!'乃率众与辽破走权。"李典本人好学问,贵儒雅,从来不与诸将争功。敬贤士大夫,"恂恂若不及,军中称其长者。"年三十六死于任上。至今合肥紫蓬山上还有李典的坟墓。

这是一场以少胜多的著名战例,严重挫败吴军争夺合肥的信心,奠定了魏军在江淮地区的优势地位。此后吴军虽也有进犯之举,但多不能改变魏军的优势地位。后来曹操来合肥,特意视察张辽击退孙权大军的逍遥津战场,十分感慨,并慰劳重奖有功将士。后世史家孙盛评曰:

夫兵固诡道,奇正相资,若乃命将出征,推毂委权,或赖率然之形,或凭掎角之势,群帅不和,则弃师之道也。至於合肥之守,县弱无援,专任勇者则好战生患,专任怯者则惧心难保。且彼众我寡,必怀贪堕;以致命之兵,击贪堕之卒,其势必胜;胜而后守,守则必固。是以魏武推选方员,参以同异,为之密教,节宣其用;事至而应,若合符契,妙矣夫!①

这一仗,后来被罗贯中在《三国演义》中改编为"张辽威震逍遥津"。而曹操的神机妙算,则被改编为诸葛亮"锦囊妙计"的故事。

四是建安二十二年(217)曹操第四次视事合肥。

本年,曹操率水师趋合肥,南征孙权,正月驻扎居巢,二月进军。②

这次南征,曹操提前四个月准备,加强水师军事训练,"亲执金鼓以令进退",做好充分准备。多次与孙权军队打仗都是输在水军能力不足上。这时曹操已经63岁,身患疾病,仍然亲征合肥,说明他对合肥防务的重视。

孙权在濡须口筑城拒守,曹操进军屯住江西郝谿,向孙权发起进攻。③ 孙权退兵,"令都尉徐详诣曹公请降。"曹操立即"报使修好,誓重结婚"④。曹操这次南征孙权,获得了圆满成功。三月,曹操引军还邺。留夏侯惇、曹仁、张辽等屯居巢,多余军队,加固合肥防御。

三、曹操四视合肥的主要政绩

总结曹操对于合肥、江淮的经略,突出的有以下几方面。

一是建"置扬州郡县长吏",恢复合肥吏治。

先是袁术占据寿春,后来孙策、孙权立足江东,占有六郡,扬州实则名存实亡。刘馥任扬州刺史,实际只有九江郡一郡之地。曹操视

---

① 《三国志·张辽传》裴松之注引。
② 《三国志·孙权传》记建安二十一年冬,"曹公次于居巢,遂攻濡须,"与此异。
③ 《三国志·武帝纪》。
④ 《三国志·孙权传》。

事合肥,主要选贤任能,建"置扬州郡县长吏"。① 以温恢为扬州刺史,蒋济先为丹阳太守(后改为扬州别驾),朱光为庐江太守(住皖城),仓慈为淮南"绥集都尉",负责屯田。这样扬州初步有了三郡之地,至少保有江淮大部。朱光在庐江的重要任务是屯田,而仓慈的责任主要就是负责民屯,因此曹操扬州府的用人特点还体现了重农强兵的路线。

二是建置合肥军事驻防。

建置合肥常驻军队,形成以合肥为中心的东南军事基地。命曹休领衔,张辽、李典、乐进等常驻。屯军兵力逐渐增加,由原先三千人马,增加到七千。在推行军事屯田、安集流民、维护合肥安定、平息动乱、防御孙吴犯境等方面,发挥了重要作用。

三是颁布"恤抚令",招抚流民,安定社会。

曹操视事合肥,在安集流民、抚恤吏民方面做出了很多成绩。曹操南下"至寿春,时庐江界有山贼陈策,众数万人,临险而守"。曹操采取安抚措施,"开赏",招抚了陈策等。② 以后又打败了陈兰、梅成等江淮巨盗,为合肥地区带来了安定的社会局面。

曹操在合肥,颁发了《抚恤令》,宣布了相关政策,解决"百姓流离"问题。《抚恤令》是安定社会的重要文件,也是仅见于曹操令集的一道关注民生的文件,显示曹操以人为本的政治路线,对于稳定江淮地区的社会局势发挥了重要作用。

四是继续兴修水利,推行屯田,安定社会生产。

建安十四年(209)七月,曹操视事合肥,鼓励农业生产,扩大农耕,兴修水利,极力推行屯田。仓慈淮南人,本是郡中一般官吏,因为熟悉本地情况,应该也是深通农业生产的官吏,曹操选拔重用他为屯田都尉,指示他募民屯田,进一步"开芍陂,屯田"③,确保合肥"屯田"

---

① 《三国志·武帝纪》。
② 《三国志·刘晔传》。
③ 《三国志·武帝纪》。

的成效，推动江淮农业进一步发展。

曹魏民屯利用荒废无主的"公田"招募流民，在国家委派的官吏维护下生产，更容易达到积谷的目的。屯田客与政府按一定的比例分成，不但解决了屯田农民的衣食之忧，政府也获得了稳定的粮食供给，并且民屯对郡县经济的复兴也有积极作用。黄初以后，随着郡县经济的恢复，民屯在社会经济中地位逐渐降低，屯田客负担不断加重，他们逃离屯区寻求官僚豪强荫庇的事件不断发生，以至于民屯逐渐无法维持。到咸熙元年（264），随着"罢屯田官以均政役"[①]诏令的颁布，整个曹魏民屯基本结束。

曹操在兴办民屯的同时，还鼓励军队开展屯田。《晋书·食货志》云："近魏武皇帝用枣祗、韩浩议，广建屯田，又于征伐之中，分带甲之士，随宜开垦，故下不甚劳而大功克举也。"这是军队乘战争间歇之机随宜经营的不稳定性军屯。如淮南军屯区大致分布在今安徽之大别山以东、钟离以西、合肥以北的淮南地区，凡有驻军，非有战事，皆营屯田，其中水利条件极好的芍陂周围是军屯的重点。后来"邓艾重修此陂，堰山谷之水，旁为小陂五十余所，沿淮诸镇并仰给于此"[②]。在合肥以南则有居巢军屯。如建安二十二年，曹操"留伏波将军夏侯惇、都督曹仁、张辽等二十六军屯居巢"。居巢在巢湖南部，曹操在此建"二十六军屯"，当然主要是驻防，可能也有安定时期屯田生产的任务。芍陂、皖、居巢等江淮大地，皆建置"民屯""军屯"，从南到北，广泛推行了屯田制。

曹魏统治者在推广屯田的同时，还实行了一系列恢复和发展郡县农业生产的措施。其一，颁布了很多对人民的抚恤和蠲免政策。如建安二十三年（218），曹操鉴于"天降疫疠，民有凋伤，军兴于外，垦田损少"，遂下令曰："其令吏民男女，女年七十已上无夫子，若年十二已下无父母兄弟，及目无所见，手不能作，足不能行，而无妻子父兄产

[①] 《三国志·三少帝纪》。
[②] 顾祖禹《读史方舆纪要》卷二一《江南三·凤阳府寿州》。

业者,廪食终身。幼者至十二止,贫穷不能自赡者,随口给贷。老耄须待养者,年九十已上,复不事,家一人。"①

曹操也有失误的地方。曹操建安十四年准备视事合肥,问蒋济欲迁徙淮南民可否,蒋济指出:自破袁绍以来,天下乂安,百姓怀土,实不乐徙,惧必不安。但是曹公不听,下令移民,结果惊扰了百姓,江淮之间越长江南徙者不可胜数。② 当时,"曹公恐江滨郡县为权所略,徵令内移。民转相惊,自庐江、九江、蕲春、广陵户十馀万皆东渡江,江西遂虚,合肥以南惟有皖城。"③这次移民成为曹操视事合肥的历史教训。

五是二战濡须口,逼退孙权,守住合肥前沿阵地。

建安十七年(212),曹操夺得濡须坞,进军至长江之滨。二十二年(217)曹操再率大军抵达驻扎居巢,进攻濡须水口。第二次还逼使孙权"誓重结婚。"这是从事实上宣告曹操经略合肥的东南战略卓有成效和初步胜利。

从战略上看,这是曹操长期开发江淮、经略合肥的结果。守住合肥,实际上就是限制住了孙吴势力北上发展的可能。

建安二十五年(220)正月,曹操"崩于洛阳,年六十六"。陈寿对他的评价是"抑可谓非常之人,超世之杰矣"④。其合肥的战略部署也充分体现这一点。

第三节 曹丕、曹叡成守合肥战略与孙权的争夺

延康元年(220),曹丕继位,继承曹操经略合肥的思想和路线,选

---

① 《三国志·武帝纪》。
② 《三国志·蒋济传》。
③ 《三国志·武帝纪》。
④ 《三国志·武帝纪》"评曰"。

拔人才，任用贤能，注重经济文化，以合肥为龙头，谋划东南地区社会发展。继续实施征抚并用战略，调节魏吴之间关系，维持社会安定和稳定。

建安十四年（209），曹操挥师视事合肥，命曹丕同行，襄助东南诸事。曹丕这次父子同行，视事合肥长达 6 个月，亲身参与合肥很多战略实施和政策修定，不仅在政治上得到锻炼，也积累了对于合肥本土特征的丰富认识。主要体现在在他撰写的《浮淮赋》上。《浮淮赋》有《序文》和《赋文》，全录如下：

《序》曰，建安十四年（209，曹丕 22 岁），王师自谯东征，大兴水军，泛舟万艘，时予从行，始入淮口，行泊东山，觌师徒，观旌帆，赫哉盛矣。虽孝武盛唐之狩，舳舻千里，殆不过也。乃作斯赋。

《浮淮赋文》曰：

沂淮水而南迈兮，泛洪涛之湟波。
仰嵒（yán 同岩）冈之崇阻兮，经东山之曲阿。浮飞舟之万艘兮，建干将之铦（xiān）戈。扬云旗之缤纷兮，聆榜人之讙（huān，欢的异体字）哗。乃撞金钟，爰伐雷鼓，白旄冲天，黄钺扈扈，武将奋发，骁骑赫怒。于是惊风泛，涌波骇，众帆张，羣棹起，争先逐进，莫适相待。

《序文》文记载了这次视事合肥的时间、巡视路线、交通工具。因为驱水师"泛舟万艘"、"舳舻千里"南下的盛况，所反映的"巢淮航运"，是曹丕亲身经历，具有史料价值。这对于认识历史辩论不休的巢淮航道，提供了重要的资料。赋文记述了曹丕这次出巡合肥的豪迈气势，表述了踌躇满志的战略胸襟，也有一定的文学价值。

一、曹丕经略合肥的两大战略

曹丕继位,魏吴关系仍是一个重大而又棘手的问题。合肥居于扬州州治,成为孙权集团时刻觊觎的目标。孙权集团时刻不忘夺回庐江郡,争夺江淮,合肥成为突出的军事进攻目标。

曹丕针对合肥地域特点,结合时局,在谋划合肥发展战略上,运用很多具有实际意义的战略:选拔熟悉合肥地方情况的人才;重教宽刑,释放扬州轻囚;加强水军,采取威慑为主,征抚并用的双边战略,维护合肥社会安定。

一是选任适宜合肥防务的贤能之才。

曹丕经略合肥,不仅重视选拔人才,而且重视选拔适合合肥防务的人才。启用著名宿将张辽和选拔刘靖任庐江太守,体现了曹丕对于合肥事务的深刻认识,也是他视事合肥历史经验的应用。

张辽,是曹操身边"五子良将"之一,曾经在庐江潜山,击溃袁术余寇陈兰;又在逍遥津战役,重创孙权,逼迫孙权10万大军撤退。张辽在合肥多年,不仅谙熟合肥,且英名远播。孙权闻听张辽,十分敬畏,孙权得猛将甘宁(字兴霸),即比之于张辽,曰:"孟德有张辽,孤有兴霸,足相敌也。"[①]曹丕继任魏王,坚守曹操经略,加强合肥防御,借用名将资源,加封张辽"前将军",封张辽兄张汎及一子"列侯"。孙权再次反叛,曹丕启用张辽,还屯合肥,加封张辽爵号"都乡侯",赐给张辽母亲专门的舆车,"及兵马送辽家诣屯,敕辽母至,导从出迎。所督诸军将吏皆罗拜道侧,观者荣之。"曹丕称帝,又封张辽为"晋阳侯",增邑千户,加上以前赏赐共有二千六百户。

黄初二年(221),张辽进京,赴洛阳宫朝见曹丕,曹丕亲自出宫,引导张辽,会见于"建始殿",曹丕"亲问"张辽当年逍遥津"破吴意状",叹息顾左右曰:"此亦古之召虎(西周名将)也!"为张辽建筑新

---

① 《三国志·甘宁传》裴松之注引《江表传》。

"第舍,又特为辽母作殿",当年报名跟随张辽出阵"破吴军应募步卒,皆为虎贲(军中爵号)"。曹丕这一系列对于张辽及其当年老兵的器重和敬重,充分表现了曹丕尊重历史财富,灵活运用历史经验,经略合肥的智慧。

张辽屯军合肥,孙权再次称藩归顺,江淮平静,张辽被诏还屯雍丘。得病,魏文帝派遣侍中带领太医亲自来给他看病,这在过去是三公也没有的待遇,并且要求部下随时汇报张辽的病情。张辽病还没有好,孙权再次反叛,文帝派遣张辽与曹休前往征讨。张辽带病披挂出阵,不能够骑马,乘舟直抵海陵(今江苏泰州),临江驻防。孙权观阵,看到张辽战旗,精神紧张,"甚惮焉,敕诸将:张辽虽病,不可当也,慎之!"两军交锋,魏军首战告捷,"破权将吕范",重挫孙权锐气。张辽的病情加重,死于江都。"帝为流涕,谥曰刚侯。"[1]孙权最终为曹丕强大的阵势所震慑,怯战求和,"遣使聘魏",重新与曹丕"修好"。

曹丕尊重张辽,是出自内心对宿将功臣的尊重。张辽死后,黄初六年(225),曹丕追念张辽、李典在合肥之功,颁诏:"合肥之役,辽、典以步卒八百,破贼十万,自古用兵,未之有也。使贼至今夺气,可谓国之爪牙矣。其分辽、典邑各百户,赐一子爵关内侯。"

刘靖,合肥首任扬州刺史刘馥之子,富有才华,也有先父刘馥风范。在朝原为"侍御史"。曹丕黄初年间(220—226),钦点刘靖出为庐江太守。江淮之间,唯有九江和庐江郡。张辽重返合肥,刘靖任庐江太守,两名主要官员,一文一武,相互配合,为稳定合肥局势、推动合肥发展具有重要意义。曹丕专门为刘靖颁诏,曰:"卿父昔为彼州,今卿复据此郡,可谓克负荷者也。"[2]诏书高度评价刘馥、刘靖父子两代人的品格和才华,不仅考察了刘靖,也考察了刘馥"单骑造合肥空城"的历史,刘靖供职庐江,为合肥局势稳定做出了贡献。

二是发动合肥以南沿江战役,逼降孙权。

---

[1] 《三国志·张辽传》。
[2] 《三国志·刘馥传附刘靖传》。

曹魏招降孙权,孙权归附曹魏,本来就是吴、魏双方在三国角逐中一种权利的运用,谈不上诚意。孙权的目的是通过缓和与曹魏的矛盾以便集中力量夺取关羽盘据的荆州,曹魏的目的是利用孙权的力量打击关羽咄咄逼人的气焰。孙权的伪降策略运用得很成功,建安二十四年(219)十二月擒杀关羽,夺取了荆州。黄初三年(222)六月,又大败刘备于夷陵。曹魏利用孙权打击刘备的目的已经达到,同时也不愿意看到孙权过于强大,于是借口已封孙权为吴王而屡征质子不至,黄初三年(222)十月魏文帝曹丕派三路大军讨伐东吴:征东大将军曹休、前将军张辽、镇东将军臧霸率军出洞口(今和县西南),大将军曹仁出濡须,上将军曹真等围南郡(治今湖北江陵县)。吴则遣建威将军吕范督五军,以水军拒曹休等,裨将军、濡须督朱桓拒曹仁,左将军诸葛瑾等救南郡。

江淮战场上的具体情况是,曹休率军进攻历阳(今和县),击溃了东吴守军,"又别遣兵渡江,烧贼芜湖营数千家"。又"督张辽等及诸州郡二十余军,击权大将吕范等于洞浦(即洞口),破之"①。这次战役的胜利,使曹休突发奇想,竟向魏文帝提出了一个渡江作战一举灭吴的建议,云:"愿将锐卒,虎步江南,因敌取资,事必克捷,若其无臣,不须为念。"②这是一个冒险的计划,魏文帝立即加以制止。是时吴国水军列舰江中,严阵以待。冬十一月,刮起了暴风,吹断了船舰缆绳,许多吴国船舰被暴风刮至北岸,曹休乘机指挥将士掩杀,斩首及俘获数千人。曹休又派臧霸"以轻船五百、敢死万人袭攻徐陵(徐陵在洞浦对岸),烧攻城车,杀略数千人"。吴将全琮、徐盛率军反击,追斩魏将尹卢,杀获数百,臧霸退军。③

在濡须坞战场,曹仁驻屯于拓皋(今巢湖市拓皋镇),他的战斗任务是首先攻占濡须坞,然后沿濡须水水陆并进,与曹休所督诸军呼应,扩大在江西的战果。为了攻占濡须坞,曹仁采取声东击西的战

---

① 《三国志·曹休传》。
② 《三国志·董昭传》。
③ 《三国志·吴主传》。

术,首先率领一支军队袭击羡谿(在濡须坞东,今含山县西南),吴濡须督朱桓分兵救羡谿,曹仁乘机派出水陆两支军队进攻濡须坞。曹仁的儿子曹泰率领步骑由陆路进攻濡须坞,将军常雕督诸葛虔、王双率水军乘油船由巢湖入濡须水进攻坞间的中洲(中洲者,朱桓部曲妻子所在)。时朱桓将士仅有五千人,闻魏军掩至,都非常恐惧。朱桓分析了敌我攻守形势,安定军心,鼓励将士斗志。朱桓派遣一支军队抵御由濡须水而来的曹魏水军,又亲自率领一支军队抵御曹泰自陆路的进击,曹泰烧营而退。曹魏水军在濡须坞水域败得更惨,将军常雕战死,王双被俘。① 曹仁如此部署必然失败是可以预料的。曹仁的儿子曹泰,没有作战经验,委以重任,实有不妥,其一触即溃实乃任人唯亲的必然结果。至于派水军由巢湖入濡须水进攻濡须坞,则是重蹈建安十八年曹操水军失败的覆辙,故当曹仁又作此部署时,蒋济即严正告诫说:"贼据西岸,列船上流,而兵入洲中,是为自内地狱,危亡之道也。"②曹仁固执己见,以致水军覆没。

曹魏水军训练不及东吴精良,魏文帝这次兵分三路讨伐,只是对孙权"外托事魏,而诚心不款"③的一种惩罚,目的在于光耀武扬威,宣示正统,并没有渡江作战一举灭吴的战略意图。战争的结果是:在西线荆州战场上,曹真等围攻江陵数月,无功而返;在沿江战场上,曹休等出洞口之军虽有小胜,而曹仁所遣攻濡须坞之军,水陆两支军队皆败退而还。由此可见,魏文帝这次声势浩大的三道并征孙权的军事行动并没有达到他宣扬国威的目的。所以,此后魏文帝又接连发动了两次出淮南对孙权的御驾亲征。

黄初五年(224)八月,"为水军,亲御龙舟,循蔡、颍,浮淮,幸寿春……九月,遂至广陵(今江苏扬州市西)。"而吴用将军徐盛计,自石头(今南京市西清凉山)至江乘(今江苏句容县北),植木衣苇,为疑城假楼,连绵相接数百里,一夕而成,又大浮舟舰于江。时江水盛涨,魏

---

① 《三国志》之《文帝纪》、《蒋济传》、《吴书·吴主传》、《吴书·朱桓传》等。
② 《三国志·蒋济传》。
③ 《三国志·孙权传》。

文帝临江而望,叹曰:"魏虽有武骑千群,无所用之,未可图也。"遂退军。① 次年八月,魏文帝再度亲征东吴。史称:"帝遂以舟师自谯循涡入淮,从陆道幸徐(今江苏泗洪县南),九月,筑东巡台。冬十月,行幸广陵故城,临江观兵。戎卒十余万,旌旗数百里。是岁大寒,水道冰,舟不得入江,乃引还。"②

曹丕此次出征,岁已初冬,"是岁大寒,水道冰,舟不得入江",孙权求降,曹丕便顺势而为,效先父曹操风范,接受孙权"修好"请求。曹丕致书孙权,勉励孙权信守诺言,并且馈赠"所作《典论》及诗赋与权。"③

曹丕这次出征孙权,未战"逼降"孙权"称臣",标志曹丕出征的胜利,也标志曹丕延续曹操为守合肥而南进江滨的战略路线。有时进攻是最好的防守,曹丕在这方面有着深刻的理解。

曹丕君临作战前沿,於马上为诗,表达了"不战而屈人之兵"的智慧。诗云:

观兵临江水,水流何汤汤!
戈矛成山林,玄甲耀日光。
猛将怀暴怒,胆气正从横。
谁云江水广,一苇可以航,
不战屈敌虏,戢兵称贤良。
古公宅岐邑,实始翦殷商。
孟献营虎牢,郑人惧稽颡。
充国务耕植,先零自破亡。
兴农淮泗间,筑室都徐方。
量宜运权略,六军咸悦康;

---

① 《三国志·文帝纪》,《资治通鉴》卷七十,文帝黄初五年。
② 《三国志·文帝纪》。
③ 《三国志·文帝纪》裴松之注引《吴历》。

岂如东山诗,悠悠多忧伤。①

"东山"是曹丕随曹操南下合肥时经过的一座山,此次江都之战让他想到南方征战连连,不禁忧伤不已。

二、曹叡时满宠筑"新城",巩固合肥堡垒阵地

曹叡,曹操长孙,曹丕长子,黄初七年(226)继位,是为魏明帝。曹叡景初三年(239)驾崩,卒年36岁,前后执政13年。魏明帝执政期间,继承祖父曹操遗风,秉承先父曹丕才华,推动曹魏政权继续巩固发展。尤其是与南方孙吴、蜀汉对峙,构建了一条长江防线,为巩固曹魏的基业做出了一定的贡献。

合肥新城,即曹叡执政期间,构建这条军事防线东段的一个重要的军事部署,属于魏明帝把握全局战略思想的构成,在魏明帝执政时期显示了战略意义。

(一)合肥新城建设

合肥新城,位于合肥旧城西30华里鸡鸣山。始建于魏明帝太和四年(230年),第二年投入使用。老城又曰"肥城"、"旧城"等。今天称其为"三国新城",乃因是三国时期建设,故名。新城建成后,魏明帝驻扎合肥的军队全部转移至合肥新城,合肥新城成为矗立江淮之间的一座军事城堡。

合肥新城战略的决策者是魏明帝曹叡,合肥新城战略的谋划者和实施者,是曹叡身边著名军事将领满宠。

"合肥新城"在魏明帝的军事部署中举足轻重,其内容并不复杂。简单地说,就是合肥军事戍守城堡的转移。满宠在研究了合肥区域地理形势后,精密制定了一个新的军事部署:在合肥旧城西30里修

---

① 《三国志·文帝纪》裴松之注引《魏书》。

建一座合肥新城,把合肥旧城的驻军转移到合肥新城,建置新的战略前沿阵地,迎战孙权不断发动的大规模军事战争。

据《三国志·满宠传》记载,青龙元年(233),满宠上疏曰:

合肥城南临江湖,北远寿春,贼攻围之,得据水为势;官兵救之,当先破贼大辈,然后围乃得解。贼往甚易,而兵往救之甚难,宜移城内之兵,其西三十里,有奇险可依,更立城以固守,此为引贼平地而掎其归路,於计为便。

从当时历史看,满宠策划的"合肥新城"这一军事部署,比较合理。合肥新城建筑于合肥旧城西30里,"有奇险可依,更立城以固守,此为引贼平地而掎其归路。"意思是合肥旧城西30里地带,修建合肥新城,凭借地形险要,把孙权的水军引到陆地,然后截断敌军的归路,展开正面的交战,发挥魏军善于地面作战的优势。

但是,满宠提出讨论这一计划,在曹叡廷议时,受到批评。魏明帝身边的护军将军蒋济认为这不是一个好建议:转移合肥旧城的驻军,这是后退,"既示天下以弱,且望贼烟火而坏城,此为未攻而自拔。一至於此,劫略无限,必以淮北为守。"魏明帝因此搁置这一计划。

满宠身为"征东将军",负责东南军事,谙熟合肥地理地势。满宠依据合肥实际情况,第二次上疏,重申修建合肥新城的战略部署的意义,补充论证了军事上"强"与"弱"的相对性,引用孙子兵法加以论证,曰:"兵者,诡道也。故能而示之以弱;不能,骄之以利,示之以慑。此为形实不必相应也。"又曰:"善动敌者形之。今贼未至而移城却内,此所谓形而诱之也。引贼远水,择利而动,举得于外,则福生于内矣。"满宠的第二次上疏,得到尚书赵咨的支持。赵咨向魏明帝表示:"宠策为长"。魏明帝下诏批准合肥新城的战略部署。

从满宠的上疏看,似乎合肥新城是在青龙元年(233)开始的。但是《三国志·吴书二》载,黄龙二年"春正月,魏作合肥新城"。黄龙二年相当于魏明帝太和四年(230),即在满宠上疏前三年。我们认为新城开始建筑，当以太和四年为是。青龙元年新城已经存在并已投入使用。满宠将军府原来当在这里，只是政府机构与部分守军尚在老城，是以满宠上疏有"而兵往救之甚难"之说，又曰"权得吾移城"。满宠上疏当年孙权即要包围新城，也说明政府机构与部分军队已迁入新城，自然是新城已经落成使用。

三国新城位于今合肥市庐阳区东北角的三十岗乡古城村。东经117°07′，北纬31°54′，海拔38米，居南淝河之上游北岸，距离南淝河源头10多公里，距离汉合肥城12公里，距离明清合肥城15公里，距离南淝河入巢湖口42公里。20世纪80年代初，合肥市文物管理处对新城遗址进行了调查，发现三国新城遗址位于合肥市西北郊15公里的庐阳区三十岗乡陈龙行政村陈大郢自然村。平面呈长方形，南北长420、东西宽210米，地表有14个土墩和连续的墙基，四角及南北墙中间6个土墩最大，高约15米。2004年和2006年，安徽省文物考古研究所又先后对城址进行了调查和发掘。

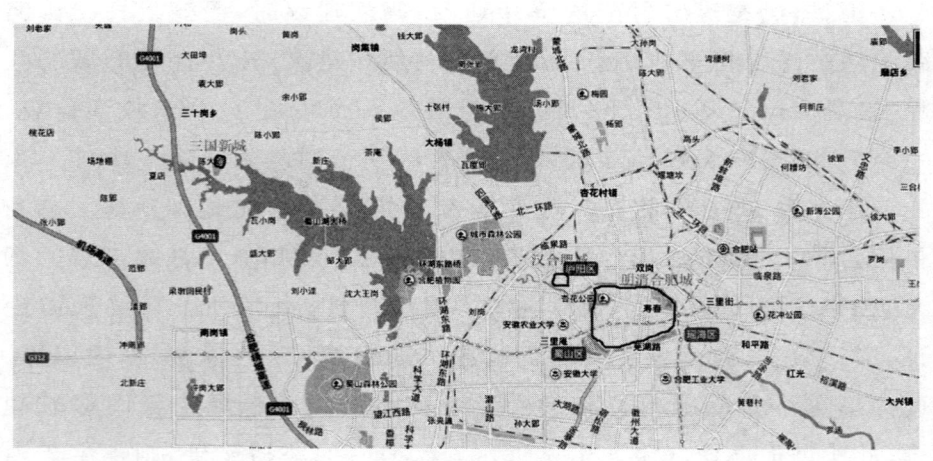

汉合肥城、新城及明清合肥城位置示意图

考古发掘出了三座城门，位于东墙中段的城门称作东中门，靠近北墙的城门称作东侧门，西墙上与东中门相对的城门称为西城门。三座城门均在夯筑城垣时按设计预留出位置，这可从两边城墙墙基与门道内的垫土间有一条明显的界线得到证明。地面虽没有发现建筑遗迹，但这三座城门均应为土券门，因为在这里没有发现砌门的砖石。门道内没有发现城门垛痕迹，城门如为单券，门洞似乎跨度过大，也无法成券，门垛应已被完全破坏。南北两面城墙不设城门的做法比较罕见。根据钻探得知，城垣多处出现外弧现象，外弧部分均与墙基相连，经分析有些可能与马面有关。两次发掘共发现残房基10余处，A、C区均存在早期房屋倒塌或废弃后又在其上建造房屋和道路的现象，因破坏严重，只残存一些柱洞、少量墙基和夯土地面。B区发现4处残房基，分前后两排，均开口于第3层下。4处房基均为地面式土木结构，残存有墙基、地面和柱洞。房子的建造方式是先在夯筑的建筑基础层上挖深约10厘米的墙体基槽，然后夹板夯筑垒土筑墙，再于室内挖洞立柱构成开间。墙基宽0.4—0.6米、残高0.15米。柱洞有圆形和方形两种，只有少数柱洞中垫有不规则的石块或用楔形砖颠倒相拼作柱础。房址均向南，分三间和双间两种，每处房址的其中一间内有灶，灶坑中残留有木炭和烧结面，有的灶旁用残砖或石块砌有近圆形灶台。屋外有道路或用碎瓦片夯筑的活动场地解剖了西门北侧的夯土台基、铸造作坊遗址（红烧土堆积处）以及南墙内侧地层保存较好的区域。

位于西城门北约10米处有夯土台，方向与该段城垣的走向一致。该台基为长方形，西面与城垣相连，用黄灰土夯筑，土质硬结。南北长32米、东西宽近20米，距城内地面高0.6—0.8米。夯土台除西边与城垣相连处没遭破坏外，南、北和东部均遭到不同程度的破坏。现代耕土层下即见夯土台基，夯土中有少量三国时期的筒瓦、板瓦残片。一般城址中的夯土台基都是作为建筑物的台基，但在这座台基上（发掘部分）未见到与建筑相关的迹象。

铸造作坊遗址位于城内东北部，北距北城垣约30米．东距东城垣约40米。钻探时发现这里有大片红烧土堆积。考古发掘发现内含大量炼铁渣、木炭和炉灰，并有较多的铁链。红烧土堆积叠压在三国时期的建筑基础上。红烧土周围发现2个圆形、1个长方形的水坑和1条水沟，水坑、水沟底部有5—6厘米厚的淤土层，坑壁有水渍印迹。水坑、水沟中共出土 300 多件铁链,故考古学者认为此处应为铸造兵器的作坊遗址。

三国时期经夯筑的路基。土色灰白,内含较多白灰颗粒,应是为增加路面硬度鼻和的白石灰粉,土质坚硬。路面存宽 4.5 米。路面上东西向平行分布有 4 条车辙印,辙印呈弧形内凹,两壁光滑,硬度较高,上口宽 24—40 厘米、深 8—11 厘米,车辙印间距 90—110 厘米。

出土遗物包括陶瓷器、铁器、铜器等。陶瓷器按用途可分为建筑材料和生活用品两类。铁器出土时均锈蚀严重,有些器物如刀、锸等只能识其器而不能复原。器形有镞、撞车头、矛、斧和夯等。镞近 2000 件,锈蚀较严重,绝大部分仅存镞头,极少数尚保留一段挺。镞头与挺连铸,均为四棱形。铜器共出土 14 件,有镞 13 件,凿 1 件。石器有镭石和砺石,擂石共 10 余枚,砺石尤多,都不甚规整。

新城总面积约 8 万平方米,平面呈不规则长方形,四面城垣均不在一条直线上,多处出现外弧现象。这与安徽省已发现的两汉三国时期的古城址均不相同,整座城只有 3 座城门,南北两面城墙不设城门,以达到易守难攻的目的。

城内发现有夯土台基,约 600 平方米,所用土方在 20 万方以上,而且层层夯筑,上面没有任何建筑,可能用于军事指挥。在铸造作坊遗址中发现了铁、铜镞等兵器,城内有面积达 2000 多平方米的空旷场地,可能是练兵场。城内虽发现几处房址,但面积都不是很大,每个单元中都设有烧煮食物的灶。总的来说,出土遗物中除建筑材料和日常生活用品外,发现最多的是兵器,铁镞和礌石在城内的地层中随处可见,而且数量很多,达 2000 多件,这批出土遗物应与"屯兵于此"的史实相吻合。种种迹象表明三国新城的用途均与军事有关。①

下面为合肥新城遗址出土文物:

---

① 李德文:《合肥市三国新城遗址的勘探和发掘》,《考古》2008 年第 12 期。

第七章 三国时期的合肥

出土石磨　　　　　　　合肥新城营房遗址

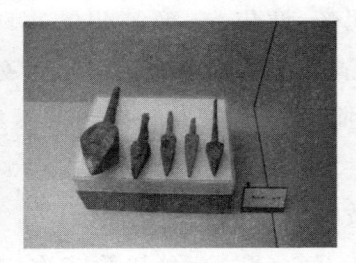

出土墙砖　　　　　　　合肥新城出土箭镞

出土陶罐　　　　　　　合肥新城出土兵器

出土火盆　　　　　　　合肥新城出土刀剑

(二)合肥新城初期经历战火考验

合肥新城在其建筑的过程中就开始经历魏吴之间的战争。

太和四年(230),合肥新城尚未完全竣工,孙权就举兵合肥,刺探情况。先是,孙权采取虚张声势的战术,"扬声"进攻合肥,旋即又下令退兵,试图扰乱满宠的军事部署,然后出其不意反攻、袭击。满宠上表魏明帝,调集兖、豫等州的军队,迎战孙权。孙权故意宣布退兵的时候,满宠上表分析军情,认为孙权有诈,"欲伪退以罢吾兵,而倒还乘虚,掩不备也",提醒魏明帝缓期"罢兵"。十余日后,孙权大军果然回头进攻合肥城。满宠早有预料和准备,孙权"来到合肥城,不克而还",被满宠轻松击退。

太和五年(231),孙权第二次向合肥新城发动军事刺探。孙权这次玩弄"诈降"术,派遣将领孙布写信给扬州刺史王凌,请求投降,要求王凌派兵接应。满宠识破孙权的惯技,按兵不动,坐观其变。但是扬州刺史王凌在认识上有分歧,见满宠不肯发兵接应,便自行调遣本府驻军7百余人接应孙布,结果遭受孙布夜晚袭击,"死伤过半。"王凌的军队虽然受挫,孙权诈降的阴谋被揭穿,这次进攻彻底失败。

太和六年(232),孙权向曹魏发起第三次军事刺探。吴将陆逊率军直指庐江郡。魏明帝召集廷议,大多数人认为"宜速赴之",发兵驰援庐江郡。唯满宠提出异议,说:"庐江虽小,将劲兵精,守则经时。又贼舍船二百里来,后尾空县(县,同悬),尚欲诱致。今宜听其遂进,但恐走不可及耳。"曹叡采纳满宠意见,"整军趋杨宜口",迎战孙权大将陆逊。孙权闻说曹叡"大兵东下,即夜遁",满宠第三次击退了孙权的军事进攻。

魏明帝青龙元年(233),孙权亲自率领大军向曹魏发动第四次大规模的军事进攻。孙权这次出动军队10万,分两路进攻,一路由将军全琮率领,从合肥西面六安方向进军;孙权亲自率领一路直趋合肥新城。孙权大军抵达合肥新城,迟迟不敢下令出战。据《三国志·满宠传》记载:"其年,权自出,欲围新城,以其远水,积二十日不敢下船。"最后竟下令退军。

满宠下令提高警惕,谓诸将曰:"权得吾移城,必于其众中有自大之言,今大举来欲要一切之功,虽不敢至,必当上岸耀兵以示有余。"满宠判断孙权撤军之前,必定会出动小股军队进行"摸底"进攻。"乃潜遣步骑六千,伏肥城隐处以待之。"果然,孙权派遣军队"上岸耀兵",满宠埋伏的"军卒起击之,斩首数百,或有赴水死者"。孙权这次进攻合肥新城宣告失败,率军撤退,另一路军队也撤退了。

青龙二年(234),孙权向合肥新城发动第五次大规模军事进攻。这年五月,正是初夏涨水季节,有利于水军作战。孙权出动三路大军,自率大军十万,入居巢湖口,向合肥新城进发;遣陆逊、诸葛瑾率领万馀人入江夏、沔口,向襄阳方向进军;另遣将军孙韶、张承入淮,向广陵(今江苏扬州市)、淮阴(今江苏淮阴市)方向进军。

孙权大军压境,满宠沉着应战,亲自指挥作战。合肥新城守城将领张颖利用吴军不熟悉地形的弱点,采取伏击战的方式,出击孙权。首战,射杀孙权的侄儿孙泰,重挫孙权锐气;满宠又募壮士数十人,折松为炬,灌以麻油,从上风放火,烧贼攻具。初夏季节,天气开始炎热,孙权军中出现疫疾,战斗力降低,又闻听魏明帝曹叡亲自率领大军驰援,孙权不再恋战,下令撤军。孙权这次10万大军进攻合肥新城的战争,又一次无功而返。

青龙三年(235)春,满宠由防守转为反攻。这年八月,满宠派遣长吏督领三军循江东下,袭击孙权江北地区的屯田军"数千家","摧破诸屯",给孙权以重创,打击了孙权的气焰。

就在这一年,诸葛亮死于祁山五丈原战场,宣告诸葛亮的第六次北伐失败。诸葛亮死后,孙权没有向合肥新城继续发动军事战争。

合肥新城建成前后,尤其是建成后多次抗击吴军进攻取得的重要胜利,说明建设新城的防守思路是正确的,符合合肥地区驻防的实际情况,体现了合肥守军统帅满宠的军事战略智慧,这就是充分利用魏军陆地作战的优势,逼迫吴军远离江湖,制约吴军水上作战的优势,以我之长制彼之短,从而取得军事斗争的胜利。吴军由长江进入濡须水、由濡须水进入巢湖,由巢湖进入施水,抵达合肥城下,一路顺畅,但到此后就只能徒步西行,来到岗阜纵横的合肥西郊,这样魏军的骑兵就有了发挥冲刺与袭击的机会,诚如满宠所言:"敌未至而移城卻内,此所谓形而诱之也。引贼远水,择利而动,举得於外,则福生於内矣。"青龙元年(233)吴军十万之众来到合肥城下,犹豫不敢上岸,上岸又犹豫不敢进攻,结果遭到魏军步骑兵数千人的袭击,损失惨重,不得不撤退就是典型例子。

合肥魏军守军经常只有数千人,而吴军动辄数万、10万人,在军力悬殊极大的情况下,魏军的防守不能只依靠城高墙厚,还要灵活机动,依靠骑兵的冲击力,这也需要适合骑兵作战的地理环境,所以选择西30里建筑新城,也是魏军最佳防守之道。魏吴争夺合肥数十年,多数时候魏军位处主动,控制江淮中枢合肥,其中一个重要的因素就是充分利用自己的优势,而合肥新城建设是利用地利、发挥自己优势的具体表现。

第四节　孙权极力争夺合肥的考虑与作为

在曹魏控制江淮大部的情况下,东吴孙氏政权一直极力争夺合肥。孙策死后,孙权继位伊始即举兵攻打庐江,直至驾崩前几年,仍然不忘争夺合肥,派遣诸葛恪出兵合肥,先征六安,破魏将谢顺营,收其人民。因为司马懿率军入舒,诸葛恪才不得不撤退。孙权在位52年,期间攻打合肥、争夺江淮战争20余次,10万兵力以上的战争近10次。虽然失败居多,但争夺合肥的意志从未改变。终其一生,前后发动争夺合肥的战争规模之大,频次之高,历史罕见。由江东孙氏与周瑜等江淮诸多士大夫共同组建的东吴政权,拼力争夺江淮,尤其是江淮之中的合肥,有诸多的理由,其中以东南六郡为据点,努力争取北上扩大势力范围的考量是重要的,而占据江淮确保东南建康安全是基本的思路,这就是影响东吴政权的"六郡论"。"六郡论"为周瑜首先提出,得到孙权、孙权母后吴夫人的认可和确定。

周瑜(175—210),庐江郡舒县人,①东汉后期杰出政治家、军事家。在纷乱复杂的社会局势中加盟孙氏集团,他的政治思想,对于孙氏集团霸业的形成、发展、壮大产生了深刻的影响。周瑜关于时局的精辟分析,与诸葛亮"隆中对"所见略同,但是时间上早"隆中对"许多年。

周瑜向孙权提出六郡论,这是周瑜关于时局的分析与判断,其背景是周瑜、孙权和孙权母亲商量应对曹操"通牒"的一次"密议"。记载于周瑜本传裴松之注引《江表传》:

> 曹公新破袁绍,兵威日盛。建安七年,下书责权质任子。权召群臣会议,张昭、秦松等犹豫不能决。权意不欲遣质,乃独将瑜诣母前定议。瑜曰:"昔楚国初封于荆山之侧,不满百里之地,继嗣贤能,广土开境,立基于郢,遂据荆阳至于南海,传业延祚,九百余年。今将军承父兄余资,兼六郡之众,兵精粮多,将士用命,铸山为铜,煮海为盐,境内富饶,人不思乱,泛舟举帆,朝发夕到,士风劲勇,所向无敌,有何偪迫而欲送质?质一入,不得不与曹氏相首尾,与相首尾,则命召不得不往,便见制于人也。极,不过一侯印,仆从十余人,车数乘,马数匹,岂与南面称孤同哉!不如勿遣,徐观其变。若曹氏能率义以正天下,将军事之未晚。若图为暴乱,兵犹火也,不戢将自焚,将军韬勇抗威以待天命,何送质之有?"权母曰:"公瑾议是也。公瑾与伯符(即孙策)同年小一月耳,我视之如子也。汝其兄事之。"遂不送质。②

---

① 据《三国志》本传,周瑜舒县人,而东汉舒县具体范围与县城所在存在争议。以县城论,有舒城县城关镇与庐江县西南大城畈两说,这两地当初应该都在舒县范围内。周瑜籍里的具体所在也因此形成庐江与舒城两种意见。参考《秦汉魏晋时期的合肥史研究》,黄山书社2014年版;《周瑜文化学术研讨会文集》,人民出版社2014年版。

② "母前定议",裴注引《江表传》记载,发生在建安七年,《资治通鉴》记载在建安六年。今取《资治通鉴》说。

上文记述一个重要的事件,即建安六年(201),曹操向孙权下书,要求孙权向朝廷送交"质任子"。汉代的"任子"制度规定,二千石以上高级官员,任满三年,保举子弟一人为郎,即做官。曹操"质任子",表面上推恩孙权,实则是猎取"人质",控制孙权。这是曹操经略南方、进攻孙权的信号。孙权年轻,继位不久,难以应对,邀请周瑜到母前商量对策。周瑜明确否定,主张"勿遣"人质,得到孙母肯定,三人商定"不送质"。这是一次"母前定议"的会议。

拒送人质,只是"母前定议"一个具体问题的结论,前提是对曹操集团的政治态度明朗了。周瑜在"母前定议"中,分析了天下大势,对时局的判断,援引历史、地理,总结了"六郡"(会稽、吴、丹阳、豫章、庐陵、庐江)的优势条件,提出了一个令人振奋的计划:建立孙氏霸业。其核心内容有三点:

第一,继承父兄基业,凭借"六郡",自立于江南,不求封侯,确立"南面称孤"的政治目标。

第二,总结了江东六郡的地理优势:境内富饶,出产粮食,沿江江南有铜矿,沿海产盐,境内河流纵横,港口密布,航运发达,交通便捷。这些为建立霸业提供了雄厚的经济基础。

第三,援引楚国的历史,提出了"广土开境",向南发展,"至于南海"的蓝图。

东汉后期,政局腐败,中央政权失去民心,各地"豪杰并起",各种政治势力活跃。周瑜面对混乱的时局,冷静观察,借鉴经史,分析判断时局的发展,首要在对于现实的各种政治集团进行了调查,尤其是对东汉后期三个相继把持朝政的集团董卓、袁氏兄弟、曹操等的考察与认识上。

《三国志·周瑜传》记载:孙坚兴义兵讨董卓,为了解除后顾之忧徙家于舒。"子策与瑜同年,独相友善,瑜推道南大宅以舍策,升堂拜母,有无通共。"这时年仅十四岁的周瑜把自己家中"道南大宅",提供给孙坚夫人和儿子孙策居住。孙策与周瑜同年,独相友善,以至于"升堂拜母(孙坚的夫人)"。日常生活中也是"有无通共",两家关系融洽由此可见一般。周瑜以他的实际行动表明他对于孙坚讨伐董卓集团的赞成和支持,也对于把持朝廷的董卓集团不满。

周瑜对于袁术集团的认识更为直接与具体。建安二年(197),"袁术欲称帝于淮南"①,孙策表示反对,"以书责而绝之。曹公(即曹操)表策为讨逆将军,封为吴侯。"②这件事情直接发生在周瑜好友孙策身上。建安三年(198),丹阳太守周尚被袁术召回寿春,周尚是周瑜的叔父,周瑜时在周尚幕府,随叔父取道寿春。袁术见到周瑜,十分器重,"欲以瑜为将"。周瑜观察袁术,"终无所成",不肯归附,"求为居巢(今巢湖市)长",得到袁术批准,周瑜借此脱身,实际上拒绝了袁术,表明周瑜对于袁术的失望和否定。

继董卓、袁术、袁绍之后,掌握朝廷实际权柄的是曹操集团。周瑜对于曹操的思想认识,大约从建安六年(201)开始。这一年,周瑜建议孙权"韬勇抗威","徐观其变",对曹操继续观察。建安十三年(208)春,曹操举重军南下,试图消灭南方包括孙权在内的各种异己势力。南方各路豪杰无不震撼,周瑜这时对于曹操的认识明朗化了。周瑜在"赤壁论战"中明确指出:"操虽托名汉相,其实汉贼也。"③因而力主抗曹。在赤壁之战,周瑜竭尽全部智慧和力量,与曹操展开了殊死搏杀,表明了周瑜对抗曹操的鲜明立场和政治态度。

《江表传》有一个有趣的记载,曹操爱才,非常看中周瑜才干。选派蒋干游说周瑜归附自己。蒋干仪容过人,很有才气,善于辩说。蒋干受命,以私交拜见周瑜。周瑜看穿了蒋干来意,将计就计,把蒋干请入营中,遍观军营,检视仓库和军资器仗,然后,置酒高会。周瑜慷慨陈词,表示了对于孙氏的坚定信心和决心。蒋干无可奈何,回见曹操说,周瑜器量端雅,不是言词可以说动的。周瑜与曹操之间不可弥合的政治对立也更加明朗。④

---

① 《三国志·武帝纪》。
② 《三国志·孙破虏讨逆传》。
③ 《三国志·周瑜传》。
④ 《三国志·周瑜传》裴松之注引。

上述三个政治集团,不被周瑜首肯,而周瑜本人又从小生活在江淮大地,与孙氏兄弟情同手足,其走上与孙氏共同创业的政治道路看来是必然的。

周瑜"六郡论"思想被孙权接受,奉为立国主脑,与孙策临终所托也是一致的。策曰:"中国方乱,夫以吴越之众,三江之固,足以观成败。"期待孙权"举贤任能,各尽其心,以保江东"[①]。孙策卒前最后一次胜仗,即是消灭庐江郡的刘勋。周瑜和孙权都参加了这次战役,孙策、周瑜在庐江郡得桥公二女为婚。所以,孙权自始至终,不能放弃夺取庐江郡的意念。保有庐江郡即是保住了江东基业的上游,可以阻止曹魏军队渡过江南。魏军一旦突破长江天险,江东诸郡便不保了。所以庐江郡对于东吴可谓是志在必得,拼死争夺。而保有庐江郡,则合肥必然成为魏吴争夺的前沿,这就是孙权何以一而再地出兵合肥的原因了。

周瑜敏锐判断时局,提出了六郡论之后,不幸英年早逝,36岁即病逝于巴邱。孙权执政时期,坚持六郡论的基本观点,守住六郡基地,首要就是争夺并保住庐江郡,如有可能则进一步开拓。

建安五年(200),孙策病死,庐江郡太守李术背叛,不肯归服孙权。孙权礼兵相加,一方面致书曹操,揭露李术背信弃义,一方面出兵进剿李术。这次战役,一举获胜,俘获李术,枭首示众,"徙其部曲三万余人"[②]到江东,夺回皖城,补充人马。

至于其他五郡,都在江南,保有庐江即保住了长江天险,江南五郡也就可以无忧了。

另一方面,孙权注重屯田,在江北不断扩大屯田规模,也是保有庐江郡及沿江地区的重要举措。在皖城(今安徽潜山、安庆一带)屯田,有稻田四千余顷,"吴人大佃皖城","积谷百八十余万斛,稻苗四

[①] 《三国志·孙策传》。
[②] 陈寿《三国志·孙权传》裴松之注引《江表传》。

千余顷,船六百余艘。"①"青龙三年(235)春,(权)遣兵数千客佃于江北。"②《三国志·吴书·诸葛恪传》记载:"恪自领万人。……恪乞率众佃庐江、皖口。"凡此,不胜枚举。屯田有军屯和民屯之分,屯田官称为典农校尉和典农都尉,不受郡县管辖。典农校尉,级别等于郡守,典农都尉等于县令长。屯田的规模不断扩大,民屯人数也不少。永安六年(263),"丞相兴建,取屯田万人以为兵。"③说明屯田农民人数之多。

有一重要现象,民屯中的屯田者不服兵役。军屯中的佃兵,平时耕田种地,疆场有事则参加战斗。《三国志·吴书·陆凯传》载陆凯谏孙皓的话:"先帝战士,不给他役,使春唯知农,秋唯收稻,江渚有事,责其死效。"可知孙皓以前,屯田兵是平时耕田种地,有战争就参加战斗。

建安十九年(214),孙权取皖城,以吕蒙为"庐江太守,所得人马皆分与之。别赐寻阳屯田六百人,官属三十人"④。建安二十四年(219),蒋钦死,孙权"以芜湖民二百户,田二百顷给钦妻子"⑤。建安二十年(215),陈武从孙权征合肥,战死。"权命以其爱妾殉葬,复客二百家。"⑥

孙权执政前期,内外形势动荡,依靠江北、江东豪族支撑,维持局面,皖江流域成为其主要的经营之地。到了后期,开始向江北庐江郡等地发展,扩大屯田规模,积极争夺合肥。

孙权在六郡论思想路线支配下,坚持争夺合肥,不断举兵入境,或骚扰,或围攻,或偷袭,或侦察,其争夺合肥的战争,包括争夺合肥周边地区,如庐江、历阳、六安、钟离等地,几乎每隔两年就会有一次。

---

① 《晋书·王浑传》。
② 《三国志·满宠传》。
③ 《三国志·三嗣主传》。
④ 《三国志·吕蒙传》。
⑤ 《三国志·蒋钦传》。
⑥ 《三国志·陈武传》裴松之注引《江表传》。

以上已从魏、吴两国方面做了叙述,此处仅作《魏吴争夺合肥战争年表》(见附表),以见大概。不仅孙权要不停地争夺合肥,孙权之后的吴国君主也不得不经常进军合肥。这似乎是吴国君主的天命。

第五节 魏三少帝与吴三后主争夺合肥

魏明帝曹叡死后,曹魏诸元老宿将也相继老去,曹魏政权实力逐渐转移到司马氏集团手中。期间曹魏先后易主三次,分别为齐王曹芳、高贵乡公曹髦、元帝曹奂,史称"三少帝"。① 他们形同傀儡,实权为司马氏一门所掌控。孙吴集团内部,吴主孙权死后,孙权少子孙亮、孙权第六子孙休、孙权孙孙皓次第继位,史称三后主,或称"三嗣主"。② 他们沿着历史趋势,继续争夺合肥。

司马氏控制的曹魏集团,坚持合肥为中心,维护江淮政治势力。

三嗣主时期,孙吴集团内部政治势力分裂,各种政治势力表现了一个共同的特征,试图通过争夺合肥,提升自己的政治地位。因而争夺合肥的战争持续不断,争夺合肥的战争异常激烈。

一、魏吴"濡须坞"大战

孙权在位时期,于建安十七年(212),采纳吕蒙的建议,夹濡须水两岸,修建"濡须坞"军事工程,藉以抵御曹操南征。周泰、朱桓、甘宁等,都曾经受命戍守濡须坞。③ 黄龙元年(229)迁都建业,二年,筑东兴堤遏湖水。"后征淮南,败以内船,由是废不复脩。""东兴堤"军事工程,即建筑大型濡须坞,在今含山东关镇。

---

① 《三国志·目录》
② 《三国志·目录》
③ (宋)司马光《资治通鉴》卷十二,献帝建安十七年。

吴主孙亮在位时期,诸葛恪于建兴元年(252)率众重新修复,扩建为"东兴城",恪"会众於东兴,更作大堤,左右结山侠筑两城",作为吴国江北地区的重要军事据点。东兴城夹濡须水两岸倚山而建,左右各一城,每城驻守戍军千人,命全端、留略戍守。①

魏齐王曹芳嘉平四年(252),因为吴军建筑东兴濡须坞,企图阻遏巢湖水入江,这是从长江之滨越入巢湖,震动朝野,认为是莫大耻辱。这年十一月,魏齐王命大将诸葛诞等率众七万,南征,攻打吴军修筑的东关东兴堤。十二月,曹芳下诏,增加南征兵力,命征南大将军王昶、征东将军胡遵、镇南将军毌丘俭等各路人马并进巢湖濡须口。两军交战,魏军首先摧毁吴军军事工程,"攻围两坞,图坏堤遏"。吴大将军诸葛恪"兴军四万",急行军"晨夜赴救"。

魏将朱遵临阵指挥,"作浮桥,渡阵于堤上,分兵攻两城。"由于两城地势靠山,"高峻不可卒拔",一时间魏军难有作为,这时吴大将诸葛恪率大军先后赶到,命将军留赞、吕据、唐咨、丁奉为前部,反击魏军。

孙吴太傅诸葛恪领军出战与诸葛诞对阵,吴将丁奉参加了这次反击战。丁奉有勇有谋,身先士卒。军中将领有人认为魏兵闻听太傅(诸葛恪)亲自上阵,一定会很快逃跑。丁奉独不以为然,指出敌人大规模动员,数万大军前来,必有准备,不会是虚晃一枪就了事的,勉励大家不可以松懈,一定要做好准备。果然,诸葛恪抵达前线,魏军并无退却迹象。

两军交战,吴军主力部队唐咨、吕据、留赞等将领,俱领军从西山上。丁奉观察形势,认为不便于占领有利地形,自己则率领麾下3千人,选择小道直接迎战魏兵。丁奉水军占据了有利地点徐塘。天寒大雪,魏将放松战争警惕,在军营中置酒高会,"而解置铠甲,不持矛戟"。丁奉见其前部兵少,果断突击魏营。他鼓励将士,说:"取封侯爵赏,正在今日。"于是带领军队脱去铠甲,只戴头盔,持短兵,悄悄进

---

① 《三国志·诸葛恪传》。

入敌营。"敌人从而笑焉,不为设备,"以为是上来送死。丁奉纵兵斫之,大破敌前屯。这时吴军大将吕据抵达,两军夹击,魏军被击溃。时令严冬,下大雪,天寒地冻,其他吴军赶到,"鼓譟乱斫"。魏军"惊扰散走,争渡浮桥,桥坏绝,自投于水,更相蹈藉",一片混乱。魏将桓嘉等战死,落水"死伤数万",魏军大败于东兴堤,损失惨重。

吴军俘获"车乘牛马驴骡各数千,资器山积",大获全胜,"振旅而归。"①

东关之战,吴军大胜,在此前后,吴军从巢湖以东、巢湖以西先后进军魏军主要防守据点寿春,在芍陂、黎浆、虎林等地多次大战,互有胜负。这主要是魏军驻守寿春主将毌丘俭、诸葛诞对于司马氏专政不满,以至于反叛魏国,投入东吴。吴军先后派军队接应。但很快,吴军便进军合肥。

二、合肥新城保卫战

魏齐王曹芳嘉平五年(253),即吴主孙亮建兴二年,五月,吴太傅诸葛恪兴兵攻打合肥,重兵围攻合肥新城。魏下诏,委太尉司马孚率军拒敌。是时,魏将张特守合肥新城。

张特,字子产,涿郡人。初为军中牙门(侍卫军官),在镇东将军诸葛诞军中任职。诸葛诞没有发现他的才能,打算退还给护军。恰逢毌丘俭代替诸葛诞,挂帅镇东将军,命令张特屯守合肥新城。

吴大将诸葛恪在东兴堤战胜魏军,骄傲轻敌,不顾兵民劳疲与大臣反对,率十万大军围攻合肥新城,张特与将军乐方领军戍守合肥新城,合计有3千兵力。张特严防死守,鏖战诸葛恪三个多月,城中兵力损伤惨重,生病以及战死者很多,守军严重不足。

吴军方面也是死伤病累累。"攻守连月,城不拔。士卒疲劳,因暑饮水,泄下流肿,病者大半,死伤涂地。诸营吏日白病者多。恪以

① 《三国志·诸葛恪传》。

为诈,欲斩之,自是莫敢言。恪内惟失计,而耻城不下,忿形於色。将军朱异有所是非,恪怒,立夺其兵。都尉蔡林数陈军计,恪不能用,策马奔魏。"

诸葛恪加强兵力,急攻,合肥新城将陷,不可护。张特施用缓兵之计,向吴人游说:

今我无心复战也。依据魏主的法律,城池被围攻超过百日而救兵不至,虽降,家人不受处罚。我们自受敌以来,已九十余日。此城中本有四千余人,而战死者已过半,城虽陷,尚有半人不欲降。

请求诸葛恪缓攻,等待"一百日"期限。诸葛恪信以为真,暂停进攻。

当夜,张特在城内同拆"诸屋材,栅补其缺,为二重"防御。第二天,张特向吴人宣布说:"我但有斗死耳!"吴人大怒,进攻之,不能拔。

关键时刻,曹魏任命镇南将军毌丘俭为镇东将军,都督扬州,执掌合肥战事。毌丘俭、文钦合力援救合肥新城。太尉司马孚督中军,东下,强军压境,诸葛恪退军。"恪引军而去。士卒伤病,流曳道路,或顿仆坑壑,或见略获,存亡忿痛,大小呼嗟。"

张特意外获得这次合肥新城战役的胜利。朝廷嘉奖张特,赐杂号将军,封列侯,又迁安丰太守。

在这次守卫合肥新城的恶仗中,有两名合肥本地的知识分子为保卫合肥新城赴死殉节,证明了合肥新城在重兵围困之中,能够坚持下去的重要因素是人民百姓的支持。两名赴死殉节的士人是刘整和郑像,他们的事迹,为合肥新城守卫战增添了光辉的一页。二人的事迹是战争发生后的第二年,镇东将军毌丘俭专门上书为之请功而见于记载的。

嘉平六年(254),即合肥战后第二年,镇东将军毌丘俭上言:

昔诸葛恪围合肥新城,城中遣士刘整出围传消息,为贼所得,考问所传,语整曰:'诸葛公欲活汝,汝可具服。'整骂曰:'死狗,此何言也! 我当必死为魏国鬼,不苟求活,逐汝去也。欲杀我者,便速杀之。'终无他辞。又遣士郑像出城传消息,或以语恪,恪遣马骑寻围迹索,得像还。四五人(的)头面缚,将绕城表,敕语像,使大呼,言'大军已还洛,不如早降。'像不从其言,更大呼城中曰:'大军近在围外,壮士努力!'贼以刀筑其口,使不得言,像遂大呼,令城中闻知。整、像为兵,能守义执节,子弟宜有差异。

毌丘俭上书得到朝廷认可,下诏曰:

夫显爵所以褒元功,重赏所以宠烈士。整、像召募通使,越蹈重围,冒突白刃,轻身守信,不幸见获,抗节弥厉,扬六军之大势,安城守之惧心,临难不顾,毕志传命。昔解杨执楚,有陨无贰,齐路中大夫以死成命,方之整、像,所不能加。今追赐整、像爵关中侯,各除士名,使子袭爵,如部曲将死事科。

综合毌丘俭的上书与皇帝的诏书,可以知道刘整、郑像的身份是"士",即知识分子,是被招募来向外通使,寻求救兵的。因为"临难不顾,毕志传命"而为吴军害死,最后得到朝廷褒奖,赐爵关中侯,改变了原来知识分子的名份,成为有爵位即军功的贵族,虽然不食邑,只是一种荣誉。① 过去有人认为刘整、郑像为守城官兵的,不可取。若是官兵就不需要招募,直接命令就可以了,也不存在除去"士"之名分的必要。汉代士兵打仗,根据战功赐爵,凡二十等爵位。"士"在汉代是知识分子的通称,东汉晚期,士风砥砺,士人讲究名节,出现很多著名的节操之士,所谓"天下模楷李元礼(李膺),不畏强御陈仲举(陈

---

① 据《三国志·武帝纪》记载:"建安二十年(215)冬十月,始置名号侯至五大夫与旧列侯、关内侯凡六等,以赏军功"。裴松之引《魏书》注:"置名号侯十八级,关中侯十七级,皆金印紫绶;又置关内外侯十六级,铜印墨绶……皆不食租,与旧列侯、关内侯凡六等。臣松之以为今之虚封盖自此始。"

蕃），天下俊秀王叔茂（王畅）"①，是其中最著名的，形成不屈强御、砥砺名节、伸张正义的士风。魏在东汉之后，受其影响，是以有刘整、郑像之类的气节之士。这也是合肥历史上最早的两位有名字的知识分子。

三、司马氏讨伐扬州诸葛诞

"淮南三叛"一词，见于袁枢《通鉴纪事本末》卷十一。曹魏后期，统治集团内部分裂，权归司马氏。拥护曹氏皇室的高级将领王凌、毌丘俭、诸葛诞相继三次发动反对司马氏集团的政变，这三次政变都没有成功，政变地点都在淮南军镇寿春，旧史称"淮南三叛"。本质上说，这是曹魏统治阶级内部的权力斗争。当时北方经济已经得到恢复和发展，寿春镇将接连发动政变，仅限于统治阶级上层的角力，得不到百姓和人民的支持。

"淮南三叛"中，毌丘俭、文钦为代表的政变，被司马氏集团镇压。当时毌丘俭准备反对司马氏，上表提出司马家族的十一条罪状，上表联名者中有督守合肥护军王休、庐江护军吕宣、庐江太守张休、淮南太守（治合肥）丁尊等。②

司马氏平定诸葛诞之叛，虽是发生在合肥之北寿春重镇的一次大规模战争，而吴军主力都是在合肥区域调动的，反映了魏吴之间争夺寿春、合肥、江淮的政治博弈向深度延续，也说明了江淮区域的社会矛盾主要在合肥地区。

司马师死于许昌，弟弟司马昭执政，授诸葛诞镇东大将军，驻镇寿春。诸葛诞见同僚夏侯玄被害，王凌、毌丘俭相继被夷灭，文钦逃亡孙吴，自己感到孤立不安。于是在淮南笼络人心，蓄养死士数千以作自保。甘露元年（256）冬，吴军出徐堨（即徐塘，位于今巢湖市东

---

① 《后汉书·党锢列传》。
② 《三国志·毌丘俭传》裴松之注。

南)犯淮南。时诸葛诞所领军队足以御敌,但他却向朝廷"复请十万众守寿春,又求临淮筑城以备寇",意图是乘机扩张势力,割据淮南。司马昭察觉其动机,即瞄准诸葛诞为政敌。他玩弄政治手腕,先授诸葛诞镇东将军,稳住诸葛诞。甘露二年(257)五月,征召诸葛诞入朝为司空,削夺诸葛诞兵权。诸葛诞接到诏令,十分惊恐,遂称兵反抗。他首先杀掉异己将领扬州刺史乐綝,又"敛淮南及淮北郡县屯田口十余万官兵,扬州新附胜兵四五万人,聚谷足一年食,闭城自守。遣长史吴纲将小子靓至吴请救"①。诸葛诞这次政变,旧史称之为"诸葛诞之叛"。吴国见有机可乘,随即遣将军文钦、全怿、全端、唐咨等率领步骑三万人急赴寿春。

消息传到朝廷,司马昭率兵26万,师出有名,讨伐诸葛诞。司马昭命镇东将军王基、安东将军陈骞包围寿春,派石苞、胡质、州泰领兵抵御驰援的吴兵。

文钦、全端、唐咨等率领吴军到达寿春城外时,乘魏军尚未合围,从寿春城东北八公山,因山乘险,突入城中。不久,魏军赶到,包围了寿春,"表里再重,堑垒甚峻"。吴将朱异率领另一支三万人军队已进屯安丰城(位于今霍邱县南),试图与寿春城内诸葛诞内外呼应,以解寿春之围。文钦数次率领军队突围都被击退,朱异率领吴军在阳渊(位于今长丰县南)被魏将州泰部打败,死伤两千多人。

七月,吴国执政孙綝率大军出屯镬里(位于巢湖之滨,可能即巢湖烔炀镇湖内发现的唐咀遗址),遣朱异与将军丁奉、黎斐率五万军队救寿春,留辎重于都陆(位于芍陂东南)。朱异率军渡黎浆水(今寿县东南),被魏将石苞、州泰击败。魏将胡烈率军攻都陆,尽烧吴军粮草,朱异败退,被孙綝处死。吴国救兵不能解围,寿春形势危急,城内诸将意见出现分歧。十一月,魏叛将蒋班、焦彝踰城投降。十二月,吴将全怿、全端亦率数千人开门出降。甘露三年(258)正月,诸葛诞、文钦、唐咨等集中兵力欲突破寿春南围,不分昼夜攻打了五六天,魏

---

① 《三国志·诸葛诞传》。

军围城数重,叛军"死伤蔽地,血流盈堑",被迫退回城中。城中粮饷殆尽,不断有将士出降,文钦提出放出北人,减少人员,减轻粮食负担,只留吴人坚守,引起诸葛诞猜疑,伺机杀掉文钦。文钦的儿子文鸯、文虎听说父亲被杀即出城投降。二月,司马昭命令合围总攻,城溃,诸葛诞被杀。诸葛诞的武装反抗和吴国援军联合抗魏以失败告终。①

吴主孙皓宝鼎三年(268)十一月,孙皓亲率大军出东关,命大将军丁奉与诸葛靓(jìng,艳丽;美好)二人率领大军北向进攻,"出芍陂,攻合肥"。这是孙吴最后一次与北方政治集团的较量。司马炎派遣安东将军汝阴王司马骏迎战丁奉。"奉与晋大将石苞书,构而间之,苞以徵还"为司徒。② 此后,吴主孙皓肆行残暴,南方广州、交趾虽有发展,而江淮之间未有作为也。公元265年,司马炎逼退魏主,建立晋政权,是为晋武帝。此后江淮地区成为西晋的一部分,晋武帝不久便准备攻吴战争了。

三国时期合肥战事年表

序号	时间	公元(年)	地点	主题	概况	资料
1	兴平元年	194	庐江	攻打庐江太守陆康	两年攻破庐江郡。	《三国志·孙破虏讨逆传》
2	兴平二年	195	合肥东面历阳	攻打刘繇	合肥沿江关隘全部攻破。	《孙破虏讨逆传》
3	建安四年	199	庐江·皖城	从策征刘勋	征庐江太守刘勋。勋破。	《三国志·吴主传》
4	建安五年	199	合肥北寿春	李术杀严象	李术夺扬州自代刺史。	《三国志》
5	建安五年	200	庐江·皖城	举兵攻李术	屠其城,枭术首,徙其部曲三万余人。	《三国志·吴主传》

---

① 《三国志·三少帝纪》《诸葛诞传》《孙綝传》。
② 《三国志·丁奉传》。

续表

6	建安十三年	208	合肥、九江当涂	权率众围合肥	昭兵不利,权攻城逾月不能下。曹公遣张喜将骑赴合肥。未至,权退。	《三国志·吴主传》
7	建安十八年正月	213	巢湖支流濡须水流入长江入水口	曹公攻濡须	曹操出兵40万相拒月余。	《三国志·吴主传》
8	建发十九年五月	214	皖城	权征皖城朱光	征皖城,克之,获庐江太守朱光及数万口。	《三国志·吴主传》
9	建安十九年五月	214	合肥及逍遥津北	征合肥	权征合肥。合肥未下,彻军还。兵皆就路,权与凌统、甘宁等在津北为魏将张辽所袭,统等以死扞权,权乘骏马越津桥得去。	《三国志·吴主传》
10	建安二十一年冬	216	居巢、濡须	曹公次居巢,遂攻濡须	二十一年冬,曹公次于居巢,遂攻濡须。二十二年春,权令都尉徐详诣曹公请降,公报使脩好,誓重结婚。	《三国志·吴主传》
11	黄武三年九月	224	广陵、大江	魏文帝出广陵,征孙权	魏文帝出广陵,望大江,曰"彼有人焉,未可图也",乃还。	《三国志·吴主传》
12	黄武七年八月	228	庐江·皖口	孙权至皖口,使将军陆逊督诸将大破曹休	孙权至皖口,使将军陆逊督诸将大破休於石亭。	《三国志·吴主传》
13	黄龙三年夏	231	合肥新城	孙权中郎将孙布诈降,以诱魏将王凌	(黄龙)三年夏,中郎将孙布诈降以诱魏将王凌,凌以军迎布。冬十月,权以大兵潜伏於阜陵俟之,凌觉而走。	《三国志·吴主传》
14	嘉禾二年春	233	合肥新城、六安	孙权向合肥新城,将军全琮征六安	是岁,权向合肥新城,将军全琮征六安,皆不克还。	《三国志·吴主传》
15	嘉禾三年	234	合肥新城	孙权围合肥新城	孙权率大众围合肥新城。魏明帝自率水军东征。未至寿春,权退还。	《三国志·吴主传》

续表

16	嘉禾六年十月	237	庐江郡六安	孙权遣全琮袭六安	冬十月,遣卫将军全琮袭六安,不克。诸葛恪北屯庐江。	《三国志·吴主传》
17	赤乌四年四月	241	芍陂、六安	孙权略淮南	孙权遣卫将军全琮略淮南,决芍陂,烧安城邸阁,收其人民。威北将军诸葛恪攻六安。琮与魏将王凌战于芍陂,中郎将秦晃等十馀人战死。	《三国志·吴主传》
18	赤乌六年正月	243	六安、舒、皖	诸葛恪征六安;司马宣王率军入舒,诸葛恪自皖迁于柴桑	诸葛恪征六安,破魏将谢顺营,收其人民。是岁,司马宣王率军入舒,诸葛恪自皖迁于柴桑。	《三国志·吴主传》
19	赤乌十三年冬十月	250		魏将文钦伪叛以诱朱异,权遣吕据就异以迎钦	魏将文钦伪叛以诱朱异,权遣吕据就异以迎钦。异等持重,钦不敢进。	
20	嘉平五年	253	合肥巢湖濡须口	诸葛诞奉命出征	诸葛恪迎战诸葛诞,大败魏军。	《诸葛恪传》
21	嘉平五年	253	合肥新城	诸葛恪出征	围攻合肥新城百日。	
22	五凤二年	255	合肥北寿春	吴吕据出征	魏将曹珍迎战。	
23	太平元年	256	吕据伐魏	吴吕据出征	吴将孙峻死,退军。	
24	甘露二年	257	寿春	诸葛诞叛	吴丁奉出师5万接应,司马昭夺寿春,诸葛诞战死。	
25	永安六年	263	寿春	丁奉出征	越过合肥,攻打寿春。	
26	宝鼎三年	268	合肥、居巢东关	吴主孙晧亲自出兵东关,命丁奉、诸葛靓攻合肥	孙晧出兵东关,命丁奉、诸葛靓攻合肥。晋武帝司马炎命司马骏迎战丁奉诸葛靓。	

第八章

两晋南北朝时期合肥的
行政建置与政局

第八章 两晋南北朝时期合肥的行政建置与政局

太康元年(280),西晋灭吴,三国鼎立局面彻底结束。但因西晋统治者治政无方,导致内乱相继,统一局面仅维持 20 余年。晋惠帝永兴元年(304),匈奴渠帅刘渊乘"八王之乱"之际建立汉国。晋怀帝永嘉五年(311),汉国大将刘曜等攻占西晋都城洛阳,俘获晋怀帝,史称"永嘉之乱"。建兴四年(316),刘曜攻占长安,俘获晋愍帝,西晋灭亡,北方进入了十六国时期。建兴五年(317)三月,晋室琅邪王司马睿承制改元,称晋王。翌年三月,司马睿称帝于建康,史称"东晋"。

东晋十六国之后,南北方又分别出现政权嬗替局面。南方先后出现宋、齐、梁、陈诸政权,是为南朝。北方也先后出现北魏、东魏、西魏、北齐、北周与隋诸政权,是为北朝。自东晋十六国起,迄南北朝结束,合肥又陷入南北纷争之中,且不时又卷进南方政权的内乱,合肥地区的郡县设置与政局都因此而不断发生演变。

第一节 两晋时期的合肥政局

西晋统一后,南北划江对峙局面结束,合肥地区在国家政治生活中的地位及其行政建置,相应地发生了变化。合肥自此又走上和平稳定的发展道路。只是好景不长,东晋十六国时期,兵火初消的合肥又成为南北对峙的前沿。

一、西晋统一与淮南郡的设置

泰始元年(265)十二月,晋武帝司马炎受禅践祚。稳定国内局势后,泰始五年(269)二月,晋武帝便着手对临吴边地调整部署,以羊祜都督荆州诸军事镇襄阳,原镇荆州陈骞改都督扬州镇寿春,开始为伐吴做准备。

在此前后,国力大为衰减的孙吴,为了争取主动,频频发动对西晋的进攻,合肥及其周边区域战事频仍。泰始四年(268)九月,吴将丁奉、诸葛靓受命攻合肥,丁奉修书与镇守寿春的石苞,行离间之计,结果晋武帝征还石苞,以安东大将军、汝阴王司马骏代之。同年十一月,丁奉与诸葛靓率兵出芍陂,进攻合肥,司马骏率军抵御。① 晋咸宁三年(277)七月,晋武帝又令王浑代替陈骞。次年,孙吴在皖城大规模治田,意欲寇略西晋。三国以来,"合肥以南惟有皖城"②,吴军从皖城北上直接威胁的就是合肥。王浑遂遣扬州刺史应绰督淮南诸军,南下越过合肥率先发动攻势。结果,晋军不仅攻破了皖城,"并破诸别屯,焚其积谷百八十万斛,稻苗四千余顷,船六百余艘"。西晋荡平孙吴在皖城与合肥之间修筑的军事壁垒,在合肥以南区域获得了绝对优势。西晋历镇寿春的石苞、司马骏、陈骞均累处方任,善于绥抚。王浑也擅长镇抚,泰始年间领豫州刺史时,他就十分注意经营临吴边地,吴人前后降附者很多。经过历代扬州刺史苦心经营,西晋在淮南积蓄了足够力量。皖城之役后,王浑以寿春、合肥为后方,东向建康已无后顾之忧,"遂陈兵东疆,视其地形险易,历观敌城,察攻取之势"③,为伐吴赢取先机。

  除统兵将帅方面调整外,晋武帝还注意加强士兵的训练,提高军队战斗力。曹魏施行屯田制度,边地一般实施军屯,士兵亦兵亦农,战时作战,闲时生产。三国时期的合肥地区就是如此。军屯可以有效解决军粮问题,但一定程度上对士兵的训练也有影响。咸宁元年(275),晋武帝下诏:"出战入耕,虽自古之常,然事力未息,未尝不以战士为念也。今以邺奚官奴婢著新城,代田兵种稻,奴婢各五十人为一屯,屯置司马,使皆如屯田法。"④此新城即是合肥新城。以邺城奚官奴婢代合肥新城田兵种稻,既可继续保证军粮供应,又可将士兵从农业中释放出来,专事训练,提高战斗力。这也是晋武帝为伐吴精心

---

① 《资治通鉴·晋纪·晋武帝泰始四年》《三国志·丁奉传》。
② 《三国志·孙权传》。
③ 《晋书·王浑传》。
④ 《晋书·食货志》。

准备的重要举措。

咸宁五年（279），西晋灭吴的各项准备臻于成熟，当年十一月，司马炎诏令晋军自东至西沿长江一线分六路大举进发。东线安徽战场计有两路：一路由镇军将军、琅邪王司马伷出涂中（今滁河流域）；一路由安东将军王浑出合肥直逼横江（即今和县、马鞍山之间的长江）。王浑一路很快就在合肥东南的和县和含山先后遭遇吴军。当时，吴主孙皓鉴于江西方面大军临近，遣丞相张悌督丹阳太守沈莹、护军孙震、副军师诸葛靓率精兵三万渡江迎战。吴军至牛渚（今马鞍山市采石镇），沈莹进言："晋治水军于蜀久矣，上流诸军，素无戒备，名将皆死，幼少当任，恐不能御也。晋之水军必至于此，宜蓄众力以待其来，与之一战，若幸而胜之，江西自清。今渡江与晋大军战，不幸而败，则大势去矣！"张悌说："吴之将亡，贤愚所知，非今日也。吾恐蜀兵至此，众心骇惧，不可复整，及今渡江，犹可决战。若其败丧，同死社稷，无所复恨。若其克捷，北敌奔走，兵势万倍，便当乘胜南上，逆之中道，不忧不破也。若如子计，恐士众散尽，坐待敌到，君臣俱降，无一人死难者，不亦辱乎！"因此张悌没有采纳沈莹的意见。张悌率军自牛渚渡江后，与晋军先遣部队遭遇，张悌以优势兵力将晋将张乔率领的先遣部队7000人包围于杨荷桥（在今和县北）。张乔闭栅请降。张悌收编张乔部晋军后，继续向前推进，与晋扬州刺史周浚结阵相对。结果，晋军大败吴军于版桥（今含山县北），斩杀吴军将帅张悌、孙震、沈莹并及吴兵等7800余人。[①]

版桥之战的胜利，加上王濬等在长江中上游也取得大捷，"长江的制江权完全掌握在西晋一方了"[②]，晋军自此一路势如破竹。太康元年（280）三月，西晋王濬、王浑、司马伷三路大军会聚建康，孙皓投降，伐吴战事结束，全国重归统一。

西晋统一后，晋武帝对全国州郡进行相应调整，"凡增置郡国二

---

① 《资治通鉴·晋纪·武帝太康元年》。
② 王仲荦：《魏晋南北朝史》，上海人民出版社1979年版，第114页。

十有三,省司隶置司州,别立梁、秦、宁、平四州,仍吴之广州,凡十九州,郡国一百七十三"①。三国以来,安徽境内以今大别山－桐城北－庐江－巢湖－含山－全椒－滁州－天长一线南北分治,吴魏边地一些原汉时旧县,如钟离、当涂、阴陵、逡遒、阜陵、居巢、全椒等,皆一度弃而不置。② 这些荒残旧县,在西晋太康平吴之后得以恢复。③ 与此相应,合肥区域的郡县建置也有一定的调整。

大体来说,西晋时期,今合肥地区分属淮南郡与庐江郡,隶属扬州。三国时期,曹魏原本在安徽境内设有淮南郡与庐江郡,但淮南郡仅辖有寿春、成德、下蔡、义成、西曲阳、平阿与合肥七县,其中寿春为扬州州治所在,合肥为淮南郡治所在,庐江郡则仅辖有阳泉、安凤、松滋、六安、寻阳五县。西晋统一后,沿袭此前,仍设淮南郡,"名虽仍旧,实则新立"④,郡治移至寿春,辖地扩张至皖江下游,领县十六:寿春、成德、下蔡、义城、西曲阳、平阿、历阳、全椒、阜陵、钟离、合肥、逡遒、阴陵、当涂、东城、乌江;淮南郡之南,仍设庐江郡,郡治今舒城县城关镇,辖地也扩张至长江北岸,领县十:阳泉、舒、潜、皖、临湖、居巢、襄安、龙舒、六。二郡之中,属今合肥政区建置诸县约略如下:

淮南郡内属于今合肥地区的有四县:一为成德,治今长丰县陶楼乡;二为西曲阳县,治今长丰县北;三为合肥县,治今合肥市;四为逡遒县,治今肥东县龙城乡。

隶属庐江郡的有三县:一为居巢县,其他二县为临湖县、襄安县,确址不详,皆位于今庐江县和无为、庐江交界地带。⑤

---

① 《晋书·地理志》。
② 吴增仅:《三国郡县表附考证》,《二十五史补编》,开明书店1936年版,第2868页。
③ 《宋书》卷三十五《州郡一》云:"晋武帝太康元年,复立历阳、当涂、逡遒诸县,二年,复立钟离县,并二汉旧县也。吴平,民各还本,故复立焉。"
④ 方恺:《新校晋书地理志》,《二十五史补编》,开明书店1936年版,第3575页。
⑤ 成德县治,据《光绪寿州志》卷三《古迹》载:"成德旧县在寿州东南。今成德故县在合肥西北界上,盖交境处也。"今安徽省长丰县陶楼乡古城村,存其旧城遗址。其他治地均据《晋书·地理志》、谭其骧主编《中国历史地图集》、李天敏《安徽历代政区治地通释》、徐学林《安徽省志·建置沿志》等。

第八章 两晋南北朝时期合肥的行政建置与政局

曹魏至晋初恒为重镇的寿春与合肥,自太康以后至西晋灭亡前,在国家政治中的地位发生相应变化。最为典型的是,寿春原本长期为扬州州治所在,但平吴以后,为了加强对江南的控制,晋武帝将扬州州治移至建康,寿春降格为郡治所在。而合肥行政地位也随之降格为县级行政中心,治所也自三国新城迁回旧址,城市的军事职能发生转化,似乎又步入了两汉时期区域经济都会的发展轨道。平吴后,晋武帝旋即采取了一系列稳定社会、发展生产的措施。灭吴当月,晋武帝诏令"其牧守下皆因吴所置,除其苛政,示之简易"。两个月后,他又下令,"孙氏大将战亡之家徙于寿阳,将吏渡江复十年,百姓及百工复二十年"。[①] 这些除苛政、招流亡、免赋役的措施,对合肥地区的社会稳定和经济发展,无疑起到了相当的积极作用。逡遒县建置在太康年间的恢复,就是个明显的标志。此外,合肥在国家经济生活中地位的提升也能说明问题。晋惠帝时期贾后干政,引发动荡,"及赵王伦篡逆,三王起义兵,久屯不散,京师仓廪空虚",时为尚书仓部令史的庐江人陈敏建议:"南方米谷皆积数十年,时将欲腐败,而不漕运以济中州,非所以救患周急也。"于是,"朝廷从之,以敏为合肥度支,迁广陵度支"。[②] 西晋以陈敏为"合肥度支"掌管漕运,负责向洛阳运粮,这与合肥地区的农业生产有所恢复有关。

合肥地区的安宁稳定,大约维持了20余年。西晋惠帝元康以后,流民起义此起彼伏。太安二年(303),张昌在湖北长江、沔水之间聚众起义。起义军声势浩大,其中一支在石冰的统率下,攻下扬州,进破江州,席卷至安徽、江西、江苏一带,合肥地区也在其影响之列。《晋书·华谭传》载华谭于永宁(301—302)初为郏令,甚有政绩,"再迁为庐江内史,加绥远将军。时石冰之党陆珪等屯据诸县",华谭派遣司马褚敦讨平陆珪,"又遣别军击冰都督孟徐,获其骁率"。[③] 当时,广陵度支陈敏帅军护漕在寿春,在都督扬州诸军事刘准的增兵援助

---

① 《晋书·武帝纪》。
② 《晋书·陈敏传》。
③ 《晋书·华谭传》。

下,击破了石冰。这次农民起义持续时间不长,对合肥地区的影响当不是很大。此后不久,西晋即告崩溃灭亡,可以说西晋后期合肥是在王室争战与地方动乱中结束的。《搜神记》有一段记载江淮地区动乱的寓言故事,一定程度可以反映当时人们对于动乱的态度:

> 元康、太安之间,江淮之域,有败屦自聚于道,多者至四五十量。人或散去之,投林草中,明日视之,悉复如故。或云:见狸衔而聚之。世之所说:屦者,人之贱服而当劳辱,下民之象也;败者,疲弊之象也;道者,地里四方所以交通、王命所由往来也。今败屦聚于道者,象下民疲病,将相聚为乱,绝四方而壅王命也。

败屦就是破烂的草鞋,是下层百姓所穿,也是疲惫不堪的农民的象征。败屦竟然会自动汇聚在一起,说明社会对于农民起事已有预感,大规模的社会动乱即将到来。

二、东晋时期合肥成为南北方对峙的前沿

东晋立国,"实赖万里长江画而守之"[①],形成与北方的对峙局面。东晋百余年间,北方有十六国相继兴衰。东晋与北方诸政权互有攻伐,北疆边线有进有退,但大抵以秦岭、淮河为分界,据有秦岭(东段)与淮河以南区域。东晋和孙吴一样,也立都于建康。此前孙吴盘踞江左的历史经验表明,划江而守,必西据荆襄、北控淮南,才得以自固。东晋版图虽比孙吴有所北扩,但并未从根本改变这种局面。后人分析东晋方镇形势,就认为:"东晋疆域广狭无恒,扬、荆、徐、豫皆为重镇。"[②]具体到淮河流域,又"以合肥、淮阴、寿阳、泗口、角城为重镇"[③]。东晋守国,基本上是执行守淮战略,合肥地区以其特殊的地理

---

① 《晋书·孙绰传》。
② 吴廷燮:《东晋方镇年表》,《二十五史补编》,开明书店1936年版,第3467页。
③ 《通典·州郡一》。

第八章 两晋南北朝时期合肥的行政建置与政局

位置,再次跃升为屏护淮河、拱卫京师的军事重镇,成为南北对峙的前沿。东晋战事频起,合肥政局又不时陷入动荡之中。

东晋百余年间,就合肥在南北对峙情况而言,可以穆帝永和六年(350)为限,大约分成两个阶段:第一阶段,东晋既与后赵、冉魏相互纷争,又屡屡陷入内部叛乱争斗之中,合肥直接成为战场,东晋朝廷屡失对合肥的控制;第二阶段,东晋相继与前燕和前秦交锋,合肥作为东晋牢牢控制的后方,对前线战斗起支持作用。

(一)东晋内乱及其与后赵、冉魏纷争中的合肥

东晋立国前后,北方黄河流域发展最快、实力最为雄厚的是石勒建立的后赵。石勒,羯人。西晋八王之乱暴发后,石勒卷入混战并因缘时会、发展迅速。永嘉五年(311),石勒已经割据河北和山东大部,西晋东北八州,已有其七,兵锋所向,直指江南。永嘉六年(312),"石勒筑垒于葛陂,课农造舟,将攻建业",时为镇东大将军、琅邪王的司马睿十分恐慌,"大集江南之众于寿春",以镇东长史纪瞻为扬威将军,统领各军拟征讨石勒。听说晋军将至,石勒会集诸将计议,"孔苌等三十余将请各将兵分道袭寿春,斩吴将头,据其城,食其粟,要以今年破丹阳,定江南"。谋士张宾则对石勒分析了当先经营河北的大势,并提出为保安全,让粮草由北道先发,石勒带兵伪装南下再回兵北上的迂回之计。石勒欣赏并采纳了张宾的建议,提拔张宾为右长史,号为"右侯"。继而,石勒引兵发葛陂,石虎带领2000骑兵开往寿春,"遇晋运船,虎将士争取之,为纪瞻所败",纪瞻追击了一百多里,前锋追上石勒的军队,石勒排好兵阵等待,而纪瞻不敢攻打,退还到寿春。[①] 此后,石勒专注在北方发展,中原地区,除辽东慕容氏、河西张氏外,皆为勒统一。石勒再次南下寿春、进逼合肥,已是祖逖病亡以后的事了。

祖逖,范阳遒县(今河北涞水县北)人。洛阳沦没时,祖逖率亲党

---

① 《资治通鉴·晋纪·怀帝永嘉六年》。

数百家,避地淮泗,旋即又渡江徙居京口。祖逖"以社稷倾覆,常怀振复之志"。建兴元年(313),司马睿以祖逖为奋威将军、豫州刺史,给千人廪,布3000匹,不给兵器,也不给士兵,使自行招募。祖逖遂率本部曲百余家渡江,击楫中流,誓清中原,掀起北伐序幕。祖逖北上后,先后进据淮阴、太丘、雍丘,当时淮河以北坞堡林立,常互相攻伐,祖逖竭诚绥抚,统一节度,"由是黄河以南尽为晋土",并致"石勒不敢窥兵河南"。① 太兴三年(320),正当祖逖打开良好局面,积极准备推进河北之时,东晋内部出现变局,断送了北伐前程。

东晋是门阀政治形态,门阀政治的存在,不仅有赖于当时南北对峙、民族矛盾十分尖锐这样的一个外部条件,东晋政权内部的皇权与士族势力平衡也是重要因素。② 而东晋时期,这种所谓的平衡,又每每处在危险失控的边缘。太兴四年(321)时,荆州刺史王敦不臣之迹日益彰显。为防备王敦在上游作乱,是年七月,司马睿以心腹戴渊为征西将军、司州刺史,镇守合肥,并都督司兖豫并冀雍六州诸军事,祖逖也在其节制之中。祖逖"以戴渊吴士,虽有才望,无弘致远识",影响其北进大业,为此"意甚怏怏",又虑"将有内难,知大功不遂,感激发病",旋即病故。③ 祖逖之死,对于当时东晋来说,不啻是个噩耗。"王敦久怀逆乱,畏逖不敢发,至是始得肆意焉。"④王敦内乱又给石勒南下江淮以可乘之机,东晋很快就卷入内乱与外侵的双重风暴中,合肥地区再次遭罹兵燹。

永昌元年(322)一月,王敦以讨刘隗为名举兵武昌,沿江东下,一周内就到了芜湖,王敦又上表罪状刁协,元帝怒诏:"是可忍也,孰不可忍!今亲帅六军以诛大逆,有杀敦者,封五千户侯。"王敦出兵后,梁州刺史甘卓不欲从王敦叛乱,发檄文数落王敦罪状,并遣使报奏朝廷,这对于东晋中枢来说是一大利好消息。戴渊在合肥"先得卓书,

---

① 《晋书·祖逖传》。
② 田余庆:《东晋门阀政治》,北京大学出版社2005年版,第294—295页。
③ 《晋书·祖逖传》。
④ 《资治通鉴·晋纪·元帝太兴四年》。

表上之,台内皆称万岁",二月,戴渊又受诏离开合肥入卫建康。① 但由于士族观望者众多,戴渊、刘隗等又作战不力,四月,王敦即顺利攻下建康,杀了戴渊、刁协,刘隗逃奔石勒。晋元帝也于这一年闰十一月忧愤而死。

永昌年间形势的巨变,使合肥在东晋政局中的地位陡升。东晋朝廷对付王敦叛乱已是捉襟见肘,北方边事更是未遑顾及。王敦进入建康后,一直忙于独断朝政的人事布局。为获得北方流民武装的支持,王敦"自加兖州刺史郗鉴为安北将军"②。永昌元年(322)七月,石勒又开始向南扩张,郗鉴"为后赵所逼,退屯合肥";十月,石勒又"屡寇河南,拔襄城、城父,围谯。豫州刺史祖约不能御,退屯寿春"。③这样,祖逖收复的失地自淮水、汉水以北,复悉为石勒所据,寿春直接暴露于后赵的兵锋之下,合肥成为南北方对峙的前沿。

郗鉴来到合肥,并非只身一人,而是携带了庞大的部曲武装。此前王敦对郗鉴的争取,引起了东晋朝廷的警惕。时尚书右仆射纪瞻,为晋元帝心腹,"以鉴雅望清德,宜从容台阁,上疏请徵之;乃拜为尚书"④。郗鉴进入中枢,仍将流民武装留在合肥。这支流民武装在合肥的存在,使王敦和朝廷争取郗鉴的斗争持续白热化,诚如田余庆所言,郗鉴不由自主地"逐步陷入士族门户斗争的漩涡之中"⑤。太宁元年(323),明帝"畏王敦之逼,欲以郗鉴为外援,拜鉴兖州刺史,都督扬州江西诸军事,镇合肥"。郗鉴不仅镇守合肥,而且以合肥为据点,掌管扬州在安徽区域整个军事力量,合肥军事地位一时似乎越过寿春。明帝这一举措相当精明,因为当时王敦正驻军于姑孰(今安徽当涂)。郗鉴近在咫尺的监视,对王敦起事谋逆来说,无疑是个很大障碍。所以,"王敦忌之,表鉴为尚书令"。同年十一月,王敦又徙王含为征东

---

① 《资治通鉴·晋纪·元帝永昌元年》。
② 《晋书·元帝纪》。
③ 《资治通鉴·晋纪·元帝永昌元年》。
④ 《资治通鉴·晋纪·元帝永昌元年》。
⑤ 田余庆:《东晋门阀政治》,北京大学出版社 2005 年版,第 36 页。

将军、都督扬州江西诸军事,将扬州安徽境内的军权转到兄长王含手中。① 虽然郗鉴迫于形势,最终受任中枢,但他留在合肥的武装力量对于王敦依旧是个制约。一切表明,合肥在当时东晋内外矛盾斗争中,都有着举足轻重的地位与作用。

　　王敦之后,东晋面临的内外矛盾继续发展,合肥地区开始成为各方直接展开军事活动的战场。后赵在逼迫祖约退屯寿春后,一度转兵东向,攻掠东晋的彭城、下邳,扩张势头未曾衰减。咸和元年(326)十一月,后赵又发动对东晋的进攻。后赵这次进攻,东晋朝廷应对一错再错,不仅致使赵兵深入南下,而且还为祖约叛乱、合肥易手埋下祸根。史云:"后赵石聪攻寿春,祖约屡表请救,朝廷不为出兵。聪遂寇逡遒、阜陵,杀掠五千余人。"②逡遒治地在今肥东龙城。后赵既深入肥东,合肥以北地区也难免横罹兵祸。

　　后赵的深入引起东晋朝野极大恐慌,时"建康大震,诏加司徒导大司马、假黄钺、都督中外诸军事以御之,军于江宁"。后赵退兵后,"朝廷又欲作涂塘以遏胡寇"。祖约退守寿春时,寿春为豫州州治和淮南郡治共同治所,其时淮南郡守为王敦心腹任台,祖约曾驱逐之。祖约手下有一支强大的流民武装,又有功于东晋,却不豫明帝顾命,表请开府又屡为朝廷所拒,怨怼已生。这次朝廷拒援祖约,并意欲另建要塞抵御后赵,是以"约谓为弃己,弥怀愤恚"③。因此,次年苏峻发动叛乱,邀盟于祖约,祖约欣然从命。

　　东晋明帝后期,外戚庾亮兄弟得势,渐取代琅邪王氏,形成"庾与马共天下"的新局面。咸和二年(327),驻守今和县的历阳内史苏峻,不满庾亮兄弟专权,拒绝解除其军权、内任为大司农的征召,与祖约一道,以讨伐庾亮为名,起兵进攻建康。苏峻、祖约本皆是流民统帅,和东晋朝廷军队相比,他们手下兵士的战斗力要强得多。一路上,叛

---

① 《资治通鉴·晋纪·明帝太宁元年》。
② 《资治通鉴·晋纪·成帝咸和元年》。
③ 《晋书·祖约传》。

军势如破竹,咸和三年(328)二月,苏峻便攻入建康。但苏峻、祖约不比王敦,他们的叛乱并未得到太多支持,除阜陵令匡术等有限几人外,多数地方郡守与士族都加入到反对叛乱的阵营。庐江太守陶瞻,起兵反对苏峻,结果为苏峻所杀。陶瞻为荆州刺史陶侃之子,陶瞻被杀,促使陶侃放弃了狐疑观望,转而接受温峤建议,加入平叛阵营。平叛过程中,晋军先后在皖城、扼守巢湖的东关以及合肥等地,与叛军展开了激战。其中桓宣在皖城马头山一战尤为惨烈。

桓宣时任谯国内史,为祖约部将,得知祖约意欲叛乱,他设法劝谏,未果后,即与祖约分道扬镳,"将数千家欲南投寻阳,营于马头山"①。咸和三年(328)五月,祖约派遣祖涣、桓抚袭击寻阳溢口,"涣、抚过皖,因攻谯国内史桓宣"②。桓宣急向毛宝求救。毛宝原是江州刺史温峤幕府的平南参军,陶瞻战死后,毛宝因袭击桓抚、夺取苏峻馈饷祖约万斛军粮之功,被温峤举荐为庐江太守。"宝众以宣本是约党,疑之。宣遣子戎重请,宝即随戎赴之。未至,而贼已与宣战。宝军悬兵少,器杖滥恶,大为涣、抚所破。宝中箭,贯髀彻鞍,使人蹋鞍拔箭,血流满靴,夜奔船所百余里,望星而行。到,先哭战亡将士,洗疮讫,夜还救宣。宝至宣营,而涣、抚亦退。"③毛宝解围后,乘势反击,"进攻祖约军于东关,拔合肥戍"④。合肥从叛军手里被夺回,重归东晋朝廷掌控。

正当毛宝与祖约叛军在合肥地区激战时,祖约后方出现变故,"祖约诸将阴与后赵通谋,许为内应。后赵将石聪、石堪引兵济淮,攻寿春。秋,七月,约众溃,奔历阳,聪等虏寿春二万余户而归"⑤。咸和四年(329)五月春正月,祖约在东晋打击下也弃历阳北奔后赵。淮南自此沦陷,归属后赵。后赵设扬州淮南郡,州治与郡治均置于寿春。

---

① 《晋书·桓宣传》。
② 《资治通鉴·晋纪·成帝咸和三年》。
③ 《晋书·毛宝传》。
④ 《资治通鉴·晋纪·成帝咸和三年》。
⑤ 《资治通鉴·晋纪·成帝咸和三年》。

同年,东晋在江淮间侨立豫州①,于合肥地区则侨置汝阴及南谯等郡,隶豫州。② 永和元年(345),东晋豫州刺史、苏峻降将路永叛逃后赵,"赵王虎使永屯寿春"③。合肥也因之而北属后赵。

穆帝永和年间,是东晋少有的政局平稳时期。此时,北方后赵盛极而衰。永和五年(349)四月,后赵皇帝石虎死,内乱继起。次年闰正月,石虎养子冉闵称帝,国号大魏。外部压力减弱的同时,东晋内部权力斗争也相对平静,颍川庾氏出现骤衰,而谯国桓氏方在初起阶段。内外形势的好转,遂使合肥地区政局有了转机。永和五年(349)六月,后赵扬州刺史王浃举寿春城降晋,东晋西中郎将陈逵进据寿春。寿春城归晋后,合肥就处于东晋包围之中了。次月,东晋征北大将军褚裒举行北伐,但褚裒才略疏短,一战而长退广陵。陈逵闻说后,慌乱焚寿春积谷,毁城遁逃。好在冉闵称帝两个月后,后赵新兴王石祗又在襄国称帝,魏赵之争愈演愈烈,冉闵无暇南顾,未及经理淮南。东晋豫州刺史谢尚由芜湖进镇寿春。永和六年(350)五月,"庐江太守袁真攻魏合肥,克之,虏其居民而还"④。合肥又被东晋从冉魏手中夺回。

(二)东晋与前燕、前秦纷争中的合肥

石赵后期,北方辽东地区的鲜卑慕容氏兴起。咸康三年(337)十月,慕容皝自立为王,即燕王位,建前燕。永和四年(348),慕容皝死,子慕容儁继位。永和六年(350)三月,慕容儁夺得幽州,移都于蓟。永和八年(352)五月,慕容儁灭冉魏。前燕在与后赵、冉魏争战过程中,一直遥尊东晋,"由于慕容氏在其势力未壮大以前,表面拥护东晋,东晋政权也就信任它,反而不信任消灭石赵政权的冉闵,坐视冉

---

① 《宋书·州郡志二》。
② 《续修光绪庐州府志·沿革志》。
③ 《资治通鉴·晋纪·穆帝永和六年》。
④ 《资治通鉴·晋纪·穆帝永和元年》。

闵让慕容儁消灭而不救"①,其外交策略颇为成功。及至前燕尽有河北后,东晋也向北扩张到了河南。灭冉魏当年十一月,慕容儁称帝,"时晋使适至燕,儁谓曰:'汝还白汝天子,我承人乏,为中国所推,已为帝矣!'"②升平二年(358)十二月,慕容儁图谋经营前秦与东晋,令全国州郡检查户口,户留一丁,其余悉数征发当兵,拟凑足150万大军,以期来年春天集于洛阳。东晋与前燕的直面冲突已是不可避免。

升平五年(361)二月起,以前燕河内太守吕护投降东晋为导火索,前燕与东晋展开了连绵的军事斗争。兴宁元年(363)四月,前燕发动对东晋的全面攻势。东晋在前燕的猛烈进攻下,不断丧师失地。兴宁二年(364)二月,前燕太傅慕容评、龙骧将军李洪侵扰河南。四月,前燕李洪又进犯许昌、汝南,在悬瓠大败晋军,东晋颍川太守李福战死。自此,晋军全线收缩,陈郡太守朱辅退保彭城,汝南太守朱斌退至寿春,战火开始向合肥北部逼近。合肥以其特殊的地理位置,开始发挥对东晋前线作战和贯彻守淮战略的支撑作用。

前燕不断南下深入,引起东晋君臣的焦虑。东晋大司马桓温急忙调兵遣将,积极部署,史载当时,"桓温遣西中郎将袁真、江夏相刘岵等凿杨仪道以通运,温帅舟师次于合肥"③。袁真开凿杨仪道事,司马光《资治通鉴》未予记载。杨仪道究竟在哪,史书语焉不详。从桓温舟师进驻地是合肥来看,杨仪道当在通往合肥的路上。《三国志》也载有"吴将陆逊向庐江,(满)宠整军去杨宜口。贼闻大兵东下,即夜遁"④之说。满宠时为曹魏征东将军,屯驻合肥,陈寿所说的杨宜口当距合肥城不远。有学者认为"杨宜"即是"杨仪","杨仪水道应在这

---

① 王仲荦:《魏晋南北朝史》,上海人民出版社1979年版,第260页。
② 《资治通鉴·晋纪·穆帝永和八年》。
③ 《晋书·哀帝纪》。
④ 《三国志·满宠传》。

一地区(巢肥运河),凿以通运是开运河"①。众所周知,桓温向来是重视水路运输军队和粮草的。永和初年,桓温灭成汉就是沿长江西上的。太和四年(369)桓温第三次北伐前燕,也是从姑孰出发,沿江东下至金城,增益水师后,又沿沟通江淮的中渎水(即古邗沟)转入淮河,又沿泗水北上,后来也最终因石门水路未通铩羽而归。祖约叛乱时,袁真曾用兵于合肥地区并攻拔合肥戍,对合肥地区也比较熟悉。因此桓温选择袁真负责在合肥地区开凿杨仪道也是有道理的。

桓温此时派遣袁真开凿杨仪道是否要由合肥北上?史书未及细言。我们所知的是,自杨仪道开凿,桓温舟师进驻合肥后,前燕不再南下,仅是"拔许昌、汝南、陈郡,徙万余户于幽、冀二州,遣镇南将军慕容尘屯许昌"②。可以看出,杨仪道的开通,桓温水师北上合肥,对南侵势头强劲的前燕产生了相当的威慑,暂时稳定了寿春及东晋北部边线。

桓温第三次北伐,败于枋头,东晋收复的淮水以北失地,重又丧失。桓温为挽救自身威望,诿罪于未能完成开通石门水道战略任务的袁真。袁真申辩无望,太和四年(369)十月,"遂据寿春叛降燕,且请救;亦遣使如秦"③,令合肥再次直接暴露在北敌兵锋之下。东晋要想顺利执行守淮战略,有效保护建康及江南安全,必须收复寿春这一重镇。太和六年(371)正月,桓温攻灭了依附于前秦的袁瑾(袁真子,袁真死后袁瑾继立),再次收复了寿春。但这时,前秦已经强大起来,并于太和五年(370)十一月灭掉了前燕,东晋在淮河流域的对手由前燕转为前秦。

太元元年(376),前秦灭掉了前凉和拓跋氏代国,完成北方统一,

---

① 姚汉源:《中国水利史稿》上册,水利电力出版社1979年版,第284页。关于杨仪道,《资治通鉴》卷七十二胡三省注、赵一清《水经注释》、熊会贞《水经注疏》等都有讨论,多把阳泉口、阳渊等弄混了。实则杨仪道、杨宜口即通往阳渊的水道,西晋以后通航能力逐渐减弱,甚至断航,所以到东晋以后需要再次凿通了。
② 《资治通鉴·晋纪·哀帝兴宁二年》。
③ 《资治通鉴·晋纪·海西公太和四年》。

其兵锋所向,只剩下偏居东南的东晋了。这年冬十月,东晋开始战略收缩,移淮北民于淮南,寿春就直接暴露在前秦步骑之下,合肥又成为南北对峙的前沿。

太元三年(378)七月,前秦发动了一场东出淮水下游南攻东晋的战争,前锋一度距广陵(今江苏扬州)不过百里,晋廷大震,仓皇临江戒备。这次南下,前秦虽然没有达到既定目标,但退至淮北后,仍还占领着彭城、下邳等淮北军事重镇,在淮河流域保持对东晋高压态势。太元五年(380)十二月,苻坚以左将军都贵为荆州刺史,镇襄阳,又特置东豫州,以毛当为刺史,镇许昌。襄阳和许昌皆为战略要地,前秦兵发襄阳,可直下江陵,威慑东晋桓冲驻守的荆州,兵发许昌,则可沿颍水至淮河径达寿春。后来淝水之战时,苻坚就曾选择进驻颍水上的项城。太元六年(381)十一月,苻坚令都贵在汉水流域对东晋西线发动攻势。次年八月,又以谏议大夫裴元略为巴西、梓潼二郡太守,使密具舟师,欲效仿王濬故智,浮江东下讨伐东晋。

完成上述部署后,前秦全面伐晋就提上了议事日程。太元七年(382)十月,苻坚会集群臣,公开提出:"吾统承大业垂二十载,芟夷逋秽,四方略定,唯东南一隅未宾王化。吾每思天下不一,未尝不临食辍哺,今欲起天下兵以讨之。略计兵杖精卒,可有九十七万,吾将躬先启行,薄伐南裔,于诸卿意何如?"①苻坚的理想虽然宏伟,然就当时情况而言,实际上并不切实际。苻坚虽然统一了北方,但内部问题丛生,仅民族政策就尖锐突出。统一中原后,为巩固氐族在中原的统治,太元五年(380)七月,苻坚将十五万户氐人分散,"使诸宗亲各领之,散居方镇,如古诸侯"②。移氐族出关陇,对中原地区采用军事殖民统治,这个策略,表面上壮大了氐族的声势,但无疑也会激化民族矛盾,为其覆亡埋下种子。诚如王仲荦所分析:"氐族的人口本来不多,由于从部落发展起来的军事组织,力量比较集中,故能征服其他

---

① 《晋书·苻坚载记下》。
② 《资治通鉴·晋纪·孝武帝太元五年》。

部落国家,组织集权的中央政府;苻秦政府一旦把氐族十五万户分割到被征服地区的各重要方镇去以后,就造成了氐族武装势力上极度分散的劣势。"①后来苻坚落难时,果然无法再组织起像样的氐族武装力量来。

当时前秦朝廷组成复杂,对南伐意见不一。参与朝议的王公大臣包括太子苻宏,几乎都反对用兵伐晋。唯有前燕降将慕容垂、羌帅姚苌,心怀异志而附和苻坚。朝会散后,苻坚独留阳平公苻融密议,苻融仍然反对,并以前丞相王猛遗言来提醒苻坚,说:"臣之顽愚,诚不足采;王景略一时英杰,陛下常比之诸葛武侯,独不记其临没之言乎!"②王景略即王猛,临终曾告诫苻坚:"晋虽僻陋吴越,乃正朔相承。亲仁善邻,国之宝也。臣没之后,愿不以晋国为图。鲜卑、羌虏,我之仇也,终为人患,宜渐除之,以便社稷。"③然而,苻坚一意孤行,坚持做出南伐东晋的战略决策。苻坚伐晋,首次战役就选择在淮南重镇寿春。一场暴风骤雨,终于很快就向寿春袭来。

东晋太元八年(383)七月,苻坚在全国范围内征兵。八月,前秦兵发长安,"戎卒六十余万,骑二十七万,前后千里,旗鼓相望。坚至项城,凉州之兵始达咸阳,蜀汉之军顺流而下,幽冀之众至于彭城,东西万里,水陆齐进。运漕万艘,自河入石门,达于汝颍"④。战争序幕正式拉开,淝水之战爆发了。

苻坚南下,面临的南方并非孙吴末期一样的政局。桓温之后,东晋君臣相谐,将相和睦。面对北方强大前秦的威胁,镇守上游荆州的桓冲与坐镇中枢的谢安携手御敌。为减轻下游建康的压力,此前,桓冲就在西线率先主动出击,先后于当年的五月、六月、七月连续在汉水流域发动攻势,并取得一定的战果,对前秦军队产生相当的牵制作用。太元初,谢安以谢玄为兖州刺史,镇广陵,招募北方流民组建了

---

① 王仲荦:《魏晋南北朝史》,上海人民出版社,第276页。
② 《资治通鉴·晋纪·孝武帝太元七年》。
③ 《晋书·苻坚载记下》。
④ 《晋书·苻坚载记下》。

一支英勇善战的军队,以刘牢之为参军,号称"北府兵"。北府兵在淝水之战中发挥了重要作用。东晋东西线的相互策应,协同作战,有效抵御了前秦全面进攻,并最终取得了战争的胜利。

  东晋东线主将,除陈郡谢氏叔侄外,另有谯国铚县(今安徽濉溪)桓伊。据万斯同《东晋方镇年表》,自晋孝武帝宁康三年(375)起,桓伊就担任豫州刺史,直到太元九年(384)二月桓冲卒后,才改任江州刺史。① 前已有揭,咸和四年(329)祖约叛乱后,东晋始于芜湖侨置豫州。东晋又根据北方侨民南移情况,先后在合肥地区侨置汝阴郡(治汝阴县,治地为今合肥市西北部)、南谯郡(治山桑,治地为今巢湖市南)及部分侨县,隶属豫州。庾亮之后,豫州州治迁徙无定,但多是盘旋于合肥周边。孝武帝宁康元年(373),桓冲移镇姑孰,桓伊接任桓冲为豫州刺史,治地也在姑孰。自桓温于合肥开杨仪道后,由姑孰过江进巢湖再入淝水向寿春,就是一条便捷的行军路线。而合肥为豫州辖地,其军政大权掌握在桓伊手中。是以,太元元年(376)九月,桓冲"遣豫州刺史桓伊帅众向寿阳"②,骚扰前秦以救前凉。桓伊有武才,对前秦有着长期的斗争经验。《晋书·桓伊传》称:"时苻坚强盛,边鄙多虞,朝议选能距捍疆场者,乃授伊淮南太守。以绥御有方,进督豫州之十二郡扬州之江西五郡军事、建威将军、历阳太守,淮南如故。"东晋扬州江西五郡,指扬州长江以西的淮南、庐江、弋阳、安丰、历阳五郡。③ 也就是说,桓伊任豫州刺史之前,就曾一度掌管寿春、合肥及庐江一线的军事大权。桓伊刺豫州,又"在州十年,绥抚荒杂,甚得物情"④。桓伊熟悉并长期负责寿春及其后方合肥地区的军政,因此,当前秦大军南下,谢安调兵遣将时,选择桓伊为主将之一。淝水之战暴发后,主战场又正在合肥与寿春之间。合肥、寿春诸地,经桓

---

① 万斯同:《东晋方镇年表》,《二十五史补编》,开明书店 1936 年版,第 3460 页。
② 《资治通鉴·晋纪·孝武帝太元元年》。寿阳即寿春,晋孝武帝避简郑太后讳,改寿春为寿阳。南朝刘宋大明六年复改为寿春。
③ 《资治通鉴·晋纪·成帝咸和四年》胡三省注。
④ 《晋书·桓伊传》。

伊长期经理，又经桓伊统筹调度，为淝水之战的最终胜利做出了贡献。

太元八年（383）九月，当苻坚到达项县（今河南沈丘县）时，前秦大将苻融等率领的30万人的先锋部队已经沿颍水进发到颍口（今颍上县东南）。谢安闻讯，立即任命谢石为征讨大都督，以徐、兖二州刺史谢玄为前锋都督，与辅国将军谢琰、西中郎将桓伊率领8万军队迎战，又派龙骧将军胡彬率水军5000人配合作战。十月，苻融克寿阳，俘虏晋平虏将军徐元喜和安丰太守王先。胡彬得知寿阳沦陷，遂退屯硖石（在今凤台、寿县间的淮河两岸）。苻融又马不停蹄地向胡彬发动进攻，并派遣梁成率5万军队进屯洛涧（即洛水，发源于定远县东南，在今淮南市东部入淮），"栅淮以遏东兵"，切断胡彬与后续部队的联系。谢石、谢玄率领晋军进至距洛涧二十五里处裹足不前。粮尽援阻、困守硖石的胡彬，只得遣使向谢石告急："今贼盛粮尽，恐不复见大军！"苻融获知晋军实情后，遣使驰报苻坚："贼少易擒，但恐逃去，宜速赴之！"于是苻坚留大军于项县，率领轻骑8000人，日夜兼程赶到寿阳。苻坚以为自己强大的军队已经吓倒晋军，可以不战而胜，于是派被俘晋将朱序到晋营劝降。朱序身在秦营心在晋，向谢石献计说："若秦百万之众尽至，诚难与为敌。今乘诸军未集，宜速击之。若败其前锋，可遂破也。"谢琰也劝谢石采纳朱序建言，抛弃"欲不战以老秦师"之策，主动出击秦军。十一月，谢玄派刘牢之率领精兵5000人进攻洛涧，梁成于洛涧西岸严阵以待。刘牢之勇渡洛水，挥师进击，大破秦军，临阵斩杀梁成和弋阳太守王詠，又分兵堵截其归路。秦步骑溃逃，士卒争赴淮水逃命，结果溺死者15000人，秦扬州刺史王显等成了俘虏，大批器械军粮为晋缴获。晋军一战得捷，士气高涨。谢石乘胜水陆俱进，逼近寿阳城外的淝水。

洛涧一战，前秦损兵折将，锐气大伤。苻坚登上寿阳城墙，东望晋军阵营严整，又见城北八公山上的草木，以为皆是晋兵，开始害怕起来，回头对苻融道："此亦劲敌，何谓弱也！"

由于前秦紧逼淝水列阵，与晋军隔水相峙。谢玄派使者向苻融挑战："若移少却，使晋兵得渡，以决胜负，不亦善乎！"前秦诸将皆认为不能同意东晋的要求，主张"我众彼寡，不如遏之，可以完全"的持重之略。苻坚否决诸将建议，说："但引兵少却，使之半渡，我以铁骑蹙而杀之，蔑不胜矣！"苻融也赞同这个主意，引军稍退。然而，战场形势瞬息万变，前秦军队一动，阵脚一乱，一时便难以复止。朱序又在阵后大呼："秦兵败矣！"谢玄、桓伊乘机率领晋军渡过淝水，直扑过来。苻融这时想压住阵脚，已是不能，自己反而死于乱军之中，前秦军心顿时崩溃。晋军一路掩杀，追至三十里开外的青冈（今凤台县西北）。秦军自相践踏而死者，蔽野塞川，"其走者闻风声鹤唳皆以为晋兵且至，昼夜不敢息，草行露宿，重以饥冻，死者十七八"①。晋军乘胜收复了寿阳。苻坚乱中被流矢射中，单骑走至淮北。

　　淝水之战，以前秦大败结束。秦军失利，除前述原因之外，军队成分复杂，战斗力参差不齐，苻坚阵前应对失策也是重要原因。苻坚返回长安不久，前秦就瓦解了，北方再次出现分裂。东晋挟大胜之余威，不断出击，收复了河南许多要地，一度将前线向北推进至河北。

　　淝水战后不久，东晋内乱再起，合肥地区也在一定程度上卷入其中。隆安元年（397），安帝继位，东晋内部矛盾演变成司马道子父子与沿江上下游方镇的冲突。隆安二年（398）七月，兖州刺史王恭、豫州刺史庾楷、荆州刺史殷仲堪、广州刺史桓玄（时在荆州）、南蛮校尉杨佺期联合，以王恭为盟主，"刻期同趣京师"，举兵反叛。同年九月，司马道子以司马元显为征讨都督，遣诸军分讨王恭与庾楷。东晋官军在西线初战告捷，谯王司马尚之大破庾楷于牛渚（今马鞍山市采石镇），但旋即桓玄又大破官军于白石（胡三省注：白石在巢县界），继而桓玄又与杨佺期联军进逼横江（今和县东南），司马尚之退走，其弟司马恢之率领的水军全军覆灭。② 不过，司马道子很快在东线取得佳绩，以庐江太守高素成功策反北府名将刘牢之，王恭兵败被杀。司马

---

① 《晋书》之《谢玄传》《苻坚载记下》，《资治通鉴·晋纪·孝武帝太元八年》。
② 《晋书》之《安帝纪》《殷仲堪》《杨佺期传》《庾楷传》《桓温传》，《资治通鉴·晋纪·安帝隆安二年》。

道子父子又以提拔桓玄、杨佺期与殷仲堪为手段,促桓、杨退兵,扬州与上游的矛盾暂时缓解。

　　隆安三年(399)十二月,桓玄火并了殷仲堪和杨佺期。次年正月,桓玄又胁迫朝廷任命他都督荆、江、司、雍、秦、梁、益、宁八州及扬、豫八郡军事,兼领荆、江二州刺史,以兄桓伟为雍州刺史,从子桓振为淮南太守。桓玄势力急剧扩张,一时"西极岷、嶓,东尽历阳、芜湖,皆其统内矣"①,与扬州中枢兵戎相见只是早晚的事。元兴元年(402)正月,荆扬之争再次爆发,双方真正的军事较量主要是在豫州地区。二月,桓玄至姑孰,遣其将冯该等渡江进攻时豫州治所历阳,司马休之婴城固守。桓玄断洞浦(即洞口,在今和县南),焚豫州舟舰。豫州刺史司马尚之与桓玄的决战,也因其将杨秋倒戈而溃败。司马尚之逃至涂中(今滁河下游)被桓玄俘获。司马休之战败后弃城投奔南燕。② 桓玄扫清了东进障碍,又收买了司马元显前锋刘牢之,挥师济江,顺利攻入建康。元兴二年(403)十二月,桓玄篡位称帝。元兴三年(404)二月,北府兵将领刘裕举义兵讨伐桓玄。五月,益州督护冯迁杀桓玄于江陵。

　　正当东晋忙于内乱之时,北方羌帅姚苌建立的后秦,又开始向东扩张,进逼东晋淮河流域。隆安三年(399)十月,后秦姚兴遣将攻陷洛阳。洛阳陷落后,"自淮、汉以北,诸城多请降,送任于秦"③。至此,东晋前线又退缩至淮河,淮南再次罹于险境。义熙中,后秦尚书杨佛嵩一度建言姚兴:"当从肥口济淮,直趋寿春,举大众以屯城,纵轻骑以掠野,使淮南萧条,兵粟俱了,足令吴儿俯仰回惶,神爽飞越。"④东晋与后秦相持期间,寿春又成为南北对峙前线,合肥复成前沿。

　　义熙十二年(416)八月,东晋权臣刘裕在次第平定卢循起义与刘

---

① 《资治通鉴·晋纪·安帝隆安四年》胡三省注。
② 《晋书》之《安帝纪》《宗室传》《桓玄传》,《资治通鉴·晋纪·安帝元兴元年》。
③ 《资治通鉴·晋纪·安帝隆安三年》。
④ 《晋书·姚兴载记下》。

毅等内乱后,决定北伐后秦。北伐前,刘裕曾筑城于寿春①,这次北伐,东晋兵分四路,其中一路由"龙骧将军王镇恶、冠军将军檀道济将步军自淮、泗向许、洛"②,正是以寿春为北伐据点。东晋北伐后秦取得大胜。不久,刘裕篡晋建宋,历史进入了南朝时期。

第二节 南北朝时期合肥的政局

南北朝时期,南北对峙的整体形势是:南朝防线不断南撤,由守河而至守淮复至守江;北方兵锋则不断推进南下,北魏、东魏与北齐、北周先后得机染指合肥。南北战争带来人口迁移与攻守易势,直接影响了当时的合肥政区建置与政局变迁。

一、人口迁移与合肥地区侨置郡县

西晋永嘉乱后,北方人口有规模的迁移频频出现,其中主要的迁移方向是南方。谭其骧将当时北人南迁高潮分成四个阶段③,葛剑雄则将大规模迁移分成五个阶段④,大约都以为北人南迁的最后一个高峰期当是在南朝宋初到宋明帝泰始五年(469)间。永初三年(422),北魏乘宋武帝新死挥师南下,至次年,湖陆、项城以北尽为魏地。宋文帝元嘉年间先后三次北伐,结果不仅未能收复河南失地,还一度让北魏长驱直入,饮马长江。泰始元年(465),宋明帝杀侄自立后,晋安

---

① 郦道元《水经注》卷三十二"肥水"条下云:"淝水又北迳相国城。刘武帝伐长安所筑也。堂宇厅馆,仍故以相国为名。"

② 《资治通鉴·晋纪·安帝义熙十二年》。

③ 谭其骧:《晋永嘉丧乱后之民族迁徙》,《长水集》(上),人民出版社1987年版,第221—222页。

④ 葛剑雄:《中国流民史》(第二卷),福建人民出版社1997年版,第310—334页。

王刘子勋与徐州刺史薛安都起兵反抗,北魏又乘刘宋内乱南下,陆续攻取山东半岛与淮北。自永初三年至泰始五年(422—469),历次宋魏战争中,每一次刘宋丧师失地,都会伴随大量人口南迁。宋末以后,北方统一于北魏,社会秩序逐渐恢复正常,南下流民潮趋于回落,南迁人口大大减少,虽仍不时有之,"但数量和规模要小得多,持续的时间和流动的距离也短得多"[①]。

当时影响北方流民南下走向有两个重要因素,一是交通便利,二是生存环境优越。魏晋南北朝时期,水路往往是出行最便利、最适宜的选择。安徽紧邻中原,地处江淮之间,淮河水系与长江水系河网密布、交通便利。淮河以北有涡水、颍水、汝水等南注入淮,谭其骧特别指出淮河北方水系入淮走向的影响:"淮域诸支流皆东南向,故河南人大都东南迁安徽,不由正南移湖北也。"[②]另一方面,当时安徽境内的自然环境也相对优越。寿春有"山湖薮泽之隈,水旱之所不害;土产草滋之实,荒年之所取给"。淮南区域荒田废村也很多,史云:"淮南旧田,触处极目,陂遏不修,咸成茂草。平原陆地,弥望尤多。"[③]而合肥在汉代就出现南北货物毕集俱至,"受南北潮,皮革、鲍、木输会也"[④]。沿江皖南地带条件也相当不错,"缘江上下,皆有良田。"[⑤]诸多优越条件,使安徽成为众多流民的目的地。是以,当时安徽吸纳的侨民数量,在南方各省中处于前列。据谭其骧研究,截至刘宋止,侨流南渡人口约共有90万,分居于陕西、山东、河南、江苏、安徽、江西、四川、湖北、湖南等地。"南渡人户中以侨在江苏者为最多,约二十六万;山东约二十一万,安徽约十七万,次之。"[⑥]胡阿祥经详考认为,大

---

① 江立华、孙洪涛:《中国流民史》,安徽人民出版社2001年版,第31页。
② 谭其骧:《晋永嘉丧乱后之民族迁徙》,《长水集》(上),人民出版社1987年版,第221页。
③ 《南齐书·徐孝嗣传》。
④ 《史记·货殖列传》。
⑤ 《晋书·温峤传》。
⑥ 谭其骧:《晋永嘉丧乱后之民族迁徙》,《长水集》(上),人民出版社1987年版,第220页。

明八年(464)时安徽境内侨流当远逾40万人。① 如此庞大的侨流人口进入安徽,分居于淮北、江淮之间与江南三个地带。其中,又以聚集江淮区最多。依今天的行政区划,具体来说,"相对集中的巢滁一带(包括无为、巢湖、含山、和县、全椒、滁州、来安等市、县地)、淮河南岸一线(霍邱、寿县、蚌埠、凤阳、明光等市、县地)及合肥周围,天长、长丰、六安、舒城、枞阳、潜山、宿松等处也有分布"②。特殊的地理条件,使合肥及巢湖周边成为吸引众多侨流汇聚的重点地区。

永嘉乱后,江左政权吸取了西晋元康年间处理侨流失当,导致侨流频频起义的教训,对南迁流民往往采取侨置州郡县的方式来安置,所谓"遗民南渡,并侨置牧司"③。侨置本始于东汉,但广泛设置并成为一种正式制度,是在东晋南朝时期。《隋书·食货志》记此说:"晋自中原丧乱,元帝寓居江左,百姓之自拔南奔者,并谓之侨人。皆取其旧壤之名,侨立郡县,往往散居,无有土著。"广泛侨置州、郡、县,对侨民一度采取蠲免赋役的优待政策,起到了招诱北方人民、安抚侨流、促进生产的作用。处侨流而立,是晋宋时期侨州郡县设立的主要方式。合肥及其周边地区为北人南来重要聚集区,侨州、侨郡与侨县设置并皆有之。东晋朝廷就先后在合肥侨置司州、兖州,及南汝阴郡、南谯郡、汝阴县、慎县、山桑县、蕲县等郡县。刘宋明帝以前,又根据流民继续南下合肥的情况,侨设的郡县有增。刘宋以后,虽然南下人口减少,但南朝朝廷往往根据实际情况,在合肥地区侨设州郡县,只是其中增加删改,不时有之,使当时合肥政区演变甚显紊乱。好在胡阿祥等学者长期用力于东晋南朝侨州郡县研究,并取得了丰硕成果。现依据中华人民共和国2011年的合肥政区,以胡阿详南朝宋、齐、梁、陈等政区建置表为本,并参考《宋书·州郡志》、谭其骧主编

---

① 胡阿祥:《东晋南朝安徽境内侨州郡县及侨流人口考论》,《芜湖师专学报》2001年第4期。

② 胡阿祥:《东晋南朝安徽境内侨州郡县及侨流人口考论》,《芜湖师专学报》2001年第4期。

③ 《宋书·州郡一》。

《中国历史地图集》相关图幅、李天敏《安徽历代政区治地通释》及胡阿祥《东晋南朝侨州郡县与侨流人口研究》等成果,简述南朝各时期合肥政区的侨置郡县如下。

刘宋时期,安徽境内设置的侨州主要是豫州与南豫州。豫州自东晋时期已为实土,刘宋时期豫州与南豫州又屡有分合,《宋书·州郡二》"南豫州"条记云:"永初三年(422),分淮东为南豫州,治历阳,淮西为豫州。文帝元嘉七年(430)合二豫州为一,十六年又分,二十二年又合。孝武大明三年(459)又分。五年,割扬州之淮南、宣城又属焉,徙治姑孰。明帝泰始二年(466)又合,而以淮南、宣城还扬州。九月又分,还治历阳。三年五月,又合。四年,以扬州之淮南、宣城为南豫州,治宣城,五年罢。时自淮以西悉都为北方政权所有。七年,复分历阳、淮阴、南谯、南兖州之临江立南豫州。泰豫元年(472),以南汝阴郡度属豫州,豫州之庐江度属南豫州。按淮东自永初至于大明,便为南豫,虽乍有离合,而分立居多。爰自泰始甫失淮西,复于淮东分立两豫。今南豫以淮东为境,不复于此更列二州,览者按此以淮东为境,推寻便自得泰始两豫分域也。"《宋书·州郡志》谱列州郡又"大较以孝武大明八年(464)为正"①。今便以大明八年(464)为准,细举今合肥地区侨置情况,有所例外,复加补充。

大明八年(464),刘宋侨置的南豫州,治姑孰,地在今安徽当涂县。又在今合肥地区分置南汝阴郡、南谯郡、庐江郡,隶属南豫州。其具体治地与领县如下。

南汝阴郡,侨置,治汝阴县。领县八:汝阴县,侨置,治合肥市区西北境。慎县,侨置,治今肥东县梁园镇。宋、阳夏、安阳、南陈左县、赤官左县、蓼城左县六县大约在今合肥市、肥东、肥西、长丰南境一带,治地难以确考。《太平御览》引刘澄之《豫州记》:"陈县北有芍陂湖,魏将王陵与吴张休交战处。"芍陂南当今寿县与肥西县地,说明合肥西北曾设侨县陈。

---

① 《宋书·州郡一》。

庐江郡，治舒县，领县三：舒县，治今舒城县城关镇。潜县，治今霍山县东北。始新左县，治地未详。

南谯郡，侨置，治山桑侨县。领侨县六：山桑县，治今巢湖市东南。蘄县，治今巢湖市；扶阳县，治今无为县西北。铚县，疑侨置于今全椒县西境。谯县，治今巢湖市西南；城父县，《太平御览》引南朝宋齐时人刘澄之著《豫州记》云："城父县有巢湖，湖周五（百）里，湖中有三山，湖南有四鼎山。"据此则城父县当巢湖东部。

除上述三郡外，刘宋大明前后还分别曾在合肥地区侨置过南陈左郡与颍川郡、汝阳郡、南顿郡。

南陈左郡，确址无考，当在今合肥与寿县之间。《宋书·州郡二》云："少帝景平（423—424）中省此郡，以宋民度属南梁、汝阴郡，而《永初郡国》无，未详。孝建二年（455）以蛮户复立。分赤官左县为蓼城左县。领县二。"可能大明八年（464）时省郡改县，即南陈左县，隶属南汝阴郡。

宋明帝泰始二年（466），宋魏发生战争，至泰始五年（469），"自淮以北，化为虏庭"[①]。此后，宋又在今合肥地区侨设有颍川、汝阳及南顿等郡。

颍川郡，原治许昌。《水经·沔水注》"又东北出居巢县南"条：窦湖水东出为后塘，"塘上有颍川侨郡故城"，则寄治今巢县东南。领侨县三：邵陵（原治河南漯河市东）、临颍（原治河南临颍西北）、曲阳（原治江苏沭阳东南）。

汝阳郡，东晋分汝南立，治汝阳（今河南商水西）。宋泰始失淮北侨治，领汝阳、武津（原治河南上蔡东）二侨县，后废。其侨地据《齐志》"颍川、汝阳、荒残来久，流民分散在谯、历二境，多蒙复除，获有郡名，……但寄治谯、历"云云，在南谯、历阳间，即今巢县、和县一带。

南顿郡，原治南顿，帖治陈郡侨郡，领南顿、和城二县，地在今合肥与寿县之间。

---

① 《宋书·州郡一》。

萧齐时期,今合肥地区分别隶属豫州与南豫州。萧齐王朝维持24年,其边境地区政区频频调整。齐高帝建元二年(480)省南豫州入豫州,南汝阴郡仍旧。武帝永明四年(486),以庐江郡还属豫州。七年(489),仍以庐江属南豫州。萧齐末年,北魏取寿春,下合肥,淮北及豫州淮南之地不复为齐有。今便以建武四年(497)为准,细举萧齐全有合肥地区时的侨置情况。

建武四年(497)时,萧齐侨设之豫州,治睢阳,地在今安徽寿县,实土。辖郡十八,地在今合肥地区的有南顿、北谯与南汝阴三郡。

南顿郡,侨置,今安徽寿县与合肥之间,实土,领和城、南顿二县。永元元年(499)前郡废,二县改隶南汝阴郡。

北谯郡,侨置,地于安徽长丰一带,领宁陵、谯、蕲三县。

南汝阴郡,侨置,治汝阴县,领县十一。其中:汝阴县,侨置,治今合肥市区西北;慎县,侨置,治今肥东县东北梁园镇;其余宋、安阳、阳夏、宋丘、樊、郑、东宋七侨县及南陈左、边水二县治地皆当在今合肥市及肥东、肥西和长丰南境一带,确址未详。

萧齐侨设之南豫州,治姑孰,地在今安徽当涂县,实土。辖郡八,地在今合肥的有庐江、南谯、颍川、汝阳四郡。

庐江郡,治舒县,领县七,其中:谯县,侨置,侨地当在今巢湖市西南与庐江县交界一带;其余始新及和城、西华二侨县治地未详。

南谯郡,侨置,实土,治山桑县,领县六,其中:山桑县侨治在今巢湖市东南;蕲县侨治在今巢湖市;扶阳县侨治在今无为县西北。

颍川郡,侨置,其所领临颍、邵陵、南许昌、曲阳四侨县治地当在今巢湖市东南境。

汝阳郡,侨置,其所领武津、汝阳二侨县,治地当为今巢湖市、和县一带。

萧梁时期,相对此前宋、齐,合肥的政区建置要稍显复杂,计有豫州、南豫州、湘州与南谯州等四州。萧梁立国初,疆域与萧齐末年略同,未据有今合肥地区,是以与北魏在东部主要是争夺淮水以南、大别山南北、巢湖以北地区。至天监五年(506),梁先后收复东关(今安徽巢湖市东南的含山县东关)、合肥等地,双方战线由此北移,胶着于淮河一线。普通七年(526)十一月,梁又收复了寿春,以寿春为豫州,改合肥为南豫州,合肥与寿春之间又复归梁有。这样,萧梁就全有了今合肥地区。太清二年(548)侯景乱梁前,梁的扩张达至极致。现以大同元年(546)为标准年代,略述萧梁合肥的政区建置。

南豫州,治汝阴侨县,治地在今合肥市西。领郡三:汝阴郡;历阳郡,治历阳县,治今和县历阳镇;临江郡,治乌江县,治今和县东北乌江镇。

豫州,治寿春县,治地在今寿县寿春镇。领郡四:梁郡,治寿春县;南梁郡,治地在今淮南市境内,其地包含今合肥长丰县地境;西汝阴郡,治地在今寿县南境;武安郡,治地在今寿县境内。

湘州,治庐江县,治地在在今庐江县西。领郡三:庐江郡,治庐江县;晋熙郡,治怀宁县,治地在今潜山县梅城镇;枞阳郡,治枞阳县,治地在今枞阳县枞阳镇。

南谯州,治所在今全椒县西北二十里南谯故城。领郡五:北谯郡,治北谯县,治地在今全椒县北;南谯郡,治山桑县,治地在今巢湖市东南;新昌郡,治顿丘县,治地在今滁州市南谯区;高塘郡,治地在今来安县东北;南梁郡,治阜陵戍,治地在今全椒县西南。

梁武帝太清元年(547)七月,萧梁复得原刘宋豫州治地悬瓠(今河南汝南县),于是便将豫州州治移至悬瓠,将南豫州由合肥移至寿春,改合肥为合州。次年,侯景乱起。又次年,即太清三年(549),寿春与合肥又先后落至东魏手中。

东魏(550年为北齐取代)在取得合肥后,大体沿袭了南朝建置。《魏书·地形志中》"合州"条下记:"萧衍置,魏因之。治合肥城。"魏合州领汝阴、南顿、南梁、北梁、南谯、庐江、西汝南、北陈等八郡。考察魏合州属地,其领郡属县分合与南朝虽略有小差,如慎县改属南梁,但南朝以来,在今合肥地区先后侨设的汝阴、南谯、南顿等郡及汝阴、慎、靳、邵陵等县,仍在其合州之列。

陈朝初建时,江北之地悉没于北齐,局促类似孙吴,只能推行守江战略。但守江必得江北之合肥、历阳、广陵,诚如"建康之西以采石为遮蔽,对岸为历阳;历阳根本又在合肥"①所言,是以陈齐争夺合肥,势在必然。陈宣帝太建四年(572)八月,北周与陈朝结盟,约定"合纵"攻齐。南陈利用这个机会,一度攻占了北齐江淮间庐江郡(治今舒城县城关镇)、大岘戍(在今含山县北)、东关(在今含山县西南东关镇)、蕲城(今巢湖市境)、合州(治今合肥市)、峡口(在今凤台县西南)、寿春,短暂收复了淮南。南陈收复淮南以后,以寿春之地置豫州,合肥之地建置合州。② 太建七年(575),改合州之南南梁郡隶谯州。

然而,陈保有合肥地区时间并不长久。太建九年(577)正月,周师攻占齐都邺城,北齐灭亡。十月,北周乘胜进军淮南。十一年(579)十一月,周大将韦孝宽复取寿春。十二月,"南、北兖、晋三州及盱眙、山阳、阳平、马头、秦、历阳、沛、北谯、南梁等郡民自拔还江南;周又取谯、北徐州。自是江北之地尽没于周"③。南朝在合肥及其周边的统治,至此彻底结束。

二、南北朝时期合肥政局的演变

内乱相继与对外纷争是南朝显著的时代特征。合肥襟江带淮又密迩京师,面对南朝错综交织的内外矛盾,势难置身局外。也因此,南北朝时期,合肥政局长期动荡,往往偶得安宁,转瞬便复罹兵燹。④ 在南朝与北朝的170年对峙中,合肥有三次易手,先后归属南朝的梁、陈与北朝的北魏、东魏北齐与北周。现即以此为线索,将南北朝时期的合肥政局分为三个阶段,次第梳理如下。

---

① 胡阿祥:《六朝疆域与政区研究》,学苑出版社2005年版,第159页。
② 《陈书》之《宣帝纪》《吴明彻传》,《资治通鉴·陈纪·宣帝太建五年》。
③ 《资治通鉴·陈纪·宣帝太建十一年》。
④ 周怀宇:《南北战争给合肥带来的阴霾与影响》,《秦汉魏晋时期的合肥史研究》。

（一）宋齐内乱继起与北魏占据合肥

刘宋建立后一段时间内，与北魏间发生战事均在河南地带，远离合肥。元嘉八年（431），宋魏通好。此后，南北双方维持了近20年和平，江左出现"家给人足""盖宋世之极盛也"①的元嘉之治。在这一背景下，合肥也出现了难得的社会承平、政局粗安景象。元嘉二十七年（450），宋魏战事重开。这次战役中，北魏一度深入刘宋腹地，兵锋从合肥外围掠过，直抵长江，窥视建康，合肥地区受到影响。

元嘉二十七年（450）二月，北魏太武帝拓跋焘亲自率领10万步骑南下，宋南顿太守郑琨、颍川太守郭道隐弃城逃走。北魏遂围悬瓠。时宋南平王刘铄镇寿阳，参军陈宪守悬瓠，苦战抵抗。双方相持42天，北魏解围北退。七月，宋文帝东西并举，北伐反击北魏。十月，拓跋焘大破王玄谟于滑台，乘胜反攻，其西路拓跋仁部攻下悬瓠、项城，进逼寿阳，南平王刘铄固守婴城。魏军遂移锋东向，与长孙真部会合马头，趋历阳，出横江。拓跋焘自领中路军进至盱眙，复南进至瓜步，其东路军也南下广陵。一时北魏三路大军齐头推进，耀马长江。刘宋京师震动，沿江全线戒备。

魏军虽兵临建康城下，但一因宋军防备严密，二因魏军孤军深入，师劳兵疲，难以再渡江推进。元嘉二十八年（451）正月，北魏沿江逗留月余后，"掠居民，焚庐舍而去"，北撤至盱眙，又围攻盱眙三旬，至二月，杀尽俘虏人口北退而去。

这次战役前后持续一年有余，北魏兵马损失过半，刘宋则损失更为惨重，其江北一度只剩下一些坚守的孤城，史言"自是邑里萧条，元嘉之政衰矣"。魏师南下，"凡破南兖、徐、兖、豫、青、冀六州，杀伤不可胜计。丁壮者即加斩截，婴儿贯于槊上，盘舞以为戏。所过郡县，赤地无余。春燕归，巢于林木"。② 刘宋永初三年（422），今合肥地区

---

① 《宋书·良吏传》序。
② 《资治通鉴·宋纪·文帝元嘉二十八年》。

分属豫与南豫二州,元嘉年间,二州屡有分合,至北魏这次用兵江北,合肥正属合并后的豫州。魏师又经寿春南下,直接用兵于合肥东南历阳一带,合肥地区累及牵连,遭受洗劫,势不可免。战乱使安徽江淮间又聚集了一些新的流民。同年冬天,宋文帝令"征北参军程天祚徙江西流民数千家于姑孰"①。

宋魏这次战争的影响还不止上述这些。元嘉二十九年(451)二月,北魏太武帝拓跋焘被弑,宋文帝再起北伐复仇之意,沈庆之力谏不从。恰逢蛮民内乱新起,"是时亡命司马黑石、庐江叛吏夏侯方进在西阳五水,诳动群蛮,自淮、汝至于江沔,咸罹其患",宋文帝遣令沈庆之督诸将征讨,"诏豫、荆、雍并遣军,受庆之节度"。②合肥所在的豫州亦出兵参加平定蛮民起义。

元嘉末年起,刘宋不断陷入宫廷争斗之中,合肥也屡屡卷入叛乱纷争。宋孝武帝孝建元年(454)正月,豫州刺史鲁爽于寿阳举兵谋反。三月,鲁爽引兵趣历阳。四月,孝武帝令左军将军薛安都、龙骧将军宗越等戍守历阳。鲁爽前锋受挫后,留军大岘,③使弟鲁瑜屯兵小岘(其城在今肥东县包公镇岘山村)。孝武帝增派镇军将军沈庆之过江督讨鲁爽,鲁爽引兵稍退,薛安都率轻骑追赶,"及爽于小岘。爽将战,饮酒过醉,安都望见爽,即跃马大呼,直往刺之,应手而倒,左右范双斩其首。爽众奔散,瑜亦为部下所杀。遂进攻寿阳,克之"④。小岘一战,成为平定鲁爽之乱的关键战役。

泰始元年(465),湘东王、南豫州刺史刘彧谋弑前废帝后登基即位,是为宋明帝。宋明帝得位不正,又安抚四方不善。结果,泰始二年(466),江州刺史、晋安王刘子勋,在邓琬、袁𫖮协助下起事,自立为帝,改元"义嘉",荆州刺史、临海王刘子顼,徐州刺史薛安都等地方势

---

① 《资治通鉴·宋纪·文帝元嘉二十八年》。
② 《宋书·沈庆之传》。
③ 胡三省曰:"小岘在合肥之东,大岘又在小岘之东。"《资治通鉴》卷一百二十八《宋纪·孝武帝孝建元年》胡三省注。
④ 《资治通鉴·宋纪·孝武帝孝建元年》。

力纷纷起兵响应,史称"义嘉之难"。期间,合肥处于朝廷与叛军往复争夺中,战事持续数月之久。

晋安王刘子勋于寻阳起事后,响应者众多,"是岁,四方贡计皆归寻阳,朝廷所保,唯丹杨、淮南等数郡"①。宋豫州刺史殷琰几经犹豫后,也决定响应刘子勋,从而将合肥拖入战火之中。宋明帝针锋相对,另以山阳王刘休祐为豫州刺史,督刘勔、吕安国等诸军西讨殷琰。二月,刘休祐进屯历阳,刘勔进军小岘,逼向合肥,殷琰所署南汝阴太守裴季之不战而降。晋宋以来,南汝阴郡所治即在合肥,合肥遂由叛军手中转归朝廷掌控。三月,宋明帝又派遣宁朔将军刘怀珍率王敬则等步骑五千,协助刘勔征讨殷琰,斩杀叛军庐江太守刘道蔚。五月,刘勔北进寿春。同时,宋军又在东线连连得手,薛安都子薛道智败走合肥,奔赴裴季之。七月,刘子勋将刘胡遣薛安都子薛道标袭击了合肥,斩杀归顺朝廷不久的裴季之。刘勔随即派遣辅国将军垣闳领兵赴合肥,围攻薛道标。八月,袁𫖮、邓琬与刘子勋等核心人物先后被斩,叛军大势已去。九月,宋明帝开始对叛乱者展开清剿行动。至十月,刘勔围寿春,垣闳围合肥,俱是久攻未下。刘勔于是召集诸将,商讨对策。马队主王广之说:"得将军所乘马,判能平合肥。"幢主皇甫肃怒斥王广之曰:"广之敢夺节下马,可斩!"但是刘勔笑着说:"观其意,必能立功。"当场赐马予王广之。王广之随即领兵攻打合肥,三日后果然大功告捷,收复了合肥,薛道标仓皇突围逃跑。至此,合肥战事方才结束。

宋明帝虽在南方取得胜利,面对淮北众多心异者,却连连抚御失当,使矛盾更加激化,遂致薛安都、汝南太守常珍奇、兖州刺史毕众敬先后均以城降魏。至泰始五年(469),北魏次第吞并了刘宋淮北青、冀、徐、兖四州及豫州淮西汝南、新蔡、谯、梁、陈、南顿、颍川、汝阴、汝阳诸郡,刘宋疆域北界收缩至淮河以南,寿春再成边陲,合肥复居前沿。

---

① 《资治通鉴·宋纪·明帝泰始二年》。

萧齐立国后,也屡屡爆发骨肉相残、争权夺利的宫廷斗争,由此引发的地方叛乱又频频上演,最终让合肥沦陷于北魏。

齐永泰元年(498)七月,明帝萧鸾崩殂,次子萧宝卷(后废为东昏侯)继位,改元永元。东昏侯荒唐残暴,滥诛大臣,逼得文官告退,武将造反,始安王萧遥光、太尉陈显达等受迫先后起兵叛乱。河东裴叔业,齐明帝年间抗击北魏战功显赫,建武四年(497)徙督豫州、辅国将军、豫州刺史,镇寿春,成为齐边陲重臣。这样的一位先帝老臣,在东昏侯政下也不能自安。永元元年(499)九月,东昏侯移裴叔业南兖州刺史,裴叔业不愿意内徙。适逢陈显达反叛,裴叔业表面上遣司马李元护领兵救建康,实际上首鼠两端,抱观望态度。萧齐朝廷由是对其疑心加重。

永元二年(500)正月,裴叔业遣子裴芬之与兄女婿韦伯昕奉表投降北魏。北魏遣骠骑大将军彭城王元勰、东骑将军王肃帅步骑10万奔赴寿春;以叔业为使持节、都督豫、雍等五州诸军事,征南将军,豫州刺史,封兰陵郡公。次月,东昏侯以卫尉萧懿为豫州刺史,发兵征讨裴叔业。北魏又以彭城王元勰为司徒,领扬州刺史,镇寿春,增派统军奚康生率羽林禁军1000人南下增援,大将军李丑、杨大眼率领骑兵2000人前往寿春协防。合肥北边形势陡然紧张起来。魏兵尚未渡淮,裴叔业便病亡。魏军入城后,奚康生便接管了寿春。三月,东昏侯遣平西将军崔慧景将水军进讨寿春,以豫州刺史萧懿将步军3万屯小岘,①交州刺史李叔献屯合肥,裨将胡松、李居士率众万余屯死虎(今长丰县境)。骠骑司马陈伯之又将水军溯淮而上,以逼寿春,军于硖石(今安徽凤台县西)。萧齐军势虽整,但并无多大战斗力。奚康生在寿春绥抚内外,闭城一月,等援军抵达后,始出击萧齐。北魏彭城王元勰、王肃顺利击破胡松与陈伯之等水陆两路齐军,进而又南

---

① 《嘉庆合肥县志》卷四《山水》下"小岘山"条云:"小岘山,在城东北七十里。《南史》云:萧懿屯小岘御王肃,梁韦侵魏,拔小岘。俱此山。山在浮槎山北,其侧有道通全椒,为余岘口。山旁有城,详《古迹》。"又,《嘉庆合肥县志》卷十四《古迹》"小岘城"条云:"《江南通志》:在城东六十里,萧齐所筑。详《山水》。明《府志》:梁韦睿侵魏,拔小岘。即此。"

下攻取合肥,生擒了李叔献。合肥就此在南朝首次易手,归属北方。接着,北魏又扩大战果,拿下淮南重镇建安(今河南固始县东)。

与此同时,由于东昏侯的暴行,受命率领水军攻打寿春的崔慧景,兵发建康至广陵,停留两天后便收众举叛,济江反攻建康。崔慧景作乱未遂,但对萧齐抗魏来说,仍不啻是雪上加霜。八月,北魏彭城王元勰与汝阴太守傅永又大败陈伯之于肥口。① 萧齐内外受困,无力再与北魏争夺合肥、寿春。次年,雍州刺史萧衍兵发襄阳,废东昏侯。又次年,萧衍受禅代齐,建立梁朝。

(二)梁魏争战、侯景乱梁与合肥再度归北

萧梁初年继续保持着齐末以来据有淮东的钟离、淮阴诸军事重镇,与占据寿春、合肥和淮北之地的北魏持续对峙。双方均想全有淮南地带,因而自梁台建起,梁魏便在合肥及其周边展开激烈争夺。

天监元年(502)四月,萧衍受禅登位。五月,江州刺史陈伯之于寻阳构难,举兵叛梁。北魏乘机在江北主动出击,策应陈伯之,其扬州小岘戍主党法宗,东袭梁大岘戍,破之,俘虏萧梁龙骧将军邗菩萨。八月,魏扬州刺史任城王元澄开始谋划进攻钟离。十二月,梁魏双方又在淮南木陵戍攻战,梁得而复失。梁魏双方在此前后还于合肥地区多次过招。《梁书·裴邃传》云:"天监初,自拔还朝,除后军咨议参军。邃求边境自效,以为辅国将军、庐江太守。时魏将吕颇率众五万奄来攻郡,邃率麾下拒破之,加右军将军。"天监二年(503)六月,魏任城王元澄奏表魏宣武帝元恪,特别提及萧梁在巢湖的经营,表文说:"萧衍频断东关,欲令巢湖泛溢以灌淮南诸戍。吴、楚便水,且灌且掠,淮南之地将非国有。寿阳去江五百余里,众庶惶惶,并惧水害,脱乘民之愿,攻敌之虚,豫勒诸州,纂集士马,首秋大集,应机经略,虽混壹不能必果,江西自是无虞矣。"② 北魏由此发冀、定、瀛、相、并、济六

---

① 胡三省注引《水经》云:"肥水自黎浆北过寿春城东,又北流而入于淮,谓之肥口。时陈伯之盖军于肥口以逼寿阳也。"见《资治通鉴·齐纪·东昏侯永元二年》。

② 《资治通鉴·梁纪·梁武帝天监二年》。

州2万人,马1500匹,令仲秋之中毕会淮南,并先屯寿春3万士卒,委任元澄经略,准备伐梁。同年冬天十月,元澄命统军党法宗、傅竖眼、王神念等分兵寇掠东关、大岘、淮陵、九山,高祖珍将兵3000骑为游军,自己以大军继后。魏军攻拔关要、颍川、大岘三城,白塔、牵城、清溪皆溃。继而,党法宗等又进拔焦城,破淮陵,擒梁徐州刺史司马明素,斩徐州长史潘伯邻。天监三年(504)正月,陈伯之又破萧梁征虏将军赵祖悦,北魏夺取巢湖东南萧梁要地东关。

  天监四年(505),萧梁大举北伐,诏令豫州刺史韦叡都督众军出战。韦叡时居历阳,正与合肥魏军对峙。韦叡派遣长史王超宗、梁郡太守冯道根攻合肥东边的小岘城,但战况胶着,一时未能收效。韦叡亲自巡行围栅营寨,适逢北魏小岘城中忽然跑出数百人在营门外列阵叫战,韦叡意欲挥兵进击,诸将劝阻说:"向本轻来,未有战备,徐还授甲,乃可进耳。"韦叡果断地说:"不然。魏城中二千余人,闭门坚守,足以自保,无故出人于外,必其骁勇者也,若能挫之,其城自拔。"大家还在犹豫不决,韦叡指着手中节杖说:"朝廷授此,非以为饰,韦叡之法,不可犯也。"于是挥兵出击,经过殊死力战,魏军锐气顿挫,落荒而逃。韦叡趁势加紧攻城,第二天夜里,小岘城就被攻克。韦叡乘胜又进军合肥。

  韦叡攻下小岘之前,右军司马胡略等已开始进攻合肥,但也是久未得手。韦叡赴阵前考察山川形势后,提出妙计:"吾闻'汾水可以灌平阳,绛水可以灌安邑',即此是也。"于是亲自垒土,带领军士在肥水上筑堰。很快堰成水通,萧梁水师战船相继开到。起初,魏军曾在合肥东西分筑两个小城,屏障合肥,韦叡先攻拔这两个小城,清除了合肥外围据点。不久,魏援将杨灵胤领军5万席卷而来,梁众将担心不敌,请韦叡奏报增兵。叡笑曰:"贼已至城下,方复求军,临难铸兵,岂及马腹?且吾求济师,彼亦征众,犹如吴益巴丘,蜀增白帝耳。'师克在和不在众',古之义也。"遂领兵与杨灵胤接战,结果大胜,军心方得稍安。

  肥水堰初成时,韦叡遣使军主王怀静在岸边筑城把守。魏兵攻陷王怀静的守城,又乘胜进至韦叡堤下,军监潘灵佑劝韦叡退还巢湖,诸将又请走保三叉(今肥西三河镇)。韦叡发怒曰:"宁有此邪!将军死绥,有前无却。"命令士卒取来他的伞扇旗帜等仪仗,立在大堤下面,显示自己斗志,以坚定军心。韦叡素来体羸虚弱,作战从未骑过马,总是坐着小车督师作战。魏兵来破坏堰堤,韦叡坐车指挥,亲自率军和魏军争夺。魏军稍有退却,韦叡便带领将士在堤旁筑垒加固以坚守。韦叡又监造与合肥城墙一样高的战舰,居高临下,四面监视合肥。北魏兵将黔驴技穷,唯有相互抱头痛哭。外援不能入城,守将杜元伦督战时又中流矢而死,守军顿时军心涣散。梁军遂破城而进,俘虏了万余人,牛马数以万计,绢满十间屋。韦叡一无私占,悉充军赏。[①] 合肥一战,令韦叡盛名远播,北魏闻之而丧胆,作歌谣曰:"不畏萧娘与吕姥,但畏合肥有韦虎。"[②]

韦叡平定合肥后,萧梁将豫州州治迁往合肥。合肥沦陷于北魏仅五年左右,就被江左收复了。

天监六年(507),梁魏又爆发著名的钟离之战。天监五年(506)九月,北魏在洛口大败由临川王萧宏统领的梁北伐军,斩杀梁军5万余人。北魏宣武帝乘胜令中山王元英平荡萧梁,元英攻拔钟离之西的马头城。梁武帝下诏在淮水南岸钟离城加固城墙,敕令北徐州刺史昌义之加强战备。十月,北魏元英与镇东将军萧宝寅率众包围钟离。十一月,萧梁增兵钟离,派右卫将军曹景宗都督诸军20万前来解围。天监六年(507)正月,元英与平东将军杨大眼指挥数十万大军,展开对钟离城的进攻。钟离城北阻淮水,魏军在淮水中的邵阳洲两岸架桥树栅,作为跨淮通道。元英据南岸攻城,杨大眼据北岸立城接应,以通粮运。时钟离城中仅3000人,守将昌义之督率梁军将士奋力抗击,一日之内与北魏战数十合,"前后杀伤万计,魏人死者与城平。"魏军损失惨重,然犹不放弃攻城。

---

① 《梁书·韦叡传》《资治通鉴·梁纪·梁武帝天监五年》。《梁书》记韦叡下合肥事在天监四年(505),《资治通鉴》记事在天监五年(506)。

② 《资治通鉴·梁纪·梁武帝天监五年》(506)。

在这危急之时，梁武帝又起用豫州刺史韦叡来解救钟离。韦叡"自合肥取直道，由阴陵大泽行，值涧谷，辄飞桥以济师"。到达钟离外围后，韦叡进屯邵阳洲，与先期抵达的曹景宗部会合。韦叡夜间率众于曹景宗营前掘长堑，树鹿角，截洲筑城，距魏军仅百余步。次日拂晓，元英见后大惊，以杖击地曰："是何神也！"北魏杨大眼是员猛将，率万余骑冲击进援梁军，攻势凌厉，所向披靡。韦叡下令结车为阵，强弩两千从阵内一时俱发，杀伤许多魏军。杨大眼也右臂中箭，落荒而逃。次日，元英又亲自领军出战，一日数合。韦叡督军坚决抵抗，均予击退。北魏连夜来攻，仍是无果而返。三月，淮水暴涨，韦叡即遣南梁郡太守冯道根与庐江太守裴邃、秦郡太守李文钊等乘斗舰袭击洲上魏军。韦叡另以小船载草，灌膏油，趁风纵火，以焚其桥，又派敢死之士拔栅斫桥，加以水流很快，结果片刻之间，魏军桥栅俱尽。梁军奋勇冲杀，无不以一当百，喊杀声震天动地。魏军大溃，投水溺死、被杀者各十余万。韦叡遣使告捷昌义之，"义之悲喜，不暇答语，但叫曰：'更生！更生！'"元英侥幸脱身，单骑逃入梁城（今安徽淮南市田家庵附近）。梁军乘胜追击，"缘淮百余里，尸相枕藉，生擒五万人，收其资粮、器械山积，牛马驴骡不可胜计"①。钟离一战，萧梁保住了淮河防线，巩固了对合肥地区的控制。

　　天监六年（507）以后，梁虽仍未放弃收复寿春的战略目标，双方也不时有一些小冲突，但大体上维持安平。普通四年（523）后，北魏衰落，六镇、河北、关陇、山东等地起义相继而起，萧梁乘势又发动对北魏攻势。普通六年（525），萧梁豫州刺史裴邃率谯州刺史湛僧智、历阳太守明绍世、南谯太守鱼弘、晋熙太守张澄由南道攻寿春。裴邃不久即过世，梁武帝又以夏侯亶为豫州刺史，统诸军继续与魏兵对战。夏侯亶领梁军连胜北魏，"寻有密敕，班师合肥，以休士马"。普通七年（526）七月，淮河河水大涨，梁武帝又令夏侯亶自合肥北上，与北路南下的郢州刺史元树夹击寿春。夏侯亶率领湛僧智、鱼弘、张澄

---

① 《资治通鉴·梁纪·梁武帝天监六年》。

等疏通清流涧,将入淮、肥。北魏军夹肥水筑城,从背后出击夏侯亶,夏侯亶回师还击,大破魏师。继而,夏侯亶与韦放的北路军会合,连连进击北魏,所向克捷。在梁军南北夹击之下,十一月,北魏扬州刺史李宪以寿春城降梁。萧梁收复寿春后,移豫州于寿春,改合肥为南豫州。① 此后,夏侯亶、夏侯夔迭任南豫州刺史,夏侯兄弟治政有方,加上梁魏战线北移,地区战事减少,合肥进入了一个相对稳定的建设时期。直至20余年后侯景乱起,合肥政局才又再次出现新变。

侯景原为东魏重臣,素有谋略,因与东魏权臣高澄不和投奔萧梁。侯景归梁后,梁武帝御之失策,太清二年(548)八月,侯景反于寿春。此前,梁驻守合肥的合州刺史鄱阳王萧范曾两次密启侯景谋反图谋,梁武帝均不以为然。萧范又陈请率领合肥之兵进讨侯景,亦被梁武帝否决。即便侯景谋反已被坐实,梁武帝依然未予足够重视,还笑称:"是何能为!吾将折棰笞之。"②侯景起事后,梁武帝令萧范为南道都督,北徐州刺史萧正表为北道都督,司州刺史柳仲礼为西道都督,通直散骑常侍裴之高为东道都督,邵陵王萧纶总督诸军讨伐侯景。侯景用王伟之谋,决计东向掩袭建康。十月,侯景扬言南攻合肥,实际却偷袭今合肥与和县之间的南谯州。南谯州得手后,侯景又接着攻取了历阳,引兵出横江直至江南采石,进围建康。太清三年(549)三月,建康台城陷落。两个月后,梁武帝困饿而死。

侯景乱起后,合肥地区一直处于紧张状态。当时各地勤王义军纷起,合肥地区除萧范外,还有一支颍川荀朗的军事力量,史称荀朗"招率徒旅,据巢湖间,无所属"③。这两支军队都积极投身于平定侯景之乱。侯景进攻台城时,萧范命令长子萧嗣与侯瑱前去援救。建康失守的消息传到合肥后,萧范立即令合肥城戒严,准备袭入建康。手下僚佐劝说萧范:"今魏人已据寿阳,大王移足,则虏骑必窥合肥。前贼未平,后城失守,将若之何!不如待四方兵集,使良将将精卒赴

---

① 《梁书·夏侯亶传》《资治通鉴·梁纪·梁武帝普通七年》。
② 《资治通鉴·梁纪·梁武帝太清二年》。
③ 《陈书·荀朗传》。

之,进不失勤王,退可固本根。"①此前,东魏乘乱派辛术等南略淮南,太清三年(549)正月,侯景战将王显贵以寿春投降东魏,东魏势力范围已经扩展至合肥北边。这个时候,东魏又派遣西兖州刺史李伯穆进逼合肥。萧范意图假手东魏围剿侯景,太清三年(549)七月,萧范亲率2万士兵出居东关,将合肥拱手让给李伯穆,并遣送两个儿子萧勤、萧广到东魏做人质。萧范又屯兵于濡须(今巢湖市)等待上游援军,准备联合东魏进发建康。结果上游援军并未东下,东魏也没有出兵,萧范计划全盘落空,而合肥城也再次易手,归属北方。不久,东魏又攻取历阳,江北几乎全为其有。

与此同时,荀朗受简文帝密诏,为豫州刺史,与其他军队配合讨伐侯景。侯景派宋子仙、任约等频频与荀朗征战,荀朗据山立砦自守,与叛军周旋,实力不断扩大,人马达至数万。太宝二年(551)六月,侯景兵败巴陵,荀朗出自濡须堵截侯景,破其后军。

梁元帝承圣元年(552),侯景叛军接连败北,大势已去。这时,北方的东魏已被北齐取代。北齐乘机屡屡出兵,侵掠侯景边地。侯景派兵反击,令郭元建率步军奔赴小岘,又令侯子鉴率领水军进军濡须。侯子鉴水军又过巢湖,进至合肥,攻克了合肥外城,北齐闭城不敢应战。这时,萧梁各路大军会师于桑落洲(今安徽宿松汇口镇一带)白茅湾,进逼叛军,侯子鉴不得不引兵撤离合肥。

承圣元年(552)四月,侯景被部将羊鲲所杀,历时近四年的侯景之乱得以平定,但萧梁政权很快又陷入王室争权夺利的内乱之中。北齐也意图乘此时机扩大战果。

北齐建立后,高洋与西魏关系平稳,因而得以集中力量向南北扩张。承圣二年(553)九月,高洋令侯景降将郭元建在合肥整治水师2万余人,出濡须水,准备袭击建康。十月,梁太尉王僧辩遣侯瑱、张彪、裴之横等筑垒于东关,备战郭元建。不久,齐梁双方在东关展开激战,结果北齐大败,落水而死者数以万计。初战东关的失利,并未

---

① 《资治通鉴·梁纪·梁武帝太清三年》。

打消北齐继续进占东关的念头。梁元帝萧绎被西魏攻杀后,北齐扶植梁武帝侄子萧渊明为傀儡皇帝。梁绍泰元年(555)三月,高洋令上党王高涣护送萧渊明回梁即位。北齐兵至东关后,遭到梁将裴之横抵御。齐军分兵南下袭取皖城,继而高涣又攻克东关,斩裴之横,俘虏梁军数千人。梁军一再受挫,王僧辩被迫接纳萧渊明。同年九月,梁陈霸先诛杀王僧辩,废黜萧渊明,拥立萧方智,悉收大权于一身。两年后,陈霸先废萧方智,建立陈朝,开始了陈与北齐、北周在合肥地区争战的新阶段。

(三)南陈与北齐、北周在合肥的争战

陈霸先立国,"西不得蜀、汉,北失淮、淝"①,所有仅三峡以东、长江以南,号令实不出建康千里之外。各路敌手中,又尤以占据江北的北齐和盘踞长江中流的王琳威胁最大,王琳投靠北齐后,又成为陈与北齐在合肥争战的主要对手。

陈霸先与北齐在合肥的争夺,早在其受禅之前即已开始。梁太平二年(557),即北齐天保七年,北齐以合肥冲要,地在必争,以名臣封子绘为合州刺史。封子绘到合肥不久,"值萧轨、裴英起等江东败没,行台司马恭发历阳,径还寿春,疆场大骇。兼在州器械,随军略尽,城隍楼雉,亏坏者多",封子绘"造城隍楼雉,缮治军器,守御所须毕备",合州遂乃人情渐安。不久,高洋又敕令在合肥营造船舰,着封子绘为大使,总监造船。次年,即陈永定元年(557),二月,陈霸先令护军将军徐度等率轻舟从栅口历东关入巢湖,径袭合肥。徐度烧齐船3000艘,以夜一更潜寇城下。封子绘率将士与徐度奋战,击退徐度。②

永定三年(559)二月,陈再次袭击合肥,"司空侯瑱督众军自江入合州,焚齐舟舰"③,次月,侯瑱由合肥返至建康,向陈霸先献捷。陈虽

---

① 《读史方舆纪要·历代州域形势四》。
② 《资治通鉴·陈纪·陈武帝永定元年》《北齐书·封子绘传》。
③ 《陈书·武帝纪下》《资治通鉴·陈纪·陈武帝永定三年》。

屡次进兵合肥,也取得一定战果,但在开疆拓土方面未收功效。

王琳原为梁元帝萧绎手下名将,陈霸先废梁建陈后,王琳拥立梁元帝之孙永嘉王萧庄为帝,在北齐的支持下,对抗南陈。永定三年(559)十月,王琳听闻陈霸先死,奉萧庄进屯巢湖濡须口,出袭大雷(今望江),北齐派扬州道行台慕容俨率师临江声援。陈文帝陈蒨令侯瑱、侯安都及徐度领兵抵御。在部将合肥人任忠大破陈将吴明彻于湓城(今江西九江)后,王琳引兵东下至栅口(在濡须口东)。侯瑱也进屯芜湖,与王琳相持百余日,未决胜负。天嘉元年(560)二月,东关春水稍涨,舟舰得通,"琳引合肥濊湖之众,舳舻相次而下,其势甚盛。瑱率军进兽槛洲,琳亦出船列于江西,隔洲而泊。明日合战,琳军少却,退保西岸。及夕,东北风大起,吹其舟舰,舟舰并坏,没于沙中,溺死者数十百人"①。王琳初战失利,北齐又派刘伯球领兵万余人增援王琳,慕容子会领铁骑三千进屯芜湖西岸,为之声援。"时西南风忽至,琳谓得天道,将直取建康。侯瑱等徐出芜湖,蹑其后。比及兵交,西南风翻为瑱用。琳兵放火燧以掷船者,皆反烧其船。琳船舰溃乱,兵士投水死十二三,其馀皆弃船上岸,为陈军所杀殆尽。"②

芜湖会战,不仅梁军资器械并归陈军所有,北齐也步骑并损,刘伯球、慕容子会均成俘虏,北齐在合肥地区的实力大为削弱。战后,王琳与萧庄投降北齐。北齐孝昭帝高演对王琳委以重任,使之出屯合肥。王琳在合肥缮造舰船,招募士众,扩充实力,将观衅而动,更图再取。但不久,王琳移镇寿春,陈齐又相互交好,合肥地区战事便一度歇息下来。

陈宣帝陈顼即位初期,北齐大乱,实力衰减。陈宣帝太建四年(572),北周约陈合纵图齐,中分天下。太建五年(573)三月,陈宣帝以吴明彻为统帅,领兵10万伐齐。陈军兵分两路,东线由吴明彻领军自出秦郡(治今江苏六合县北),西线以南豫州刺史黄法氍为都督,

---

① 《陈书·侯瑱传》《资治通鉴·陈纪·陈文帝天嘉元年》。
② 《北齐书·王琳传》。

进攻历阳(今安徽和县)。历阳若失守,则合肥难保,北齐遂派遣历阳王高景安率步骑5万,筑城于小岘,支援历阳。黄法氍自领兵击溃北齐援军,又分兵扫荡历阳外围,遣樊毅分兵于大岘与北齐对阵。四月,陈将鲁广达与齐军会战于大岘,大破北齐,斩杀其敷城王张元范,虏获不可胜数。五月,陈将徐檄又攻克庐江郡城。这样,外围障碍基本扫清,历阳几成孤城。黄法氍于是修造攻城车及步舰,进逼历阳。历阳齐军不敌乞降,陈军攻势稍缓,齐军复又守城不降。黄法氍遂乃亲率士卒攻城,投石攻击历阳城楼堞,适逢天降大雨,历阳城墙崩塌,陈兵入城,尽诛北齐戍卒。黄法氍乘胜向合肥进军,北齐守军望风而降,黄法氍严禁军士侵掠,亲自抚问北齐降兵,并与他们结盟缔约,将他们放回北齐。稍后,陈将任忠追逐高景安至东关,克其东西二城,又继续进拔北齐巢湖地区的蕲、谯二城。六月,陈军西线齐集合肥,十一日,任忠攻克合肥外城,二十九日,黄法氍攻克合肥。① 时隔24年后,合肥再次归江左政权所有。陈以黄法氍为征西大将军、合州刺史,镇合肥。

黄法氍在西线连连告捷、攻克北齐合州的同时,吴明彻在东线也顺利推进,进克仁州(治赤坎城,在今固镇县东)。七月,吴明彻又攻占了军事要地峡口(在今凤台县西南)北城,峡口南岸北齐守军弃城而逃。这样,吴明彻的陈军与黄法氍的陈军就形成了南北夹击寿春的态势。吴明彻攻破寿春外城后,北齐守将王琳与王显贵退守寿春城内的相国城与金城。双方自七月相峙到十月,吴明彻堰肥水以灌城,活捉了王琳、王显贵诸人。吴明彻占领寿春后,又继续北进。太建七年(575),吴明彻大败齐师数万于吕梁(今徐州东南)。南陈本旨在划淮而守,苟安江表。至此,南陈尽复淮南失地,江北与淮泗之地已俱为陈有,陈的北伐也就基本结束了。

就在南陈停兵淮上、逗留不前之时,北周继续进军北齐。太建九

---

① 《资治通鉴·陈纪·陈宣帝太建五年》,《陈书》之《黄法氍传》《任忠传》《鲁广达传》。

年(577),北周灭北齐,统一北方。北周与陈在江淮地区的争战就此也拉开序幕。

太建九年(577)冬十月,陈宣帝意欲与北周争夺徐、兖之地,令吴明彻再次北伐。吴明彻先于吕梁取得小胜,继而于太建十年(578)二月,大败于彭城,吴明彻身成俘虏,陈将士3万并器械辎重尽没于周。此后,北周遂挥师淮南。太建十一年(579)十一月,周军进至肥口,包围了寿春。陈宣帝诏令陈将任忠率步骑七千趣秦郡;鲁广达率众入淮;樊毅将水军二万自东关入焦湖(即巢湖),武毅将军萧摩诃帅步骑趣历阳,在合肥周边形成掎角之势抗击周军。但陈将皆无建树,北周韦孝宽顺利攻拔寿春。此后,陈军屡战屡败,连连丢城失地。翌月,陈"南、北兖、晋三州及盱眙、山阳、阳平、马头、秦、历阳、沛、北谯、南梁等九郡民并自拔还江南",北周又取谯、北徐州,"自是江北之地尽没于周"。① 合肥之地又转而易手,落入北周。

周取淮南、江北不久即发生内乱,停止了南进步伐。陈太建十三年(581)二月,北周外戚杨坚受禅建隋,是为隋文帝。杨坚称帝之初,虽以稳定内政为重,但仍然积极为灭陈做战略部署。称帝次月,杨坚接受高颎举荐,以贺若弼为吴州总管镇广陵,以韩擒虎为庐州总管镇庐江②,命他们经略边防。陈祯明二年(588)十月,隋兵分8路,总计51万8000人,于长江一线横亘数千里,大举伐陈。此时,韩擒虎经营庐州已达8年之久。祯明三年(589)正月初一,韩擒虎自横江济采石,陈缘江诸戍,望旗而降。十二日,隋军攻入建康,陈亡,南北复归于统一。合肥地区发展又进入一个历史新阶段。

---

① 《资治通鉴·陈纪·宣帝太建十一年》《陈书·鲁广达传》。
② 胡三省注引《五代志》云:"庐江郡,梁置南豫州,又改合州,开皇初改庐州。盖梁之南豫、合州,皆治合肥,合州因合肥而名也。庐江在合肥东五十里,既徙治庐江,故以庐名州。"见《资治通鉴·陈纪·宣帝太建十三年》。

第九章

两晋南北朝时期合肥的经济与文化

《宋书·州郡志》有一段对于淮南郡变化情况的总概括,可以反映因为战乱而导致的本地区发展大形势:"三国时,江淮为战争之地,其间不居者各数百里,此诸县并在江北淮南,虚其地,无复民户。吴平,民各还本,故复立焉。其后中原乱,胡寇屡南侵,淮南民多南度。成帝初,苏峻、祖约为乱于江淮,胡寇又大至,民南度江者转多,乃于江南侨立淮南郡及诸县。晋末,遂割丹阳之于湖县为淮南境。宋孝武大明六年,以淮南郡并宣城,宣城郡徙治于湖。八年,复立淮南郡,属南豫州。"

因此,合肥地区经济除了晋初一段时间发展较好外,多数时候处在不断恢复与不断破坏的双重变奏之中。比之秦汉时期,可以说是社会多动乱,发展很短暂,屯田占主要,人口多变换,尽管来了不少的流人,但是一直处在流动之中。社会动荡给各种思潮的滋生与传播提供了土壤。来自不同地区移民的大量涌入,又给合肥区域文化和社会生活带来了新鲜血液和活力。魏晋南北朝时期,道教和佛教在合肥地区都有明显的渗透和传播,合肥区域思想文化的发展,与社会思潮多元化的时代格局保持一致。当时庐江郡的学术、科技、教育等方面,取得了一些成就,特别是庐江何氏家族在佛学、礼学方面成就非凡。合肥地区的鬼神崇拜、节日习俗、建筑与娱乐游艺等社会生活内容上,也是既有明显时代特色,又有自身的区域特色。

第一节　社会经济概况

一、汉末以来的新变化

东汉以降,随着传统儒家义利观受到社会现实的冲击而日显陈旧,贱商观念大为改变,踊跃经商已成为当时的社会风气。东吴永安初,孙休在诏令中说:"自建兴以来,时事多故,吏民颇以目前趋务,去本就末,不循古道","自顷年已来,州郡吏民及诸营兵,多违此业,皆浮船长江,贾作上下"。[①] 萧梁时徐勉在戒子书中提及门人故旧劝他"或使创辟田园,或劝兴立邸店,又欲舳舻远致,亦令货殖聚敛"[②]。郭祖深也说:"今商旅转繁,游食转众,耕夫日少,杼轴其空。"[③]这和秦汉时期不断打击商贩、禁止商户增加形成鲜明对照。自东晋以后,以各种名目出现的商税,构成赋税制度的重大特征之一。六朝时推行的主要税制是租调制度,所征收田租,户调的物品、数量及征收时间大体一致,故史书中称之为"常调"或"定调"。在常调之外,尚有许多杂税,其中又以商税为主,且名目繁多:有属于商品流通性的课税,关、津之税;有课之于不同商品的鱼税、酒税、盐税、果木税等,可以总称为商税;还有课之于贸易者双方的商税,当时谓之估税,属于贸易税的范围;更有课之于市场的商税,当时谓之市租,或市税,属于商业经营税的性质。以商税为主的杂税增多,是以工商业的发展为其前提条件的。通过税收来调节、管理工商业并从中获取财政收入,与运用行政、法律手段来抑商、贱商相比,显然有利于商品经济的恢复和发展。《隋书·食货志》总结说:

> 晋自过江,凡货卖奴婢马牛田宅,有文券,率钱一万,输估四百入官,卖者三百,买者一百。无文券者,随物所堪,亦百分收四,名为散估。历宋齐梁陈,如此以为常。以此人竞商贩,不为田业,故使均输,欲为惩励。虽以此为辞,其实利在侵削。

由此可见,经商逐利已成为两晋南北朝时期社会各阶层的普遍行为。统治阶级政策的调整,顺应了社会生产力发展的要求,为巢湖周边地区社会经济的恢复与发展创造了较为宽松的环境和条件,一

---

① 《三国志·孙休传》。
② 《梁书·徐勉传》。
③ 《南史·郭祖深传》。

度促进了该地区农业、工商业的新发展。只是,南北朝时期本地长期处在战乱之中,经济发展大环境恶劣,新的发展势头在本地区表现并不明显。

二、农业生产

西晋由曹魏"禅让"而来,继承了曹魏的政治、经济遗产,而又有所变革,故能将历史推进到一个短暂统一的新时期。在平吴以前,西晋统治者还是能励精图治的。为了增强国力,晋武帝司马炎重视发展农业生产。据《晋书·食货志》记载:"是时江南未平,朝廷励精于稼穑。"泰始二年(266)诏:"今者省徭务本,并力垦殖,欲令农功益登,耕者益劝。"四年,"立常平仓,丰则籴,俭则粜,以利百姓"。五年正月癸巳,"敕戒郡国计吏、诸郡国守相令长,务尽地利,禁游食商贩"。八年,司徒石苞奏:"州郡农桑未有殿最之制,宜增掾属令史,有所循行。"发生自然灾害的时候,统治者皆实行一些抚恤解困的措施。如泰始四年(268)九月,青、徐、兖、豫四州大水,"开仓以振之"。五年二月,"青、徐、兖三州水,遣使者振恤之"。咸宁三年(277)九月,豫、徐诸州大水,"伤秋稼,诏振给之"。太康三年(282)冬十二月丙申,"诏四方水旱甚者无出田租"。太康五年(284)秋七月,任城、梁国雨雹子,伤秋稼,诏"减天下户课三分之一"。太康六年(285)春正月,"以比岁不登,免租贷宿负"。八月,又"减百姓绵绢三分之一"。如此等等,这些重农和抚恤政策的推行创造了一个有利于农业生产恢复与发展的社会环境。

合肥在西晋时部分属淮南郡,部分属庐江郡。为加强淮南边防,晋武帝重视经营淮南。咸宁元年(275)诏曰:"出战入耕,虽自古之常,然事力未息,未尝不以战士为念也。今以邺奚官奴婢著新城,代田兵种稻,奴婢各五十人为一屯,屯置司马,使皆如屯田法。"即以奴婢代替士兵屯田,不少人可能就在淮河以南种地。太康元年(280),西晋灭吴后,推出了新的土地政策——占田制和与之配套的课田制、户调制。《晋书·食货志》:"男子一人占田七十亩,女子三十亩。其外丁男课田五十亩,丁女二十亩,次丁男半之,女则不课。"《初学记》卷二十七引《晋故事》云:"凡民丁课田,夫五十亩,收租四斛,绢三匹、绵三斤。"占田制下农民课田50亩,纳租4斛,平均每亩8升,比曹魏时自耕农田租亩4升,增加了1倍。户调绢3匹、绵3斤,比曹魏自耕农绢2匹、绵2斤,增加了0.5倍。但与曹魏屯田客自持私牛者官民对分,用官牛者官六民四的分成租相比,西晋时农民的负担还是减轻了。自占田制施行后,加上民屯的废除,使农民可合法垦占一块属于自己的土地,大批屯田客变成了自耕农,负担自然减轻。史称:"是时天下无事,赋税平均,人咸安其业而乐其事。"①从而有效地促进了户口的增长和经济的发展。《晋书·地理志》:"太康元年,平吴,大凡户二百四十五万九千八百四十,口一千六百一十六万三千八百六十三。"《晋太康三年地记》:"晋户有三百七十七万。"两年之间,全国户数增加了53%之多。"计口而田,度身而蚕"②,自耕农经济逐渐发展起来,在民屯制瓦解之机,侵吞公田,招募佃客,荫庇户口,又通过占田制取得合法地位的世庶地主经济也迅速发展起来。

在灭吴以前西晋主要在合肥以北的地区加强军备,开展军屯,整个淮南地区没有发生大规模战争,社会经济也开始逐渐恢复和发展。征东大将军石苞"镇抚淮南,士马强盛,边境多务,苞既勤庶事,又以威德服物"。汝阴王司马骏代替石苞镇寿春,经略有方。泰始年间,司马骏在江淮地区,亲自营田,史称:"骏善抚御,有威恩,劝督农桑,与士卒分役,已及僚佐并将帅兵士等人限田十亩。"③晋武帝以司马骏的营屯经验为范例,普下州县加以推广。西晋灭吴以后,为促进淮南的恢复,实行了奖掖流民和吴人徙入淮南的政策,如免除赋役等优惠政策使大批在魏晋和东吴对峙时期渡江南下而未能立业的江淮人民返回故里,重整生业。地方官也重视兴修水利,如建立了对著名水利

---

① 《晋书·食货志》。
② 《晋书·王裒传》。
③ 《晋书·扶风王骏传》。

工程芍陂岁修的制度，"年用数万人"。及刘颂任淮南相，采用参与修治与用水受益挂钩的管理措施，调动了芍陂流域民众修治和维护芍陂工程的积极性，"使大小戮力，计功受分，百姓歌其平惠"[①]。促进了合肥地区社会经济的恢复和发展。当然，有的时候因为管理不善，也有"豪强兼并，孤贫失业"的情况出现。其时在江淮南部也修建了一些水利工程，现在还有遗迹的如位于庐江县柯坦镇陈埠社区古埂村民组的陈埠古埂，即属于当时建筑的堤坝渠堰。现存夯土古埂一处，面积约8000平方米。该古埂东西长约400米，埂脚宽20米，埂头宽约10米，高约7米，南北面是古埂村民组的冲田，东西是古埂大坝，大坝中间还留有被大水冲断的痕迹。经过30多年的经营，淮南逐渐富庶起来。

晋惠帝永宁元年（301），由于"八王之乱"导致了"京师仓廪空虚"，时任尚书仓部令史的庐江人陈敏建言："南方米谷皆积数十年，时将欲腐败，而不漕运以济中州，非所以救患周急也。"朝廷采纳了他的建议，并任命他为合肥度支，策划东南漕运。东海王司马越致陈敏书云："米布军资，惟将军所运。"[②]由此可以看出西晋时期合肥地区的经济情况不错。公元311年，匈奴人攻陷洛阳、掳走晋怀帝，杀太子司马诠、宗室、官员及士兵百姓3万余人，中原大乱，"幽、冀、青、并、兖州及徐州之淮北流民，相率过淮，亦有过江在晋陵郡界者"[③]。一时间淮南江北人口暴增。316年，移镇建康（今南京市）的琅邪王司马睿召庐江太守胡孟康任丞相军祭酒，由于"时江淮清宴，孟康安之，无心南渡"[④]。这说明，直到西晋末年，中原已经大乱，江淮地区社会仍比较稳定，经济尚未受到多大影响。之后，淮河成为南北争战的战场，形势大变，北方进入五胡十六国时代。

苻坚建立前秦，初步统一北方后，准备进军东晋，前头势力深入

---

① 《晋书·刘颂传》。
② 《晋书·陈敏传》。
③ 《宋书·州郡志》。
④ 《晋书·郭璞传》。

淮河以南。但由于他不善于审时度势,做出了错误的战略决策,在淝水之战的指挥上又不恰当,结果大败。此后不久北方又陷入了新一轮的大分裂。所以,整个东晋和十六国南北对峙的时期,淮河南北成了北方各族或南北政权兵马驰骋的疆场。频繁的战争,人民惨遭屠杀,或被迫流徙他乡,社会经济遭到严重破坏。淮河以南又在东晋统治之下,但是因为处在战争前沿,合肥地区的经济发展都为战争准备。合肥地区在东晋时部分属于南汝阴郡,部分属于南谯郡,屯田成为江淮地区开发的主要方式。

东晋初年,后军将军应詹上疏云:"故有国有家者,何尝不务农重谷。近魏武皇帝用枣祗、韩浩之议,广建屯田,又于征伐之中,分带甲之士,随宜开垦,故下不甚劳,而大功克举也。间者流人奔东吴,东吴今俭,皆已还反。江西良田,旷废未久,火耕水耨,为功差易。宜简流人,兴复农官,功劳报赏,皆如魏氏故事。一年中与百姓,二与分税,三年计赋税以使之,公私兼济,则仓盈庾亿,可计日而待也。"①温峤亦云:"诸外州郡将兵者及都督府非临敌之军,且田且守。又先朝使五校出田,今四军五校有兵者,及护军所统外军,可分遣二军出,并屯要处。"②东晋政府应他们的建议开展了屯田,既有"复兴农官"的民屯,也有"分带甲之士,随宜开垦"的军屯。穆帝永和中,中军将军殷浩"开江西曒田千余顷,以为军储"。及其出镇寿阳(今安徽寿县),"驱其豺狼,剪其荆棘,收罗向义,广开屯田,沐雨栉风,等勤台仆"。③ 太和(366—370)末,伏滔著《正淮论》记述当时寿春地区经济形势云:"彼寿阳(即寿春)者,南引荆、汝之利,东连三吴之富,北接梁、宋,平途不过七日,西援陈、许,水陆不出千里,外有江湖之阻,内保淮、淝之固。龙泉之陂(即芍陂),良畴万顷,舒、六之贡,利尽蛮越,金石皮革之具萃焉,苞木箭竹之族生焉,山湖薮泽之隩,水旱所不能害,土产草

---

① 《晋书·食货志》。
② 《晋书·温峤传》。
③ 《晋书·殷浩传》。

滋之实,荒年之所取给。"①这段文字显示了淝水之战前夕以寿春为中心的江淮地区北部社会经济复苏的景象。

为了促进经济的发展,东晋政权还实行释放战俘、解放奴婢,让其从事农业生产的政策。如太元十四年(389)正月癸亥诏:"淮南所获俘虏付诸作部者一皆散遣,男女自相配匹,赐百日廪,其没为军赏者悉赎出之,以襄阳、淮南饶沃地各立一县以居之。"②各战场战俘就近安置,免除奴隶身份,充分调动其生产积极性。肥水之战后,东晋仍继续经营芍陂屯田,晋末毛修之修治芍陂,"起田数千顷"③。史称:孝武帝末年(396),东晋统治区"天下无事,时和年丰,百姓乐业,谷帛殷阜,几乎家给人足矣"④。说明到东晋后期,包括合肥在内的淮南地区经济形势得到较好的恢复。

江淮之地是东晋侨置郡县接纳北方流民的重要地区。中原人口的源源移居,带来了先进的生产技术,改变了江淮地区原有的生产结构。秦汉时,江淮之间以种植水稻为主。随着中原人口的流入,粟、菽、麦等旱作物逐步得到推广。流民的迁入,也给开发江淮增加了生力军,大量荒地得到了开垦。为了安置流民,恢复淮南地区的郡县经济,东晋一度开放山禁,允民开垦,并实行了许多"省役""赈贷""专委农功"等政策,兴修水利,推广种植大麦、小麦、元麦等"三麦"。太兴元年(318),元帝下诏曰:"徐、扬二州土宜三麦,可督令旱地,投秋下种,至夏而熟,继新故之交,于以周济,所益甚大……勿令后晚。"当时的合肥地区皆属扬州,早有稻作习惯,而三麦种植不普遍,晋元帝此诏有效促进了农业生产的发展。

另外,桑、麻种植更为普遍。北方人民的大量南迁,桑麻织物的需求日增,南方政权屡诏广种桑、麻。刘宋元嘉二十一年(444),即诏:"凡诸州郡,皆令尽勤地利,劝导播植蚕桑、麻纻,各尽其方,不得

---

① 《晋书·伏滔传》。
② 《晋书·孝武帝传》。
③ 《宋书·毛修之传》。
④ 《宋书·食货志》。

但奉行公文而已。"不过，麻纺业与丝纺业比起来，还是麻纺较为发达。《洛阳伽蓝记》载杨元慎嘲笑陈庆之事："吴人之鬼，住居建康，小作冠貌，短制衣裳……布袍芒履，倒骑永牛……白竺起舞，扬波发讴，急手速去，还尔扬州。"说明当时江淮丝织业仍落后中原一等。

自北魏中期后，南朝与北朝对峙中，北强南弱的形势逐渐形成，北魏、东魏、北齐、北周与南方的刘宋、南齐、萧梁和陈朝进行了长期、激烈的争夺。虽然彼此势力时有消长，但总的趋势是北朝各政权不断向南扩张。当时的合肥地区一度建置十分混乱，总的来说，前期多在南方政权统治之下，后期北齐、北周统治占有时间较长，在刘宋和南齐的政区建置中部分属南汝阴郡，部分属南谯郡。武定七年（梁太清三年，549），东魏攻占合肥，陈朝在公元573年一度从北齐手中将其收复，旋即为北周所夺。

刘宋时期，为促进江淮地区发展，加强统治，刘宋统治者实行了一系列抚恤政策。永初元年（420）六月，宋武帝刘裕诏："赐民爵二级，鳏寡孤独不能自存者，人谷五斛。逋租宿债勿复收。"又诏："遣大使分行四方，旌贤举善，问所疾苦，其有狱讼亏滥，政刑乖愆伤化扰治，未允民听者，皆当具以事闻。"[①]八月，刘裕又下诏对其故乡所在的位于今苏北和皖东北相邻的彭城等三郡实行特殊的优惠政策："彭、沛、下邳，首事所基，情义缱绻，事由情奖，古今所同。彭城桑梓本乡，加隆攸在，优复之制，宜同丰、沛。其沛、下邳可复租布三十年。"[②]宋文帝刘义隆继续实行蠲免赈恤的政策。如元嘉十七年（440）八月，徐州等多处发生严重水灾，诏"遣使检行赈恤"。十一月诏："兖、两豫、青、徐诸州比年所宽租谷应督入者，悉除半。今有不收处，都原之。凡诸逋债，优量申减。"[③]刘宋政府还注意帮助农民解决一些实际的困难，以保障农业生产的正常开展。元嘉二十一年（444）七月诏："比岁谷稼伤损，淫亢成灾，亦由播植之宜，尚有未尽。南徐、兖、豫及扬州

---

① 《宋书·武帝纪下》。
② 《宋书·武帝纪下》。
③ 《宋书·文帝纪》。

浙江西属郡,自今悉督种麦,以助阙乏。速运彭城、下邳郡见种,委刺史贷给。徐、豫土多稻田,而民间专务陆作,可符二镇,履行旧陂,相率修立,并课垦辟,使及来年。凡诸州郡,皆令尽勤地利,劝导播植,蚕桑麻纻,各尽其力,不得但奉行公文而已。"①要务必因地制宜,广泛种植粮食作物,并兼及蚕桑麻纻,以尽地利。在淮南地区,元嘉七年至十六年(430—439),刘义欣任豫州刺史,镇寿阳,对江淮地区的经济恢复和发展做出了重要贡献。当刘义欣到任之时,寿春地区"土境荒毁,人民凋散,城郭颓败,盗贼公行","芍陂良田万余顷,堤堨久坏,秋夏常苦旱"。于是刘义欣"遣谘议参军殷肃循行修理。有旧沟引溉水入陂,不治积久,树木榛塞。肃伐木开榛,水得通注,旱患由是得除"。刘义欣又简拔知"绥牧之宜"之人为官长,"纲维补辑,随宜经理,劫盗所经,立讨诛之制。境内畏服,道不拾遗,城府库藏,并皆完实,遂为盛藩强镇"②。泰始(465—471)中,夏侯详为新汲(侨县,在今寿县境)令,"治有异绩,刺史段佛荣班下境内,为属城表"。如此,包括合肥在内的江淮地区农业生产逐步得到了恢复和发展。宋失淮北地后,刘宋政权于安徽淮河以南地区相继建置豫、南豫、徐诸州,继续经营包括合肥在内的淮南。

　　齐朝的疆土基本停留在宋末的规模上,以淮河一线与北魏对峙。宋末齐初的战乱,使包括合肥在内的江淮地区经济遭到了破坏,《南齐书》卷三《武帝纪》载:"江淮之间,仓廪既虚,遂草窃充斥,互相侵夺,依阻山湖,成此逋逃。"齐高帝和齐武帝为恢复经济,巩固边防,实行了一系列抚恤和鼓励发展生产的政策。高帝建元二年(480)二月,"遣大使巡慰淮、肥,徐、豫边民尤贫遘难者,刺史二千石量加赈恤。甲午,诏:江西北民避难流徙者,制遣还本,蠲今年租税。单贫及孤老不能自存者,即听番籍,郡县押领"③。武帝永明四年(486)闰四月辛亥诏:"诸逋负在三年以前尤穷弊者,一皆蠲除。孝悌力田,详授爵

---

① 《宋书·文帝纪》。
② 《宋书·刘义欣传》。
③ 《南齐书·高帝纪下》。

位,孤老贫穷,赐谷十石。凡欲附农而粮种缺乏者,并加给贷,务在优厚。"①永明六年(488)闰十月乙卯又诏:"北兖(侨州,治盱眙)、北徐(侨州,治钟离)、豫(侨州,治寿春)、司(侨州,治今河南信阳市)、青、冀(青、冀二侨州治今江苏连云港市)八州,边接疆场,民多悬罄,原永明以前所逋租调。"永明十一年(493)七月丁巳诏:"曲赦南兖、兖、豫、司、徐五州,南豫州之历阳、谯、临江、庐江四郡三调(胡三省曰:调粟、调帛及杂调也),众逋宿债,并同原除。其缘淮及青、冀新附侨民,复除已讫,更申五年。"②同年八月癸未诏:"凡逋三调及众债,在今年七月三十日前,悉同蠲除。"在齐高帝、齐武帝这些振兴经济的诏书鞭策下,出现了不少恤民的良吏。如南谯郡(今巢湖市东南)太守王珍国,"治有能名,时郡境苦饥,乃发米散财,以拯穷乏"③。萧齐时还实行解放战俘和奴婢的政策,永明十一年(493)丙戌诏:"近北掠余口,悉充军实。刑故无小,罔或攸赦,抚辜兴仁,事深睿范。宜从荡宥,许以自新,可一同放遣,还复民籍。已赏赐者,亦皆为赎。"④南齐这些良策的有效推行,缓和了社会矛盾,促进了合肥地区农业生产的恢复和发展。

在宋齐统治比较稳定的时期,随着经济的恢复,统治者开始在江淮地区封建王国。如元嘉十年(433)正月,宋文帝改封竟陵王刘义宣为南谯王(都山桑县,今巢湖市东南),食邑五千户,刘义宣为南谯王达20年之久。⑤ 宋孝武帝末年,封其幼子刘子舆为晋熙王(都怀宁县,今潜山县)。泰始元年(465)十二月,宋明帝改封其为庐陵王。泰始六年(470)四月,宋明帝封其第六皇子刘燮为晋熙王(都怀宁县,今潜山县),食邑三千户,至宋末昇明三年(479)因改朝换代而被废杀。⑥永明四年(486)二月,齐武帝封其皇弟萧銶为晋熙王。后来齐明帝又

---

① 《南齐书·武帝纪》。
② 《南齐书·郁林王纪》。
③ 《梁书·王珍国传》。
④ 《南齐书·武帝纪》。
⑤ 《宋书》之《文帝纪》《南郡王义宣传》。
⑥ 《宋书》之《明帝纪》《晋熙王昶传》。

封其第十子萧宝嵩为晋熙王。① 宋、齐在江淮地区封建王国从一个侧面反映了当时江淮间的形势稳定,经济情况也相对较好。

到萧齐末年,由于战争的影响,农业生产逐渐衰落,南齐明帝时(494—498),"淮南旧田,触处极目,陂遏不修,咸成茂草,平原陆地,弥望尤多,今边备既严,戍卒增众,远资馈运,近废良畴,士多饥色,可为嗟叹"②。

萧梁前期,淮南一直是梁、魏激烈争夺的地区。频繁的战争严重制约了淮南经济的正常发展。如天监十三年(514),梁武帝为了收复寿阳,采纳魏降人王足计,筑浮山堰,"堰淮水以灌寿阳","十五年四月,堰乃成"。③ "九月丁丑,淮水暴涨,堰坏,其声如雷,闻三百里,缘淮城戍村落十余万口皆漂入海"④。梁武帝筑浮山堰不仅没达到收复失地的目的,还造成了人力物力的巨大损失。

523年,裴邃北伐,"始修芍陂",其后,他的侄子裴之横"与僮属数百人,于芍陂大营田墅,遂致殷积"。⑤ 526年,萧梁收复寿阳后,又不断向淮北扩张,但经营重点仍在淮南,豫州刺史夏侯亶鉴于"寿春久罹兵荒,百姓多流散",实行"轻刑薄赋,务农省役"的政策,于是豫州之地民户充复。534年,夏侯亶的弟弟夏侯夔继任豫州刺史,"帅军人于苍陵立堰(今寿县西南),溉田千余顷,岁收谷百余万石,以充储备,兼赡贫人,境内赖之。夔兄亶先经此任,至是夔又居焉。兄弟并有恩惠于乡里,百姓歌之曰:'我之有州,频仍夏侯;前兄后弟,布政优优。'在州七年,甚有声绩,远近多附之。"⑥

梁朝末年,淮南先后沦为东魏、北齐疆土。北齐占领合肥地区后,对新附民庶"给十年优复","其新附州郡,羁縻轻税而已"。这种与民休

---

① 《南齐书》之《武帝纪》《和帝纪》。
② 《南齐书·徐孝嗣传》。
③ 《梁书·康绚传》。
④ 《资治通鉴·梁纪四·武帝天监十五年》。
⑤ 《梁书·裴邃传》。
⑥ 《梁书·夏侯夔传》。

息的政策有利于合肥经济的恢复。地方官吏也能自我约束，如淮南经略使辛术，"凡诸资物一毫无犯"，扬州刺史卢潜"辑谐内外，甚得边俗之和"。"在淮南十三年，任总军民，大树风绩，甚为陈人所惮"。[1] 北齐也曾开垦屯田，"缘边城守之地，堪垦食者，皆营屯田"。北周统治合肥后，继续实行怀绥政策，"江右诸州新附民，给复二十年"，减轻了农民负担，为隋朝农业生产的进一步发展奠定了基础。总的来说，南北朝时期是合肥地区经济在动乱中恢复和发展的重要时期。

南北朝时，江淮依旧是屯田兴盛之地。刘宋元嘉间（424—452），文帝于盱眙置淮南都督，统帅屯田，积蓄粮草。[2] 南齐建元二年（480），萧道成还委垣崇祖为豫州刺史，"敕崇祖修治芍陂田"，并嘱之曰："卿但努力营田，自然平殄虏寇。""昔魏置典农，而中都足食；晋开汝颍，而河汴委储，卿宜勉之。"[3] 梁朝，豫州刺史夏侯亶、裴邃，都督南北司、豫州诸军事陈庆之等相继在江淮开田兴屯，"亶轻刑薄赋，务农省役"，不久"仓廪充实"。[4] 陈朝宣帝诏吴明："仍出阳平仓谷，拯其悬罄，并充粮种。劝课士女，随近耕种。石鳖等屯，适宜修垦。"[5]北朝也十分重视屯田，北魏曾一度占领沿淮地区，"发河北数州田兵二万五千人，通缘淮戍兵，合五万余人，广开屯田"[6]。北齐乾明中（560），尚书左丞苏珍芝"议修石鳖等屯，岁收数万石。自是淮南军防，粮廪充足"[7]。

三、手工业、商业概况

随着农业生产的发展，合肥地区的商业也有相应的发展。商品交换的媒介仍是钱币和谷帛并用。由于西晋没有另铸钱币，因此当

---

[1] 《北齐书·卢潜传》。
[2] 《宋书·刘烁传》。
[3] 《通典·屯田》。
[4] 《梁书·夏侯亶传》《梁书·陈庆之传》。
[5] 《陈书·宣帝纪》。
[6] 《魏书·范绍传》。
[7] 《隋书·食货志》。

时流通的皆为汉代及三国旧钱。

扬州刺史刘陶令庐江郡"以市租供给家人粮廪,勿令缺乏"[1]。可见,随着商业发展,当时的合肥地区有"市租"(即商业交易税)之征。

手工业方面也有一些恢复发展。古代冶铁,很早就知道利用鼓风机。春秋时,晋国鼓风冶铁,以铸刑鼎。《老子》云:"天地之间,其犹橐籥乎,虚而不屈,动而愈出。"橐籥,即鼓风的机械。东汉以来的鼓风机,有水排、马排、人排等三种。水排利用水力,马排利用马力,人排利用人力。水排最早见于《后汉书·杜诗传》:"造作水排,铸为农器,用力少而见功多,百姓便之。"汉末连年战乱,水利设施彻底破坏,水排这种先进设备,也无法运行。于是水排变为马排,马排又变为人排。曹操经营北方,在各处兴修水利,开凿运河,经过二十几年的努力,大河南北出现了水利网。因此,汉晋可以顺利地用水排代替马排和人排。魏晋以来冶铁经常使用水排鼓风。

这一时期的手工业主要分为官、私两类。官营手工业主要是州郡的"作部","作部"里的劳动者都是从民间征发的匠人或被罚没的刑徒和战俘。如当时的寿春重镇设有官营的手工业作坊"作部",制造金石、皮革、弓箭及竹木器等,以供官府和军队之需。个体家庭纺织也很普遍。刘宋时期,随着农业生产的发展,农民的家庭纺织业有相应的恢复。萧齐时期,国家除了通过正常征收租调的方式从淮南农户那征收纺织品以外,还以"和市"的方式向豫州、南兖州、司州农民收购丝、绵、纹、绢、布等纺织品。[2]

两晋时,冶金业的发展仍未间断,经营方式大约也是招致民间工匠到军中作业,州郡镇将也往往役使工匠设立作坊,制作器物。如合肥西晋纪年墓中出土有铜镜、铜五铢钱,合肥市其他地点出土的西晋钱纹铜钵、铜洗。巢湖市出土的西晋铜盆。肥东县元町曙光大队出土的西晋铜熨斗、西晋铜行灯。1980年肥东青龙西晋墓出土的晋位

---

[1]《梁书·裴之横传》。
[2]《通典·食货·轻重》。

至三公镜。长丰县双墩出土的晋四叶夔凤纹镜。

制瓷业，考古发现两晋南北朝时代是淮河流域制瓷业产生的重要时期。一方面外省如越窑等生产的瓷器在安徽广泛流通，另一方面南北朝中晚期安徽也开始了瓷器生产。合肥地区曾出土过不少青瓷器，如肥东出土的西晋青釉网格纹钵，合肥地区出土的东晋瓷器，庐江晨光乡高建村的东晋青釉小水盂，肥西县董岗乡胜利村灯塘的东晋青釉鸡首壶，长丰罗塘乡毕城寺出土的东晋四系绿釉陶罐。釉下多施一层浅灰色化妆土，胎体较薄，质细，烧造温度高。南北朝瓷器如：1966年包公镇周岗村出土的南朝青釉水波纹盆、青釉平底盏；1989年合肥义兴乡梁河塘郢出土的南朝六系青釉盘口壶、南朝青釉瓷碗；庐江裴岗滨湖村轮窑厂古井出土的南朝四系盘口釉陶壶，庐江杨岗乡皂岭村出土的南北朝四系青瓷盂；1978年肥东石塘镇龙城遗址出土的南北朝青釉圜底盏，等等。

当时的封建地主阶级中少数门阀世族直接掌握统治权成为统治阶层。他们在政治权力的分配中按家族系统占据了最高等级，经济上则是大地产者，占有大量的"膏田沃野"，并且沿袭了东汉出现的庄园经济的形式经营这些土地。并在此基础上与依附性较强的分成租佃制剥削相结合，形成封建的大庄园。它是魏晋以后经济发展的主流，也是形成此时复杂的阶级、等级的基础。墅，又称"别墅""田墅"，就其原义是指家宅以外别筑的游息之所。裴之横"于芍陂大营田墅，遂致殷积"[1]。可见，这种墅实是有田地、有生产的经济单位，简言之即庄园的别称。园，亦称"田园""园舍"，或与宅连称园宅，是一种名副其实的庄园称呼。有些田业，名曰"宅""舍宅"，实则是囊括了许多田地、山林川泽的大庄园。南北朝时期，除在城内设"市"之外，城外已有"草市"[2]。"草市"是农副产品交易的初级市场。设立"草市"有利于人民互通有无。

---

[1] 《梁书·裴之横传》。
[2] 《水经注》之《淮水注》《肥水注》。

南北朝时期各地的商业,无论是与前代相比,还是与同时期的北方对照,都呈现出较为发达和兴盛的景象。由上而下的市场体系已经初步建立起来。萧梁时的沈约说:"商子事逸,末业流而浸广,泉货所通,非复始造之意。于是竞收罕至之珍,远蓄未名之货,明珠翠羽,无足而驰,丝文犀,飞不待翼。"①无怪乎《隋书·食货志》说,东晋南朝时,"人竞商贩,不为田业"。

可以说,进入魏晋南北朝以后,南方经济始由过去的零星与局部开发,而转入大规模的全面开发阶段。由于南方社会环境相对稳定,受战乱的影响与破坏较小,加上北方人口的南迁,带来了中原较为先进的生产技术,致使南方经济迅速发展,商品经济日趋活跃,商业的发展历史也由此揭开了新的一页。大体说来,在魏晋南北朝时期,南方商业的发展始终保持着蓬勃向上的势头,并且形成一种持久的历史趋势。

第二节 魏晋南北朝时期合肥的文化艺术与社会风俗

一、宗教的传播

(一)佛教

佛教在安徽的传播,始于东汉时期楚王刘英的崇佛,只是囿于汉人出家限制等原因,当时佛教流播速度相当缓慢。东汉末年,国乱时艰,经学式微,统治者对思想的钳制放松,佛教在安徽地区的流播明显加快。建安年间,月氏后裔支谦随族人躲避战火来到江南,从事译

---

① 《宋书·传论》。

经。他精通汉文，娴熟大乘佛教理论，因聪明超众，时人称为"智囊"，深得吴主孙权信任。孙权尊礼支谦，拜他为博士，让他辅导太子，与韦昭等人一起匡益国事。支谦在建业译经期间，西域僧人康僧会来到建业，也以其神秘佛法，获信于孙权。孙权为之兴造南方第一座寺庙建初寺，"由是江左大法遂兴"。佛教在孙吴境地传播开来，影响到了安徽。据说孙权还为康僧会在当涂造化城寺，该寺成为康僧会的三大道场之一，也是我省历史上最早有记载的佛寺。此后，合肥北边寿春和南边太湖、潜山一带先后发展为佛教重地。受其影响，佛教在合肥地域也得到了相当的普及和发展。

在巢湖市北郊5公里处紫薇山内的王乔洞存在一处摩崖造像，洞全长近60米，最宽处近8米，高5—8米，属于石灰岩溶洞。溶洞中央的北壁为一铺造像为一佛二菩萨的西方三圣，从风格上看，应属于南朝作品，另有500余尊浮雕小造像，或有"千佛"之意，高仅20—30厘米，时代与前者类似或略晚。① 类似雕像在栖霞山也有发现。从佛教理论看，西方三圣或可认为具有过去、现在、未来的小乘思想，而千佛的出现则表明大乘佛教思想的确立，佛经自西汉传入中土就是大、小乘并入的，东汉支娄迦谶所译的《阿閦佛国记》《无量清净等觉经》就含有他方佛的信仰，即确立在现在世的世界中，除释迦佛之外，尚有许多佛国世界，改变了小乘"一世一佛"之说。并且大乘佛教还认为除现在世界有十方世界，若结合过去、未来世，则有三世十方诸佛或称"千佛"。佛教在西晋渐次流行，至南朝时期形成了所谓"北造像，南造寺"的局面，即北朝信仰佛教主要以造佛像为主，南朝限于天然地形环境，凿窟造像之风远不及北朝之盛，则改以造寺庙为主，号称南朝四百八十寺。但造像在南朝也有少量发现。如在南朝栖霞山的断崖上，有齐、梁间所开凿的石窟、石佛，全部佛龛294个，造像达515尊。合肥地区至少在南朝时期也受到了佛教的影响。从地

---

① 南京师范大学文博系、安徽省巢湖市文管所：《安徽巢湖市王乔洞佛教摩崖的调查与研究》，《东南文化》2008年第6期。

域、时间和规模上看,王乔洞石窟是受到了南京栖霞山造像的影响而形成、发展而来的地方类型。

佛寺是佛教文化的传媒与载体,也是佛教流传发展的重要标志。两晋南北朝时期,合肥地区也有佛寺兴造。据统计,东晋时期,合肥、居巢各创建佛寺1座;梁朝时期,汝阴郡下巢县建造佛寺1座、合肥新建佛寺2座;又,至6世纪末,庐江郡计有佛寺2座、南汝阴郡(治今合肥)5座。南朝梁武帝号称"菩萨皇帝",带头崇信佛教,兴造寺院,极大地推进了南朝佛教的兴盛和佛寺的普及。以皇家崇佛倡教闻名的萧梁时代,在4世纪初至6世纪末的270年,曾是我国南方佛寺最兴盛的时期。从上引统计来看,在萧梁这一时代浪潮下,合肥地区的佛寺建筑也明显受之影响,出现难得的新兴局面。

建于肥东浮槎山的道林寺,当是两晋南北朝合肥地区建造规格最高的寺庙。清《嘉庆庐州府志》卷十九"寺观·福严院"下录有四条,一引《舆地纪胜》记说:"在梁县东南三十五里浮槎山。梁天监中,公主祝发为尼,于此建道林寺以居之。"一引《康熙志》记:"梁武敕建。初名道林寺,又曰福严。"一引《天下名胜志》记云:"浮槎山有福严寺碑。"一引《明隆庆志》记云:"浮槎山寺,梁时所建即此。"这几条只是大体说明了道林寺兴建的方位、时间,至于其兴建原由则语焉不详,即便已是提及的兴建时间,也留下不少悬念。梁武帝在位时先后共用了7个年号,天监历时最长,起迄18年,所以"天监中"就显得相当模糊。府志也提到了福严寺碑,但碑文所记未予提及。同期所修的《合肥县志》所载就远胜于府志,不仅记录了碑文内容,还补充介绍了道林寺对后来文人墨客的影响。碑文详细记录了道林寺缘起:梁武帝的第五个女儿曾经在夜里做了一个梦,梦到自己在一座山中出家为尼。第二天便把此梦奏报给梁武帝。梁武帝便命取出名山图,在图中找到浮槎山,恍如公主梦中所见。天监三年(504),敕令创道林寺。寺庙建成后,公主便进山祝发为尼,号"总持大师",公主原来侍奉人员悉数随同出家为尼。《嘉庆合肥县志》中的碑文同样引自《天下名胜志》。道林寺由梁武帝敕建,这在同期合肥地区所建佛寺中所仅见,寺成后,又有皇家公主于其中祝发为尼,都显示出道林寺的规格与众不同。《嘉庆合肥县志》中还提到,在道林寺殿东百余步有梁女墓,实为公主之坟。寺中塔下还有一株相传为公主新手栽种的海榴,至宋元丰年间依旧树干粗壮、枝繁叶茂。

浮槎山道林寺建成后,还引起后人的诗兴。据说唐代沙门僧皎曾撰有8首绝诗,后世又有沙门释用孙作诗记载梁武帝公主与道林寺事,其诗云:

山为浮来海莫沉,萧梁曾此布黄金。
梵僧亲指耆阇路,帝女归传达摩心。
地控好峰排万仞,涧余流水落千寻。
灵踪断处人何在,日夕云霞望转深。

萧梁时期,在今合肥市还建有一座铁佛寺。铁佛寺在当时安徽境内佛寺中也具有一定的代表性。魏晋南北朝时期的佛寺形制,有学者分为宫塔式、塔楼式和殿阁式三种,也有人分为民居类型、佛塔为主型、殿堂为主型三种。两种分类虽略有差异,但都认为有不少佛寺建筑是以佛殿为主,自成一类。这种形制的佛寺,一般以佛像为主要拜谒对象,乃佛教建筑中国化的结果,在佛教建筑发展史上具有标志意义。有学者在考察魏晋南北朝时期安徽佛教建筑时就推测,南朝梁武帝天监时(502—519)于合肥教弩台上建的铁佛寺,当属此类。铁佛寺后来毁于隋朝,宋王象之《舆地纪胜》载庐州城内有明教寺,"在城岁丰桥北,即魏武教弩台,唐大历中因得铁佛一丈八尺,奏为立院"。明教寺至今都是很有影响的佛教建筑,巧合的是,此明教寺与南朝萧梁铁佛寺均在曹操的教弩台,唐大历中意外所得的铁佛,可能正是原毁于战火的铁佛寺中供奉之铁佛。

南朝时期巢湖还先后新建了两座佛寺。光绪年间《续修庐州府志·祠祀志下》"定林慈氏寺"条下记:"明初设僧会司,嘉靖中改为儒学,万历四年仍复为寺,在县崇善坊。梁武帝时建。"又于"金城寺"条下记:"在县西南界一百里,世传魏武所筑以御孙权,故名。元魏丙午有浮屠善询者创建,历唐宋兴废不一。"

塑像与建塔,往往伴随修寺而同时出现,也是佛教流播发展的重要标志。东晋时期,庐江何充便有造像活动,《续高僧传》卷二十三《释智周传》载录此事说道:"又晋司空何充所造七龛泥像,年代绵远圣仪毁落,乃迎还流水,漆布丹青雕缋绮华。"何充所造泥像竟至七龛,数量惊人。所以今天一般认为佛像被正式的塑造,应该是东晋中期的事。合肥地区至南朝以后,也出现了塑造佛像的活动。前述建于曹操教弩台上的铁佛寺中供奉的铁佛,当是当时铸铁而成的佛像。从铸像材质上来说,铁质显然胜于泥土,但似又要逊于铜质。这一时期合肥还出现了以铜铸像。《嘉庆合肥县志》记"睡佛庵"条下说:"又名卧佛寺,在演武场西,顺治十年建庵。有铜睡佛像,相传萧梁时造,本在浮槎山道林寺,今移庵内。"从道林寺由梁武敕建而成来看,寺内建造铜睡佛像不是没有可能的。道林寺有铜质卧佛,证明这座萧梁皇家敕建的道林寺规格确实非一般佛寺所能比拟的。从方志记载来看,道林寺中原也有佛塔,属寺成之初所建亦未可知。清嘉庆间合肥梁乡(今肥东梁园镇)明远台后还有座古峘塔,俗传梁武帝时建。

两晋南北朝时期,合巢一线的寺庙建筑是远胜于庐江地区的。不过,当时庐江地区的佛教发展也自有其特色,随着佛教长时间广泛而深入的传播,当时的庐江地区出现了有影响的得道高僧和佞佛世家。

南朝刘宋时期名僧昙远,俗姓万,本出官宦之家。昙远无意仕途,潜心修佛。南朝梁时太原王琰曾撰《冥祥记》,其中详记庐江人沙门昙远的事迹:

父万寿,御史中丞。远奉法精至,持菩萨戒。元嘉九年年十八,丁父艰,哀毁致招疾,殆将灭性。号踊之外,便归心净土,庶祈感应。远时请僧常有数人,师僧含亦在焉。远常向含悔忏宿业,恐有烦缘,终无感彻。僧含每奖厉,劝以莫怠。至十年二月十六日夜转经竟,众僧已眠，四更中忽自唱言：歌诵歌诵！僧舍惊而问之，远曰："见佛身黄金色，形状大小如今行像。金光周身，浮焰丈余。幡华翼从，充刃虚空。瑰妙丽极，事绝言称。"远时住西厢中，云：佛自西来，转身西向，当伫而立，呼其速去。昙远常日羸喘，示有气息。此夕壮厉悦乐动容，便起净手。含布香手中，并取园华，遥以散佛。家既宿信，闻此灵异，既皆欣肃，不甚悲惧。远至五更，忽然而终，中宅芬馨，数日乃歇。

昙远因归心净土，诚心修佛，最终成为得道高僧。昙远辞世距王琰不远，王琰撰《冥祥记》便将他收录其中，可见昙远事迹在当时影响是很大的。到了唐高宗总章元年（668），释道世撰《法苑珠林》时又特别关注到昙远事迹，他将王琰所记完整载录自己的书中，上引之文便摘自释道世之书。昙远及其往生事迹，充分说明了两晋以来佛教在庐江地区流播的影响。①

庐江何氏家族是两晋南朝时期安徽境内少有的名门望族，也是当时著名的佞佛世家，史传尝言：庐江何氏自晋司空充、宋司空尚之，世奉佛法，并建立塔寺。庐江何氏不仅热衷于与佛教僧尼交游周旋，东晋何充、何准兄弟、準女何法倪，南朝何尚之、何敬容还都曾修建塔寺，身体力行以支持佛教的传播。何氏一门中持戒修身者也不在少数，如何充、何尚之、何点、何求、何胤、何幼玙均是修行精苦，持戒谨严。南朝萧梁时的何胤还在佛教教义上有很深的造诣，著述颇多。清《光绪庐江县志》于"艺文"中收录了何胤撰著的《法论》《十二门论》与《百法论》。

毫无疑问，东晋南朝庐江何氏家族的修寺、持戒与钻研佛教义理，对于扩大佛教影响是有着积极意义的。但就佛教的社会传播来说，庐江何氏对当时佛教更大的贡献在于从官方政策层面上推动朝野对佛教的接受与尊崇。这方面集中表现在何充与庾冰"沙门礼敬

---

① 鲁迅：《古小说钩沉》，人民文学出版社1999年版。

王者"之争和何尚之答宋文皇帝赞佛这两件事上。

何充驳议沙门礼敬王者事,发生于成帝咸康六年(340)。《弘明集》卷十二较为清晰地反映了这次斗争全过程,语曰:"晋咸康六年,成帝幼冲,庾冰辅政,谓沙门应尽敬王者,尚书令何充等议不应敬。下礼官详议,博士议与充同。门下承冰旨为驳。尚书令何充等奏沙门不应尽敬。"此后庾冰又两次代诏讽旨,何充复又两次上奏驳议。庾冰提出的核心理由有两个方面:一是"因父子之敬,建君臣之序,制法度崇礼秩,岂徒然哉?良有以矣!既其有以,将何以易之";二是"且五戒之才善,粗拟似人伦,而更于世主略其礼敬耶?礼重矣,敬大矣,为治之纲尽于此矣"。可以看出庾冰所持的思想武器正是儒学。

何充三次驳议奏文都不长,录于此。

其一:

世祖武皇帝以盛明革命,肃祖明皇帝聪圣玄览,岂于时沙门不易屈膝,顾以不变其修善之法,所以通天下之志也。愚谓宜遵承先帝故事,于义为长。

其二:

臣等闇短,不足以赞扬圣旨宣畅大义。伏省明诏震惧屏营,辄共寻详有佛无佛,固非臣等所能定也。然寻其遗文钻其要旨,五戒之禁实助王化,贱昭昭之名行,贵冥冥之潜操,行德在于忘身,抱一心之情妙。且兴自汉世迄于今日,虽法有隆衰而弊无妖妄,神道经久未有比也。夫谊有损也况必有益,臣之愚诚实愿尘露之微增润嵩海,区区之况上卑皇极,今一令其拜遂坏其法,令修善之俗废于圣世,习实生常必致愁惧隐之,臣心窃所未安。臣虽蒙蔽岂敢以偏见疑误圣听,直谓世经三代人更明圣,今不为之制无亏王法而幽冥之格可无壅滞,是以复陈愚诚。乞垂省察。

其三：

臣等虽诚闇蔽不通远旨。至于干干夙夜思修王度，宁苟执偏管而乱大伦，直以汉魏逮晋不闻异议，尊卑宪章无或暂亏也。今沙门之慎戒专专然及为其礼一而已矣，至于守戒之笃者，亡身不吝，何敢以形骸而慢礼敬哉？每见烧香咒愿，必先国家欲福祐之隆，情无极已奉上崇顺，出于自然礼仪之简，盖是专一守法。是以先圣御世，因而弗革也。天网恢恢，疏而不失。臣等惓惓以为不令致拜于法无亏。因其所利而惠之，使贤愚莫敢不用情，则上有天覆地载之施，下有守一修善之人。谨复陈其愚浅。愿蒙省察。谨启。

分析何充奏表，可以看出其说辞要点有二：一、自汉魏逮晋以来皆未闻异议，而国朝武帝至于先帝明帝也均未要求沙门礼敬王者。这是从历史史实角度而言。二、沙门慎戒有助于王化，于法无亏。这是就沙门守戒现实效应而言。这两个方面，其实都未深入佛理。他所说的理由也并非无懈可击，自汉以来无人谴责沙门不敬王者，并不足证沙门不致拜为合理，盖其时沙门甚少，虽不致拜，亦不受人注意，而对君臣关系发生广大之影响。沙门不敬王者的真正原因在于，沙门本以为佛之道术功德高于一切，值得尊敬故拜之，其不拜帝王，即以其功德不能与佛相比，甚至不如有道行之高僧，不值得尊敬，故不致拜。

何充最后一次上奏后，"于时庾冰议寝，竟不施敬"，何充论争取得了胜利。晋成帝咸康年间这次庾、何沙门礼敬王者之争，以及何充等人的最终胜利，实是朝廷对佛教思潮传播的一种表态，是对佛教异质文化的一种认可，它为佛教进一步广泛传播打开了方便之门，其社会意义是不容忽视的，何充等人是当时高级官员中真正的佛教徒。

元嘉十二年（435）前后，佛教的发展传播遇到了一些问题。一是当时慧琳著《黑白论》，何承天著《达性论》，并皆拘滞一方、诋呵释教。二是丹阳尹萧谟之在奏章中反映说："佛化被于中国已历四代，塔寺形像所在千计,进可以系心,退足以招劝。而自顷世以来,情敬浮末,不以精诚为至,更以奢竞为重,旧宇颓陁曾莫之修,而各造新构以相跨尚,甲地显宅于兹殆尽,林竹铜彩靡损无极。违中越制,宜加检裁,不为之防,流遁未已。请自今以后,有欲铸铜像者,悉诣台自闻;兴造塔寺精舍,皆先诣所在二千石,通发本末,依事列言本州。必须报许,然后就功。其有辄铸铜制辄造寺舍者,皆以不承用诏书律论,铜宅材瓦悉没入官。"奏文意在对佛教信徒造寺与塑像进行限制。

慧琳与何承天对佛教的发难,引发了轩然大波,遭到名士颜延之、宗炳等撰文检驳,一时形成论难高潮。思想界这一动态也引起了宋文帝的关注。宋文帝对何尚之说道:"朕少来读经不多,比日弥复无暇,三世因果未辩厝怀,而复不敢立异者,正以卿辈时秀率所敬信故也。范泰谢灵运常言:六经典文,本在济俗为治。必求灵性真奥,岂得不以佛经为指南耶?近见颜延之《推达性论》、宗炳《难白黑论》,明佛汪汪,尤为名理并足,开奖人意。若使率土之滨,皆敦此化,则朕坐致太平,夫复何事。近萧摹之请制,未全经通,即以相示,委卿增损。必有以遏戒浮淫,无伤弘奖者,乃当著令耳。"对于宋文帝旨谕,何尚之回复审慎精细,摘引如下:

悠悠之徒,多不信法。以臣庸蔽,犹秉愚对,惧以阙薄,贻点大教。今乃更荷褒拂,非所敢当。至如前代群贤,则不负明诏矣。……所谓人能弘道,岂虚言哉?慧远法师尝云:"释氏之化,无所不可。适道固自教源,济俗亦为要务。世主若能剪其讹伪,奖其验实,与皇之政,并行四海。幽显协力,共敦黎庶,何成康文景独可奇哉?使周汉之初复兼此化,颂作形清,倍当速耳。"窃谓此说,有契理奥,何者?百家之乡十人持五戒,则十人淳谨矣;千室之邑百人修十善,则百人和厚矣;传此风训以遍寓内,编户千万则仁人百万矣。此举戒善之全具者耳。若持一戒一善,悉计为数者,抑将十有二三矣。夫能行一善则去一恶,一恶既去则息一刑,一刑息于家,则万刑息于国,四百之狱何足难措?雅颂之兴理宜位速,即陛下所谓坐致太平者也。论理则其如此。征事则臣复言之：前史称西域之俗皆奉佛敬法，故大国之众数万小国数百，而终不相兼并，内属之后习俗颇弊，犹甚淳弱罕行杀伐。又五胡乱华以来，生民涂炭，冤横死亡者，不可胜数，其中误获苏息，必释教是赖。故佛图澄入邺而石虎杀戮减半，滆池宝塔放光而符健椎锯用息，蒙逊反噬无亲虐如豺虎，末节感悟遂成善人。法遂道人，力兼万夫，几乱河渭面缚甘死以赴师阤。此非有他，敬信故也。

夫神道助教，有自来矣。……而愚闇之徒，苟遂毁訾，忽重殉轻，滞小迷大，恚僧尼之绝胖育，疾像塔之丰朱紫，此犹生民荷覆载之德，日用而不论，史司苦湮瘗之劳，有时而诋慢。惠琳、承天盖亦然耳。萧谟启制，臣亦不谓全非。但伤蠹道俗，最在无行僧尼，而情貌难分，未可轻去。金铜土木，虽縻费滋深，必福业所寄，复难顿绝。臣比思为斟酌，进退难安，今日亲奉德音，实用夷泰。①

何尚之复文主要是从论理和征事两个方面来分析，说理较透彻，征事亦为翔实，其结论"神道助教"因而也就有一定的说服力。何尚之的观点，和何充的"五戒之禁，实助王化"意思相近，都是在阐发佛教的赞治功能，指明了佛教的传播不是削弱帝王统治，而恰是封建政治的傅翼。

何尚之的回复不仅论说较充分，而且也有官场行文的高度技巧，得到了宋文帝褒扬。《弘明集》说，帝悦曰："释门有卿，亦犹孔氏之有季路。"而《高僧传》于此后还补充说道："帝自是信心乃立，始致意佛经。"清晰点明了何尚之对宋文帝转意问佛的影响。宋代佛法，元嘉时有较大发展，于此看来，这显然与何尚之积极促成是有联系的。

（二）道教

道教源于古代鬼神崇拜、民间巫术，战国以来的神仙方术和黄老道家思想。东汉末年，张陵创立了五斗米道，张角创立了太平道，都

---

① 《弘明集·答宋文帝赞扬扬佛教事》，中华书局2011年版。

主要在下层民众间流传。道教形成后发展迅速,五斗米道在汉中地区建立了政教合一的地方政权,太平道经也在十余年间传播,发展众徒数十万,连结郡国,自青、徐、幽、冀、荆、扬、兖、豫八州之人,莫不毕应,影响渗透到安徽区域。

安徽地区名山胜水很多,不少地方都有久远的神仙传说,合肥地区也不例外,这为道教在合肥地区的传播提供了温良土壤。今合肥市南部的巢湖,是中国五大淡水湖之一。环湖一带,山峦起伏,风景优美,魏晋以前就已经有不少神仙传说。《太平寰宇记》记载庐州巢县西南九十里有一王乔山。王乔山原名黄山,"昔王子乔于山采药,向紫薇山学道,遂名王山,后人语讹,呼为黄山。其山出黄精之药。天宝六年敕改为王乔山。"据唐末五代高道杜光庭说,王乔有三人:"有王子晋王乔,有叶县令王乔,有食肉芝王乔,皆神仙,同姓名。益州北平山上有白虾蟆,谓之肉芝,非仙才灵骨,莫能致之。王乔食之,得道。今武阳有灵仙祠。"王子晋王乔是西周灵王太子,叶县令王乔是东汉明帝时期人,食肉芝王乔是东汉以前人。如此看来,巢湖地区流行王乔的神仙传说当是由来已久。《太平寰宇记》还载,巢湖紫薇山还有个王仙君洞,"洞长二十五步,阔一丈二尺,高一丈五尺。东户阔一丈二尺,穴中有蝙蝠,大如鸠,不出其穴。北户有古石坛一,高八尺,阔一丈五尺。洞内壁上有手迹尤大。昔王子乔、洪崖先生并于此得道,后闭穴门而去。"①西晋初年,有位会稽道人游先生,也来到王仙君洞,他用手杖拨开洞门,于此亦得以成仙。紫薇山原来本名是翠薇山,游先生到来时,山上恰好有片紫云,于是就改为紫薇山,紫薇山成为真羽客的栖神之所。

巢湖北岸的四顶山,也是传说中的神仙问道之所。东汉桓灵时期的魏伯阳,生性好道,是个炼丹理论家,后世道教把他奉为神仙,巢湖地区就有他的传说。据《大明一统志》所载,四顶山相传为魏伯阳的炼丹之所,魏伯阳在此炼出丹药,用白犬试验成功后,即于此成仙而

---

① 乐史:《太平寰宇记》卷一二六。

去。魏伯阳所撰《周易参同契》，被尊为"丹经之道"。以书用符号作为表意手段，以乾坤为鼎器，以阴阳为堤防，以水火为化机，以五行为辅助，以玄精为丹基，是世界上现知最早的包含着系统的内外丹理论的养生著作，被道家吸收奉为养生经典，在中国道教史上有着特殊地位。

合肥南部流传最多的，还是三国时期左慈的传说。左慈，字元放，庐江郡人。少有神通。明五经，通望星、占气等方术。左慈感于世道，不愿追求荣华富贵，师从李仲甫学习道术，能役使鬼神。他曾在天柱山石洞中精思，得石室内《九丹金液经》后，能变化万端。曹操是靠镇压太平道发动的黄巾起义起家的，是以他在建立自己的统治后，一向防范道教，对道教徒采取笼络和镇压两面手法。对于当时有影响的方术道士，曹操"恐此人之徒，挟奸诡以欺众，行妖恶以惑民，故聚而禁之"，左慈就在曹操聚而禁之之列。因不堪曹操逼迫，左慈于建安末年渡江，受到了孙权的礼遇。传说左慈晚年在霍山炼九华丹，成仙而去。①

左慈在庐江留下了许多遗存。据光绪年间所修《庐江县志》记载，当时庐江县东南八里，背山临河有两处石矶，两石矶相距一里左右，左慈曾在此钓鱼，得称钓鱼台。庐江县南一里处有座玉虚观，又叫南台，曾是左慈居住的地方。后来还有一个自称刘方的人在玉虚观中墙壁上题诗一首，诗云：

南台旧观再焚修，鸾凤徘徊无树留。
芳草满时迷白鹿，落花深处卧青牛。
九天宛转去当在，万象纵横月不收。
应是庐江人不识，蟾宫遗下水晶楼。

玉虚观后有个水帘洞，洞口有块大石，传说左慈经常喝叱巨石守住洞口。洞边还有座仙隐亭，亭前有竹轩，乃是左慈仙去之前将竹杖

---

① 《后汉书·左慈传》《三国志·方技传》。

扔在此处，由此生出许多弯弯曲曲的竹子来。光绪年间的庐江县还有座掷杯桥，桥名也与左慈抛掷酒杯戏弄曹操有关。又据说掷杯桥东边还有座升仙桥，升仙桥旁有因左慈常遗丹粒而形成的左慈井。这些都充分说明，左慈在庐江修道给后世留下了深远的影响。

左慈也是道教发展史上的重要人物。魏晋南北朝时期，江南有天师道、葛氏道和上清派三大道流。葛氏道传承虽以葛氏一族为中心，但论其源头则是起于三国时期的左慈。按照葛洪自己的说法，"昔左元放於天柱山中精思，而神人授之金丹仙经，会汉末乱，不遑合作，而避地来渡江东，志欲投名山以修斯道。余从祖仙公，又从元放受之。凡受《太清丹经》三卷及《九鼎丹经》一卷、《金液丹经》一卷。余师郑君者，则余从祖仙公之弟子也，又於从祖受之，而家贫无用买药。余亲事之，洒扫积久，乃於马迹山中立坛盟受之，并诸口诀，诀之不书者。江东先无此书，书出于左元放，元放以授余从祖，从祖以授郑君，郑君以授余，故他道士了无知者也。"①葛洪明确说出《太清丹经》三卷、《九鼎丹经》一卷、《金液丹经》一卷实乃左慈自己所撰。左慈将三部道经传给了葛洪从祖葛玄，葛玄再传给葛洪师父郑隐，三传至葛洪。葛玄、葛洪乃是江南葛氏道的核心人物，从其道术传承来看，左慈实际上就是江西晋时期颇具影响的葛氏道的始祖。葛洪的岳父兼老师鲍靓，也曾受业于左慈，相传左慈传授鲍靓《中部法》及《三皇五岳》劲召之要，能役使鬼神，封山制魔。左慈精通炼丹之法，据《真诰》记载，左慈就司命乞丹砂，得十二斤，来炼制九华丹。传统道教中，将以炼金丹求仙为主的各道派通称丹鼎派，葛洪是丹鼎派的重要人物之一，他发展了金丹派神仙道教，并对其做了理论上的总结。但从上引其自述来看，左慈传授给葛玄的皆是丹经丹术，而这些丹经丹术又再传至葛洪，促进了葛洪神仙丹术的形成和发展。

1976年，肥东梁园镇管湾村曾出土一块泥质灰陶印像砖，可能属于两晋时期，砖近似长方形，一短侧面刻一人头戴小帽，身缠一龙，

---

① 葛洪：《抱朴子·内篇·金丹》。

另一短侧面刻一侧面人物,似走路状,双手向前交叉。该灰砖应该出自一处墓葬,安置于墓室中定有其深刻寓意。在早期道教思想中,利用杂术和方术思想是其重要来源,主要是通过符、傩、驱鬼避邪、引导升仙等手段,引导墓主人通向天国。该图像中人物身缠一龙,而龙在早期道教中是重要的引导工具。据东晋葛洪《抱朴子·杂应》记载:"若能乘蹻者,可以周流天下,不拘山河。凡乘蹻道有三法:一曰龙蹻,二曰虎蹻,三曰鹿卢蹻。"①意为通过龙虎鹿三蹻,道士就可以上天入地与鬼神相通,从而达到助力墓主升天的目的。墓中另一人作侧向恭立状,似为墓主,方位与上述的术士对相对立,通过同一块砖的两个侧面,完整地塑造出一个引导成仙的过程。

道教崇尚天人合一,认为天象有助于得道成仙,所以道教徒修炼的宫殿不称为"寺"或"庙"而称为"观",有观星望月之意。三国两晋时期,今合肥地区即已建有道观。左慈在庐江修炼时就居住于玉虚观。巢湖一带的道观也较为兴盛。今巢湖北岸的中庙,清嘉庆《合肥县志》中予以记载,中庙原距合肥、巢县各45公里,处两地之中,因故而得名。中庙之处有突石临流,形状像飞凤一样,所以又叫凤皇台。中庙"杰阁唇楼,为湖天第一胜处",既祭祀碧霞元君,又祭祀巢湖圣妃,相传始建于吴赤乌二年(239)。巢湖湖心有座姥山岛,清康熙年间的《江南通志》记岛上有座圣妃神宫,为晋时皇帝敕建,乾隆年间重修。《江南通志》又说巢湖还有座紫薇观,原在巢县北十里金庭山下,也就是道教所说的第十八金庭洞天处,紫薇观创建于东晋咸康四年(338)。

二、科技、教育与学术

(一)科技

三国时期庐江王蕃的"浑天说"是这一时期天文学成就的代表

---

① 葛洪:《抱朴子》,《诸子集成》(八),上海书店影印本。

之一。

王蕃(228—266),字永元,史称他"博览多闻,兼通术艺",始任尚书郎,孙休即位时,为散骑中常侍,加驸马都尉,使蜀后还为夏口监军。孙皓初,复入为常侍,为孙皓庞臣万彧、陈声等嫉毁。王蕃"体气高亮,不能承颜顺指;时或迕意,积以见责"。甘露二年(266),王蕃为孙皓所杀,年仅39岁。① 丞相陆凯深为痛惜,上疏曰:"常侍王蕃黄中通理,知天知物,处朝忠蹇,斯社稷之重镇,大吴之龙逄也。昔事景皇,纳言左右,景皇钦嘉,叹为异伦。而陛下忿其苦辞,恶其直对,枭之殿堂,尸骸暴弃,邦内伤心,有识悲悼。"② 清嘉庆《庐州府志》和《庐江县志》均将王蕃收录在《忠节传》中。

王蕃《浑天象说》一文,集中阐述他的"浑天说"见解,是古代"浑天说"的重要经典之一。《浑天象说》主要采自张衡《灵宪》、蔡邕《月令章句》和陆绩《浑天仪说》,他的贡献主要在于对前人关于"浑天说"的观点进行了一次综合。王蕃继承并发展了张衡的地平概念。他对天球半径的说法做了修改,利用阳城为天地中心的流行说法,夏至阳城日中影长一尺五寸,阳城跟夏至日下一万五千里,日高八万里,日斜射阳城,可求得太阳距阳城八万一千余里。以为"日斜射阳城,则天径之半也。天体圆如弹丸,地处天之半,而阳城为中,则日春秋冬夏,昏明昼夜,去阳城皆等,无盈缩矣。故知从日斜射阳城,为天径之半也"。王蕃测算的天球半径只有陆绩的一半。王蕃虽然是地平观点,但讨论天球半径时确实是从浑天出发,而陆绩所引数值则直接抄自《周髀算径》。所以南朝学者何承天说对天球半径的测量,王蕃之说要准确得多。

浑天仪是测量天体球面座标和显示天象的仪器,是浑仪和浑象的总称。"浑天说"理论集中体现在浑天仪的制作上。王蕃也熟知浑天仪的制作,他说:"浑天仪者,羲、和之旧器,积代相传,谓之玑衡。

---

① 《三国志·王蕃传》。
② 《三国志·陆凯传》。

其为用也,以察三光,以分宿度者也。又有浑天象者,以著天体,以布星辰。而浑象之法,地当在天中,其势不便,故反观其形,地为外匡,于已解者,无异在内。诡状殊体,而合于理,可谓奇巧。然斯二者,以考于天,盖密矣。"他又说:"古旧浑象,以二分为一度,周七尺三寸半分。而莫知何代所造。"王蕃自己也制作了浑天仪,唐代天文学家李淳风曾分析过王蕃的浑天仪,他说:"蕃以古制局小,以布星辰,相去稠概,不得了察。张衡所作,又复伤大,难可转移。蕃今所作,以三分为一度,周一丈九寸五分、四分之三。张古法三尺六寸五分、四分分之一,减衡法亦三尺六寸五分、四分分之一。浑天仪法,黄赤道各广一度有半。故今所作浑象,黄赤道各广四分半,相去七寸二分。"①王蕃克服了古仪和张衡仪器的缺点,对浑天仪进行了改进,制作而成的新浑天仪更便于使用。

王蕃在测算浑天天球时还进行了数学研究,计算出圆周率为3.15,这比张衡提出的3.162要精确得多,与稍后刘徽测算的"徽率"($\pi=3.1416$),以及南朝宋齐时期祖冲之"祖率"($\pi=3.1415926$ 与 3.1415927 之间)也颇为相近,为中国天文学和数学做出了重要贡献。

王蕃的科技兴趣影响了他的兄弟,他的两个弟弟王著、王延皆作佳器。孙皓末年,郭马起事,兄弟二人皆因不为马用而遇害。

(二)教育

魏晋南北朝时期,教育的发展出现新的格局。长期的动荡使统治者无法持续有效地组织官方教育,官学时兴时废。官学教育的颓废,却给私学教育的发展留下了大量空白。政局紊乱、思想界的剧变、门阀世族的出现及其势力的扩张、宗族组织的发展,都促使当时私学走向繁荣。这一时期,合肥地区的教育面貌也大体与教育方面的时代形势保持一致,官学趋于式微,私学教育则出现了新发展。

汉末曹操与袁绍在河北对峙时期,江淮间也正乱战四起,郡县残

---

① 《隋书·天文志》。

破,合肥也在其中。曹操以刘馥为扬州刺史,刘馥"单马造合肥空城,建立州治",数年间恩化大行,流民越江山而归者以万数,"于是聚诸生,立学校"。① 但随着三国鼎立形势的发展,合肥成为魏吴热战之地,官方教育几陷停滞。两晋南北朝时期,合肥地方官学的发展依旧艰难曲折,光绪《庐江县志》卷四《学校·学制》中仅提到两条东晋时期的情况,一是"晋成帝咸康三年,祭酒袁环、太常冯怀请兴学校。帝从之",一是"孝武帝太元九年,尚书谢石请颁下州郡普修学校。帝纳其言"。这两次朝廷兴学举措,当对合肥地方官学发展都有一定积极影响。

这一时期,庐江的杜夷在私学教育方面做出了突出贡献,庐江何氏子弟在官私教育上也都有所成就,他们共同推动了这一时期教育的发展。

清嘉庆《合肥县志·艺文志》中收录晋时《幽求子》20篇,署为杜彝撰。光绪《庐江县志·艺文志》也收录有晋时《幽求子》20卷,署为杜夷撰。二志所收实为同人同书。杜夷(258—323),字行齐,晋时庐江潜人。世以儒学称,为郡著姓。他的哥哥杜崧,字行高,晋惠帝时,俗多浮伪,著《任子春秋》以刺世。杜夷少而恬泊,操尚高洁。居家贫窘,不营产业,博览经籍百家之书,算历图纬靡不毕究。寓居汝颍之间,十载足不出户。年四十余,始还乡里,闭门教授,专事教育,学生门徒达至千人。晋元帝为丞相时,鉴于当时礼典无宗,拟特立儒林祭酒官,以杜夷为祭酒。杜夷借病推辞,不与朝会。晋元帝又授杜夷为国子祭酒。杜夷学问非常渊博,皇太子曾三至杜夷住所,执经问义。当时国有大政,也每每咨询于杜夷。杜夷地位和学识,在当时都是罕有其匹的。② 两汉时期的私学教育也相当繁荣,这主要在于那时通经可以致仕,这远非两晋门阀社会所能比拟的。但杜夷的私学教育规模依然庞大,生徒竟至千人,其影响当辐射整体庐江郡及周边地区。

---

① 《三国志·刘馥传》。
② 《晋书·杜夷传》。

杜夷的学识和教育实践，都说明他是两晋之际当之无愧的教育名家。

南朝刘宋时期何尚之对教育事业也做出了不俗的贡献。元嘉十三年（436）时期，朝廷中君相之争已开始尖锐化。身居相职的彭城王刘义康想任命亲信刘斌为丹阳尹，被宋文帝否决而改用何尚之。何尚之到职后，在丹阳南郭效外设立学校，置玄学，招聚生徒，一时少年俊才，如东海徐秀，庐江何昙、黄回，颖川荀子华，太原孙宗昌、王延秀，鲁郡孔惠宣，并慕道来游，时人谓之"南学"。正是因为何尚之有热衷教育的前期基础，两年后，即元嘉十五年（438），宋文帝在京师立儒、玄、文、史四学时，以何尚之主持玄学。四学后来为国子学代替，何尚之又担任国子祭酒。① 由南学至四学再到国子学，何尚之在当时教育事业上的贡献和影响不断地扩大。

萧齐时期的何佟之，也是当时教育名家。他不仅在官方学术机构总明馆中担任学士，讲学授徒，后来京师乱起之时，他还自发地聚集诸生讲学，诲人不倦。齐梁时的何胤，齐明帝建武（494—498）初，便筑室于郊外，号称小山，常与学徒讲学其中。绝意仕宦后，他归隐山林，居会稽若邪山云门寺中。梁武帝即位后累次征召不至，梁武帝遂派何子朗、孔寿等六人随其受学。何胤"以若邪处势迫隘，不容生徒，乃迁秦望山。山有飞泉，西起学舍，即林成援，因岩为堵。别为小阁室，寝处其中，躬自启闭，僮仆无得至者。山侧营田二顷，讲隙从生徒游之"②。何胤72岁时迁居虎邱山西寺，继续从事教育，讲经论学不已，学徒、僧人追随而至。

（三）学术

魏晋南北朝时期，儒学发展受到严峻挑战。但作为官方施政的主导和核心思想，儒学并未中断。并在玄、佛、道的影响下，出现了一些新的发展。魏晋以后，经学的南学与北学分化日趋明显，尤其是南

---

① 《宋书·何尚之传》。
② 《梁书·何胤传》。

学,不重经术,兼采众说,对隋唐儒学的复兴产生了相当的影响。南朝时期的庐江何氏既是著名的佛学世家,同时活跃于当时儒学领域,在经学上也取得了不俗的成就。清光绪《庐江县志》卷十五《艺文》中收录有南朝何偃《毛诗释》1卷,何胤《周易注》10卷、《礼记隐义》20卷、《礼答问》50卷、《政礼》10卷、《毛诗总义》6卷、《士丧仪注》9卷、《毛诗隐义》10卷,以及何佟之《礼答问》10卷、《丧服经传义疏》1卷、《礼杂问答钞》1卷、《礼记义》10卷。何偃(413—458),字仲弘,司空何尚之中子,从《宋书》本传来看,何偃虽有释《毛诗》一卷,却并不特别以学术而见长。倒是何胤和何佟之俩堪称硕儒,他们都是齐梁时期的学术耆宿,经学造诣均是名重于世。

　　何胤(446—531),字子季,出继给叔父何旷,改字胤叔。年八岁,居忧哀毁若成人。既长好学。宋齐时期的沛国相人刘瓛,博通《五经》,号为一代宗师。刘瓛无意于仕途而热心于传播经学,聚徒教授,常有数十人跟从受教。何胤师事刘瓛,学习《易》《礼记》《毛诗》。刘瓛与汝南周颙都很器重何胤。何胤起家秘书郎,出为建安太守,为政以德,颇具恩信。迁为司徒主簿,时注《易》,又解《礼记》,在卷背批注书写,谓为《隐义》。当时王俭和张绪先后受诏撰《新礼》,皆是书未成而卒。于是朝廷以司徒、竟陵王萧子良总理其事。萧子良遣学士20人帮助何胤撰成《新礼》。此后何胤又转任国子祭酒,主管新立不久的国子学。齐明帝以后,何胤绝意宦情,归隐东山。梁武帝践阼后,屡次征召而不应。何胤卒时86岁。《梁书》说他注《百法论》《十二门论》各1卷,注《周易》10卷、《毛诗总集》6卷、《毛诗隐义》10卷、《礼记隐义》20卷、《礼答问》55卷。[①] 其著录经学作品、卷数,与清光绪《庐江县志》略有不同。

　　何佟之(449—503),字士威。少好《三礼》,师心独学,强力专精,手不辍卷,读《礼》论三百篇,略皆上口,深得当时儒学宗师琅邪王俭的推重。起家扬州从事,屡任总明馆学士。齐明帝时,担任镇北记室

---

① 《梁书·何胤传》。

参军,为皇太子讲经。此时刘瓛、吴苞等已去世,京城硕儒,只有何佟之。他明习事数,当时国家吉凶礼,都取决于他,名重于世。梁武帝登祚后尊重儒术,以何佟之为尚书左丞。是时百度草创,何佟之依《礼》定议,多所裨益。何佟之55岁时卒于尚书左丞任上。按过去的惯例,左丞不予赠官。梁武帝重其学术,特诏赠黄门侍郎,儒者引以为荣。《梁书》本传说他所著文章、《礼义》百许篇。① 《隋书·礼仪志》《隋书·音乐志》多次记载他和别人讨论礼仪的事例,《隋书·经籍志》明确著录为何佟之所撰的有《丧服经传义疏》1卷、《礼答问》10卷、《礼杂问答钞》1卷。

玄学是魏晋时期兴起的哲学,对当时的知识界和思想界影响很大。由于材料所限,玄学在合肥地区的传播和影响难以细考。光绪《庐江县志》卷十六《杂类·冢墓》记有何晏坟,并注说:"在冶北十里。晏字平叔,南阳宛人。魏驸马都尉。唐景云二年,坟被发,得砖铭,知为晏墓。"何晏是东汉外戚何进之孙,曹操假子。他对《周易》《老子》钻研很深,官至吏部尚书,在曹马构纷中因党附曹氏为司马懿所杀。何晏有文集11卷,著有《论语集解》10卷、《老子道德论》2卷。《新唐书·经籍志》于道家老子下还记有何晏《讲疏》4卷。他与夏侯玄、王弼等倡导玄学,竞事清淡,开一时风气,为魏晋玄学的创始者之一。庐江地区发现何晏之墓,说明何晏生前在庐江地区必定有过活动。

在当时玄风劲扇之下,庐江何氏也深受影响,不乏精通玄学、善于玄谈之士。比如何偃,素好谈玄,注《庄子·逍遥篇》传于世。

魏晋南北朝时期的史学呈多途发展势态,史学撰述极为繁荣。作为庐江地区首屈一指的文化世家,何氏家族也受当时史学风气的影响,何琦、何点、何胤、何之元都曾进行史学撰述,取得了一些史学成就。

何琦为东晋时人,司空何充从兄。初为郡主簿,察孝廉,除郎中,选补宣城泾县令。母亲去世后,便闭门不交人事,仅以典籍琴书自

---

① 《梁书·何佟之传》。

娱。所撰《论三国志》，又叫《三国评论》，已亡佚。《论三国志》属史评类著作，何琦上距陈寿撰《三国志》时不远，评论应有可观之处。

何点字子晳，为何胤兄长。何点博通群书，善谈论。因感家祸，绝意婚宦。宋齐禅代之际，作为刘宋皇室姻亲的褚渊、王俭却投靠萧道成，为何点所不齿。史称：点谓人曰："我作《齐书》已竟，赞云：渊既世族，俭亦国华。不赖舅氏，遑恤国家。"①王俭闻之，欲候点，知不可见乃止。何点所作《齐书》，不见于《隋书·经籍志》，疑其书并未传世。清光绪《庐江县志》卷十五《艺文·著作》于史部中收录有何点《理礼仪注》9卷，《隋书·经籍志》中亦未见，倒是其中收录的何胤《政礼》10卷，见于《隋书·经籍二·史部》仪注类。《隋书》还说梁时尚有何胤的《士丧仪注》9卷，亦属史部仪注类著作，唐时已亡。

何之元（？—593），生年不详，卒于隋文帝开皇十三年（593）。何之元幼年即好学，有才思。起家太尉临川王扬州议曹从事史，寻转主簿。又辟为五官掾。寻除信义令。陈时历湘州刺史，始兴王叔陵咨议参军。叔陵遭诛后，何之元遂屏绝人事，著《梁典》30卷。

《梁典》以编年史体记述萧梁史事。《陈书》本传称："（之元）以梁氏肇自武皇，终于敬帝，其兴亡之运，盛衰之迹，中心垂鉴戒，定褒贬。究其始终，起齐永元之年，迄于王琳遇获，七十五年行事，草创为三十卷，号曰《梁典》。"②何之元《梁典》表现了何之元的一些史学卓识。《梁典》编纂上的一大特点，是对萧梁一代史事做了分期，将梁史共分为六大阶段：追述、太平、叙乱、世祖、敬帝与后嗣主。这种分期，反映何氏对萧梁一代之史有比较深入的思考与探讨。何之元还效仿干宝《晋纪》和裴子野《宋略》，撰有《总论》1篇。今人周一良对他的《总论》有过积极的评价，说何之元史论在某种程度上反映了南方玄学盛行后，史家思路开阔，视野放大，思辨能力提高，因而更有可能宏观地观

---

① 《梁书·何点传》。
② 《隋书·何之元传》。

察一代的发展变化。

魏晋南北朝时期,文学创作开始走向自觉时代,文学取得了新的发展。庐江何氏在文学上也表现出一定的造诣。魏晋时期何桢有文学器干,应诏作《许都赋》,受魏明帝赞赏;东晋何充以文义见称,何琦以述作为事;刘宋何尚之爱尚文义,有《华林清暑殿赋》等作传世,子何偃曾作乐府诗;齐何点以诗、赋酬和,其弟何胤文范高世,为一时文宗;齐梁时何昌宇先后为齐文惠太子、梁昭明太子文学集团成员;梁何敬容有《咏舞诗》传世。经查核,清严可均《全三国六朝文》所收录的六朝文作者中属庐江何氏的有何法倪、何桢、何恽、何充、何琦、何澄、何叔度、何尚之、何偃、何昌宇、何点、何胤、何炯、何敬容、何佟之、何之元,竟达16人之多,可见六朝时期庐江何氏家族文章风气之盛。

另,据嘉庆《合肥县志·古迹志》,合肥城东北七十里原梁县城内西南隅有一座明远台,四围皆水。宋《方舆胜览》说鲍照曾经在此读书。鲍照(约415—466)是南朝刘宋东海人,辞瞻逸,尝为古乐府,文甚遒丽。宋元嘉(424—453)中,河济俱清,当时以为美瑞。鲍照作《河清颂》,序言工丽。他还曾献诗给刘义庆,深为刘义庆看重,引为幕僚。宋文帝也以文义相赏,授其为亲近属官中书舍人。鲍照后来死于宋室内乱之中。鲍照文学成就是多方面的,诗、赋、骈文皆不乏名篇,与谢灵运、颜延之并称为"元嘉三大家"。鲍照文学成就最高的是诗。他的诗作今存204首,《拟行路难》18篇乃是其心志倾诉,部分描写边塞战争和征戍生活的诗作,成为边塞诗的萌芽。他的山水文学创作以五言古诗为主,深秀幽奇,严整厚重,也颇具特色。鲍照还创造了七言体为主的歌行体,为七言体诗的发展拓宽了道路。鲍照诗歌艺术风格俊逸豪放,有建安风骨的影子,对后世李白、岑参、高适、杜甫影响较大。鲍照字明远,是以合肥人将他在当地的读书台称为明远台。嘉庆《合肥县志》于《流寓传》中复收录了鲍照。

三、社会风尚

（一）社会风气

两汉天下统一，社会相对稳定，合肥社会经济平稳发展，也得以成为一时区域经济都会。但随着战乱接踵而至，合肥区域社会经济与风俗开始发生了一些明显的变化。

汉末以后，合肥长期成为南北争战之地，区域经济都会的发展步伐停滞中断，尚武风气渐浓。曹魏末年以寿春为中心的淮河流域先后爆发了三次叛乱，史称"淮南三叛"，合肥也每每卷入其中。东晋中叶寿春又出现袁真叛乱时，伏滔"以淮南屡叛，著论二篇，名曰《正淮》"[①]，其中谈到江淮间社会风气，说"其俗尚气力而多勇悍，其人习战争而贵诈伪，豪右并兼之门，十室而七，藏甲挟剑之家，比屋而发"，又说当地"仁义之化不渐，刑法之令不及"，可见长期的战乱对合肥南北风俗变迁烙下了太深的印记。

战争对合肥区域社会风气产生的影响，一直持续到南北朝战乱的结束才得以终结。唐初史臣充分注意到合肥地区社会风气的发展变迁。《隋书·地理志》记载："扬州于《禹贡》为淮海之地。……江南之俗，火耕水耨，食鱼与稻，以渔猎为业，虽无蓄积之资，然而亦无饥馁。其俗信鬼神，好淫祀，父子或异居，此大抵然也。江都、弋阳、淮南、钟离、蕲春、同安、庐江、历阳，人性并躁劲，风气果决，包藏祸害，视死如归，战而贵诈，此则其旧风也。自平陈之后，其俗颇变，尚淳质，好俭约，丧纪婚姻，率渐于礼。其俗之敝者，稍愈于古焉。"[②]从中看来，合肥之以渔猎为业的生产习俗自汉以来并未有大的改变，反倒是社会风气变化明显。南北统一之前，依旧是尚武贵诈。《宋书》说

---

① 《晋书·伏滔传》。
② 《隋书·地理志》。

"淮南楚子,天下精兵"①,比较能打仗。至统一之后,虽然旧俗敝端仍有一些遗风,但社会风气整体上转向崇礼重文。隋灭陈前后的合肥区域社会风气的变化,更为强烈地凸现魏晋南北朝长期的战乱给合肥地区带来的消极影响。

(二)民间信仰

民间信仰是指流行于普通民众间的信仰传统和社会习俗,有时具有一些宗教性质,但又有别于制度化的宗教,它的内容包括巫术活动、神灵崇拜、灵魂观念等。魏晋南北朝时期合肥区域巫术活动也较为活跃,人物和自然神的崇拜也相当流行。

西晋韩友是庐江舒人,受《易》于会稽伍振,善于占卜,能图宅相冢,行京费厌胜之术。韩友当时在庐江地区影响比较大。相传他曾给龙舒长邓林的妻子施术治病。当时邓林妻子有积年重病,已经快不行了,医生和巫觋都认为无力回天。韩友对她卜筮施术,在她卧室的屏风上画了一头野猪。一夜过去,邓林妻子身体便有所好转,此后很快就痊愈了。韩友道术高明的声名传到了江南宣城,宣城边洪和太守殷祐都经韩友施术之后得以祛病避祸。据载,干宝曾问韩友为何占卜总有神效。韩友说:"筮卦用五行相生杀,如案方抽药治病,以冷热相救。其差与不差,不可必也。"②韩友以元康六年(296)举贤良,元帝渡江,以为广武将军,永嘉末年卒。

两晋之际的郭璞,河东闻喜人,是当时最著名的方术士。民间传说他曾受业于奇人郭公,郭公以《青囊中书》9卷传授给郭璞,自此郭璞便洞悉了五行、天文、卜筮之术,攘灾转祸,通致无方,虽京房、管辂不能过。他的门人赵载曾经偷出《青囊书》,还没来得及打开细看,书便神奇地为火所焚。据传郭璞在庐江地区也有占卜活动。郭璞南行到庐江时,庐江太守胡孟康正收到丞相司马睿来函,召他去当军谘祭

---

① 《宋书·殷琰传》。
② 《晋书·韩友传》。

酒。当时江淮尚是太平无事，胡孟康无意南渡。郭璞为他占卜，得到的结果是"败"。胡孟康不相信。郭璞整顿行装将要离开，不料却看上了房主的一个婢女。苦于一时没有办法得到，他便取三斗小豆，绕房主人宅院的四周撒落。主人早晨起来，看到数千穿红衣的人围着宅院，一待走近细看就不见踪影，心里又厌恶又恐惧，想到请郭璞为他占卦。郭璞对他说：你家里不应该收留这位婢女，可把她领到东南方二十里远的地方卖掉，千万不要和买主讨价还价，这样妖怪也就自行消失了。[1] 主人就依此而行。郭璞暗中派人以低价买下了这个婢女，再画了符丢入井中，只见那数千红衣人都被反绑双手，一一投井自亡，主人非常高兴。郭璞也带着这个婢女离开了此地。后来不过数旬庐江就沦陷了。

郭璞的外孙杜不衍也是庐江人。杜不衍小时就跟随郭璞学《易》占卜。他曾为高平郗超占筮治病，郗超最初并不完全相信他，但最终结果——如杜不衍所料，郗超不得不深为叹服。据说杜不衍方术远不如其外祖，他后来道术越来越差，不再从事占筮活动了。

除方术外，魏晋南北朝时期合肥地区人物和自然神崇拜也相当普遍。人物崇拜中，文献记载的有：

伍子胥。南朝刘宋时期刘道真《钱塘记》载伍子胥投江后，"自是，自海门山，潮头汹高数百尺，越钱塘渔浦，方渐低小。朝暮再来，其声震怒，雷奔电走百余里。时有见子胥乘素车白马在潮头之中，因立庙以祠焉。庐州城内淝河岸上，亦有子胥庙。每朝暮潮时，淝河之水，亦鼓怒而起。至其庙前，高一二尺，广十余丈，食顷乃定。俗云：与钱塘潮水相应焉"[2]。

范增。居巢吏民祭祀范增。《皇览》记载：范增冢在郭东。吏民皆祭亚父于居巢庭上。长吏初视事，皆祭而后从政。后更造祠于东。

李陵。清嘉庆《合肥县志》载合肥西乡有李陵庙，在李陵山顶，原

---

[1] 《晋书·郭璞传》。
[2] 《太平广记》卷二九一引《钱塘记》。

为曹魏时期李典屯兵处。李陵是李典祖先,李典乃为李陵立庙于此。

夏侯亶。梁武帝普通七年(526),梁将夏侯亶等攻克北魏扬州,复于寿春置豫州,合肥改为南豫州,夏侯亶任豫、南豫二州刺史。夏侯亶轻刑薄赋,务农省役,数年后民户充复。大通三年(529),夏侯亶卒于州镇。州民夏侯简等500人表请为亶立碑置祠,诏许之。

自然神崇拜中,文献记载的有:

巢湖。东晋干宝所著的《搜神记》其中"古巢"条是"陷巢州"故事的最早版本,也是关于巢湖的较早的传说。南北朝时期,巢湖还有庙宇祭神。刘宋刘义庆《幽明录》记载:"焦湖庙祝有柏枕,庙三十余年,枕后一小坼孔。县民汤林行贾,经庙祈福。祝曰:'君婚姻否?可就枕坼边。'令林入坼内,见朱门,琼宫瑶台胜于世。见赵太尉,为林婚,育子六。人,四男二女。选林秘书郎,俄迁黄门郎。林在枕中,永无思归之怀,遂遭违逆之事。祝令林出外件,遂见向枕。谓枕内历年载,而实俄顷之间矣。"焦湖即巢湖,庙祝是祭神时读祷词的人。故事内容比较简单,说县民汤林前去焦湖庙里祈福,焦湖庙祝借给林一玉枕,让林在梦中经历了以后几十年娶妻生子以及官场的生活,醒来时不过短短一会的工夫。这个"柏枕幻梦"故事流传很广,神话色彩浓厚,但其中说到巢湖神庙、庙中祭神的活动当是可信。

金牛山。隋朝郎蔚之《隋州郡图经》记载:"合肥县金牛山,昔有金牛从此山出,奔入江中。故其处有渚,犹谓金牛渚。"《舆地纪胜》记载与此略有差异,提到了有人追逐金牛。

树神。也属自然神,是巫术信仰的参拜物之一。这种信仰在魏晋南北朝庐江地区也有流行。《搜神记》记载李宪异事中就有树神。说是庐江龙舒县陆亭流水边,有一棵大树,高数十丈,常有几千只黄鸟在树上筑巢做窝。当时,庐江已大旱多日,当地长老聚在一起商量说:"彼树常有黄气,或有神灵,可以祈雨。"大家于是便带着饭菜酒肉去向大树祈祷。陆亭有一个叫李宪的寡妇,晚上起床,忽然在房间里看见一个身穿绣花衣的妇人,这个妇人对李宪说:"我,树神黄祖也。能兴云雨,以汝性洁,佐汝为生。朝来父老皆欲祈雨,吾已求之于帝,明日日中,大雨。"次日中午,果然下起大雨。当地人便为树神黄祖建了一个祠庙。李宪说:"各位父老乡亲都在这里,我居住在水边,应当送一些鲤鱼来。"话刚完,就有几十条鲤鱼飞来落在堂屋里,在座的人无不感到惊奇。一年之后,黄祖对李宪说:"将有大兵,今辞汝去。"留一玉环曰:"持此可以避难。"此后刘表、袁术相攻,龙舒百姓多逃难,只有李宪所在乡里没有遭受兵祸。①

(三)节日

司马迁在《史记》中就已经说到安徽地区俗近西楚。魏晋南北朝时期,又有大量楚地蛮部迁入合肥南北,自使合肥区域习俗与荆楚地带更趋雷同。随着民俗生活的丰富,这一时期合肥区域的节日也逐渐由宗教性向娱乐性发展,佛道的流行也渗透到当时节日习俗之中。

元日。夏历正月一日,又称"正旦""元正"。老幼闻鸡叫声即起,先在庭前燃放爆竹以辟山臊恶鬼,贴画鸡、门神,悬苇索以畏鬼。合族穿戴整齐,聚集在一起祭祀祖先。之后,按照长幼顺序饮椒柏酒和桃汤,饮酒先幼后长。还饮屠苏酒,吃胶牙饧,下五辛盘,进敷于散,服却鬼丸。

人日。正月初七为人日。以七种菜做羹汤。剪彩为人,或镂金箔为人,贴在屏风上,或者戴在头鬓边。造华胜以相互赠送。登高赋诗。

立春。剪彩为燕以戴,贴"宜春"二字。为施钩之戏,以绠作篾缆相胃,绵亘数里长,鸣鼓牵之。又进行打球、秋千游戏。

正月十五日。作豆糜,加油膏其上,以祠门户。黄昏时,迎紫姑神,占卜当年蚕桑等事。

正月未日。晚上,点燃芦苣,以火照井和厕所,以驱鬼。

正月晦日。最后一天,人们"送穷鬼",即用粥和破衣在巷中祭祀穷鬼。

---

① 马银琴:《搜神记》,中华书局2011年版。

从正月初一到正月最后一天,人们经常性的活动是相聚饮食。士女们或泛舟,或临水宴会,行乐饮酒。

二月八日。释迦牟尼出家之日,崇信佛教的人家建八关斋戒、车轮宝盖、七变八会之灯。这天清晨,执香花绕城一圈,谓之行城。

春分日。民并种戒火草于屋上。有鸟如乌,先鸡而鸣,人们听到鸟"架架格格"叫声即下田备耕。

社日。四邻联合宗族,结成会社。宰牲牢,在树下做屋以祭神,然后分享祭神的猪肉。

寒食节。清明前两日,禁火三天,造饧大麦粥。吃生菜,斗鸡。

三月三日。上巳节。魏晋南北朝时期,地无分南北,人无分老幼,都喜欢过上巳节。这一天,人们到水边临清流为流觞曲水之饮。取黍曲菜汁作羹,以蜜和粉,谓之龙舌,以厌时气。

四月八日。浴佛节。这一天为释迦牟尼佛诞日,诸寺设斋,以五色香水浴佛,共作龙华会。

四月十五日。僧尼就禅刹挂搭,谓之结夏,又叫结制。至七月十五日,应禅寺挂搭僧尼,尽皆散去,谓之解夏。又谓之解制。

五月五日。是浴兰节。四民并蹋百草之戏,采艾以为人,悬门户上,以禳毒气,以菖蒲或镂或屑以泛酒。是日赛舟,采杂药。以五彩丝系臂,名曰辟兵,令人不病瘟。又有条达等组织杂物,以相赠遗。取鸲鹆鸟,教它讲话。

夏至。这天吃粽子,取菊为灰以止小麦蠹。

六月必有三时雨,农民以为甘泽,邑里相贺,名为"贺嘉雨"。伏日,作汤饼,名为"辟恶饼"。

七月七日。乞巧节。为牵牛织女聚会之夜。妇女结彩缕,穿七孔针,在庭中摆设几筵,陈列酒、脯、瓜、果以乞巧。有蜘蛛结网于瓜上,则以为是好兆头。

七月十五日。道教的中元节,佛教也举行盂兰盆会。僧尼道俗,悉以百味五果置于盆中以供养四方诸仙。

八月十四日。人们以朱墨点小儿头额,名为"天灸",以压疾。又以锦彩为眼明囊,相互赠送。

九月九日。重阳节。人们籍野饮宴。

十月初一。设黍臛,俗谓"秦岁首"。

仲冬之月,采撷霜芜菁、葵等杂菜,晒干,做咸、酸菜。

冬至日。量日影,作赤豆粥以禳疫。

十二月八日。为腊日。谚言:"腊鼓鸣,春草生。"村人系上细腰鼓,戴胡公头,作金刚力士,以逐疫。沐浴,转除罪障。这一天,人们还以猪肉和酒祭祀灶神。

岁前又为藏驱之戏,始于钩弋夫人。

岁暮。除夕。这一天,家家具肴馔,相聚酣饮,以迎新年。留宿岁饭,至新年十二日,则弃之街衢,以为去故纳新。

(四)建筑

魏晋南北朝时期是中国建筑风格的一次重要转折期。只是这一时期的合肥地区建筑保存下来的实物和文献资料都极为有限,难以尽知合肥地区建筑转变的面貌。合肥在魏晋南北朝时期为兵家必争之地,军事防御型建筑的发展是一个鲜明特色,这在一些遗存和文献中得到了反映。

三国合肥新城遗址。三国合肥新城为曹魏将军满宠所筑,位于合肥市西北郊三十岗乡古城村,南临淝水,西邻鸡鸣山、将军岭。新城呈不规则长方形,城内有大面积夯土版筑,还有房址、铸造作坊、夯土台、车道和马面等。城墙也为夯土版筑,南北长360米,东西宽240米,周围显露地表14个土墩,以四角及南北两边中间的6个土墩最大,高10余米,系望楼、马面所在。墙外有护城壕。2004年,考古工作者对新城城址进行考古钻探,对四面城墙上的6处缺口进行了研究,发现新城原只设有三个城门,东西城门间的道路是夯筑路基,土质坚硬,路面存宽4.5米,路面上东西向平行分布4条车辙印,车辙印间距90—110厘米。考古出土遗物中以瓦片数量最多,其次为铁镞和陶器,再为礌石、铜镞及铁撞车头,此外还有铁斧、夯、刀、锸以及砺石和青灰砖等。考古结果证明了合肥新城确实是一座军事城堡。①

教弩台。又名"曹操点将台"。位于今合肥市淮河路东段。三国时期,此处为津水和淝水汇聚的三角地带,西距合肥城5公里。相传曹魏在此筑台,练强弩以御孙吴水军。台高约5米。平面近似方形,东西约65米,南北约53米。台南面有听松阁,传为当年曹操强弩手休息纳凉之地,今听松阁已非当年旧阁。东南隅有"屋上井"一口,因其高于台外房屋脊得名。井圈外壁刻有"泰始四年(268)殿中司马夏侯胜造"字迹。上罩一亭,亦非旧物。

南朝梁武帝时,合肥教弩台上曾建有以佛殿为中心的铁佛寺。铁佛寺当是佛教建筑中国化的寺庙。

(五)娱乐

娱乐是人们为满足自己或他人怡情悦性需要而进行的一种活动。魏晋南北朝时期,由于传统和社会现实的双重影响,娱乐活动的形式多种多样。这一时期的娱乐活动分为竞技、角智、自娱及其他活动四类,并详细列出樗蒲、弹棋、握槊、藏钩、戏射、投壶、击剑、围棋、象戏与四维、猜谜、田猎、游览山水、音乐欣赏、啸、秋千、斗草、斗鸡、斗鸭、童戏等,达20种之多。除此之外,张承宗提到还有歌舞、骑射、相扑、蹴鞠(打球)、杂技、双陆、摊戏等。可见这一时期人们的娱乐活动内容相当丰富。这些娱乐活动,大多数也应当在合肥地区流行。我们仅从前面对节庆习俗的介绍中就可看到楚地人民在立春时打球、秋千,寒食节斗鸡,三月三游山玩水,端午节蹋百草,岁前藏驱等。不仅如此,一些南方特色的游戏合肥地区也当有流行,如端午竞渡即赛龙舟,在当时南方即已相当普及,合肥地区有广阔水域,巢湖上举行竞渡当也是常有的事。

一些文献还隐约记载了注籍合肥地区或在合肥地区生活的官员的娱乐活动情况。

---

① 李德文:《合肥市三国新城遗址的勘探与发掘》,《考古》2008年第12期。

樗蒲。樗蒲是一种具有赌博性质的技艺活动,两汉时即已流行。樗蒲活动活跃于整个魏晋南北朝,当时社会各阶层人士都乐于此事。萧梁时期的韦叡在合肥做过豫州刺史,他在合肥留下显赫声名。北魏人一度作歌"不畏萧娘与吕姥,但畏合肥有韦虎"①,足见他与合肥的特殊关系。韦叡是个樗蒲高手。他曾与昌义之、曹景宗聚会,"因设钱二十万官赌之,景宗掷得雉,叡徐掷得卢,遽取一子反之,曰:'异事。'遂作塞。"②卢为最高采数,韦叡不争胜贪财,在曹景宗获胜无望时破坏掉自己所得之卢。韦叡也因其品行而得到时人的高度赞赏。

庐江何尚之小时候也是樗蒲爱好者,史称他"少时颇轻薄,好摴蒲"③。

骑射。魏晋时期北方游牧民族大批南下,骑射之术成为北方军队的主要格斗技艺,而中原汉人中也有习弓马之术的传统,是以当时骑射之术盛行于南北各个社会阶层。合肥地区尚武之风浓重,骑射之术当是相当盛行,南朝后期还出现了像任忠这样精于骑射的猛将。史载:"任忠,字奉诚,小名蛮奴,汝阴(合肥)人也。少孤微,不为乡党所齿。及长,谲诡多计略,膂力过人,尤善骑射,州里少年皆附之。梁鄱阳王萧范为合州刺史,闻其名,引置左右。"④任忠正是以精于骑射之术而被萧范赏识,并由此跻身行伍仕途,为梁、陈大将。

音乐欣赏。三国时期的周瑜音乐修养很高,在当时社会上的声望很隆,影响也很大。周瑜很自诩自己的音乐欣赏能力,他说:"吾虽不及夔、旷,闻弦赏音,足知雅曲也。"即使在酒酣耳热之后,周瑜也能准确听出别人弹奏的错误所在。史称他少精意于音乐,"虽三爵之后,其有阙误,瑜必知之,知之必顾,故时人谣曰:'曲有误,周郎顾。'"⑤"周郎顾曲"后来被人们泛指精通音乐戏曲的人,流传至今。

---

① 《资治通鉴·梁纪·高祖武皇帝》。
② 《梁书·韦叡传》。
③ 《宋书·何尚之传》。
④ 《陈书·任忠传》。
⑤ 《三国志·周瑜传》。

桓伊在东晋中叶居任合肥地区军政长官达 10 年之久，他字叔夏，谯国铚（治今濉溪临涣镇）人。桓伊"善音乐，尽一时之妙，为江左第一"，笛、筝、挽歌都是他的强项，为当时乐坛罕见的一位高手。

桓伊有"笛圣"之称。他既是一位出色的笛曲创作者，著名的《梅花三弄》就原为桓伊创作的一首笛曲，同时又是一位技巧高超的笛子演奏者，笛艺达至出神入化。伏滔《长笛赋序》曾说："余同僚桓子野，有故长笛。耆老云，蔡邕之所作也。"桓伊这支长笛相传叫柯亭笛，为东汉蔡邕用柯亭竹制作而成，乃传世名笛。桓伊常随身携带柯亭笛，随时吹奏。桓伊高超的吹笛技艺和随身携带长笛的习惯，成就了他偶遇王徽之并为之吹笛的千古佳话。史载："王徽之赴召京师，泊舟青溪侧。素不与徽之相识，伊于岸上过，船中称伊小字曰：'此桓野王也。'徽之便令人谓伊曰：'闻君善吹笛，试为我一奏。'伊是时已贵显，素闻徽之名，便下车，踞胡床，为作三调，弄毕，便上车去，客主不交一言。"[①]

挽歌是古人送葬时所唱的歌，由乐曲和歌词两部分组成。春秋战国时期，挽歌已经产生。魏晋南北朝时期，唱挽歌成为一时之风尚。挽歌独特的悲哀情调和凄丽的美学风格表达了士人以悲为美的美学观念，也是他们独具风神的生存哲学的诗意显现。六朝许多名士借此显示其蔑视礼法、潇洒不羁的风度。桓伊挽歌也为当时一绝。《晋书·袁山松传》载："初，羊昙善唱乐，桓伊能挽歌，及山松《行路难》继之，时人谓之'三绝'。"

桓伊还善弹筝。《晋书》本传记载了他弹筝进谏的故事。淝水战后，桓伊等功勋之臣并未受到应有的奖赏，尤其是谢安，还受到奸佞之徒和东晋孝武帝的猜忌。一天孝武帝召桓伊饮宴，谢安也在坐，"帝命伊吹笛。伊神色无迕，即吹为一弄，乃放笛云：'臣于筝分乃不及笛，然自足以韵合歌管，请以筝歌，并请一吹笛人。'帝善其调达，乃敕御妓奏笛。伊又云：'御府人于臣必自不合，臣有一奴，善相便串。'

---

① 《晋书·桓伊传》。

帝弥赏其放率,乃许召之。奴既吹笛,伊便抚筝而歌《怨诗》曰:'为君既不易,为臣良独难。忠信事不显,乃有见疑患。周旦佐文武,《金縢》功不刊。推心辅王政,二叔反流言。'声节慷慨,俯仰可观。安泣下沾衿,乃越席而就之,捋其须曰:'使君于此不凡!'"其情其景,孝武帝也受到触动,感到惭愧。

夏侯亶是萧梁改合肥为南豫州后的首任刺史,在州四年,卒于官任。史称他"晚年颇好音乐,有妓妾十数人,并无被服姿容。每有客,常隔帘奏之,时谓帘为夏侯妓衣也"①。夏侯亶爱好音乐,正是他任南豫州刺史时事。

三国时期音乐欣赏的盛行,还曾在合肥地区留下了历史遗存。嘉庆《合肥县志·古迹志》介绍合肥一处叫"筝笛浦"的古迹时,语云:"《江南通志》:在城内后土庙侧。相传曹操溺妓舟处。陶靖节《搜神后记》云:合肥口有一大白船,覆在水中,云是曹公船。尝有渔人夜宿旁。以船系之。但闻筝笛弦节之音,又声气非常。渔人梦人驱遣去,云:勿近公船。此人惊觉,即移船去。相传云曹公载数妓船覆于此。在水西门谢家坝侧。"陶氏记载并非空穴来风。建安二十一年(216),夏侯惇跟随曹操讨伐孙权,还师后,曹操"使惇都督二十六军,留居巢。赐伎乐名倡,令曰:'魏绛以和戎之功,犹受金石之乐,况将军乎!'"②可见曹操也是酷爱音乐之人,他率军打战时还带着乐队歌妓。所以传说这些歌妓在合肥口沉溺,也是极有可能的。

(六)服饰

魏晋以来,服饰变化也很频繁,受玄学清谈思想的影响,士大夫追求自由奔放的境界,服饰变得越来越宽大,正如《抱朴子外篇》所载:"丧乱以来,事物屡变,冠履衣服,袖袂财制,日月改易,无复一定。乍长乍短,一广一狭,忽高忽卑,或粗或细,所饰无常,以同为快。其

---

① 《梁书·夏侯亶传》。
② 《三国志·夏侯惇传》。

好事者,朝夕放效,所谓'京辇贵大眉,远方皆半额'也。"在鞋履上,除普通的鞋履外,北方人喜靴,而南方喜木屐。北方着靴的习惯也传入到了南方,但并不普及。南朝梁时,贵族萧琛"时(王)俭宴于乐游苑,琛乃著虎皮靴,策桃枝杖,直造俭坐,俭与语,大悦"①。《南史》记载梁简文帝时,寒人严亶学上殿觐见,"学北人著靴上殿,无肃恭之礼"。而南方士人仍以著屐为主,在马鞍山东吴大将朱然墓中出土过完整木屐一双,晋代后穿木屐更为普遍。为了更好地防滑,木屐下设齿。至"梁朝全盛之时,贵游子弟,多无学术……无不熏衣剃面,傅粉施朱,驾长檐车,跟高齿履"②,这种木屐已然不便日常活动,已经演化为贵族身份的象征了。

(七)葬俗

魏晋以来延续着薄葬的习俗,至南朝时更为普遍。刘宋中书侍郎王微"遗令薄葬,不设輴旐鼓挽之属,施五尺床为灵,二宿便毁"③。所见墓葬,南方基本为砖室墓,合肥地区所发现的魏晋南朝墓葬也属于此类。与秦汉以来流行的土坑木椁墓不同的是,砖室墓的营建更加简便,所耗建材更少,且墓室内部构造更加宏大,一般有单室、双室、多室三种。

单室墓系指墓室只有一个,又可分为凸字形、长方形和刀形三种。④ 其中以凸字形单室墓最为多见,合肥地区发现有20多座,周边的和县、芜湖、马鞍山、广德、宣城等地也多有发现。凸字形墓的基本形制是墓室前置甬道,墓葬平面呈凸字形,但具体形制富有变化。合肥东郊三里街3座西晋墓⑤则在长方形墓室一侧设有耳室。

---

① 《梁书·萧琛传》。
② 《颜氏家训·勉学篇》。
③ 《宋书·王微传》。
④ 方成军:《安徽两晋墓葬的类型和分期》,《安徽大学学报(哲学社会科学版)》1997年第2期,《安徽东吴时期墓葬初探》,《安徽史学》1999年第3期。
⑤ 安徽省博物馆清理小组:《安徽合肥东郊古砖墓清理简报》,《考古通讯》1957年第1期。

单室墓中的长方形墓不具甬道，仅有长方形的墓室，长3—5米，为小型墓，西晋中期较为多见，西晋晚期和东晋仍有发现。如合肥永康元年（300）纪年墓①，1976年6月，合肥市梅山路发现，该墓为长方形单室砖墓，券顶，墓壁砌法为三顺一丁，人字形铺地砖。砖长36.5厘米、宽17厘米、厚5—6厘米，少数印有"永康元年严作"六字。

双室墓多为中形墓规模，全长6—8米，个别的长达11米。如合肥大殿岗晋墓（M2）②以及合肥水西门外晋墓（M2）③等。此形墓一般由甬道、前室、过道、后室几个部分组成，有的前室还砌筑耳室一个。祭台多在前室，一般只设1个，但合肥大殿岗M2晋墓有3个。

多室墓发现的有青阳西晋早期墓、合肥水西门外晋墓和合肥大殿岗M1等。多室墓由一甬道、一前室和双后室等部分组成，一般在竖长方形前室后端并列砌筑横长方形后室两个，有的过道已成为后室的一部分。规模上，多室墓属大中型墓，长7—11米，宽5米多。

墓葬中的随葬品种类和材质在各期存在一定变化。西晋墓葬随葬品盗扰较大，残存的随葬品主要为陶瓷器和金属器，有少量的漆器，以陶瓷器数量最多，青瓷数量、种类逐渐丰富，并以实用器为主，包括碗、四系罐、盘口壶、唾盂、盂、双系罐、香薰、洗、钵等。明器中陶明器有井、屋、灶、磨、猪圈、牛车、骑马俑、镇墓兽等；瓷明器有谷仓罐、仓、猪圈等，但数量则逐渐减少。铜器均为实用生活用具，如双鱼铜洗、盘、盏、弩机、刀、博山炉、雁足灯、尺、钵、带钩、熨斗、镜、钱币、车马器等，不少铜器如博山炉、双鱼洗、雁足灯、熨斗、铜镜等保留有较多的东汉三国时代特征。金属器还有刀、矛、灯、盆、剪等铁器以及少量的金银饰物。

总体上看，两晋南朝漆木器出土的种类和数量少，表明到了两晋

---

① 合肥市文物管理处：《合肥西晋纪年砖墓》，《考古》1980年第6期。
② 孙百朋等：《安徽省文管会在合肥清理了古墓两座》，《文物参考资料》1955年第2期。
③ 安徽省文化局等：《合肥东郊大殿岗古残墓清理简报》，《文物参考资料》1953年第5、6期合刊。

时期漆木器在人们日常生活中的作用进一步减小,被青瓷器所取代。安徽瓷器使用更加普遍。墓葬中出土青瓷器非常普遍,清理的每座两晋墓葬都有瓷器出土,出土的地区较此前明显增多。青瓷制品中兼有实用器和专门用于随葬的明器两大类,并以前者为主,而明器类青瓷至东晋后已很少见到。

墓葬中存在较多模印铭文砖也是这一时期葬俗的特点。此时期墓葬中除喜用纪年墓砖外,如肥东白龙镇青龙韩楼村出土的西晋泥质陶"元康四年"砖,合肥梅山路"永康元年严作"砖铭。有的墓砖还模印有墓主姓名,如巢湖元康八年(298)墓,在墓壁上发现纪年砖和墓主铭文砖各一块,纪年文字为"元康八年七月卅日造",墓主铭文砖长侧面有隶书款"陈欣祖墓"。其做法类似于当时流行的墓志,魏晋时期上层禁止在墓前树碑,晋武帝曾下诏说:"碑表私美,兴长虚伪,莫大于此,一禁断之。"[①]为表明墓主身份,贵族墓葬多采用砖、石制的墓志,放至于墓室内,内容一般为墓主人籍贯、官职、下葬时间等信息,少则二三十字,多则数百字,长篇者其文字类似于后代的墓志铭,这种风俗在东晋后尤盛。由于合肥地区发现的该类墓葬多属西晋时期,偏小,尚未见墓志出现。这里试举马鞍山东晋太元元年(376)孟府君墓为例,其墓志铭为"泰元元年十二月十二日晋故平昌郡安丘县始兴相散骑常侍孟府君墓",共29字,可知其官职为散骑常侍,曹魏时期始设,无实权,但也为尊贵之官。

居丧之礼在此时也有较严格的遵循。上述马鞍山孟府君墓中墓砖有铭文"太元元年八月二十五日建公墓",此当为该墓墓砖烧制或墓葬建成时间,而此时间较墓志中所载时间早三月有余。由此推断,墓主死于八月二十五日前后,八月二十五日开始烧墓砖或营建墓葬,后停殡三个月,最后在十二月十二日下葬。《礼记·王制》有载:"天子七日而殡,七月而葬;诸侯五日而殡,五月而葬;大夫、士、庶人三日而殡,三月而葬。"类似的例子在洛阳周公庙西晋裴祗墓出土墓志中

---

① 《晋书·武帝纪》。

也有反映:"晋大司农关中侯裴祗,字季赞,河东闻熹人也。春秋六十有七,元康三年七月四日癸卯薨十月十一日已卯安措。"由此可见两晋时期的贵族当时仍然遵循着这一套礼俗,在墓主人弥留或去世后开始营建墓葬,出殡后,停厝待葬,待到适宜时间再行安葬。

四、文化艺术风格

魏晋时期是书体演变承上启下的重要历史阶段,是篆隶真行草诸体咸备俱臻完善的一代。隶书产生、发展、成熟的过程就孕育着真书(楷书),而行草书几乎是在隶书产生的同时就已经萌芽了。真书、行书、草书的定型是在魏晋二百年间。它们的定型、美化无疑是汉字书法史上的又一巨大变革。就上述墓砖铭文字体而言,两晋时期尚用隶书体,但可以看出一些笔画行笔较为自由,开始摆脱了隶书体的束缚,是介于隶书与楷书之间的书体形态。而这种较含糊的过渡式书体多见于同时期墓志中,如南京北郊象山东晋琅邪王氏家族墓葬,墓志172字,其书体介于隶楷之间,横画虽有波挑,但波挑收敛,体势明显具有一定楷书的特点。其中有的字隶意浓厚,与汉隶十分相近。又有个别字具有明显仿古的篆书遗意。从传世碑帖和晋代书法模本看,楷书、行书体已在日常生活中流行开来,而墓志中使用隶书主要受复古倾向的影响,被传承了下来。

合肥地区该时期发现有较多青瓷器皿,器形特征上,东吴青瓷矮胖端正,壶罐类体矮,盘口壶盘口较小,上腹较大,重心在上部,东吴后期不少青瓷器形矮小,器腹扁圆,已具西晋青瓷特征。西晋早期壶罐类仍矮圆腹,最大腹径仍在上部。西晋中期此类器形已演变为典型的扁圆腹西晋青瓷的特征。西晋晚期至东晋器腹圆鼓,且器身较前增高。器底上,东吴青瓷多平底或微内凹,西晋早期仍具东吴特征,西晋中期以凹底为主,部分为假圆足,东晋多为平底。在纹饰上,三国青瓷纹饰简朴,以弦纹和水波纹为主,另还有联珠纹、斜方格网纹、蕉叶纹、铺首等。西晋早期仍简单,纹饰有小方格纹以及凸凹弦纹等。西晋中期纹饰开始走向繁复，器肩或上腹饰方格网纹带较为普遍，弦纹也较常见。西晋晚期以弦纹和联珠纹多见，网格带饰仍较流行，纹饰总的来说较繁复。东晋纹饰趋简朴，多素面，纹饰以弦纹为主。从胎釉方面看，吴、晋青瓷胎普遍呈灰白、灰、灰褐，胎质粗细不一。釉色多不纯，有多种呈色。胎釉结合，有的紧密，但不少结合不牢，西晋中晚期尤为多见。东吴前期已出现褐色点彩和化妆土工艺，此乃制瓷工艺之突破。总体而言，这一时期青瓷特征与江、浙一带所出土的青瓷在种类、造型、胎釉以及纹饰等方面相同或近似，考虑到这一时期安徽瓷业尚未兴起，所以其产地应为越窑。

王乔洞南朝造像是目前安徽地区唯一一处南朝石雕作品，其艺术造诣深得南京栖霞山摩崖石窟的影响。其中编号为1号的最早一铺造像，主尊阿弥陀(无量寿)佛结跏坐在仰莲座上，莲座下是叠涩五层的须弥基座，基座下镌以树状云气纹饰。身穿右肩敷搭的袈裟，内着僧祇支，项饰蚕节纹，双手结弥陀印于脐下，掌心有一个宝瓶或莲台；两边观音与大势至二菩萨立于仰莲座上，左协侍观音身穿大袖裙襦，右协侍大势至身穿右肩敷搭的袈裟，内着僧祇支。雕凿技法为平直刀法，衣纹褶皱呈阶梯状。三身像后均有身光与头光，并涂彩。五百余尊小佛像同样采用平直刀法雕刻，衣纹褶皱呈阶梯状，其原始状态应均涂以红彩，而现在大多已经色彩脱落。佛像均结跏趺坐，身穿交领的深衣袍，只是有些手印有所不同。尽管这些造像头部已经被毁，但从整个造像风格来看，反映出了南朝圆润细巧、秀丽典雅的雕刻作风，和北魏造像迥然有别。

大 事 记

先秦时期（距今80万年前—前223年）

距今80万－30万年，巢湖市裕溪河流域有古人类活动。

在巢湖市望城岗一带发现较多石制品，属南方砾石文化，文化特征及年代与皖南水阳江流域旧石器文化大致相当。

距今50万－20万年，庐江县中、南部有古人类活动。

在庐江县中、南部河流的二级阶地发现四处旧石器地点，属南方砾石文化，时间有一定延续，与望城岗石器年代特征接近。

距今20万年左右，巢湖有早期智人活动。

在巢湖南岸，现在的巢湖市银山发现古人类化石，属于早期智人阶段，被称为"巢县人"。

距今6000年左右，肥西县古埂出现新石器时代聚落。

此聚落东南距巢湖约15公里，总面积2万多平方米，陆续使用有1000余年，与该遗址类似的遗址陆续在江淮中、东部发现，与淮河中游、皖西南地区也有一定的渊源关系。是新石器时期合肥地区最早的地方文化类型。

距今5000年左右，在巢湖市南部，有凌家滩文化分布。

在与凌家滩遗址毗邻的巢湖市界内，有一定数量的与凌家滩文化相仿的小型聚落分布。

距今4500年左右，在合肥地区的肥西、肥东、庐江等地均存在属于龙山文化时期的聚落。

龙山时期黄淮地区的原始文化继续南下,对环巢湖一带史前文化产生了强烈影响。该时期遗址数量最多,经过发掘的有相应时段遗存的遗址有古埂遗址、肥西塘岗遗址、肥东吴大墩遗址等。在庐江和杭埠河中游一带的调查也表明这一时代文化的繁盛。

虞夏之际(约前21世纪),禹征三苗于江淮,分封皋陶之后于英、六等地,繁衍发展,后有群舒、宗、巢等。当时东方族群通称为"九夷"。

夏朝末年(约前17世纪),夏桀被商打败,逃亡南巢,落脚于肥西一带,肥西考古发现二里头夏文化典型器物,后发展势力及于巢湖流域多地。

商代末期(约前12世纪),甲骨文有虎方,学者以为可能即春秋时期的夷虎或舒方,在江淮中部一带。在巢湖以西等地,发现众多商代铜器,本地先民已掌握基本的青铜冶炼技术。

商周之际(前12世纪中期),周武王克商,巢伯慕义而朝。见于周原甲骨文、金文与传世文献等。

周穆王时期(约前976—前922),追随周王室大臣毛般征伐东国的有繁、巢、蜀等。巢,即春秋时期的巢国;蜀,杨宽认为即合肥大蜀山。周穆王军队还曾进军到枞阳、望江一带的"九江",可能是夺取本地的铜料,应该也是经过庐江南行的,庐江至枞阳一线发现很多商周时期的遗址。

周孝王时期(前891—前885),铜器史密簋有卢方、虎方,李学勤认为在淮河之南,即后来的夷虎、庐子国,他们汇合杞国、舟国等,讨伐周的东方与国。

周厉王时期(前877—前841),王亲自征伐南淮夷,从淮河之滨一直打到桐(今桐城市)、遹等地,俘获大量兵器与"吉金"(即铜料)。

周宣王十八年(前810),驹父盨盖铭文记载南仲邦父命令驹父率领高父往南淮夷催纳贡赋。告诫驹父,要谦敬淮夷风俗习惯,于是淮夷不敢不对王命表示敬畏,恭迎驹父,献纳贡赋。驹父受命到达淮水之滨,大小诸邦无不贮积财物,全都顺从王命,交纳贡赋。这是和平时期周王室与南淮夷往来的情况。

西周后期铜器铭文经常有"南淮夷"一词,一般认为即淮水之南的夷人,包括六、蓼、英、巢、虎、桐、阴、卢、蜀、群舒等,又称"南夷""淮南夷"等,周王室征服南淮夷诸邦,主要是为了获取"吉金"。

周惠王二十年(前657),徐人取舒。时楚国势力不断东扩,逼近徐的势力范围,徐国主动控制舒国,以便应对楚军。

周襄王七年(前645),楚伐徐,败徐于娄林。娄林,过去认为在泗县一带,新说在零娄不远(今叶集行政区附近),零娄、六等是楚国进军江淮的必经之地。

周襄王三十一年(前621),楚灭六、蓼,打通前往江淮的通道。

周顷王四年(前615),群舒叛楚。夏,楚大臣子孔执舒子平及宗子,遂围巢,说明此前群舒等已被楚国降服,此时反叛,遭到毁灭,巢国也因此为楚所围困。此巢当在今肥西县境内。因为楚军压境,一部分巢国人可能向东南方向迁移。

周定王六年(前601),群舒叛楚,楚灭舒蓼,在舒地建立统治机构,并在滑汭与吴越结盟。滑汭,当为滑水入湖的地方,过去认为在巢县无为之间,或者不确。应在今巢湖周边。这是吴楚第一次结盟,也是吴、越初次见于记载。

周定王六年(前601),楚人灭舒蓼,《史记》谓之灭舒,当是居住在群舒宗子之地域的舒蓼被灭,因而曰灭舒。地点可能在舒县一带。

周简王二年(前584),吴始伐楚、伐巢、伐徐,开始强大,与中原国家来往,并且讨伐淮河之南的楚国据点、徐国与巢国。徐在安徽泗县与江苏泗洪间,楚此时占据舒城一带,则巢的所在,最可能迁移到今巢湖一带。巢国此时即便存在,也可能已是楚的附庸。

周简王十二年(前574),舒庸人以楚师之败也,道吴人围巢,伐驾,围厘、虺。楚灭舒庸。舒庸当在今舒城与庐江交界一带,庐江西北部发现众多群舒青铜器。

周灵王二十四年(前548),楚灭舒鸠。头一年,舒鸠在吴人的诱惑下叛楚,楚王率大军前来讨伐,楚军先是占据今黄陂湖一带,断绝舒鸠与吴的联系,舒鸠人见楚军强大,要求结盟,楚大臣信之,但第二年还是背叛了楚国。八月,楚国出动大军灭之。至此,群舒尽被楚国并兼。十二月,吴子诸樊伐楚,勇猛轻进,为巢城守将牛臣暗箭射死。

周景王七年(前538)冬天,吴军大举伐楚,侵占多地,楚沈尹射奔命救助于各地,楚人开始加强防守,咸尹宜咎城钟离,薳启强城巢,然丹城州来。因为水大,城都没有最后建成。第二年,楚王带来多路军队大举反扑,因为吴国早有准备,楚王只是到了今巢湖市南三十里的坻箕之山一带炫耀一番而已。因为担心,调整驻防,让能干的沈尹射待命于巢,薳启强待命于零娄。

周敬王二年(前518)冬天,楚王与越军一起进攻吴国,到了巢湖一带便回去了,吴军尾随楚军,乘其不备灭掉巢与钟离。巢国之前一直从楚为附庸。第二年,楚国加强江淮地区的防务,使熊相禖筑郭于巢,季然筑郭于卷。

周敬王十二年(前508)秋天,楚军伐吴,出师于豫章,吴人迎击,将舟楫停在豫章一带,暗地里则把军队布置在巢地。十月,吴军楚师大战于豫章,楚师败绩,吴军于是包围巢城,并攻克之,俘获楚公子繁。"豫章"楚语,实指寿春到合肥一带,则巢城与豫章不甚远,都在今合肥区域。此后江淮地区全部属于吴国,巢后来称为"居巢",当始于此时。"居"是吴语的发语词。

周敬王二十七年(前493)十一月,蔡迁于州来(今寿县),蔡在此统治江淮北部地区达48年,合肥、肥西、长丰、肥东等属之。

周敬王三十三年(前487),楚令尹子西召楚平王太子建之子胜于吴,以为巢大夫,号曰"白公"。

周敬王三十七年(前483),吴王夫差邀请中原诸侯鲁、卫之君到橐皋相会,示威于中原诸侯。橐皋即今巢湖市柘皋镇。其后吴国北上争霸中原。

周元王二年(前474)十一月,越灭吴,吴王夫差自杀而死,江淮地区原来属于吴者,此后属于越。

春秋时期江淮地区诸国族的历史,主要是在记述吴、楚、蔡、越等战争的过程中被提到的,没有专门记录他们的文字留下,是以零散不全。

周贞定王二十二年,即楚惠王四十二年(前447),楚灭蔡,恢复了在江淮地区的统治,楚在合肥地区逐渐建立了各级地方行政机构,封君与郡县并有。现在所知,置县主要有居巢(巢)、舒县、龙城(浚遒),封君有弢旮(橐皋)君、陵君等,县官一般称县尹、县公,封国称君。

楚悼王(前401—前381)末年,吴起为令尹,曾经"罢无能,废无用,损不急之官,塞私门之请,壹楚国之俗,南攻杨越,北并陈蔡",对于江淮地区当产生一定影响。

楚考烈王二十二年(前241),楚国迁都于寿春,合肥地区成为楚国的后院。

楚王负刍五年(前223),秦出兵进攻寿春,楚人逃散,合肥地区成为楚人逃亡的主要地区之一,至今合肥地面以"郢"为称的地名、村名还有很多。

秦汉时期(前223—前193)

秦王政二十四年(前223),秦灭楚,楚都居民逃散于合肥的山乡野地,秦设九江郡,辖境自淮河以南至于江南赣水流域,合肥地区全部属于九江郡。

秦二世元年(前209)七月,陈胜吴广起义,不久江淮地区响应起义,居巢人范增等率领一支义军,加入项梁军队。

刘邦汉王元年(前206),项羽分封天下,自称西楚霸王,封英布为九江王,都六,有九江、衡山、庐江、豫章四郡地。

刘邦汉王四年(前203),历阳侯范增因项羽不听劝告,气愤返回彭城,半道疽疮发作而死。九江王英布叛楚归汉,刘邦封英布为淮南王。

汉高祖七年(前200),刘邦封兄子刘信为羹颉侯于舒县,后转全椒、阜陵一带。在县境修七门堰,促进当地农业发展。吕后时黜为关内侯。

汉高祖十一年(前196),淮南王英布叛汉,刘邦自将击之。

汉高祖十二年(前195),英布兵败被杀,刘邦立幼子长为淮南王,都寿春,以著名学者张苍为淮南相。

汉文帝元年(前179),历阳县城一夕反而为湖。

汉文帝三年(前177),淮南王刘长袖揣铁锤,击杀辟阳侯审食其。

汉文帝六年(前174)十月,淮南王刘长以谋反罪被削爵流放蜀郡,半道绝食而死。

汉文帝八年(前172)五月,封刘长子四人为侯,其中刘安为阜陵侯,在今巢湖市东。

汉文帝十二年(前168),徙城阳王刘喜为淮南王,四年后刘喜回城阳王故地。

汉文帝前十六年(前164),分旧淮南国为三,立刘安为淮南王,都寿春,刘赐为庐江王,都江南,刘勃为衡山王,都邾。淮南王刘安,为人好读书鼓琴,不喜弋猎狗马驰骋,又招募天下贤才,研讨学问,著书立说,编辑楚辞,使淮南国成为南部中国的学术文化中心。

刘安为淮南王时期(前164—前122),合肥作为淮南国后院,发展较快,取代居巢成为江淮中部"输会"之都,合肥县当立于此时。刘安母亲"曲阳君胤"死后葬在巢湖市东,即今巢湖北山头一号墓主。

汉景帝四年(前153),衡山王刘勃徙为济北王,庐江王刘赐转为衡山王,"王江北",都舒。

汉武帝建元三年(前138)七月,闽越攻东瓯,东瓯人举国徙于江淮间。

汉武帝元狩元年(前122),刘安、刘赐案发,自杀,牵连死者数万人,淮南国除为九江郡,衡山国除为衡山郡。

汉武帝元狩二年(前121)七月,武帝封胶东康王子刘庆为六安王,辖地为衡山郡北部诸县,新设庐江郡,割九江郡南部诸县与衡山郡南部诸县属之,郡治舒县。合肥地区分属九江、庐江两郡。此后合肥地区进入郡县时代。依据《汉书·地理志》,其主要部分或全部属于合肥地区的县,九江郡有合肥、浚遒、橐皋等,庐江郡有居巢等。部分属于合肥地区的县,九江郡有阜陵、成德、阴陵、曲阳等,庐江郡有舒县、临湖、襄安等。

汉宣帝时期(前73—前49),住在历阳县的扬州刺史柯启奏海昏侯刘贺与地方故吏"交通",使其遭受"削户三千"的惩罚,不久死去。柯死后葬于巢湖市东郊放王岗,岗上一号汉墓出土"吕柯之印"即其遗物。

王莽新朝(9—25)时期,李宪任庐江连率(太守)、偏将军,镇压王州公起义。王莽失败后,李宪割据江淮自立,在舒县自称淮南王,建武三年(27)又自立为天子,置百官公卿,占据江淮九城。

光武帝建武四年(28),巡游九江郡,劝李宪投降遭拒,派兵围攻之,一直到建武六年(30),城中粮尽被攻克,李宪逃亡被杀。余众退守霍山,攻杀安风令。扬州牧遣兵不能克,庐江人陈众单车白马往说而降之,霍山人为立生祠,号"白马陈从事"。

光武帝建武六年(30),定封坚镡为合肥侯,持续数代。

汉明帝永平元年(58),徙封刘般为居巢侯。

汉明帝永平六年(63)二月,王雒山出宝鼎,庐江太守献之。十一年,巢湖出黄金,庐江太守以献。

汉明帝永平十六年(73),分九江郡东部置阜陵国,徙封淮阳王刘延为阜陵王,后王五县,当包括阜陵、寿县、浚遒等地。

汉明帝时(57—75),阜陵县城沦为麻湖。

汉章帝建初八年(83),庐江太守王景修复郡界芍陂(涉及肥西、长丰一带),教用犁耕,由是垦辟倍多,境内丰给。遂铭石刻誓,令民知常禁。又训令蚕织,为作法制,皆著于乡亭,庐江传其文辞。卒于官。

汉章帝元和二年(85),改庐江为六安国,江陵复为南郡。徙江陵王恭为六安王。

汉顺帝永建七年(132),扬州六郡人民暴动。

汉顺帝永和三年(138),九江蔡伯流起义,攻广陵,杀江都长,徐州刺史诱降之。

汉顺帝永和六年(141),九江人范容、周生等起义,攻占历阳。

汉顺帝汉安元年(142),徐扬等州民变,攻城杀令守。

汉顺帝建康元年(144),扬州刺史尹耀、九江太守邓显击范容等,败死。十一月,九江徐凤起事称"无上将军"。十二月,九江人黄虎起义,攻合肥。

汉冲帝永熹元年(145),马勉、范容、周生等义军为九江都尉滕抚攻杀,庐江民变、历阳华孟起义,皆为滕抚击败。

汉灵帝熹平四年(175),九江蛮反,四府选卢植才兼文武,拜九江太守,蛮寇宾服。以疾去官。后南夷反叛,以植尝在九江有恩信,拜为庐江太守。

汉灵帝光和三年(180),庐江人黄穰起义,汇合江夏蛮,后为庐江太守陆康击败。

汉灵帝光和七年(184),张角等发动黄巾起义,青、徐、扬、兖、豫、冀、幽等八州太平道信徒同时响应,总数达30余万人。

灵帝末年,冀州刺史王芬等连结豪杰,谋废灵帝,欲立合肥侯,以告曹操,曹操拒之。

汉献帝初平四年(193),袁术为曹操所逐,走据淮南。

三国两晋南北朝时期(197—589)

汉献帝建安二年(197),袁术称帝于寿春,自署郡县。江淮间饥馑,民相食。术遣孙策攻庐江,太守陆康固守,吏士有先受休假者,皆遁伏还赴,暮夜缘城而入。围城二年,失陷,月余后陆康病死,宗族百余人,遭离饥厄,死者将半。

汉献帝建安四年(199),袁术困毙于寿春,结束其割据江淮的局面。

汉献帝建安五年(200),曹操表刘馥为扬州刺史。刘馥单马造合肥空城,建立州治,聚诸生,立学校,广屯田,兴治芍陂及(茹)陂、七门、吴塘诸堨以溉稻田,官民有畜。又高为城垒,多积木石,编作草苫数千万枚,益贮鱼膏数千斛,为战守备。数年中恩化大行,百姓乐其政,流民越江山而归者以万数。建安十三年(208)卒于任上。

汉献帝建安十三年(208)十二月,孙权率军围合肥。曹操为迎战孙吴,在谯郡建造轻便舟船,训练水军。第二年七月,曹操率领水军南下征讨孙权,由涡水到淮水,再经肥水,到达合肥。此后建安十七年(212)、十八年(213)、十九年(214)、二一至二二年(216—217),曹操又三次至合肥等地,所谓曹公"四越巢湖"是也。

建安十八年(213)正月,曹操攻濡须,权与相拒月余。曹操望权军,叹其齐肃,乃退。初,曹操恐江滨郡县为权所略,征令内移。民转相惊,自庐江、九江、蕲春、广陵户十余万皆东渡江,江西遂虚,合肥以南惟有皖城。

汉献帝建安二十年(215),孙权十万大军围合肥,魏将张辽率八百勇士,勇猛冲杀,大败吴军。后孙权撤退,张辽追击,几复获权,拜征东将军。建安二十一年(216),曹操复征孙权至合肥,循行辽战处,叹息者良久。乃增辽兵,多留诸军,徙屯居巢。

魏文帝曹丕黄初三年(222),魏遣军自合肥、柘皋等地,出击江西、历阳等攻吴,将吴势力挤压出江北。

魏明帝太和二年(228),魏两路伐吴,一路自汉水东下,一路由曹休统军自庐江南向合肥,并命豫州刺史满宠率军前往会合,满宠上书指出曹休进军路线不妥,但曹休因为敌人假降已匆忙出兵向寻阳,结果大败于石亭,不久病死。

魏明帝青龙元年(233),征东将军满宠上书,移城内之兵其西三十里新城。其时新城可能已经存在,满宠将军府当在这里,只是僚属与部分守军尚在老城,是以满宠上书有"而兵往救之甚难"。当年孙权即围新城,也说明新城已成,州县府当年已迁入新城。《吴书》记吴大帝黄龙二年(230)春正月,魏作合肥新城,或当然。

魏明帝青龙二年(234),孙权率大军进攻合肥新城,满宠拒退之。扬州刺史治所在此前后由合肥迁于寿春。

魏齐王嘉平元年（249），楚王曹彪国除为淮南郡，治合肥。

魏齐王嘉平四年（252），吴会稽王建兴元年，十月，诸葛恪以会众于东兴，更作大堤，左右结山，挟筑两城。十二月，吴大破魏军于东关。

魏齐王嘉平五年（253），诸葛恪围合肥新城，攻守连月不下。城中先后遣士刘整、郑像外出求援，都为恪军所俘，敌人要二人劝降城中，二人反而大骂之，敌以刀筑其口，使不得言，彼遂大呼："大军近在围外，壮士努力！"令城中闻知。后被处死。第二年魏追赐整、像为关中侯，各除士名，使子袭爵，如部曲将死事科。这是目前所知合肥最早的两位有气节的知识分子。

魏咸熙二年，晋武帝泰始元年，吴甘露元年（265年），司马昭去世，其子司马炎继立为晋王，旋逼魏帝禅位，是为晋武帝。巢湖以北、东北属于淮南郡，以南、以西、东南等属于庐江郡。

晋泰始二年，吴甘露二年、宝鼎元年（266），晋重申罢农官，民屯悉为郡县。晋武帝下劝农诏。以都督荆州的陈骞改都督扬州，镇寿春。

晋泰始四年，吴宝鼎三年（268），九月，西晋镇寿春扬州刺史石苞，为晋武帝猜忌，诣阙谒见。吴主出东关。十一月，吴将丁奉等出芍陂，安东将军汝阴王骏与义阳王望击走之。

晋泰始六年，吴建衡三年（271），正月，吴将丁奉入涡口，扬州刺史牵弘击走之。

晋咸宁元年，吴天册元年（275），晋武帝诏以邺奚官奴婢至合肥新城，代田兵种稻。

晋咸宁三年，吴天纪元年（277）秋七月，以都督豫州诸军事王浑为都督扬州诸军事。

晋咸宁四年，吴天纪二年（278），荆、扬郡国二十皆大水。晋都督扬州诸军事王浑遣将袭皖城（今潜山县），斩首五千级，践其稻田，焚其舟船。

晋咸宁五年，吴天纪三年（279）十一月，晋武帝诏令大举伐吴，五道并进。其中,镇军将军、琅邪王司马伷出涂中(滁河流域),安东将军王浑出横江(在今和县东南)。

晋咸宁六年、太康元年,吴天纪四年(280)三月,晋军攻克建业,吴国灭亡。晋徙吴国吏民于寿春。是岁,以司隶所统郡置司州,设州19个,郡国173个,共2459840户。

晋太康二年(281)春二月,自淮南郡(治寿春)至丹阳郡(治建邺)大地震,居巢可能此时沉入湖底,江、淮水道因此不通。

晋武帝太熙元年,惠帝永熙元年(290)四月,晋武帝去世,太子司马衷继位,是为惠帝。

晋惠帝永平元年、元康元年(291),晋皇室发生贾后专政,八王之乱开始。

晋惠帝元康四年(294)五月,淮南寿春洪水出,山崩地陷,坏城府及百姓庐舍。六月,寿春地大震,死者20余家。此次地震可能影响到江淮水道,使其不能再通航。

晋永宁元年(301)十二月,封司马超为淮南王。

晋太安二年(303),义阳蛮张昌率流民起义,别遣石冰攻陷扬州诸郡,进破江州,席卷安徽、江西、江苏。这年前后,庐江内史华谭讨平石冰党羽陆珪。

晋永兴元年(304)三月,陈敏攻石冰,斩之,扬、徐二州平。

晋光熙元年(306)十一月,晋惠帝去世。皇太弟司马炽继位,是为怀帝。东海王司马越专政。

晋怀帝永嘉元年(307),司马越以琅邪王司马睿为安东将军、都督扬州江南诸军事,移镇建邺(今南京市)。

晋永嘉五年(311)六月,汉将刘曜攻陷洛阳,俘获晋怀帝。中原吏民大批南迁。

晋永嘉七年,晋愍帝建兴元年(313)四月,晋宗室司马邺在长安即位,是为愍帝。是岁,祖逖自京口(今江苏镇江市)渡江北伐,进驻淮阴。

晋建兴四年(316),汉刘曜攻占长安,西晋灭亡。

晋元帝建武元年（317）三月，琅邪王司马睿在建康（晋避愍帝讳，改建邺为建康，今南京市）即晋王位，史称"东晋"。祖逖北伐进据谯城（今亳州市）、太丘（今河南永城县东北太丘集）。

晋建武二年，太兴元年（318）三月，晋愍帝死讯至，司马睿称帝，改元。

晋太兴二年（319），汉将、羯人石勒称王，建立后赵。

晋太兴四年（321），祖逖去世，弟祖约代领其兵，屯谯城。是年，司马睿在合肥侨置司州，以心腹戴渊为征西将军、司州刺史，镇守合肥，并都督司兖豫并冀雍六州诸军事。

晋元帝永昌元年（322），晋大将军王敦发动叛乱，司马睿以忧愤死，太子司马绍继位，是为明帝。后赵向黄河以南扩张，祖约自谯城退屯寿春，郗鉴退屯合肥。

晋明帝太宁元年（323），明帝畏王敦之逼，欲以郗鉴为外援，拜郗鉴兖州刺史，都督扬州江西诸军事，掌管扬州安徽境域的军权，镇合肥。冬，十一月，王敦徙王含为征东将军、都督扬州江西诸军事，扬州安徽境域的军权归王含统领。

晋太宁二年（324），明帝任王导为大都督与诸将平定王敦之叛。

晋太宁三年（325）闰八月，晋明帝去世。太子司马衍继位。年五岁，是为成帝。帝舅庾亮专权。

晋成帝咸和元年（326），后赵石聪进寇逡遒、阜陵，杀掠5000余人。

晋咸和二年（327），历阳太守苏峻、豫州刺史祖约发动叛乱。

晋咸和三年（328），苏峻率军自横江（在今和县东南）渡江，至建康。庾亮、温峤、陶侃联合平叛。庐江太守陶瞻战死。温峤推荐毛宝为庐江太守。毛宝解谯国内史桓宣马头山之围，进攻祖约军于东关，拔合肥戍。后赵将石聪等攻占寿春。祖约退据历阳。苏峻战死建康。

晋咸和四年（329）正月，晋将甘苗讨伐祖约，祖约败奔后赵。后赵设扬州淮南郡，州治与郡治均置于寿春。同年，东晋在江淮间侨立豫州。约此前后,东晋在合肥地区侨置汝阴及南谯等郡,隶豫州。

晋穆帝永和元年(345),东晋豫州刺史、苏峻降将路永叛逃后赵,后赵皇帝石虎使路永屯寿春。合肥约在此时归属后赵。

晋永和五年(349),后赵皇帝石虎死,后赵扬州刺史王浃降晋,东晋收复寿春。晋征北大将军褚裒北伐,进次彭城,旋败还。

晋永和六年(350),后赵石虎养子冉闵称帝,国号"大魏"。庐江太守袁真攻冉魏合肥,克之,虏其居民而还。

晋永和八年(352),晋遣中军将军殷浩北伐,进屯寿春。前燕慕容儁灭冉魏。

晋永和十年(354),殷浩以北伐失败被废为庶人。

晋升平三年(359),晋谢万、郗昙北伐。前燕攻占谯、沛等淮北地。

晋哀帝隆和元年(362),十二月,徐兖二州刺史庾希自下邳退镇山阳,豫州刺史袁真自汝南退镇寿春。

晋哀帝兴宁元年(363),前燕发动对东晋的全面攻势。

晋兴宁二年(364)二月,前燕太傅慕容评、龙骧将军李洪侵扰河南。四月,前燕李洪又进犯许昌、汝南,在悬瓠大败晋军,东晋颍川太守李福战死,陈郡太守朱辅退保彭城,汝南太守朱斌退至寿春。四月,桓温遣西中郎将袁真、江夏相刘岵等凿杨仪道以通运,自率舟师次于合肥。

晋兴宁三年(365)二月丙申,晋哀帝卒。帝母弟、琅邪王司马奕即位,是为海西公。三月,前燕将慕容恪攻占洛阳。

晋太和四年(369),晋大司马桓温出淮、泗北伐前燕,在后撤时,在襄邑遭前燕伏击,退至谯县又遭前秦追击,损失惨重。晋将袁真据寿春降燕。

晋太和六年,简文帝司马昱咸安元年(371),晋桓温攻占寿春,杀叛将袁真子袁瑾(此前袁真已病死)。

晋孝武帝宁康元年(373)七月,晋大司马、谯国龙亢人桓温卒。

晋宁康三年(375),淝水之战主将之一谯国铚县桓伊开始任豫州刺史，统领合肥地区军政。桓冲遣豫州刺史桓伊领军进发寿春，威逼前秦，以援救后凉。

晋孝武帝太元元年(376)正月，晋中书监、录尚书事谢安执政，"每镇以和静，御以长算"。十月，移淮北流民于淮南。是年，前秦灭掉了前凉和拓跋氏代国，完成北方统一。

晋太元二年(377)，谢玄任兖州刺史，镇广陵，以刘牢之为参军，组建北府兵。

晋太元八年(383)八月，前秦苻坚倾其全国之军进攻东晋。九月，晋命谢石、谢玄、桓伊等率军8万拒敌。十一月，秦、晋战于淝水，晋以少胜多，大败秦军。

晋太元十九年(394)六月，晋孝武帝追尊会稽王太妃郑氏(名阿春)为简文宣太后，改寿春为寿阳、春谷为阳谷(在今繁昌县西北)。至刘宋大明六年皆复旧名。

晋太元二十一年(396)九月庚申，晋孝武帝去世。太子司马德宗继位，是为安帝。

晋安帝隆安二年(398)七月，晋豫州刺史庾楷、荆州刺史殷仲堪、广州刺史桓玄举兵反。九月，谯王司马尚之大破庾楷于牛渚，旋即桓玄又大破官军于白石(胡三省注为巢县界)。

晋安帝元兴元年(402)桓玄率叛军自荆州东下，败王师于姑孰(今当涂县)，追杀谯王司马尚之。

晋元兴二年(403)十二月壬辰，桓玄在姑孰称帝建楚。

晋义熙六年(410)二月，刘裕灭南燕。十二月，刘裕在大雷(今望江县境)大破卢循、徐道覆农民军。

晋恭帝元熙二年，宋武帝永初元年，北魏泰常五年(420)六月丁卯，刘裕代晋，即皇帝位，是为宋武帝。

宋永初三年，北魏泰常七年(422)二月丁丑，宋武帝诏：置两豫州，淮西诸郡立为豫州，自淮以东为南豫州。

宋元嘉七年，北魏太武帝神麚三年(430)三月，宋右将军到彦之出淮泗北伐。十月，宋罢南豫州并豫州。十一月，魏军大举南下，到彦之自滑台退至彭城。十二月,以长沙王刘义欣为豫州刺史,镇寿阳(今寿县)。

宋元嘉十年,北魏延和二年(433),宋改封宗室刘义宣为南谯王(都怀宁县,今潜山县)。

宋元嘉十六年,北魏太延五年(439),宋复分豫州为豫州与南豫州。

宋元嘉十七年,北魏太延六年,太平真君元年(440)十一月,宋文帝诏申减逋债、州郡估税及市调。

宋元嘉二十二年,北魏太平真君六年(445),宋复合豫州与南豫州为豫州。

宋元嘉二十七年,北魏太平真君十一年(450)十月,魏太武帝拓跋焘大举攻宋,其西路拓跋仁部,攻下悬瓠、项城,进逼寿阳,南平王铄婴城固守。魏军移锋东向,与另一部长孙真部会合马头,趋历阳,出横江,进逼建康。

宋元嘉二十八年,北魏正平元年(451)正月,北魏撤至盱眙,又围攻盱眙三旬,至二月,杀尽俘虏人口北退而去。北魏这次南下,破南兖、徐、兖、豫、青、冀六州,杀伤不可胜计。同年冬,宋文帝令征北参军程天祚徙江西流民数千家于姑孰。

宋元嘉三十年,北魏兴安二年(453)正月,魏拓跋焘自瓜步北归。宋太子刘劭杀文帝。四月,文帝第三子、武陵王刘骏即位,是为孝武帝。六月,改封南谯王刘义宣为南郡王。

宋孝武帝孝建元年,北魏兴安二年,兴光元年(454)正月,宋豫州刺史鲁爽于寿阳举兵谋反。四月,宋将薛安都在小岘斩杀鲁爽。

宋大明三年,北魏太安五年(459),宋又分豫州为豫州与南豫州。

宋大明四年,北魏文成帝和平元年(460)正月,宋立第七皇子子顼为历阳王。

宋大明五年,北魏和平二年(461),宋割扬州之淮南、宣城属南豫州,徙治姑孰。闰九月,宋改封历阳王刘子顼为临海王。

宋大明六年,北魏和平三年(462)三月,宋改豫州南梁郡为淮南郡,侨置于皖南的淮南郡并于宣城郡。

宋大明七年,北魏和平四年(463)二月,宋孝武帝巡幸南豫、南兖二州,校猎于历阳之乌江。八月,立第十六皇子刘子孟为淮南王。十月,孝武帝又巡幸南豫州,校猎于姑孰。

宋大明八年,北魏和平五年(464)闰五月,宋孝武帝死,太子刘子业即位,是为前废帝。六月,以豫州之淮南郡复为南梁郡,复分宣城还置淮南郡。十二月,以王畿诸郡为扬州,还以扬州为东扬州(新安郡又属东扬州)。

宋前废帝永光元年、景和元年,明帝泰始元年,北魏和平六年(465)八月,罢东扬州并于扬州。湘东王、南豫州刺史刘彧谋杀前废帝,即位,是为明帝。改封晋熙王刘子舆为庐陵王。

宋泰始二年,北魏献文帝天安元年(466),"义嘉之难"起,四方藩王、方镇相继反叛,豫州刺史殷琰响应叛乱。二月,刘勔进军小岘,南汝阴太守裴季之不战而降。三月,宋军斩杀叛军庐江太守刘道蔚。七月,叛军薛道标袭击了合肥,斩杀裴季之。宋遣辅国将军垣闳领兵赴合肥,围攻薛道标。十月,宋攻取合肥,薛道标逃跑。十二月,宋刘勔攻占寿春。是年,宋又合豫州与南豫州为一,而以淮南、宣城还扬州。九月又分为两豫州,南豫州还治历阳。

宋泰始三年,北魏天安二年、皇兴元年(467)五月,宋又合两豫州为豫州。

宋泰始四年,北魏皇兴二年(468),以扬州之淮南、宣城为南豫州,治宣城。

宋泰始五年,北魏皇兴三年(469),宋"自淮以北,化为虏庭"。此后,宋在今合肥地区侨设有颍川、汝阳及南顿等郡。

宋泰始七年,北魏皇兴五年、孝文帝延兴元年(471),宋分历阳、淮阴、南谯、南兖州之临江立南豫州。

宋明帝泰豫元年,北魏延兴二年(472)四月,宋明帝死,太子刘昱即位,是为苍梧王(后废帝)。是年,宋以南汝阴郡度属豫州,豫州之庐江度属南豫州。

宋后废帝元徽元年,北魏延兴三年(473),宋割南兖州之钟离、豫州之马头,又分秦郡、梁郡、历阳置新昌郡,立徐州(治钟离)。

宋元徽五年、顺帝昇明元年,北魏孝文帝太和元年(477)七月,萧道成杀后废帝,立安成王刘准为帝,是为顺帝。

宋昇明三年,齐高帝建元元年,北魏太和三年(479)四月,宋顺帝禅位,萧道成即帝位,是为齐高帝。废杀宋晋熙王刘燮。

齐建元二年,北魏太和四年(480),魏军渡淮攻钟离、寿春,齐诸将击退之。齐省南豫州入豫州,南汝阴郡仍旧。

齐建元四年,北魏太和六年(482)三月,齐高帝去世,太子萧赜即位,是为齐武帝。

齐武帝永明四年,北魏太和十年(486)二月,齐帝封皇弟铄为晋熙王。是年,齐以庐江郡还属豫州。

齐永明七年,北魏太和十三年(489),齐仍以庐江属南豫州。

齐永明十一年,北魏太和十七年(493)七月,齐武帝去世。皇太孙萧昭业即位,是为郁林王。

齐郁林王隆昌元年、海陵王延兴元年、明帝建武元年,北魏太和十八年(494)七月,齐萧鸾杀郁林王,立新安王昭文为帝,是为海陵王。十月,萧鸾又废昭文,即帝位,是为明帝。

齐明帝建武二年,北魏太和十九年(495),魏帝督诸军渡淮进攻寿春、钟离,不克而还。

齐建武五年、永泰元年,北魏太和二十二年(498)七月,齐明帝去世。太子宝卷即位,是为东昏侯。

齐东昏侯永元二年,北魏宣武帝景明元年(500)二月,齐豫州刺史裴叔业投降北魏,寿春沦陷。魏以彭城王元勰为扬州刺史,镇寿春。三月,东昏侯遣平西将军崔慧景将水军进讨寿春,以豫州刺史萧懿将步军三万屯小岘,交州刺史李叔献屯合肥。北魏彭城王勰、王肃顺利击破水陆两路齐军,进而南下攻取合肥,生擒李叔献。

齐中兴二年,梁武帝天监元年,北魏景明三年(502),萧衍篡齐,改元天监,是为梁武帝。

梁天监二年,北魏景明四年(503),魏扬州(镇寿春)刺史元澄统南齐降将萧宝寅、陈伯之进攻梁淮南之地。

梁天监三年,北魏宣武帝正始元年(504),魏、梁在寿春、钟离征战,互有胜负。

梁天监四年,北魏正始二年(505),梁以临川王萧宏督诸军北伐,屯于洛口(今淮南市东)。梁将韦叡攻取合肥,萧梁将豫州州治迁往合肥。

梁天监五年,北魏正始三年(506),梁帅萧宏怯战,弃军自洛口逃还江南。

梁天监六年,北魏正始四年(507),魏中山王元英转攻钟离,军队增至数十万。梁将昌义之、曹景宗、韦叡等顽强抵抗,大破魏军。

梁天监十三年,北魏延昌三年(514),梁意欲堰淮水灌寿春,始于钟离东淮水上筑浮山堰。

梁天监十五年,北魏孝明帝熙平元年(516)九月丁丑,淮水暴涨,浮山堰溃决,缘淮城戍村落十余万口皆漂流入海。

梁普通二年,北魏正光二年(521)七月,梁遣将军裴邃北伐,大败魏军于檀公岘(在今金寨县西南)。梁以裴邃为豫州刺史,镇合肥。

梁普通六年,北魏正光六年、孝昌元年(525),萧梁豫州刺史裴邃率谯州刺史湛僧智、历阳太守明绍世、南谯太守鱼弘、晋熙太守张澄由南道攻寿春。裴邃旋卒,梁又以夏侯亶为豫州刺史。夏侯亶领梁军连胜北魏,"寻有密敕,班师合肥,以休士马"。

梁普通七年,北魏孝昌二年(526),梁将夏侯亶等攻克北魏扬州,复于寿春置豫州,合肥改为南豫州。夏侯亶任豫、南豫二州刺史,务农省役,数年后民户充复。

梁大同二年,东魏天平三年(536)十二月,梁与东魏通和。

梁中大同二年、太清元年,东魏武定五年(547)二月,东魏河南大行台侯景遣使降梁。梁封侯景为河南王。七月,梁以悬瓠城置豫州,寿春置南豫州,合肥置合州。十一月,东魏大将军慕容绍宗在寒山堰(在彭城西南)大破梁北伐军,俘虏梁宗室萧渊明。

梁太清二年，东魏武定六年（548）正月，东魏大败侯景于涡阳（今蒙城县）。侯景率残部退据寿春。八月，侯景据寿春叛梁。十月，侯景先后攻占南谯州（治今滁州市）、历阳（今和县），由横江渡江至采石，掩袭京师建康。

梁太清三年，东魏武定七年（549）正月，东魏乘侯景乱梁之机，先后占领钟离和寿春。三月，侯景攻陷台城。东魏进据淮阴。侯景以其将任约镇姑孰。五月，梁武帝死。太子萧纲继位，是为简文帝。七月，梁鄱阳王萧范出居东关，旋又屯兵濡须，将合肥拱手让给东魏李伯穆。是年，东魏占有了淮南大部分地区。

梁简文帝大宝元年，东魏武定八年，北齐文宣帝天保元年（550）四月，梁鄱阳王萧范改晋熙郡为晋州（治怀宁县，今潜山县）。

梁大宝二年，北齐天保二年（551）六月，侯景兵败巴陵，荀朗出自濡须堵截侯景，破其后军。八月，晋熙（今潜山县）人王僧振、郑宠起兵袭郡城，原东魏晋州刺史夏侯威生、仪同任延遁走。十月，侯景杀梁简文帝。十一月，侯景称帝，改国号"汉"。

梁元帝承圣元年，北齐天保三年（552）正月，北齐屡侵侯景边地，甲戌，侯景遣郭元建帅步军趣小岘，侯子鉴帅舟师向濡须，己卯，至合肥；齐人闭城不出，乃引还。三月，梁军大败侯景军于姑孰，并乘胜攻克建康。四月，侯景在东逃中，为其部将所杀。五月，北齐攻克历阳（今和县）。十一月，湘东王萧绎在江陵称帝，是为梁元帝。

梁承圣二年，北齐天保四年（553）九月，北齐郭元建在合肥整治水师两万余人，出濡须水，谋袭建康。十月，梁太尉王僧辩遣侯瑱、张彪、裴之横等筑垒于东关，备战郭元建。闰十月，齐、梁战于东关，齐师大败。

梁贞阳侯天成元年、敬帝绍泰元年，北齐天保六年（555）正月，北齐以梁元帝已死，遣将送贞阳侯萧渊明入梁为帝。三月，北齐攻克晋熙，置江州（治今潜山县）。北齐攻克东关。五月，梁大臣王僧辩迎立萧渊明为帝，是为贞阳侯。九月，陈霸先杀王僧辩，废贞阳侯。十月，立晋安王萧方智为帝，是为梁敬帝。

梁绍泰二年、太平元年，北齐天宝七年（556），北齐以合肥冲要，地在必争，以名臣封子绘为合州刺史，封子绘经营合肥，合肥众心遂安。北齐又遣大将萧轨等率领10万自栅口（在今无为县东南）渡江，占据芜湖，又北经丹阳县（今当涂县东北丹阳镇），攻入建康，旋齐军溃败。

梁太平二年，陈武帝永定元年，北齐天保八年（557）二月，梁将徐度出东关进攻北齐，进至合肥，焚烧齐船舰3000艘。十月，陈霸先篡梁为帝，改国号为"陈"，是为陈武帝。

陈永定三年，北齐天保十年（559）二月，陈将侯瑱率诸军自江入合州（治合肥），焚齐舟舰。十月，王琳听闻陈霸先死，奉萧庄进屯巢湖濡须口，出袭大雷（今望江），东下至栅口（在濡须口东）。侯瑱进屯芜湖，与王琳相持百余日，未决胜负。

陈文帝天嘉元年，北齐废帝乾明元年（560）二月，陈将侯瑱与梁残余势力王琳大战于芜湖，王琳败奔北齐。齐以王琳为扬州刺史，镇寿春。七月，陈帝诏，不问侨、旧，悉令着籍。

陈太建五年，北齐武平四年（573），陈遣吴明彻督诸将进攻北齐。四月，陈将鲁广达与齐军会战于大岘，大破北齐。五月，陈南谯太守徐槾又攻克庐江郡城。稍后，陈将任忠追逐高景安至东关，克其东西二城，又继续进拔北齐巢湖地区的蕲、谯二城。六月，黄法𣰰攻克合肥。十月，吴明彻攻拔寿春。

陈太建七年，北齐武平六年（575）三月，移谯州于新昌郡（治今滁州市），改合州之南南梁郡隶谯州。闰九月，吴明彻大破齐军于吕梁（今江苏铜山县东南吕梁集）。十月，陈宣帝封皇子叔文为晋熙王（都今潜山县）。

陈太建九年，北周武帝建德六年，北齐幼主承光元年（577）正月，北周攻占邺城，北齐灭亡。十月，陈遣吴明彻北伐，败周徐州总管梁士彦于吕梁。

陈太建十年，北周建德七年、宣政元年（578）二月，北周将王轨率领援军至彭城，大破陈军，吴明彻及将士3万人被俘。三月，陈遣将军淳于量、任忠等缘淮布防以御北周。十二月,合州庐江蛮田伯兴聚众攻枞阳,不久被官府镇压。

陈太建十一年,北周宣帝大成元年、静帝大象元年(579),北周进军淮南,取寿春,陈南、北兖、晋三州及盱眙、山阳、阳平、马头、秦、历阳、沛、北谯、南梁等郡民自拔还江南;周又取谯、北徐州。自是江北之地尽没于周。

陈太建十三年,隋文帝开皇元年(581)二月,周相国杨坚篡帝位,建立隋朝。三月,隋以将军贺若弼为吴州总管,镇广陵(今江苏扬州市),将军韩擒虎为庐江总管,镇庐江(今庐江县),筹划灭陈。

陈祯明二年,隋开皇八年(588)十月,隋置淮南行台省于寿春,以晋王杨广为行台尚书令,指挥各路大军攻陈。晋王杨广出六合(今江苏六合县)、庐州总管韩擒虎出庐江、吴州总管贺若弼出广陵渡江攻陈。

陈祯明三年,开皇九年(589)正月,隋各路大军攻克建康,陈朝灭亡,全国统一。

参考文献

一、古籍类

《尚书》,【M】清阮元校刻《十三经注疏》本,中华书局影印,1980年。

《诗经》,【M】清阮元校刻《十三经注疏》本,中华书局影印,1980年。

《礼记》,【M】清阮元校刻《十三经注疏》本,中华书局影印,1980年。

谷梁赤:《榖梁传》,【M】清阮元校刻《十三经注疏》本,中华书局影印,1980年。

公羊高:《公羊传》,【M】清阮元校刻《十三经注疏》本,中华书局影印,1980年。

《周礼》,【M】清阮元校刻《十三经注疏》本,中华书局影印,1980年。

左丘明:《国语》,【M】徐元诰集解,中华书局,2002年。

《逸周书》,【M】黄怀信等汇校集注,上海古籍出版社,2007年。

左丘明:《左传》,【M】杨伯峻《春秋左传注》本,中华书局,1990年。

老子:《老子》,【M】朱谦之校释,中华书局,1984年。

荀子:《荀子》,【M】王先谦集解,上海书店影印《诸子集成》本,1986年。

墨子:《墨子》,【M】孙诒让间诂,上海书店1986年影印《诸子集成》本。

韩非子:《韩非子》,【M】王先慎集释,上海书店1986年影印《诸子集成》本。

《战国策》,【M】诸祖庚集注汇考,江苏古籍出版社,1985年。

屈原:楚辞》,【M】洪兴祖章句补注,吉林人民出版社,1999年。

《山海经》,【M】袁珂校注,巴蜀书社,1993年。

管子:《管子》,【M】戴望校正,上海书店影印《诸子集成》本,1986年。

《尔雅》,【M】郝懿行义疏,《汉小学四种》本,巴蜀书社,2001年。

庄子:《庄子》,【M】郭庆藩集释,1986年上海书店影印《诸子集成》本。

吕不韦:《吕氏春秋》,【M】高诱注,上海书店1986年影印《诸子集成》本。

刘安:《淮南子》,【M】刘文典集解,安徽大学出版社、云南大学出版社,1999年。

刘向:《说苑》,【M】向宗鲁校正,中华书局《新编诸子集成》本,1987年。

郦道元:《水经注》,【M】陈桥驿校正本,中华书局,2007年。

《逸周书》,黄怀信等汇校集注,上海古籍出版社,2007年。

刘 向:《列女传》,【M】江苏古籍出版社,2003年。

司马迁:《史记》,【M】中华书局,1982年。

班 固:《汉书》,【M】中华书局,1962年。

范 晔:《后汉书》,【M】中华书局,1965年。

房玄龄等:《晋书》,【M】中华书局,1974年。

沈 约:《宋书》,【M】上海古籍出版社、上海书店,1986年。

萧子显:《南齐书》,【M】上海古籍出版社、上海书店,1986年。

姚思廉:《梁书》,【M】上海古籍出版社、上海书店,1986年。

姚思廉:《陈书》,【M】上海古籍出版社、上海书店,1986年。

魏　收:《魏书》,【M】上海古籍出版社、上海书店,1986年。
李百药:《北齐书》,【M】上海古籍出版社、上海书店,1986年。
令狐德棻等:《周书》,【M】上海古籍出版社、上海书店,1986年。
魏征等:《隋书》,【M】中华书局,1973年。
李延寿:《南史》,【M】上海古籍出版社、上海书店,1986年。
李延寿:《北史》,【M】上海古籍出版社、上海书店,1986年。
刘昫等:《旧唐书》,【M】中华书局,1975年。
司马光:《资治通鉴》,【M】胡三省注本,上海古籍出版社,1987年。
《世说新语》,【M】余嘉锡笺疏本,上海古籍出版社,1993年。
萧　统:《昭明文选》,【M】李善注本,京华出版社,2000年。
杜　佑:《通典》,【M】中华书局,1988年。
李吉甫:《元和郡县图志》,【M】中华书局,2008年。
虞世南《北堂书钞》,【M】中国书店1989年。
乐　史:《太平寰宇记》,【M】台湾文海出版社《宋代地理书》本。
李　昉:《太平广记》,【M】中华书局,1961年。
郑　樵:《通志》,【M】中华书局,1987年。
袁　康:《越绝书》,【M】上海古籍出版社,1985年。
许　慎:《说文解字》,【M】段玉裁注本,上海古籍出版社,1981年。
王先谦:《汉书补注》,【M】中华书局,1993年。
顾炎武:《日知录》,【M】黄汝成集释,岳麓书社,1994年。
顾祖禹:《读史方舆纪要》,【M】中华书局,2005年。
胡　渭:《禹贡锥指》,【M】上海古籍出版社,1996年。
蒋　骥:《山带阁注楚辞》,【M】上海古籍出版社,1958年。
应劭撰,陶宗仪辑:《汉官六种》,【M】中华书局,1990年。
《二十五史补编》,【M】开明书店,1936年。
《巢县志》,【M】黄山书社,2007年。
马承源:《上海博物馆藏战国楚竹书(二)》,【M】上海古籍出版社,2002年。

二、现当代学人著作与考古报告类

郭沫若:《甲骨文合集》,【M】中华书局,1979年。
郭沫若:《两周金文辞大系图录考释》,【M】科学出版社,1957年。
董作宾:《殷虚文字甲编》,【M】上海商务印书馆,1948年。
陈梦家:《殷虚卜辞综述》,【M】科学出版社,1956年。
徐中舒:《殷周金文集录》,【M】四川辞书出版社,1986年。
王国维:《观堂集林》,【M】中华书局,1959年。
童书业:《春秋左传研究》,【M】上海人民出版社,1983年。
钱　穆:《史记地名考》,【M】台湾三民书局,1984年。
徐旭生:《中国古史的传说时代》,【M】科学出版社,1960年。
陈怀荃:《黄牛集》,【M】安徽教育出版社,2000年。
李则纲:《安徽历史述要》(上、下),【M】安徽省地方志编纂委员会编印,1982年。
安徽省社会科学院历史所:《简明安徽通史》,【M】安徽人民出版社,1994年。
白寿彝:《中国通史》第2—5卷,【M】上海人民出版社,1994年。
田余庆:《东晋门阀政治》,【M】北京大学出版社,2005年。
王仲荦:《魏晋南北朝史》,【M】上海人民出版社,1979年。
葛剑雄:《中国流民史》(第二卷),【M】福建人民出版社,1997年。
胡阿祥:《六朝疆域与政区研究》,【M】学苑出版社,2005年。
徐旭生:《中国古史的传说时代》,【M】科学出版社,1960年。
饶宗颐《中国思想史新页》,【M】北京大学出版社,2000年。
刘文典:《刘文典全集》,【M】安徽大学出版社、云南大学出版社,1999年。
苏秉琦:《中国文明起源新探》,【M】三联书店,2000年。
何　浩:《楚灭国研究》,【M】武汉出版社,1989年。

王　迅：《东夷文化与淮夷文化研究》，【M】北京大学出版社，1994年。

陈梦家：《殷虚卜辞综述》，【M】科学出版社，1956年。

朱继平：《从淮夷族群到编户齐民》，【M】人民出版社，2011年。

李学勤：《〈李学勤学术文化随笔》，【M】中国青年出版社，1999年。

裘士京：《江南铜研究——中国古代青铜铜源的探索》，【M】黄山书社，2004年。

安徽省地方志编纂委员会：《安徽省志·建置沿革志》，【M】方志出版社，1999年。

董楚平：《吴越徐舒青铜器铭文集释》，【M】浙江古籍出版社，1992年。

何光岳：《东夷源流史》，【M】江西教育出版社，1990年。

后晓荣：《秦代政区地理》，【M】社会科学文献出版社，2009年。

周振鹤：《汉书地理志汇释》，【M】安徽教育出版社，2006年。

陈　伟：《楚"东国"地理研究》【M】，武汉大学出版社，1992年。

徐少华：《荆楚历史地理与考古探研》，【M】商务印书馆，2010年。

刘信芳：《包山楚简解诂》，【M】台湾艺文印书馆，2003年。

刘和惠：《楚文化的东渐》，【M】湖北教育出版社，1995年。

石　泉：《古代荆楚地理新探?? 续集》，【M】武汉大学出版社，2004年。

孙　淼：《夏商史稿》，【M】文物出版社，1987年。

顾颉刚、刘起釪：《尚书校释译论》，【M】中华书局，2005年。

谭其骧：《长水集》，【M】人民出版社，1987年。

谭其骧主编：《中国历史地图集》，【M】地图出版社，1982年。

谭其骧主编：《清人文集地理类汇编》（1—7辑），【M】浙江人民出版社，1986—1988年。

邹逸麟：《椿庐史地论稿》，【M】天津古籍出版社，2005年。

李晓杰：《东汉政区地理》，【M】山东教育出版社，1999年。

方岳林、巴兆祥：《江淮地区开发探源》，【M】江西教育出版社，1992年。

李修松：《先秦史探研》，【M】安徽大学出版，2006年。

吴良宝：《战国楚简地名辑证》，武汉大学出版社，2010年，第230—232页。

刘玉堂：《楚国经济史》，【M】湖北人民出版社，1996年。

陈秉新、李立芳：《出土夷族史料辑考》，【M】安徽大学出版社，2005年。

陆勤毅、李修松主编：《安徽通史·先秦卷》，【M】安徽人民出版社，2011年。

王鑫义、张子侠主编：《安徽通史》秦汉魏晋南北朝卷，【M】安徽人民出版社，2011年。

王子今：《秦汉区域文化研究》，【M】四川人民出版社，1998年。

《芍陂水利史论文集》【C】（1988年，内部印制）

合肥通史办：《秦汉魏晋时期的合肥史研究》，【C】黄山书社，2014年。

《周瑜文化学术研讨会文集》，【C】人民出版社，2014年。

安徽省博物馆：《寿县蔡侯墓出土遗物》，【M】科学出版社，1965年。

安徽省地方志编纂委员会编：《安徽省志·文物志》，【M】方志出版社，1998年。

中国社科院考古研究所：《中国考古学·两周卷》，【M】中国社会科学出版社，2004年。

《新中国考古五十年》，【M】文物出版社，1999年。

《文物考古工作十年（1979—1989）》，【M】文物出版社，1989年。

安徽省文物考古研究所：《凌家滩》，【R】文物出版社，2006年。

陆勤毅：《皖南商周青铜器》，【M】文物出版社，2006年。

陆勤毅、宫希成：《安徽江淮地区商周青铜器》，【M】文物出版社，2014年。

宫希成:《杭埠河中游区域系统调查报告》,【R】文物出版社,2012年。

阚绪杭:《钟离君柏墓》,【R】文物出版社,2013年。

李德文:《巢湖汉墓》,【R】文物出版社,2007年。

王　峰:《庐江汉墓》,【R】科学出版社,2013年。

钱玉春:《巢湖文明的记忆》,【M】黄山书社,2012年。

张永新:《庐西文物》,【M】安徽人民出版社,2011年。

湖北省荆沙铁路考古队:《包山楚简》,【R】文物出版社,1991年。

安徽省博物馆:《安徽新石器时代遗址的调查》,【J】《考古学报》1957年第1期。

程如峰:《合肥近年征集的青铜器》,【J】《安徽文博》1981年第2期。

安徽省博物馆筹备处清理小组:《合肥西郊乌龟墩古墓清理简报》,【J】《文物参考资料》1956年第2期。

安徽省文物考古研究所:《合肥市三国新城遗址的勘探和发掘》,【J】《考古》2008年第12期。

宫希成:《合肥市烟大古堆商周时期遗址》,《中国考古学年鉴》2003年,文物出版社。

安徽省文物考古研究所:《安徽肥西塘岗遗址发掘》,【J】《东南文化》2007年第1期。

安徽省文物考古研究所、庐江县文物管理所:《庐江大神墩遗址发掘简报》,【J】《江汉考古》2006年第2期。

安徽省博物馆:《遵循毛主席的指示,做好文物博物馆工作》,【J】《文物》1978年第8期。

安徽省文物工作队:《安徽肥西县金牛春秋墓》,【J】《考古》1984年第9期。

马道阔:《安徽省庐江县出土春秋青铜器——兼谈南淮夷文化》,【J】《东南文化》1990年第1、2合期。

王　湘:《安徽寿县史前遗址调查报告》,【J】《中国考古学报》

1947年第2期。

朔　知:《巢湖流域新石器时代至东周时期遗址》,【J】《中国考古学年鉴2006年》,文物出版社,2007年。

钱玉春:《巢湖市唐嘴水下遗址调查报告》,【J】《巢湖学院学报》2006年第1期。

三、主要文集与杂志类

安徽省文物考古研究所:《文物研究》(1—21辑)。

楚文化研究会:《楚文化研究论集》(1—10集)。

安徽省博物馆:《安徽文博》(1—4辑)。

刘玉堂主编:《楚学论丛》(1—4辑)。

《安徽史学》《江淮论坛》《安徽师范大学学报》《安徽大学学报》《合肥学院学报》《巢湖学院学报》《史学月刊》《江汉考古》《东南文化》《文物》《考古》

后　记

　　本卷由陈立柱、周崇云提出初步的撰写大纲,交由顾问陆勤毅、宫希成及本卷作者集体讨论。2013年3月,合肥通史学术委员会审议通过。之后,撰写过程中又有不少调整。

　　本卷在准备资料阶段,先后到合肥地区多个县市进行资料的搜集调查工作,得到合肥市文物处程红处长、钱玉春副处长,肥西县文管所席为群所长,肥东县文管所彭余江所长,长丰县文管所赵玲所长,巢湖市博物馆胡卫国馆长,庐江县文物局杨壁玉局长等的大力支持与协助,合肥市文物处的孙莹、徐凤芹也为本书的资料搜集做了一些工作,在此表示衷心的谢意。

　　本卷撰写:绪论,陈立柱;第一章第一、二节,周崇云、夏颖,第三节陈立柱;第二章第一节第一、二、三目,第二节第一目,陈立柱,第一节第四目、第二节第二目,朱华东;第三章第一节第一、二目,第二节第一目,陈立柱,第一节第三目朱华东、叶舒然,第二节二、三目,朱华东;第四章,陈立柱;第五章,汪炜、陈希红、陈立柱;第六章,陈立柱、汪炜;第七章,周怀宇、陈立柱;第八章,金仁义;第九章,金仁义、陈希红、汪炜、朱华东、陈立柱;大事年表、参考文献,陈立柱、金仁义。

　　初稿完成后,主编陈立柱通读全书并统稿,交学术委员会诸位先生提出修改意见与建议,然后各章作者据以修改。二次送审后,作者进行了再修改。之后,陈立柱对部分章节内容进行调整、修改、补写甚至重写,再交通史学术委员会主任陆勤毅先生审阅指正。整个写作过程中,卜宪群、陆勤毅等通史学术委员会、通史办公室的先生们以及外审专家,提出了许多指导性意见与建议,也就一些具体问题商权校改,可以说对于本书补正良多,在此一并表示感谢。

  本书作者之前虽然研究过一些古史,但是对于合肥地区的历史未做过专门的研究工作,尤其是汉魏南北朝时期合肥的历史,过去很少涉及。所以接受任务后,收集资料并加以研究成为我们几年来工作的重点。虽然努力作为,但是深知历史研究需要长期积累,短时间内写出数千百年早期合肥的历史,对于我们来说是有困难的。好在通史学术委员会的支持与督查,尤其是学术委员会主任陆勤毅先生的经常指点与帮助,使我们勉力完成了任务。虽然如此,限于能力与水平,本书一定存在着一些错误与不足,欢迎读者批评指正,以便于以后修订再版。

  最后,对于合肥通史办公室秘书贾猛主任经常的督促,安徽人民出版社编辑黄牧远女士,编辑过程中改正不少错误,亦表谢意。

陈立柱 周崇云